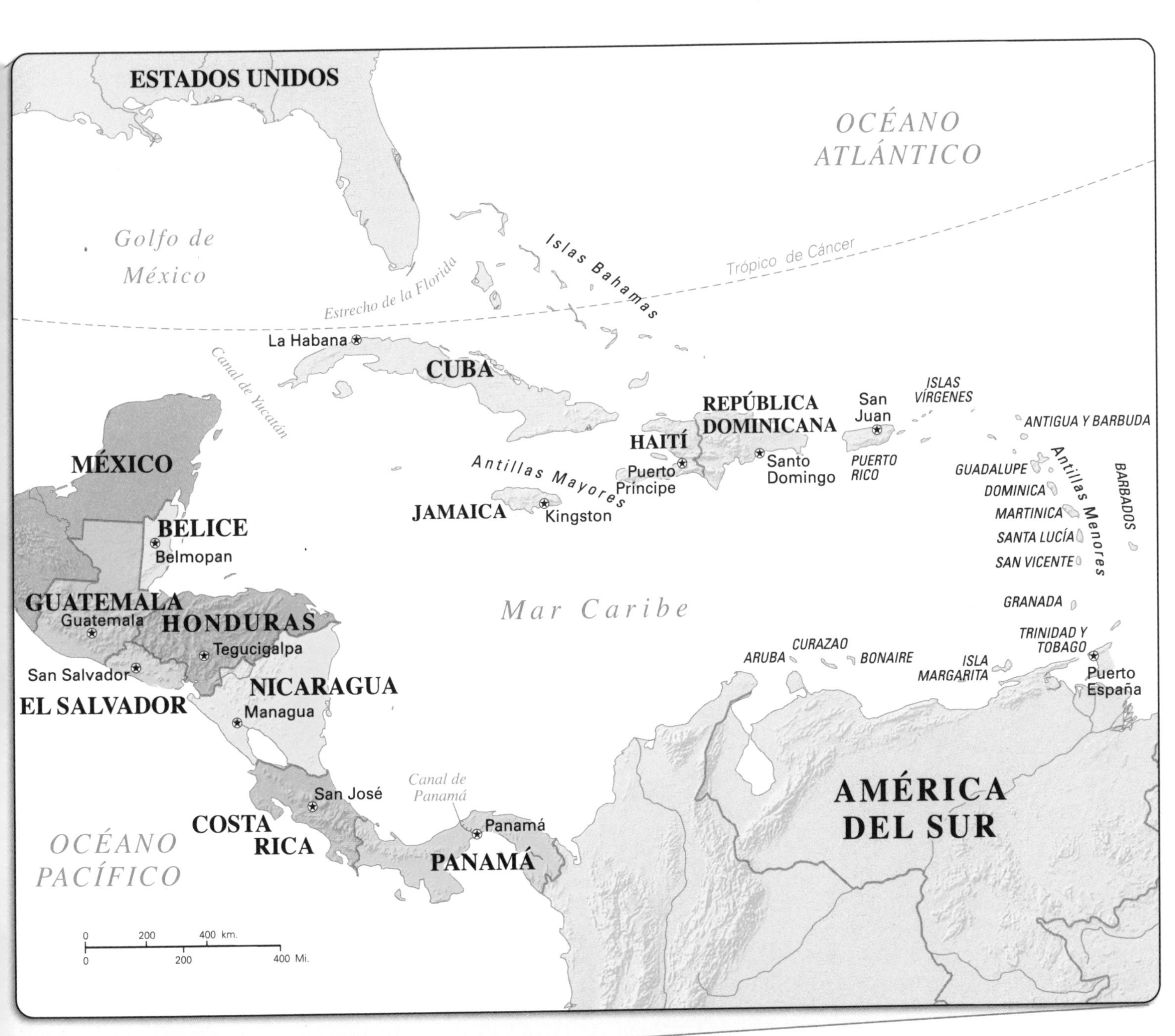
ESTADOS UNIDOS
OCÉANO ATLÁNTICO
Golfo de México
Estrecho de la Florida
Islas Bahamas
Trópico de Cáncer
La Habana
CUBA
Canal de Yucatán
MÉXICO
REPÚBLICA DOMINICANA
HAITÍ
Puerto Príncipe
Santo Domingo
San Juan
PUERTO RICO
ISLAS VÍRGENES
ANTIGUA Y BARBUDA
GUADALUPE
DOMINICA
MARTINICA
SANTA LUCÍA
SAN VICENTE
BARBADOS
Antillas Menores
GRANADA
TRINIDAD Y TOBAGO
Puerto España
Antillas Mayores
JAMAICA
Kingston
BELICE
Belmopan
GUATEMALA
Guatemala
HONDURAS
Tegucigalpa
San Salvador
EL SALVADOR
NICARAGUA
Managua
Mar Caribe
ARUBA
CURAZAO
BONAIRE
ISLA MARGARITA
AMÉRICA DEL SUR
Canal de Panamá
San José
COSTA RICA
Panamá
PANAMÁ
OCÉANO PACÍFICO
0 200 400 km.
0 200 400 Mi.

¡Hola, amigos!

Fourth Canadian Edition

Fourth Canadian Edition

Ana C. Jarvis
Chandler-Gilbert Community College

Raquel Lebredo
California Baptist University, Emerita

Francisco Mena-Ayllón
University of Redlands, Emeritus

Mercedes Rowinsky-Geurts
Wilfrid Laurier University

Rosa L. Stewart
University of Victoria

NELSON

NELSON

¡Hola, amigos!, Fourth Canadian Edition

by Ana C. Jarvis, Raquel Lebredo, Francisco Mena-Ayllón, Mercedes Rowinsky-Geurts, and Rosa L. Stewart

VP, Product Solutions, K–20:
Claudine O'Donnell

Director, Qualitative Publishing:
Jackie Wood

Publisher:
Carmen Yu

Product Marketing Manager:
Margaret Sulc

Content Manager:
Theresa Fitzgerald

Technical Reviewer:
Dolores Gambroudes

Photo and Permissions Researcher:
Jessica Freedman

Senior Production Project Manager:
Natalia Denesiuk Harris

Production Service:
Lumina Datamatics, Inc.

Copy Editor:
Lumina Datamatics, Inc.

Proofreader:
Lumina Datamatics, Inc.

Indexer:
Lumina Datamatics, Inc.

Design Director:
Ken Phipps

Post-secondary Design PM:
Pamela Johnston

Interior Design Revisions:
Cathryn Mayer

Cover Design:
Courtney Hellam

Cover Image:
Maria Nelasova/Shutterstock

Compositor:
Lumina Datamatics, Inc.

Printed and bound in Canada
1 2 3 4 22 21 20 19

For more information contact
Nelson Education Ltd., 1120 Birchmount Road, Toronto, Ontario, M1K 5G4. Or you can visit our Internet site at nelson.com

Library and Archives Canada Cataloguing in Publication

Title: ¡Hola, amigos! / Ana C. Jarvis, Chandler Gilbert Community College, Raquel Lebredo, California Baptist University, Emerita, Francisco Mena-Ayllón, University of Redlands, Emeritus, Mercedes Rowinsky-Geurts, Wilfrid Laurier University, Rosa L. Stewart, University of Victoria.

Names: Jarvis, Ana C., author. | Lebredo, Raquel, author. | Mena-Ayllón, Francisco, author. | Rowinsky-Geurts, Mercedes, author. | Stewart, Rosa L., author.

Description: Fourth Canadian edition. | Includes index. | Text in English and Spanish.

Identifiers: Canadiana (print) 20190104945 | Canadiana (ebook) 20190104953 | ISBN 9780176871802 (hardcover) | ISBN 9780176898755 (PDF)

Subjects: CSH: Spanish language—Textbooks for second language learners—English speakers. LCSH: Spanish language—Grammar.

Classification: LCC PC4129.E5 H64 2020 | DDC 468.2/421—dc23

ISBN-13: 978-0-17-687180-2
ISBN-10: 0-17-687180-2

BRIEF CONTENTS

SCOPE AND SEQUENCE

		VOCABULARIO	PARA PRACTICAR EL VOCABULARIO
UNIDAD 1 LOS ESTUDIANTES UNIVERSITARIOS pp. 4–59	**LECCIÓN 1** **¡En la universidad!**	**pp. 8–9** *Sustantivos* *Adjetivos* *Expresiones de cortesía* *Preguntas y respuestas útiles* *Otras palabras y expresiones* *Vocabulario para la clase* **DE PAÍS A PAÍS**	**pp. 10–11** A. Los estudiantes B. Yo soy el anfitrión (la anfitriona) C. ¿Qué necesitamos? D. ¿Qué necesitas? E. ¿Qué hay en la clase? **PRONUNCIACIÓN:** *Las vocales*
	LECCIÓN 2 **Estudiantes y profesores**	**pp. 30–31** *Cognados* *Sustantivos* *Verbos* *Adjetivos* *Preguntas y respuestas* *Otras palabras y expresiones* *Más asignaturas* *Para pedir bebidas* **DE PAÍS A PAÍS**	**pp. 32–33** A. Palabras y más palabras B. En la universidad C. ¿Qué deciden? D. ¿Qué clases necesito? **PRONUNCIACIÓN:** *Linking*
UNIDAD 2 LA VIDA SOCIAL pp. 60–111	**LECCIÓN 3** **En casa**	**pp. 64–65** *Cognados* *Sustantivos* *Verbos* *Otras palabras y expresiones* *Aparatos electrodomésticos y batería de cocina* **DE PAÍS A PAÍS**	**pp. 66–67** A. En casa B. ¿Qué debes hacer? C. ¿Qué necesitas? D. Los trabajos de la casa E. ¡Mucho trabajo! **PRONUNCIACIÓN:** *Las consonantes* (consonants) b, v
	LECCIÓN 4 **Una celebración**	**pp. 88–89** *Cognados* *Sustantivos* *Verbos* *Adjetivos* *Otras palabras y expresiones* *Todos nosotros* **DE PAÍS A PAÍS**	**pp. 90–91** A. Preguntas y respuestas B. Planes para la fiesta C. Una fiesta de cumpleaños D. Los parientes E. De mi álbum de fotos **PRONUNCIACIÓN:** *La consonante* c

PUNTOS PARA RECORDAR	ENTRE NOSOTROS	ASÍ SOMOS	
pp. 12–23 1. Gender and number of nouns (p. 12) 2. Definite and indefinite articles (p. 13) 3. Subject pronouns (p. 16) 4. Present indicative of *ser* (p. 17) 5. *¿Qué?* and *¿cuál?* used with *ser* (p. 19) 6. Forms of adjectives and agreement of articles, nouns, and adjectives (p. 19) 7. Numbers 0 to 40 (p. 22)	**pp. 24–25** **¡CONVERSEMOS!** **PARA ESCRIBIR:** *Un correo electrónico* *Situaciones* **UN DICHO**	**pp. 26–27** **VAMOS A ESCUCHAR:** *María Luisa Rojas y Enrique Vera Acosta* **VAMOS A LEER:** *Estudiantes hispanos en la Universidad de Calgary*	**pp. 54–55** **EL MUNDO HISPÁNICO:** **La cultura hispana en Canadá**
pp. 34–49 1. Present indicative of *-ar* verbs (p. 34) 2. Interrogative and negative sentences (p. 36) 3. Possessive adjectives (p. 39) 4. Gender of nouns, part II (p. 41) 5. Numbers 41 to 200 (p. 42) 6. Telling time (p. 44) 7. Days of the week and months and seasons of the year (p. 47)	**pp. 50–51** **¡CONVERSEMOS!** **PARA ESCRIBIR:** *Tu horario* **ACTIVE LEARNING ACTIVITY:** *Bingo!*	**pp. 52–53** **VAMOS A VER:** *Dos amigos*	**TOMA ESTE EXAMEN:** **LECCIÓN PRELIMINAR Y LECCIÓN 1** **pp. 56–57** **LECCIÓN 2** **pp. 58–59**
pp. 68–81 1. Present indicative of *-er* and *-ir* verbs (p. 68) 2. Possession with *de* (p. 70) 3. Present indicative of *tener* and *venir* (p. 72) 4. Expressions with *tener* (p. 74) 5. Demonstrative adjectives and pronouns (p. 76) 6. Numbers from 300 to 2,000,000 (p. 79)	**pp. 82–83** **¡CONVERSEMOS!** **PARA ESCRIBIR:** *El fin de semana* **UN DICHO**	**pp. 84–85** **VAMOS A ESCUCHAR:** *¿Qué hacemos hoy?* **VAMOS A LEER:** *Una nota de mamá*	**pp. 104–107** **EL MUNDO HISPÁNICO:** **El Salvador** **Guatemala** **Honduras** **México**
pp. 92–99 1. Verbs with irregular first-person forms (p. 92) 2. *Saber* vs. *conocer* (p. 93) 3. Personal *a* (p. 94) 4. Contractions: *al* and *del* (p. 95) 5. Present indicative of *ir*, *dar*, and *estar* (p. 97) 6. *Ir a* + infinitive (p. 98)	**pp. 100–101** **¡CONVERSEMOS!** **PARA ESCRIBIR:** *Una invitación electrónica* **ACTIVE LEARNING ACTIVITY:** *A Birthday Party!*	**pp. 102–103** **VAMOS A VER:** *¡Qué sorpresa!*	**TOMA ESTE EXAMEN:** **LECCIÓN 3** **pp. 108–109** **LECCIÓN 4** **pp. 110–111**

SCOPE AND SEQUENCE

		VOCABULARIO	PARA PRACTICAR EL VOCABULARIO
UNIDAD 3 ¿QUÉ COMEMOS HOY? pp. 112–165 	**LECCIÓN 5** **En un restaurante**	**pp. 116–117** *Cognados* *Sustantivos* *Verbos* *Adjetivos* *Otras palabras y expresiones* *Para poner la mesa* **DE PAÍS A PAÍS**	**pp. 118–119** A. En el restaurante B. Preguntas y respuestas C. Para poner la mesa D. Deseo... **PRONUNCIACIÓN:** *Las consonantes* g, j, h
	LECCIÓN 6 **En el mercado**	**pp. 138–139** *Cognados* *Sustantivos* *Verbos* *Adjetivos* *Otras palabras y expresiones* *Más comestibles* **DE PAÍS A PAÍS**	**pp. 140–141** A. ¿Qué es? B. Preguntas y respuestas C. Preguntas... D. ¿Qué comen? E. En el supermercado F. La lista de Maribel **PRONUNCIACIÓN:** *Las consonantes* ll, ñ
UNIDAD 4 PARA DIVERTIRSE pp. 166–221 	**LECCIÓN 7** **Un fin de semana**	**pp. 170–171** *Cognados* *Sustantivos* *Verbos* *Adjetivos* *Otras palabras y expresiones* *Para invitar a alguien a salir* *Partes del cuerpo* **DE PAÍS A PAÍS**	**pp. 172–173** A. Preguntas y respuestas B. Todos se divierten C. ¿Adónde vamos...? D. ¿Quieres ir...? E. ¿Qué sabes de anatomía? **PRONUNCIACIÓN:** *Las consonantes* l, r, rr
	LECCIÓN 8 **Las actividades al aire libre**	**pp. 194–195** *Cognados* *Sustantivos* *Verbos* *Adjetivos* *Otras palabras y expresiones* *Más sobre las actividades al aire libre* **DE PAÍS A PAÍS**	**pp. 196–197** A. Preguntas y respuestas B. ¿Lógico o ilógico? C. Palabras y más palabras D. Planes para un fin de semana E. En la playa **PRONUNCIACIÓN:** *Pronunciation in context*

PUNTOS PARA RECORDAR	ENTRE NOSOTROS	ASÍ SOMOS	
pp. 120–131 1. Present progressive (p. 120) 2. Uses of *ser* and *estar* (p. 122) 3. Stem-changing verbs: *e* > *ie* (p. 125) 4. Comparative and superlative adjectives, adverbs, and nouns (p. 127) 5. Pronouns as objects of prepositions (p. 130)	**pp. 132–133** **¡CONVERSEMOS!** **PARA ESCRIBIR:** *En un restaurante* **UN DICHO**	**pp. 134–135** **VAMOS A ESCUCHAR:** *Teresa y Mario* **VAMOS A LEER:** *Restaurante Miramar*	**pp. 158–161** **EL MUNDO HISPÁNICO:** **Colombia** **Nicaragua** **Costa Rica** **Panamá**
pp. 142–153 1. Stem-changing verbs: *o* > *ue* (p. 142) 2. Stem-changing verbs: *e* > *i* (p. 144) 3. Direct object pronouns (p. 145) 4. Affirmative and negative expressions (p. 149) 5. *Hace… que* (p. 151)	**pp. 154–155** **¡CONVERSEMOS!** **PARA ESCRIBIR:** *Un invitado importante* **ACTIVE LEARNING ACTIVITY:** *Your Shop*	**pp. 156–157** **VAMOS A VER:** *Marisa en la cocina*	**TOMA ESTE EXAMEN:** **LECCIÓN 5** **pp. 162–163** **LECCIÓN 6** **pp. 164–165**
pp. 174–187 1. Reflexive constructions (p. 174) 2. Indirect object pronouns (p. 177) Rodeo: Summary of the Pronouns (p. 180) 3. The verb *gustar* (p. 181) 4. Preterite of regular verbs (p. 184) 5. Preterite of *ser, ir, dar,* and *ver* (p. 186)	**pp. 188–189** **¡CONVERSEMOS!** **PARA ESCRIBIR:** *Un día típico* **UN DICHO**	**pp. 190–191** **VAMOS A ESCUCHAR:** *Planes* **VAMOS A LEER:** *El blog de Andrés*	**pp. 214–217** **EL MUNDO HISPÁNICO:** **Cuba** **La República Dominicana** **Puerto Rico** **Venezuela**
pp. 198–209 1. Preterite of some irregular verbs (p. 198) 2. Direct and indirect object pronouns used together (p. 200) 3. Stem-changing verbs in the preterite (p. 203) 4. The imperfect tense (p. 205) 5. Formation of adverbs (p. 208)	**pp. 210–211** **¡CONVERSEMOS!** **PARA ESCRIBIR:** *De vacaciones* **ACTIVE LEARNING ACTIVITY:** *Un fin de semana especial*	**pp. 212–213** **VAMOS A VER:** *Recuerdos*	**TOMA ESTE EXAMEN:** **LECCIÓN 7** **pp. 218–219** **LECCIÓN 8** **pp. 220–221**

SCOPE AND SEQUENCE

		VOCABULARIO	PARA PRACTICAR EL VOCABULARIO
UNIDAD 5 ¿QUÉ HACEMOS HOY? pp. 222–277	**LECCIÓN 9** **De compras**	**pp. 226–227** *Cognados* *Sustantivos* *Verbos* *Adjetivos* *Otras palabras y expresiones* *Más ropa* *El tiempo* **DE PAÍS A PAÍS**	**pp. 228–229** A. En la tienda y en la zapatería B. ¿Qué se ponen? C. El fin de semana de Elena y Gustavo D. Confusiones E. Hablando del tiempo **PRONUNCIACIÓN:** *Pronunciation in context*
	LECCIÓN 10 **Buscando trabajo**	**pp. 248–249** *Cognados* *Sustantivos* *Verbos* *Adjetivos* *Otras palabras y expresiones* *En la oficina* *Un poco de tecnología* **DE PAÍS A PAÍS**	**pp. 250–251** A. Preguntas y respuestas B. Rubén y Eva hacen diligencias C. ¿Qué necesito o qué tengo que hacer? D. ¿Qué necesitas hacer? **PRONUNCIACIÓN:** *Pronunciation in context*
UNIDAD 6 DE VACACIONES pp. 278–335	**LECCIÓN 11** **¡Buen viaje!**	**pp. 282–283** *Cognados* *Sustantivos* *Verbos* *Adjetivos* *Otras palabras y expresiones* *Más sobre los viajes* **DE PAÍS A PAÍS**	**pp. 284–285** A. Preguntas y respuestas B. ¿Qué hago? ¿Adónde voy? C. Definiciones D. En la agencia de viajes E. La llamada telefónica **PRONUNCIACIÓN:** *Pronunciation in context*
	LECCIÓN 12 **¿Dónde nos hospedamos?**	**pp. 306–307** *Cognados* *Sustantivos* *Verbos* *Adjetivos* *Otras palabras y expresiones* *Más sobre los hoteles* **DE PAÍS A PAÍS**	**pp. 308–309** A. Palabras B. Preguntas y respuestas C. Oraciones incompletas D. En el hotel E. Para conversar **PRONUNCIACIÓN:** *Pronunciation in context*

SCOPE AND SEQUENCE

PUNTOS PARA RECORDAR	ENTRE NOSOTROS	ASÍ SOMOS	
pp. 230–241 1. Some uses of *por* and *para* (p. 230) 2. Weather expressions (p. 232) 3. The preterite contrasted with the imperfect (p. 234) 4. *Hace...* meaning *ago* (p. 237) 5. Possessive pronouns (p. 239)	**pp. 242–243** **¡CONVERSEMOS!** **PARA ESCRIBIR:** *¿Cómo eras tú?* **UN DICHO**	**pp. 244–245** **VAMOS A ESCUCHAR:** *En la tienda* **VAMOS A LEER:** *El blog de Leonor*	**pp. 270–273** **EL MUNDO HISPÁNICO:** **Bolivia** **Paraguay** **Ecuador** **Perú**
pp. 252–265 1. Past participles (p. 252) 2. Present perfect tense (p. 254) 3. Past perfect (pluperfect) tense (p. 256) 4. Introduction to the subjunctive mood (p. 258) 5. Subjunctive with verbs of volition (p. 260) 6. Subjunctive with verbs of emotion (p. 263)	**pp. 266–267** **¡CONVERSEMOS!** **PARA ESCRIBIR:** *Tu trabajo favorito* **ACTIVE LEARNING ACTIVITY:** *Un trabajo para el verano*	**pp. 268–269** **VAMOS A VER:** *Un día funesto*	**TOMA ESTE EXAMEN:** **LECCIÓN 9** **pp. 274–275** **LECCIÓN 10** **pp. 276–277**
pp. 286–299 1. Subjunctive to express doubt, denial, and disbelief (p. 286) 2. Some uses of the prepositions *a, de,* and *en* (p. 292) 3. Formal commands: *Ud.* and *Uds.* (p. 295) 4. First-person plural commands (p. 298)	**pp. 300–301** **¡CONVERSEMOS!** **PARA ESCRIBIR:** *Un viaje especial* **UN DICHO**	**pp. 302–303** **VAMOS A ESCUCHAR:** *Arturo y Vicente planean sus vacaciones* **VAMOS A LEER:** *El blog de unos estudiantes canadienses*	**pp. 328–331** **EL MUNDO HISPÁNICO:** **Uruguay** **Chile** **Argentina** **España**
pp. 310–323 1. Subjunctive to express indefiniteness and nonexistence (p. 310) 2. Familiar commands (p. 312) Rodeo: Summary of the Command Forms (p. 315) 3. Verbs and prepositions (p. 315) 4. Ordinal numbers (p. 317) 5. Future tense (p. 318) 6. Conditional tense (p. 320) Rodeo: Summary of the Tenses of the Indicative (p. 323)	**pp. 324–325** **¡CONVERSEMOS!** **PARA ESCRIBIR:** *En un hotel* **ACTIVE LEARNING ACTIVITY:** *Viajando por el mundo*	**pp. 326–327** **VAMOS A VER:** *¡Suban al avión!*	**TOMA ESTE EXAMEN:** **LECCIÓN 11** **pp. 332–333** **LECCIÓN 12** **pp. 334–335**

SCOPE AND SEQUENCE

¡HOLA, AMIGOS! TAKES STUDENTS FROM PRACTICE TO COMMUNICATION.

UNIDAD 3

¿QUÉ COMEMOS HOY?

LECCIÓN 5
EN UN RESTAURANTE

OBJETIVOS
- Order meals at cafes and restaurants
- Request and pay your bill
- Talk about what is going on
- Describe people and things
- Make comparisons

LECCIÓN 6
EN EL MERCADO

OBJETIVOS
- Shop for groceries in supermarkets and specialty stores
- Avoid repetition by using pronouns
- Contradict what someone else is saying
- Talk about how long something has been going on

LA COMIDA EN EL MUNDO HISPANO

La comida es un aspecto muy importante de la vida en los países hispanos. Cada país tiene sus platos típicos. Algunos son muy simples y otros son más complicados *(complicated)*, pero todos son muy sabrosos.

1. Mujer palenquera de Cartagena, Colombia
2. Restaurante en Nicaragua
3. Un puesto de fruta en el mercado municipal en Cartago, a unos 25 kilómetros al sur de San José, Costa Rica
4. Mercado de pescado y mariscos en la ciudad de Panamá, Panamá

113

Provides focus for student learning. Each unit opens with a two-page spread that introduces the themes and cultures featured in that unit and provides an overview of the communicative goals for the unit.

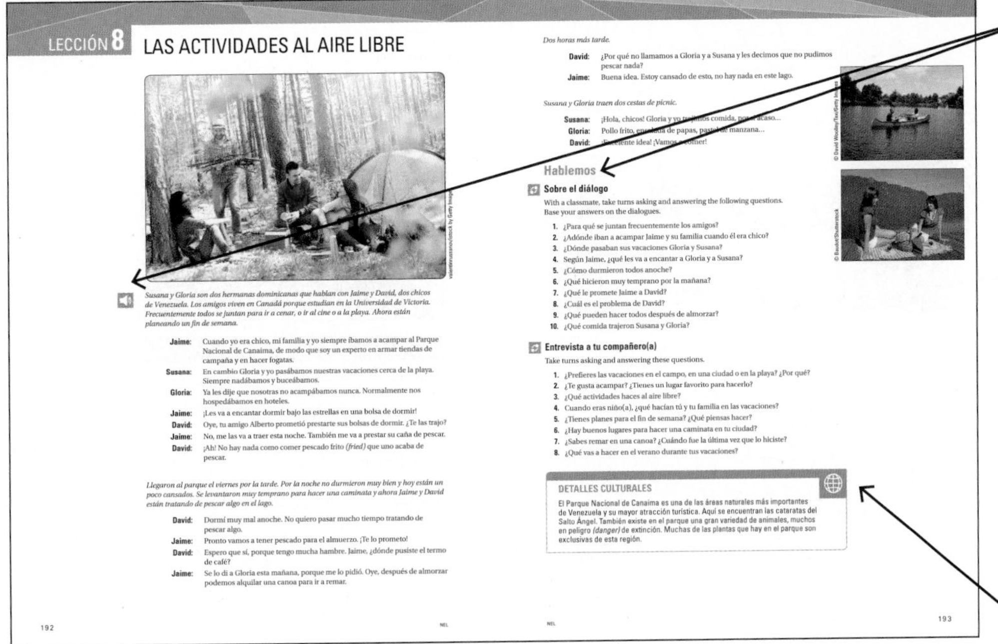

LECCIÓN 8 LAS ACTIVIDADES AL AIRE LIBRE

Susana y Gloria son dos hermanas dominicanas que hablan con Jaime y David, dos chicos de Venezuela. Los amigos viven en Canadá porque estudian en la Universidad de Victoria. Frecuentemente todos se juntan para ir a cenar, o ir al cine o a la playa. Ahora están planeando un fin de semana.

Jaime: Cuando yo era chico, mi familia y yo siempre íbamos a acampar al Parque Nacional de Canaima, de modo que soy un experto en armar tiendas de campaña y en hacer fogatas.
Susana: En cambio Gloria y yo pasábamos nuestras vacaciones cerca de la playa. Siempre nadábamos y buceábamos.
Gloria: Ya les dije que nosotras no acampábamos nunca. Normalmente nos hospedábamos en hoteles.
Jaime: ¡Les va a encantar dormir bajo las estrellas en una bolsa de dormir!
David: Oye, tu amigo Alberto prometió prestarte sus bolsas de dormir. ¿Te las trajo?
Jaime: No, me las va a traer esta noche. También me va a prestar su caña de pescar.
David: ¡Ah! No hay nada como comer pescado frito *(fried)* que uno acaba de pescar.

Llegaron al parque el viernes por la tarde. Por la noche no durmieron muy bien y hoy están un poco cansados. Se levantaron muy temprano para hacer una caminata y ahora Jaime y David están tratando de pescar algo en el lago.

David: Dormí muy mal anoche. No quiero pasar mucho tiempo tratando de pescar algo.
Jaime: Pronto vamos a tener pescado para el almuerzo. ¡Te lo prometo!
David: Espero que sí, porque tengo mucha hambre. Jaime, ¿dónde pusiste el termo de café?
Jaime: Se lo di a Gloria esta mañana, porque me lo pidió. Oye, después de almorzar podemos alquilar una canoa para ir a remar.

192

Dos horas más tarde.

David: ¿Por qué no llamamos a Gloria y a Susana y les decimos que no pudimos pescar nada?
Jaime: Buena idea. Estoy cansado de esto, no hay nada en este lago.

Susana y Gloria traen dos cestas de picnic.

Susana: ¡Hola, chicos! Gloria y yo trajimos comida, por si acaso...
Gloria: Pollo frito, ensalada de papas, pastel de manzana...
David: ¡Excelente idea! ¡Vamos a comer!

Hablemos

Sobre el diálogo

With a classmate, take turns asking and answering the following questions. Base your answers on the dialogues.

1. ¿Para qué se juntan frecuentemente los amigos?
2. ¿Adónde iban a acampar Jaime y su familia cuando él era chico?
3. ¿Dónde pasaban sus vacaciones Gloria y Susana?
4. Según Jaime, ¿qué les va a encantar a Gloria y a Susana?
5. ¿Cómo durmieron todos anoche?
6. ¿Qué hicieron muy temprano por la mañana?
7. ¿Qué le promete Jaime a David?
8. ¿Cuál es el problema de David?
9. ¿Qué pueden hacer todos después de almorzar?
10. ¿Qué comida trajeron Susana y Gloria?

Entrevista a tu compañero(a)

Take turns asking and answering these questions.

1. ¿Prefieres las vacaciones en el campo, en una ciudad o en la playa? ¿Por qué?
2. ¿Te gusta acampar? ¿Tienes un lugar favorito para hacerlo?
3. ¿Qué actividades haces al aire libre?
4. Cuando eras niño(a), ¿qué hacían tú y tu familia en las vacaciones?
5. ¿Tienes planes para el fin de semana? ¿Qué piensas hacer?
6. ¿Hay buenos lugares para hacer una caminata en tu ciudad?
7. ¿Sabes remar en una canoa? ¿Cuándo fue la última vez que lo hiciste?
8. ¿Qué vas a hacer en el verano durante tus vacaciones?

DETALLES CULTURALES

El Parque Nacional de Canaima es una de las áreas naturales más importantes de Venezuela y su mayor atracción turística. Aquí se encuentran las cataratas del Salto Ángel. También existe en el parque una gran variedad de animales, muchos en peligro *(danger)* de extinción. Muchas de las plantas que hay en el parque son exclusivas de esta región.

193

Offers a natural setting for introducing language. The lesson-opening dialogues provide a vibrant and realistic context to introduce each lesson's vocabulary and structures. The *Hablemos* exercises that follow allow students to interact with the content of the lesson-opening dialogues and encourage students to make connections between the topics presented in the dialogues and their own daily lives.

Helps students develop a better understanding of the rich variety of cultures in the Spanish-speaking world. Written in simple Spanish, the *Detalles culturales* text boxes can be used to promote classroom discussions and cross-cultural reflection on subjects related to the lesson's theme.

SUCCESSFUL ORAL COMMUNICATION

Provides a solid foundation for building communication skills. The *Vocabulario* section introduces new vocabulary through topics of interest to today's students. Each *Vocabulario* section lists all active vocabulary introduced in the opening dialogue, as well as other words and phrases related to the lesson's theme.

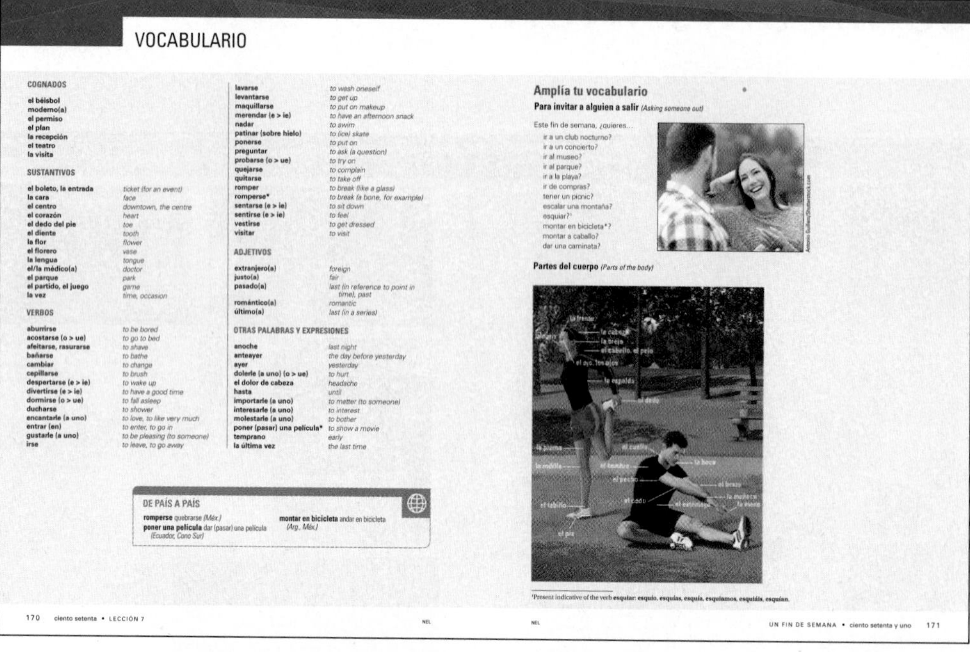

VOCABULARIO

COGNADOS

el béisbol
moderno(a)
el permiso
el plan
la recepción
el teatro
la visita

SUSTANTIVOS

el boleto, la entrada	ticket (for an event)
la cara	face
el centro	downtown, the centre
el corazón	heart
el dedo del pie	toe
el diente	tooth
la flor	flower
el florero	vase
la lengua	tongue
el/la médico(a)	doctor
el parque	park
el partido, el juego	game
la vez	time, occasion

VERBOS

aburrirse	to be bored
acostarse (o > ue)	to go to bed
afeitarse, rasurarse	to shave
bañarse	to bathe
cambiar	to change
cepillarse	to brush
despertarse (e > ie)	to wake up
divertirse (e > ie)	to have a good time
dormirse (o > ue)	to fall asleep
ducharse	to shower
encantarle (a uno)	to love, to like very much
entrar (en)	to enter, to go in
gustarle (a uno)	to be pleasing (to someone)
irse	to leave, to go away
lavarse	to wash oneself
levantarse	to get up
maquillarse	to put on makeup
merendar (e > ie)	to have an afternoon snack
nadar	to swim
patinar (sobre hielo)	to (ice) skate
ponerse	to put on
preguntar	to ask (a question)
probarse (o > ue)	to try on
quejarse	to complain
quitarse	to take off
romper	to break (like a glass)
romperse*	to break (a bone, for example)
sentarse (e > ie)	to sit down
sentirse (e > ie)	to feel
vestirse	to get dressed
visitar	to visit

ADJETIVOS

extranjero(a)	foreign
justo(a)	fair
pasado(a)	last (in reference to point in time), past
romántico(a)	romantic
último(a)	last (in a series)

OTRAS PALABRAS Y EXPRESIONES

anoche	last night
anteayer	the day before yesterday
ayer	yesterday
dolerle (a uno) (o > ue)	to hurt
el dolor de cabeza	headache
hasta	until
importarle (a uno)	to matter (to someone)
interesarle (a uno)	to interest
molestarle (a uno)	to bother
poner (pasar) una película*	to show a movie
temprano	early
la última vez	the last time

DE PAÍS A PAÍS

romperse quebrarse *(Méx.)*
poner una película dar (pasar) una película *(Ecuador, Cono Sur)*
montar en bicicleta andar en bicicleta *(Arg., Méx.)*

Amplía tu vocabulario

Para invitar a alguien a salir *(Asking someone out)*

Este fin de semana, ¿quieres...
ir a un club nocturno?
ir a un concierto?
ir al museo?
ir al parque?
ir a la playa?
ir de compras?
tener un picnic?
escalar una montaña?
esquiar?[1]
montar en bicicleta*?
montar a caballo?
dar una caminata?

Antonio Guillem/Shutterstock.com

Partes del cuerpo *(Parts of the body)*

[1]Present indicative of the verb **esquiar: esquío, esquías, esquía, esquiamos, esquiáis, esquían.**

170 ciento setenta • LECCIÓN 7 NEL

NEL UN FIN DE SEMANA • ciento setenta y uno 171

Familiarizes students with sounds, words, and expressions that are challenging. The *Pronunciación* box in each lesson highlights the basic pronunciation rules of the Spanish language and includes exercises to practise pronunciation, linking, and intonation. Audio recordings of the *Pronunciación* text boxes are available online.

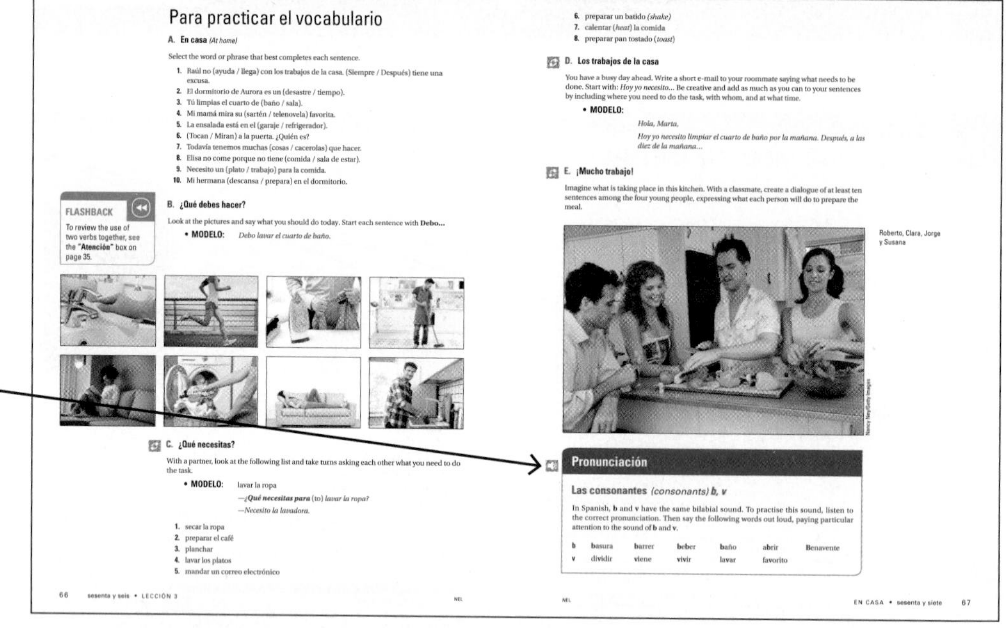

Para practicar el vocabulario

A. **En casa** *(At home)*

Select the word or phrase that best completes each sentence.

1. Raúl no (ayuda / llega) con los trabajos de la casa. (Siempre / Después) tiene una excusa.
2. El dormitorio de Aurora es un (desastre / tiempo).
3. Tú limpias el cuarto de (baño / sala).
4. Mi mamá mira su (sartén / telenovela) favorita.
5. La ensalada está en el (garaje / refrigerador).
6. (Tocan / Miran) a la puerta. ¿Quién es?
7. Todavía tenemos muchas (cosas / cacerolas) que hacer.
8. Elisa no come porque no tiene (comida / sala de estar).
9. Necesito un (plato / trabajo) para la comida.
10. Mi hermana (descansa / prepara) en el dormitorio.

FLASHBACK

To review the use of two verbs together, see the "**Atención**" box on page 35.

B. **¿Qué debes hacer?**

Look at the pictures and say what you should do today. Start each sentence with **Debo...**

• **MODELO:** *Debo lavar el cuarto de baño.*

C. **¿Qué necesitas?**

With a partner, look at the following list and take turns asking each other what you need to do the task.

• **MODELO:** lavar la ropa
—***¿Qué necesitas para*** (to) *lavar la ropa?*
—*Necesito la lavadora.*

1. secar la ropa
2. preparar el café
3. planchar
4. lavar los platos
5. mandar un correo electrónico
6. preparar un batido *(shake)*
7. calentar *(heat)* la comida
8. preparar pan tostado *(toast)*

D. **Los trabajos de la casa**

You have a busy day ahead. Write a short e-mail to your roommate saying what needs to be done. Start with: *Hoy yo necesito...* Be creative and add as much as you can to your sentences by including where you need to do the task, with whom, and at what time.

• **MODELO:**

Hola, Marta,

Hoy yo necesito limpiar el cuarto de baño por la mañana. Después, a las diez de la mañana...

E. **¡Mucho trabajo!**

Imagine what is taking place in this kitchen. With a classmate, create a dialogue of at least ten sentences among the four young people, expressing what each person will do to prepare the meal.

Roberto, Clara, Jorge y Susana

Nancy Ney/Getty Images

Pronunciación

Las consonantes *(consonants)* ***b, v***

In Spanish, **b** and **v** have the same bilabial sound. To practise this sound, listen to the correct pronunciation. Then say the following words out loud, paying particular attention to the sound of **b** and **v**.

b	basura	barrer	beber	baño	abrir	Benavente
v	dividir	viene	vivir	lavar	favorito	

66 sesenta y seis • LECCIÓN 3 NEL

NEL EN CASA • sesenta y siete 67

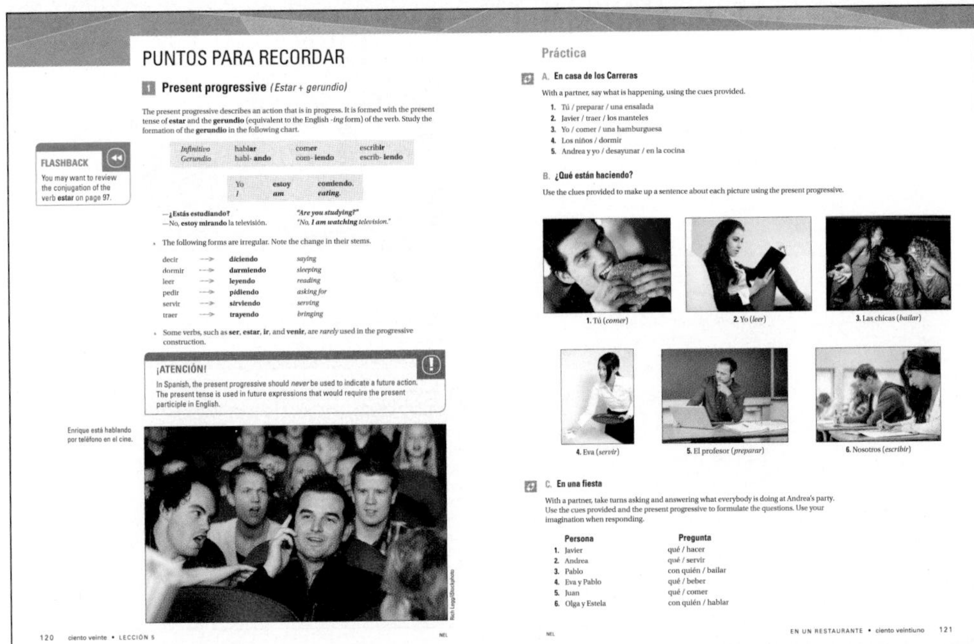

PUNTOS PARA RECORDAR

1 **Present progressive** *(Estar + gerundio)*

The present progressive describes an action that is in progress. It is formed with the present tense of **estar** and the **gerundio** (equivalent to the English *-ing* form) of the verb. Study the formation of the **gerundio** in the following chart.

FLASHBACK
You may want to review the conjugation of the verb **estar** on page 97.

Infinitivo	habl**ar**	comer	escrib**ir**
Gerundio	habl- **ando**	com- **iendo**	escrib- **iendo**

Yo	**estoy**	**comiendo.**
I	***am***	***eating.***

—**¿Estás estudiando?** — *"Are you studying?"*
—No, **estoy mirando** la televisión. — *"No, **I am watching** television."*

- The following forms are irregular. Note the change in their stems.

decir	→	**diciendo**	*saying*
dormir	→	**durmiendo**	*sleeping*
leer	→	**leyendo**	*reading*
pedir	→	**pidiendo**	*asking for*
servir	→	**sirviendo**	*serving*
traer	→	**trayendo**	*bringing*

- Some verbs, such as **ser**, **estar**, **ir**, and **venir**, are *rarely* used in the progressive construction.

¡ATENCIÓN!
In Spanish, the present progressive should *never* be used to indicate a future action. The present tense is used in future expressions that would require the present participle in English.

Enrique está hablando por teléfono en el cine.

120 ciento veinte • LECCIÓN 5 NEL

Práctica

A. **En casa de los Carreras**

With a partner, say what is happening, using the cues provided.

1. Tú / preparar / una ensalada
2. Javier / traer / los manteles
3. Yo / comer / una hamburguesa
4. Los niños / dormir
5. Andrea y yo / desayunar / en la cocina

B. **¿Qué están haciendo?**

Use the clues provided to make up a sentence about each picture using the present progressive.

1. Tú (*comer*) **2.** Yo (*leer*) **3.** Las chicas (*bailar*)
4. Eva (*servir*) **5.** El profesor (*preparar*) **6.** Nosotros (*escribir*)

C. **En una fiesta**

With a partner, take turns asking and answering what everybody is doing at Andrea's party. Use the cues provided and the present progressive to formulate the questions. Use your imagination when responding.

	Persona	**Pregunta**
1.	Javier	qué / hacer
2.	Andrea	qué / servir
3.	Pablo	con quién / bailar
4.	Eva y Pablo	qué / beber
5.	Juan	qué / comer
6.	Olga y Estela	con quién / hablar

NEL EN UN RESTAURANTE • ciento veintiuno 121

Presents grammar structures in a clear and succinct manner with contextualized language models. The *Puntos para recordar* section presents, in English, an average of five or six grammar structures per lesson. Each structure is immediately followed by a *Práctica* or *Práctica y conversación* section that includes pair and group work that ranges from controlled drills to open-ended communicative activities.

PRACTICAL LANGUAGE TRAINING

Presents opportunities to actively use the language in the classroom. The activities in the *Entre nosotros* section at the end of each lesson encourage students to synthesize what they've learned in order to communicate in real-life situations. *¡Conversemos!* consists of a series of open-ended conversational activities for vocabulary review that can be completed in pairs and groups, including illustration-based activities and task-based activities. *Para escribir* offers an opportunity for students to write on a topic related to the communicative goals of the lesson.

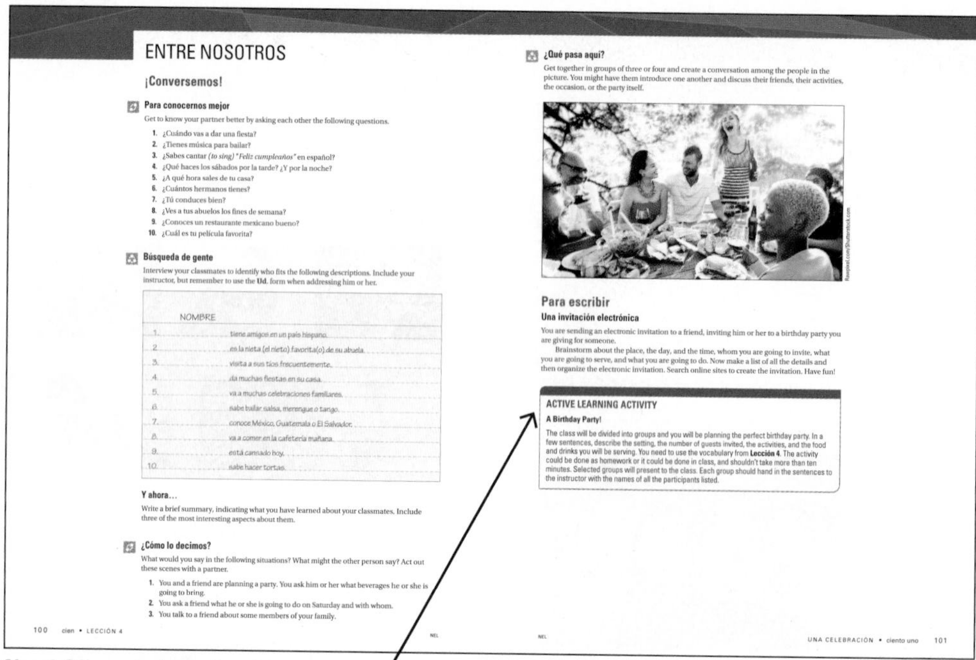

ENTRE NOSOTROS

¡Conversemos!

Para conocernos mejor

Get to know your partner better by asking each other the following questions.

1. ¿Cuándo vas a dar una fiesta?
2. ¿Tienes música para bailar?
3. ¿Sabes cantar *(to sing)* "*Feliz cumpleaños*" en español?
4. ¿Qué haces los sábados por la tarde? ¿Y por la noche?
5. ¿A qué hora sales de tu casa?
6. ¿Cuántos hermanos tienes?
7. ¿Tú conduces bien?
8. ¿Ves a tus abuelos los fines de semana?
9. ¿Conoces un restaurante mexicano bueno?
10. ¿Cuál es tu película favorita?

Búsqueda de gente

Interview your classmates to identify who fits the following descriptions. Include your instructor, but remember to use the **Ud.** form when addressing him or her.

NOMBRE	
1. ______	tiene amigos en un país hispano.
2. ______	es la nieta (el nieto) favorita(o) de su abuela.
3. ______	visita a sus tíos frecuentemente.
4. ______	da muchas fiestas en su casa.
5. ______	va a muchas celebraciones familiares.
6. ______	sabe bailar salsa, merengue o tango.
7. ______	conoce México, Guatemala o El Salvador.
8. ______	va a comer en la cafetería mañana.
9. ______	está cansado hoy.
10. ______	sabe hacer tortas.

Y ahora…

Write a brief summary, indicating what you have learned about your classmates. Include three of the most interesting aspects about them.

¿Cómo lo decimos?

What would you say in the following situations? What might the other person say? Act out these scenes with a partner.

1. You and a friend are planning a party. You ask him or her what beverages he or she is going to bring.
2. You ask a friend what he or she is going to do on Saturday and with whom.
3. You talk to a friend about some members of your family.

100 cien • LECCIÓN 4 NEL

¿Qué pasa aquí?

Get together in groups of three or four and create a conversation among the people in the picture. You might have them introduce one another and discuss their friends, their activities, the occasion, or the party itself.

Rawpixel.com/Shutterstock.com

Para escribir

Una invitación electrónica

You are sending an electronic invitation to a friend, inviting him or her to a birthday party you are giving for someone.

Brainstorm about the place, the day, and the time, whom you are going to invite, what you are going to serve, and what you are going to do. Now make a list of all the details and then organize the electronic invitation. Search online sites to create the invitation. Have fun!

ACTIVE LEARNING ACTIVITY

A Birthday Party!

The class will be divided into groups and you will be planning the perfect birthday party. In a few sentences, describe the setting, the number of guests invited, the activities, and the food and drinks you will be serving. You need to use the vocabulary from **Lección 4**. The activity could be done as homework or it could be done in class, and shouldn't take more than ten minutes. Selected groups will present to the class. Each group should hand in the sentences to the instructor with the names of all the participants listed.

NEL UNA CELEBRACIÓN • ciento uno 101

New! Offers students the chance to use new conceptual skills. In all even-numbered lessons, an *Active Learning Activity* encourages use of students' communication skills in real-life situations.

Fosters student understanding of spoken language. A focused-listening activity, *Vamos a escuchar*, tests students' listening comprehension skills. Appearing at the end of each even-numbered lesson, the *Vamos a ver* section features videos shot on location in Costa Rica. This section includes viewing strategies and pre- and post-listening activities to help students develop their listening and comprehension skills.

Promotes the development of students' reading skills. Appearing at the end of each odd-numbered lesson, *Vamos a leer* develops reading comprehension while reinforcing the structures and vocabulary introduced in the preceding lessons. *Estrategias* text boxes offer strategies that help students make meaning of the reading selections. Pre-reading questions focus students' attention on detail, and open-ended post-reading questions explore how the themes presented in the reading relate to their personal experience.

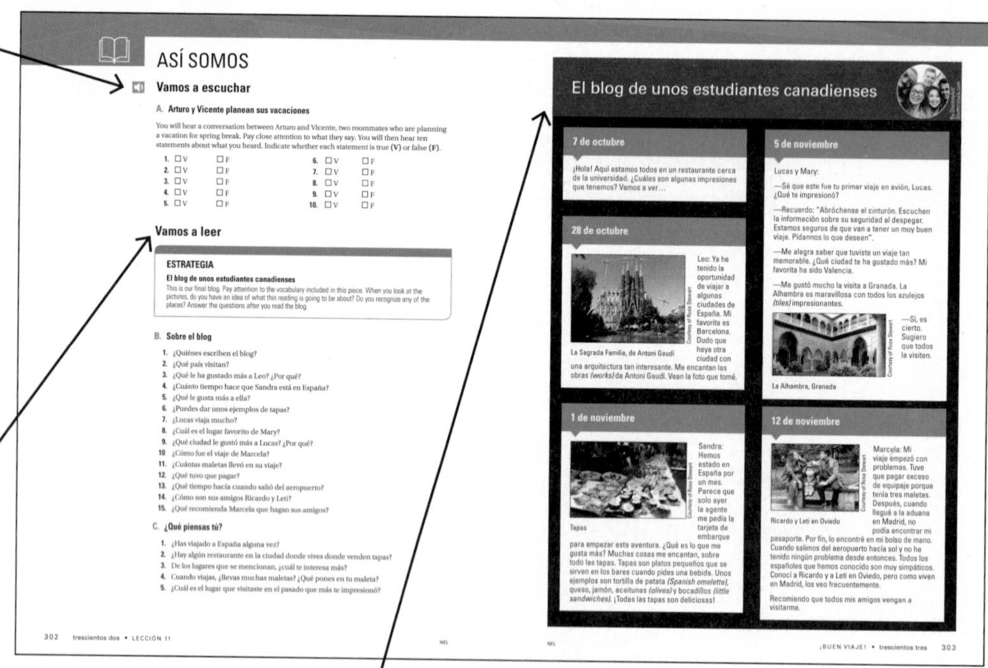

ASÍ SOMOS

Vamos a escuchar

A. **Arturo y Vicente planean sus vacaciones**

You will hear a conversation between Arturo and Vicente, two roommates who are planning a vacation for spring break. Pay close attention to what they say. You will then hear ten statements about what you heard. Indicate whether each statement is true **(V)** or false **(F)**.

1. ☐ V ☐ F
2. ☐ V ☐ F
3. ☐ V ☐ F
4. ☐ V ☐ F
5. ☐ V ☐ F
6. ☐ V ☐ F
7. ☐ V ☐ F
8. ☐ V ☐ F
9. ☐ V ☐ F
10. ☐ V ☐ F

Vamos a leer

ESTRATEGIA

El blog de unos estudiantes canadienses

This is our final blog. Pay attention to the vocabulary included in this piece. When you look at the pictures, do you have an idea of what this reading is going to be about? Do you recognize any of the places? Answer the questions after you read the blog.

B. **Sobre el blog**

1. ¿Quiénes escriben el blog?
2. ¿Qué país visitan?
3. ¿Qué le ha gustado más a Leo? ¿Por qué?
4. ¿Cuánto tiempo hace que Sandra está en España?
5. ¿Qué le gusta más a ella?
6. ¿Puedes dar unos ejemplos de tapas?
7. ¿Lucas viaja mucho?
8. ¿Cuál es el lugar favorito de Mary?
9. ¿Qué ciudad le gustó más a Lucas? ¿Por qué?
10. ¿Cómo fue el viaje de Marcela?
11. ¿Cuántas maletas llevó en su viaje?
12. ¿Qué tuvo que pagar?
13. ¿Qué tiempo hacía cuando salió del aeropuerto?
14. ¿Cómo son sus amigos Ricardo y Leti?
15. ¿Qué recomienda Marcela que hagan sus amigos?

C. **¿Qué piensas tú?**

1. ¿Has viajado a España alguna vez?
2. ¿Hay algún restaurante en la ciudad donde vives donde venden tapas?
3. De los lugares que se mencionan, ¿cuál te interesa más?
4. Cuando viajas, ¿llevas muchas maletas? ¿Qué pones en tu maleta?
5. ¿Cuál es el lugar que visitaste en el pasado que más te impresionó?

302 trescientos dos • LECCIÓN 11 NEL

El blog de unos estudiantes canadienses

7 de octubre

¡Hola! Aquí estamos todos en un restaurante cerca de la universidad. ¿Cuáles son algunas impresiones que tenemos? Vamos a ver…

28 de octubre

Leo: Ya he tenido la oportunidad de viajar a algunas ciudades de España. Mi favorita es Barcelona. Dudo que haya otra ciudad con una arquitectura tan interesante. Me encantan las obras *(works)* de Antoni Gaudí. Vean la foto que tomé.

La Sagrada Familia, de Antoni Gaudí

Courtesy of Rosa Stewart

1 de noviembre

Sandra: Hemos estado en España por un mes. Parece que solo ayer la agente me pedía la tarjeta de embarque para empezar esta aventura. ¿Qué es lo que me gusta más? Muchas cosas me encantan, sobre todo las tapas. Tapas son platos pequeños que se sirven en los bares cuando pides una bebida. Unos ejemplos son tortilla de patata *(Spanish omelette)*, queso, jamón, aceitunas *(olives)* y bocadillos *(little sandwiches)*. ¡Todas las tapas son deliciosas!

Tapas

Courtesy of Rosa Stewart

5 de noviembre

Lucas y Mary:

—Sé que este fue tu primer viaje en avión, Lucas. ¿Qué te impresionó?

—Recuerdo: "Abróchense el cinturón. Escuchen la información sobre su seguridad al despegar. Estamos seguros de que van a tener un muy buen viaje. Pídannos lo que deseen".

—Me alegra saber que tuviste un viaje tan memorable. ¿Qué ciudad te ha gustado más? Mi favorita ha sido Valencia.

—Me gustó mucho la visita a Granada. La Alhambra es maravillosa con todos los azulejos *(tiles)* impresionantes.

—Sí, es cierto. Sugiero que todos la visiten.

La Alhambra, Granada

Courtesy of Rosa Stewart

12 de noviembre

Marcela: Mi viaje empezó con problemas. Tuve que pagar exceso de equipaje porque tenía tres maletas. Después, cuando llegué a la aduana en Madrid, no podía encontrar mi pasaporte. Por fin, lo encontré en mi bolso de mano. Cuando salimos del aeropuerto hacía sol y no he tenido ningún problema desde entonces. Todos los españoles que hemos conocido son muy simpáticos. Conocí a Ricardo y a Leti en Oviedo, pero como viven en Madrid, los veo frecuentemente.

Recomiendo que todos mis amigos vengan a visitarme.

Ricardo y Leti en Oviedo

Courtesy of Rosa Stewart

NEL ¡BUEN VIAJE! • trescientos tres 303

New! Engages students with relevant blog-style readings. The new *El blog de…* reading segment offers student views of the Hispanic world using everyday language.

CURRENT CULTURAL CONTENT

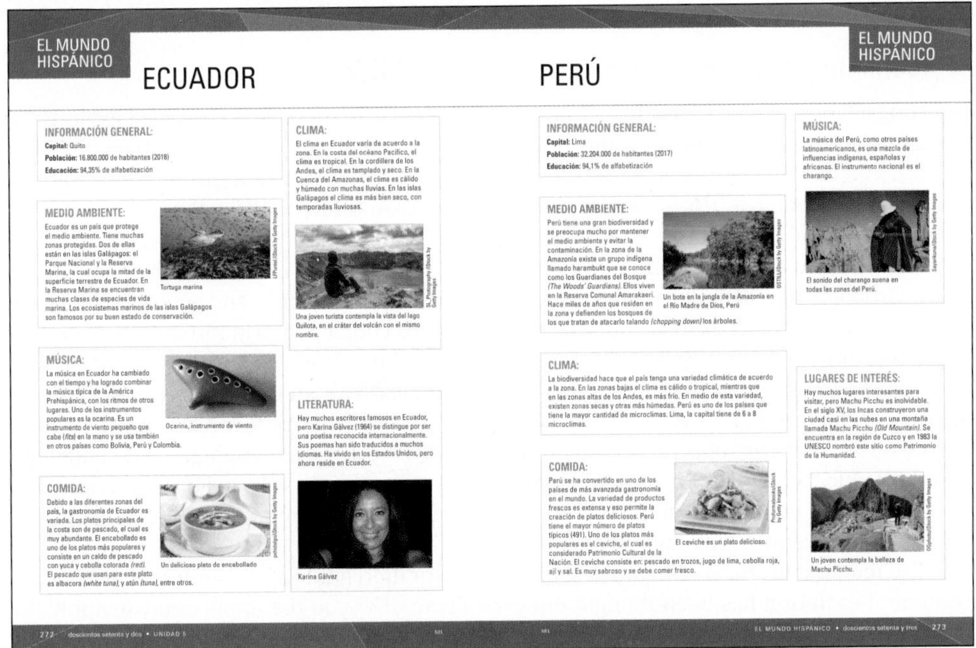

EL MUNDO HISPÁNICO

ECUADOR

INFORMACIÓN GENERAL:
Capital: Quito
Población: 16.800.000 de habitantes (2018)
Educación: 94,35% de alfabetización

CLIMA:
El clima en Ecuador varía de acuerdo a la zona. En la costa del océano Pacífico, el clima es tropical. En la cordillera de los Andes, el clima es templado y seco. En la Cuenca del Amazonas, el clima es cálido y húmedo con muchas lluvias. En las islas Galápagos el clima es más bien seco, con temporadas lluviosas.

Una joven turista contempla la vista del lago Quilota, en el cráter del volcán con el mismo nombre.

MEDIO AMBIENTE:
Ecuador es un país que protege el medio ambiente. Tiene muchas zonas protegidas. Dos de ellas están en las islas Galápagos: el Parque Nacional y la Reserva Marina, la cual ocupa la mitad de la superficie terrestre de Ecuador. En la Reserva Marina se encuentran muchas clases de especies de vida marina. Los ecosistemas marinos de las islas Galápagos son famosos por su buen estado de conservación.

Tortuga marina

MÚSICA:
La música en Ecuador ha cambiado con el tiempo y ha logrado combinar la música típica de la América Prehispánica, con los ritmos de otros lugares. Uno de los instrumentos populares es la ocarina. Es un instrumento de viento pequeño que cabe *(fits)* en la mano y se usa también en otros países como Bolivia, Perú y Colombia.

Ocarina, instrumento de viento

LITERATURA:
Hay muchos escritores famosos en Ecuador, pero Karina Gálvez (1964) se distingue por ser una poetisa reconocida internacionalmente. Sus poemas han sido traducidos a muchos idiomas. Ha vivido en los Estados Unidos, pero ahora reside en Ecuador.

Karina Gálvez

COMIDA:
Debido a las diferentes zonas del país, la gastronomía de Ecuador es variada. Los platos principales de la costa son de pescado, el cual es muy abundante. El encebollado es uno de los platos más populares y consiste en un caldo de pescado con yuca y cebolla colorada *(red)*. El pescado que usan para este plato es albacora *(white tuna)*, y atún *(tuna)*, entre otros.

Un delicioso plato de encebollado

PERÚ

INFORMACIÓN GENERAL:
Capital: Lima
Población: 32.204.000 de habitantes (2017)
Educación: 94,1% de alfabetización

MÚSICA:
La música del Perú, como otros países latinoamericanos, es una mezcla de influencias indígenas, españolas y africanas. El instrumento nacional es el charango.

El sonido del charango suena en todas las zonas del Perú.

MEDIO AMBIENTE:
Perú tiene una gran biodiversidad y se preocupa mucho por mantener el medio ambiente y evitar la contaminación. En la zona de la Amazonía existe un grupo indígena llamado harambukt que se conoce como los Guardianes del Bosque *(The Woods' Guardians)*. Ellos viven en la Reserva Comunal Amarakaeri. Hace miles de años que residen en la zona y defienden los bosques de los que tratan de atacarlo talando *(chopping down)* los árboles.

Un bote en la jungla de la Amazonía en el Río Madre de Dios, Perú

CLIMA:
La biodiversidad hace que el país tenga una variedad climática de acuerdo a la zona. En las zonas bajas el clima es cálido o tropical, mientras que en las zonas altas de los Andes, es más frío. En medio de esta variedad, existen zonas secas y otras más húmedas. Perú es uno de los países que tiene la mayor cantidad de microclimas. Lima, la capital tiene de 6 a 8 microclimas.

LUGARES DE INTERÉS:
Hay muchos lugares interesantes para visitar, pero Machu Picchu es inolvidable. En el siglo XV, los Incas construyeron una ciudad casi en las nubes en una montaña llamada Machu Picchu *(Old Mountain)*. Se encuentra en la región de Cuzco y en 1983 la UNESCO nombró este sitio como Patrimonio de la Humanidad.

Un joven contempla la belleza de Machu Picchu.

COMIDA:
Perú se ha convertido en uno de los países de más avanzada gastronomía en el mundo. La variedad de productos frescos es extensa y eso permite la creación de platos deliciosos. Perú tiene el mayor número de platos típicos (491). Uno de los platos más populares es el ceviche, el cual es considerado Patrimonio Cultural de la Nación. El ceviche consiste en: pescado en trozos, jugo de lima, cebolla roja, ají y sal. Es muy sabroso y se debe comer fresco.

El ceviche es un plato delicioso.

272 doscientos setenta y dos • UNIDAD 5 NEL

NEL EL MUNDO HISPÁNICO • doscientos setenta y tres 273

Introduces the rich variety of cultures in the Spanish-speaking world. *El mundo hispánico* offers completely new information on Spanish-speaking countries and the people who live there. Video clips available in MindTap will pique students' interest in the featured countries.

INTEGRATED SELF-ASSESSMENT

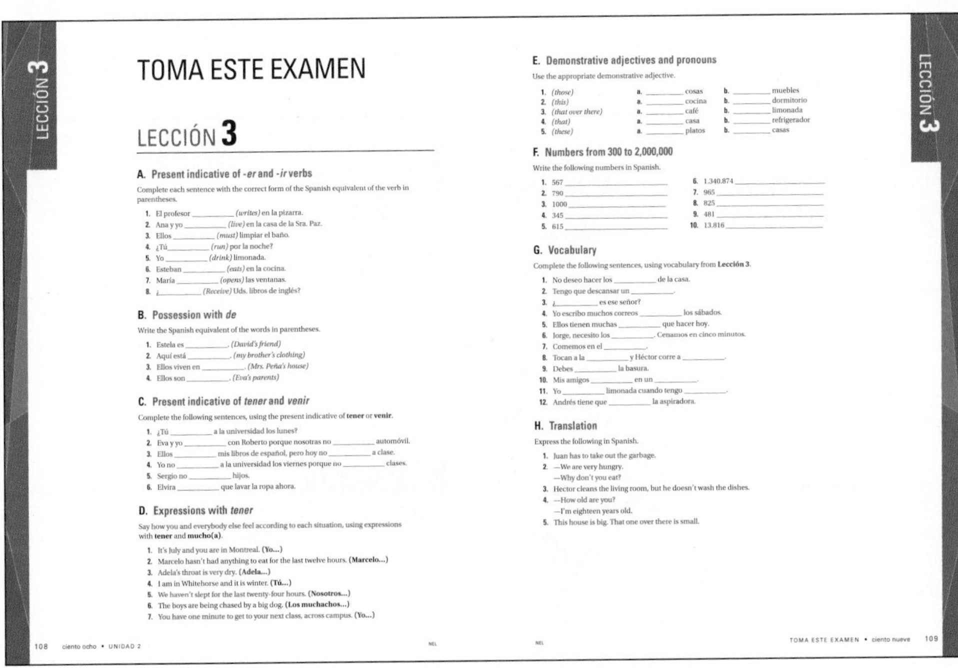

LECCIÓN 3

TOMA ESTE EXAMEN

LECCIÓN 3

A. Present indicative of *-er* and *-ir* verbs

Complete each sentence with the correct form of the Spanish equivalent of the verb in parentheses.

1. El profesor __________ *(writes)* en la pizarra.
2. Ana y yo __________ *(live)* en la casa de la Sra. Paz.
3. Ellos __________ *(must)* limpiar el baño.
4. ¿Tú __________ *(run)* por la noche?
5. Yo __________ *(drink)* limonada.
6. Esteban __________ *(eats)* en la cocina.
7. María __________ *(opens)* las ventanas.
8. ¿__________ *(Receive)* Uds. libros de inglés?

B. Possession with *de*

Write the Spanish equivalent of the words in parentheses.

1. Estela es __________. *(David's friend)*
2. Aquí está __________. *(my brother's clothing)*
3. Ellos viven en __________. *(Mrs. Peña's house)*
4. Ellos son __________. *(Eva's parents)*

C. Present indicative of *tener* and *venir*

Complete the following sentences, using the present indicative of **tener** or **venir**.

1. ¿Tú __________ a la universidad los lunes?
2. Eva y yo __________ con Roberto porque nosotras no __________ automóvil.
3. Ellos __________ mis libros de español, pero hoy no __________ a clase.
4. Yo no __________ a la universidad los viernes porque no __________ clases.
5. Sergio no __________ hijos.
6. Elvira __________ que lavar la ropa ahora.

D. Expressions with *tener*

Say how you and everybody else feel according to each situation, using expressions with **tener** and **mucho(a)**.

1. It's July and you are in Montreal. **(Yo...)**
2. Marcelo hasn't had anything to eat for the last twelve hours. **(Marcelo...)**
3. Adela's throat is very dry. **(Adela...)**
4. I am in Whitehorse and it is winter. **(Tú...)**
5. We haven't slept for the last twenty-four hours. **(Nosotros...)**
6. The boys are being chased by a big dog. **(Los muchachos...)**
7. You have one minute to get to your next class, across campus. **(Yo...)**

E. Demonstrative adjectives and pronouns

Use the appropriate demonstrative adjective.

1. *(those)* a. __________ cosas b. __________ muebles
2. *(this)* a. __________ cocina b. __________ dormitorio
3. *(that over there)* a. __________ café b. __________ limonada
4. *(that)* a. __________ casa b. __________ refrigerador
5. *(these)* a. __________ platos b. __________ casas

F. Numbers from 300 to 2,000,000

Write the following numbers in Spanish.

1. 567 __________
2. 790 __________
3. 1000 __________
4. 345 __________
5. 615 __________
6. 1.340.874 __________
7. 965 __________
8. 825 __________
9. 481 __________
10. 13.816 __________

G. Vocabulary

Complete the following sentences, using vocabulary from **Lección 3**.

1. No deseo hacer los __________ de la casa.
2. Tengo que descansar un __________.
3. ¿__________ es ese señor?
4. Yo escribo muchos correos __________ los sábados.
5. Ellos tienen muchas __________ que hacer hoy.
6. Jorge, necesito los __________. Cenamos en cinco minutos.
7. Comemos en el __________.
8. Tocan a la __________ y Héctor corre a __________.
9. Debes __________ la basura.
10. Mis amigos __________ en un __________.
11. Yo __________ limonada cuando tengo __________.
12. Andrés tiene que __________ la aspiradora.

H. Translation

Express the following in Spanish.

1. Juan has to take out the garbage.
2. —We are very hungry.
   —Why don't you eat?
3. Hector cleans the living room, but he doesn't wash the dishes.
4. —How old are you?
   —I'm eighteen years old.
5. This house is big. That one over there is small.

108 ciento ocho • UNIDAD 2 NEL

NEL TOMA ESTE EXAMEN • ciento nueve 109

Encourages self-assessment of learning objectives. At the end of each unit, the *Toma este examen* section offers students the opportunity to practise the vocabulary and grammar structures presented in the unit before proceeding to the next lesson. Answers to these exercises appear in Appendix D at the back of the book.

LETTER TO STUDENTS

Embarking on a Learning Journey

Welcome to *¡Hola, amigos!*, Fourth Canadian Edition

Learning a language is like starting a journey of discovery. In the process, you will explore the language itself, with its nuances and rules; the culture, with all its regional characteristics, sounds, and flavours; and, of course, literature and artistic representations. All these components come together in ***¡Hola, amigos!***, Fourth Canadian Edition. Throughout the textbook, ancillary materials, and online components, you will learn about the lives of Hispanic people around the world and in Canada.

Learning a new language is a process. You need to be flexible and open to the many opportunities that each exercise presents. Consider this course as a trip through the Spanish-speaking world with all its beauty and mesmerizing culture, but also with its challenges and controversies. You will explore different countries and learn about them. Next time you visit a Spanish-speaking country, you will be able to communicate with the locals and make connections with cultural elements presented in ***¡Hola, amigos!*** You may encounter a few challenges and difficulties along the way. While learning the language, you will make some errors, but locals will value your effort, and it will be compensated with many smiles and useful hints to help you improve your language skills.

The material in ***¡Hola, amigos!*** will be your exploration guide and your learning tool. The content of each unit has been thought out carefully to offer you the opportunity to apply the material to real-life situations. Even if you have never studied Spanish before, you will easily learn words like ***fantástico, excelente, clase de español, profesora...*** and many more. You recognize them because they are **cognates**—words that are similar in both English and Spanish. Pay attention to their spelling and pronunciation and you will build your vocabulary repertoire in no time!

The colour-coded sections of each lesson will help you navigate the book. Look at the variety of exercises and sections in each lesson. Some are to be completed individually, and others offer you the opportunity to work with a classmate or in a group. Initial exercises on a topic are easier; then you'll move on to more complex learning activities. All are tailored to offer a rewarding teaching and learning experience. As you progress, you will build knowledge and self-confidence.

Learning Suggestions[1]

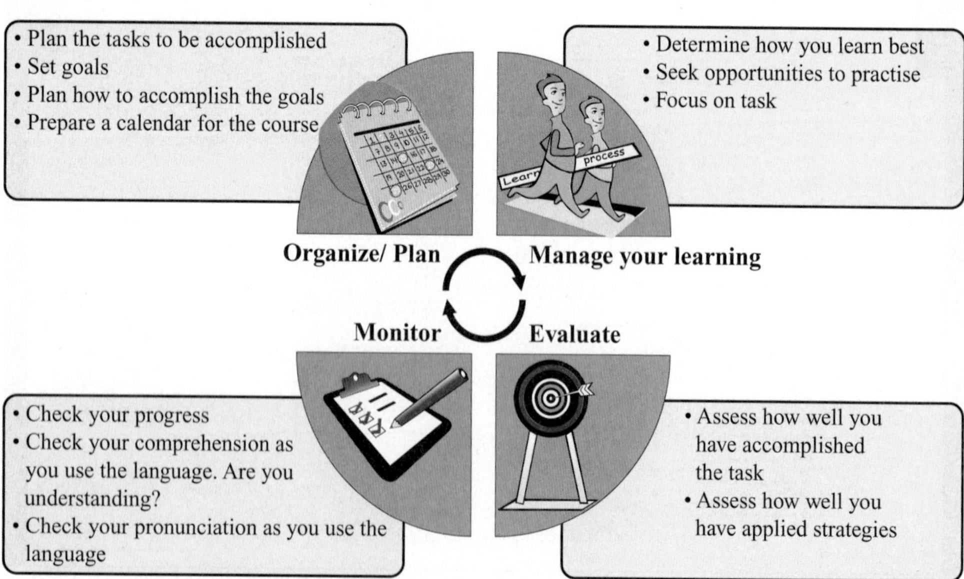

• Plan the tasks to be accomplished
• Set goals
• Plan how to accomplish the goals
• Prepare a calendar for the course
• Determine how you learn best
• Seek opportunities to practise
• Focus on task
Learn
process
Organize/ Plan
Manage your learning
Monitor
Evaluate
• Check your progress
• Check your comprehension as you use the language. Are you understanding?
• Check your pronunciation as you use the language
• Assess how well you have accomplished the task
• Assess how well you have applied strategies

[1] Material from "Defining and Organizing Language Learning Strategies." http://www.nclrc.org/guides/HED/chapter2.html.

Task-Based Strategies: Use Your Imagination[2]

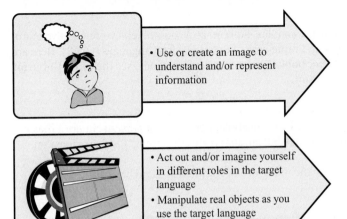

- Use or create an image to understand and/or represent information

- Act out and/or imagine yourself in different roles in the target language
- Manipulate real objects as you use the target language

Task-Based Strategies: Use Your Organizational Skills[3]

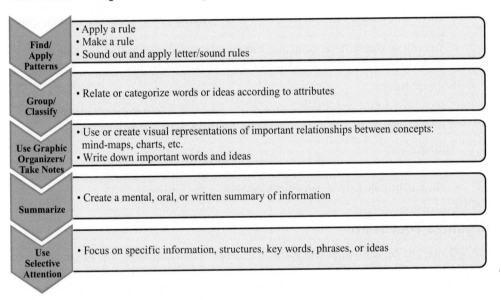

Find/ Apply Patterns	• Apply a rule • Make a rule • Sound out and apply letter/sound rules
Group/ Classify	• Relate or categorize words or ideas according to attributes
Use Graphic Organizers/ Take Notes	• Use or create visual representations of important relationships between concepts: mind-maps, charts, etc. • Write down important words and ideas
Summarize	• Create a mental, oral, or written summary of information
Use Selective Attention	• Focus on specific information, structures, key words, phrases, or ideas

Use the Target Language

Make sure to use Spanish to communicate with the instructor and your peers, even if only using brief sentences. You will be surprised how quickly you start building up your vocabulary. At the beginning of the course, when the instructor speaks to you in Spanish, you will not understand everything that they are saying. If you don't understand, ask for the statement to be repeated. Concentrate on trying to understand the meaning of the message, rather than each individual word.

There is a good chance that your instructor will have an accent from a specific area. The audio files and videos that accompany the textbook will develop your listening comprehension skills by introducing you to other accents from the Spanish-speaking world. Music is another way to develop listening and comprehension skills. Discover your favourite Hispanic singers and listen to their music. Soon, you will be singing in Spanish and your pronunciation will improve. How many courses have you taken where the instructor tells you that listening to music and singing along can be beneficial to your learning experience?

---

[2] Material from "Defining and Organizing Language Learning Strategies." http://www.nclrc.org/guides/HED/chapter2.html.

[3] Material from "Defining and Organizing Language Learning Strategies." http://www.nclrc.org/guides/HED/chapter2.html.

The Common European Framework of References for Languages (CEFR)

You can use *¡Hola, amigos!,* Fourth Canadian Edition, as a tool to achieve the equivalent of **Level A2** of the Common European Framework of Reference for Languages (CEFR). Here are the CEFR outcomes that align to this book.[4] For a comprehensive look, see the **CEFR Guide for *¡Hola, amigos!,* 4th Canadian Edition**.

- Listening Comprehension:
    - You will understand sentences and vocabulary on topics of personal interest (basic information regarding personal and familiar issues, shopping, residence location, and job).
    - You will be able to capture the main idea of commercials and brief messages.
- Reading Comprehension:
    - You will be able to read brief and simple texts.
    - You will be able to find specific information and will understand simple writings such as commercials, menus, and schedules, and will be able to read brief messages.
- Oral Interaction:
    - You will be able to communicate conveying simple and useful messages about daily tasks.
    - You will be able to have social interactions on simple topics and will be able to carry on a conversation requesting and offering basic information.
- Oral Expression:
    - You will be able to use phrases and expressions to describe people, daily life, and level of education, and to communicate information regarding your job.
- Writing:
    - You will be able to write notes and brief messages related to your immediate needs.
    - You will be able to write personal messages.

Organize Your Time

You will need to dedicate time and effort to learning a new language. We suggest that you create your own Spanish corner in your study space. Make it fun and inviting. Give the space a Hispanic flavour by posting pictures, words, and colours that appeal to you. Anytime that you sit down to study Spanish, you will feel that learning a language is not only exciting, it can be fun and exhilarating, too. Repetition of the vocabulary and memorization of the grammatical rules are essential to help you move forward to the next lesson, so make sure that you understand each concept before your next class. If you have questions about the material presented, ask your instructor. ***¡Hola, amigos!*** offers a wide variety of learning tools that will support your learning. Make sure you use all the ancillary materials available. The online grammar videos in MindTap are extremely useful, as well as the Appendices at the back of this textbook. Explore the material before the course starts.

Practise, Practise, Practise

Practice is essential to learning. The more you write and speak in Spanish, the more at ease you will feel expressing your ideas in this new language. One of the best ways to learn vocabulary is to take advantage of the audio flashcards available in the ***¡Hola, amigos!*** MindTap. With the fourth Canadian edition of ***¡Hola, amigos!***, you will have the advantage of using one of the leading digital tools for language learning. Make sure you take advantage of all it has to offer to improve your language proficiency.

The *Flashback* and the *Leap Forward* features will help you to make connections between concepts. By looking back and moving forward between concepts, you will establish learning

[4] https://www.coe.int/en/web/common-european-framework-reference-languages/table-2-cefr-3.3-common-reference-levels-self-assessment-grid

bridges that will clarify ideas and facilitate the learning process. The *Toma este examen* section at the end of each unit will help you to review the concepts you've studied. If you have doubts about a concept, or you have forgotten a word, you can always go back and look for the answer. Remember, practice makes perfect, so you need to invest time and effort in processing the information presented in the course.

Your Professor Is Your Best Ally

Never miss an opportunity to ask your instructor questions, in or outside of class. As professors, we are here to help you succeed; we don't expect you to be fluent right away. Your professor is very familiar with ***¡Hola, amigos!*** and can give you tips on using the book successfully. Make sure you get to know your professor well and ask for assistance whenever it is needed.

The fourth Canadian edition of ***¡Hola, amigos!*** was designed with you in mind. Best of luck on your learning journey! **¡Buen viaje!**

PREFACE

¡Hola, amigos!, Fourth Canadian Edition, offers a thorough presentation of grammar, vocabulary, and cultural content while keeping the Canadian context in the forefront. It is a complete, flexible program that presents the basics of Spanish grammar using a balanced, interactive approach, stressing all four skills—listening, speaking, reading, and writing. The program emphasizes the active, practical use of Spanish for communication in high-frequency situations, while gradually offering opportunities for improving students' self-confidence. In the fourth Canadian edition, a special effort has been made to create exercises that build on the concepts learned, while at the same time increasing the level of difficulty in the application process. The program's goal is not only to help students achieve linguistic proficiency and cultural awareness, but also to motivate them to continue studying Spanish.

Objectives of the Program

¡Hola, amigos! is a balanced four-skills introduction to Spanish that endeavours to prepare students to use the language in a natural way for communication in a variety of situations. The basic structures of Spanish are presented as the tools without which communication ultimately breaks down, and they are practised in a range of activities designed to prepare students to express themselves effectively in Spanish. Because our teaching experience has led us to conclude that no single method works as well in practice as variety, we have chosen an eclectic approach that draws upon strategies associated with many methodological trends. A prime consideration in making this decision was the need to use varied presentation strategies and provide an array of content formats to maintain students' interest in the language-learning process. The implementation of this program will vary with the goals of the course and the individual instructor's preferences. The following goals can be achieved in a 26-week or two-semester program:

Speaking

- Pronunciation of all of the sounds of Spanish with sufficient accuracy to be understood by a native speaker of the language.
- Expression of ideas with the vocabulary covered in simple sentences, demonstrating control of the past, present, and future tenses, and the most common subjunctive forms.
- Occasional use of subordinate clauses in spontaneous speech.

Listening

- Perception of all Spanish sounds and their distinction from one another.
- Comprehension of ideas expressed within the framework of the vocabulary and grammatical structures presented.

Reading

- Understanding of simple non-literary Spanish prose on nontechnical, high-frequency topics.
- Intelligent guessing at new vocabulary items based on context.
- Ability to demonstrate comprehension by answering questions on reading passages.

Writing

- Creating in class, without a dictionary, a paragraph in Spanish on topics covered by the textbook with sufficient clarity to be understood without difficulty by a native speaker. (Some minor errors like verb or adjective agreement may appear.)

Culture

- Elementary knowledge of important aspects of culture in the Spanish-speaking world, such as climate and geography, family life, school and university life, rural and urban life.
- Elementary knowledge of cultural customs such as mealtimes, family life, and shades of formality.
- The development of an enhanced appreciation of cultural differences and similarities.

New to the Fourth Canadian Edition

Building on strengths of the ***¡Hola, amigos!*** program, in the fourth Canadian edition we have fine-tuned the presentation of the grammar and vocabulary; created some new dialogues and updated others; changed the order of presentation of some grammatical concepts; updated the cultural content; and enhanced the overall visual presentation of the textbook. Below is a brief overview of the changes to this edition.

- The **alphabet** is now introduced in the **Preliminary Lesson** (***Conversaciones breves***) so instructors can focus on pronunciation from the first lesson. There is also a new section on cognates.
- Presentation of **numbers** in the first lessons has been consolidated. Numbers up to 2,000,000 are now included.
- New **Active Learning** activities are found in the even-numbered lessons and are designed to help students to transfer the conceptual learning into practical ways of expression. These activities could be assigned for marks.
- In response to reviewers' suggestions, we have updated many of the exercises throughout the lessons as well as updated the vocabulary and changed the visuals in many sections.
- Also in response to the reviewers, we have changed the presentation of the material in **Lesson 7**. Reflexives are now presented in the first part of the lesson in the present tense. The preterite is the last grammar concept introduced in this lesson so instructors can include much of Lesson 7 in the first semester's materials if they choose to do so.
- A **Leap Forward** box has been introduced to complement the Flashback that appeared first in the third Canadian edition. These two boxes will facilitate students' understanding of the language by connecting concepts and bridging their prior learning to new learning.
- In many lessons, vocabulary related to current uses of **technology**, such as online shopping, texting, and social media, has been updated.
- Theme and vocabulary of **Lesson 10** (***Buscando trabajo***) have been updated to include vocabulary for **applying for a job**. The inclusion of more relevant content for students, with updated terminology and a real-life situation they may encounter, has enhanced this lesson.
- **New photographs and updated illustrations** in each lesson present opportunities for further conversational practice or writing activities.
- ***El blog de...*** At the end of **Lessons 7, 9,** and **11** there are new blogs within the **Así somos** section that reflect subjects of interest to students, written in common everyday language. They make use of vocabulary and grammatical concepts presented in those lessons to give the students an engaging opportunity to see the language applied in a real-life situation pertinent to their potential own experience.
- A completely updated version of **El Mundo Hispánico** offers students an exploration of the beauty and complexity of the Hispanic world from different perspectives: social, geographical, demographical, political, and artistic, among others. Students have the opportunity to see current data about the countries and, at the same time, get a glimpse of what each one has to offer. This enhanced **EMH** offers insight on the diversity in the Spanish-speaking world, and also presents some of the challenges these countries face in the twenty-first century.

About the *¡Hola, amigos!* Program

In ***¡Hola, amigos!***, Fourth Canadian Edition, our intention has been to provide a complete, adaptable introductory Spanish program that responds to the requirements of both the student and the instructor. Familiarizing yourself with the features of the textbook will allow you to get the most out of your learning experience.

Unit-Opener Spread

Each unit begins with a list of communicative objectives for the two lessons included in that unit. This list serves to focus attention on important linguistic functions and vocabulary. The unit-opener spread introduces the theme of the unit and includes captioned photos and maps that provide a brief introduction to the countries presented in each unit.

Diálogos

To develop communicative competence, vocabulary and grammatical structures are first presented within the context of everyday conversations that reflect the lesson's central themes. Audio recordings of each conversation may be accessed online on the Student Companion Site for ***¡Hola, amigos!*** at nelson.com/student and in MindTap. An audio icon directs readers to access the material online.

- *Hablemos* exercises, which encourage students to interact with the content of the lesson-opening dialogues, have been updated to reflect some changes in the dialogues. *Sobre el diálogo* provides students the opportunities to interact with classmates and discuss the content of the dialogues.
- *Detalles culturales* text boxes, written in easy-to-read Spanish, have been updated and can be found throughout the units. These short cultural notes help integrate the learning of language with the learning of culture.

Vocabulario

All of the new words and expressions introduced in the dialogues are listed in the *Vocabulario* section, organized by grammatical function. The *Amplía tu vocabulario* section that follows expands on the thematic vocabulary introduced in the dialogues.

Para practicar el vocabulario

This practice section immediately follows the vocabulary presentation and encourages the use of expressions just learned in a meaningful way.

- *Pronunciación* exercises in each lesson are designed to acquaint students with basic Spanish sounds, paying special attention to sounds that pose problems for English speakers. An audio icon is a reminder to go online to listen to these recordings on the Student Companion Site or in MindTap.

Puntos para recordar

This section presents the grammatical topics of the lesson clearly and concisely in English. Charts and diagrams are used wherever possible to provide visual summaries of the structures presented. English explanations and Spanish examples define and illustrate the formation of the new structure and its communicative value. When appropriate, new structures are compared and contrasted with previously learned structures in Spanish, or with their English equivalents. All explanations include examples of practical use in Spanish.

- *Práctica* and *Práctica y conversación* exercises, situated after each grammar explanation, offer immediate reinforcement through a variety of structured and communicative exercises. These activities are flexible in format so they can be done in class or the instructor can assign them as written practice. Icons in the text indicate whether the activities are intended for pair work or group work. Answers to these exercises are available to the instructor.

- *¡Atención!* boxes help students focus their attention on specific aspects of the concept presented.
- *Flashback* text boxes encourage students to go back and review previously presented grammatical concepts in order to build on prior learning and make connections between concepts.
- **NEW! *Leap Forward*** text boxes point out concepts that will be developed more thoroughly later on in the book.
- *Rodeo* boxes in Lessons 7 and 12 and *Un poco más* summarize major grammatical topics such as pronouns, commands, and the indicative and subjunctive moods.

Entre nosotros

This section of the lesson encourages the recombination and synthesis of vocabulary and grammatical structures presented in that lesson through a series of communicative activities. Open-ended activities encourage students to apply what has been learned to communicate in Spanish, both orally and in writing. Because language is best learned through interpersonal communication, the *¡Conversemos!* exercises are designed to be done orally and require interactions between classmates.

- *¡Conversemos!* features personalized activities such as pair interviews and class surveys that require students to answer questions related to the lesson theme and structures, as well as to relate the material presented in the lesson to their own experience. Also included in this section are activities that involve interpreting photos, realia, or illustrations, providing additional communicative practice based on authentic materials.
- *Para escribir* guides students to express themselves in writing in a variety of formats, such as e-mails, lists, and descriptions.
- *Un dicho,* a thematically related popular saying or proverb that provides cultural enrichment, appears in each odd-numbered lesson.
- **NEW! *Active Learning Activity*,** a feature appearing in the even-numbered lessons, provides students with an opportunity to put their new skills into action in practical settings.

Así somos

- *Vamos a escuchar,* a focused-listening activity related to the theme of the lesson, can be found at the end of odd-numbered lessons, followed by comprehension exercises. This section offers students the opportunity to reinforce the material covered in the lesson.
- *Vamos a leer,* following odd-numbered lessons, features readings that have been carefully selected to reflect the vocabulary and grammatical concepts presented in the lesson. The level of difficulty gradually increases with each reading. At the end of Lessons 7, 9, and 11 there is the new ***El blog de...*** feature, which reflects subjects of interest to students, written in common everyday language. ***Sobre el blog*** asks questions related to the readings to check on student comprehension. The ***¿Qué piensas tú?*** questions allow students to connect the reading to their own experiences.
- *Vamos a ver,* following even-numbered lessons, features situational videos shot on location in Costa Rica. The *Estrategia* text box highlights grammar structures that students should pay attention to in the situational video. Pre-viewing and post-viewing activities test students' comprehension and personalize their viewing experience.

El mundo hispánico

The *El mundo hispánico* section, written in easy-to-read Spanish, provides an integrated cultural presentation of the countries presented in the unit opener and throughout the lessons. It offers an overview of the locale in which the introductory dialogues were set, with attention to such details as climate, points of interest, customs, economy, and inhabitants. Striking photos of each country bring the material to life. *El mundo hispánico* videos may be accessed online in MindTap.

Toma este examen

Organized by lesson, the self-tests at the end of each unit enable students to quickly determine what material they have already mastered and which concepts they need to target for further review. An answer key is provided in Appendix D for immediate verification.

Reference Materials

The following sections provide students and instructors with useful reference tools throughout the course.

- **Maps.** Up-to-date maps of the Hispanic world and Canada appear on the inside front and back covers of the textbook for quick reference.
- **Appendices.** Appendix A summarizes the sounds and key pronunciation features of the Spanish language, with abundant examples. Appendix B is a handy reference of the conjugations of high-frequency Spanish verbs, including regular, stem-changing, and irregular verbs. Appendix C is a glossary of all grammatical terms used in the textbook, with examples. Appendix D is the answer key to the *Toma este examen* self-tests.
- **Vocabularies.** Spanish–English and English–Spanish glossaries list all active vocabulary introduced in the dialogues and the *Amplía tu vocabulario* and grammar sections, as well as the passive vocabulary employed in the readings and the *El mundo hispánico* sections. The number following each entry indicates the lesson or unit in which the term was defined.
- **Index.** An index provides ready access to all grammatical structures presented in the text.

Supplementary Materials for the Student

In-Text Audio Program (NELSONbrain.com)

The In-Text Audio program, containing recordings of all the lesson-opening dialogues, *Pronunciación* activities, and *Vamos a escuchar* exercises, is available in MP3 format on the Student Companion Site at nelson.com/student. These recordings are designed to maximize exposure to the sounds of natural spoken Spanish and to help improve pronunciation.

Student Activities Manual (SAM)

Each lesson of the Student Edition is correlated to the corresponding lesson in the *Student Activities Manual (SAM)* (ISBN: 978-0-17-688826-8).

The Workbook section offers a variety of writing activities—sentence completion, matching, sentence transformation, and illustration-based exercises—that provide further practice and reinforcement of concepts presented in the textbook.

The Laboratory Manual section opens with an Introduction to Spanish Sounds designed to make learners aware of the differences between Spanish and English pronunciation. Each lesson of the Laboratory Manual includes pronunciation, structure, listening and speaking practice, illustration-based listening comprehension, and dictation exercises to be used in conjunction with the audio program.

Laboratory Activities Audio Program (NELSONbrain.com)

The audio program for the laboratory activities in the *Student Activities Manual* is available on the Student Companion Site in MP3 format. The audio files for the laboratory activities are designed to maximize exposure to natural spoken Spanish and to help improve pronunciation.

NEW MindTap World Languages (NelsonBrain.com)

CENGAGE | MINDTAP

MindTap World Languages gives students the confidence they need to become better communicators both in-class and online.

We've been working with instructors and students for years to understand the way people teach and learn world languages today. The result? A unique, innovative user experience, built on the proven foundation of our existing MindTap architecture and years of use, provides three major benefits:

1. A guided five-step Learning Path to build student confidence when learning online. The Learning Path proceeds from simple, low-stake activities to richer, more open communication and interaction with the language.
2. An integrated, all-in-one place engagement with content to give students control over their learning experience. We've put program content and related activities in the same easy-to-follow view for both desktop and mobile devices. Students can even work together on assignments using our powerful, simple-to-use video collaboration tools.
3. Instructor content creation and customization tools that allow their content to seamlessly integrate with the content we provide for instructors in our programs. MindTap gives instructors complete control over their course, provides richer engagement with the language, and builds students' confidence as they explore language, culture, and the world.

The new MindTap program was developed by Aga Bijos, University of Toronto-Mississauga, Diana Carter, University of British Columbia-Okanagan, and Denise Mohan, University of Guelph. The pedagogical content created ensures close alignment with the fourth Canadian edition of ***¡Hola, amigos!***

Guided Instruction: The Learning Path

The Learning Path consists of five steps that characterize not only the stages of a student's progression, but also the way in which they interact with the content at that stage.

- **Ready?** is the student's first exposure to the topic and helps them to anticipate the material they will be learning. This step prepares students for the learning experience by expressing clear learning objectives and providing strategies for mastering the content, including drawing from prior experience with the topic.
- **Learn it!** presents new content—structures, vocabulary, culture, and pronunciation—through text, audio, video, and images. Content is presented in manageable "chunks," which facilitates absorption and processing of the material. Brief **Try it!** activities accompany the content presentations, allowing students to put new concepts to work right away and helping them to quickly assess their understanding of the new content.
- Students have learned the content and now they are ready to **Practice it!** This step consists of graded activities designed to check students' comprehension of vocabulary, structures, and cultural topics using a variety of activity styles and contexts. This varied practice is necessary to ensure students' thorough comprehension and retention of the material. Through this step students gain confidence, as there is no shortage of opportunities to review, practise, and reinforce.
- The **Use it!** step gives students the chance to use what they are learning to express themselves creatively in a more personal way. These open-ended activities test both written and oral abilities, and can be submitted online or prepared for class discussion. Everything that a student needs to complete an assignment—including audio, video, recording, and playback—is embedded in MindTap, so there is no need to incorporate external platforms or applications.
- The **Got it?** step challenges students to recall what they have learned and evaluate their abilities. Students will use a checklist to specify what they are expected to be able to accomplish after completing the module. In this step, students may spend time refreshing their learning before demonstrating and verifying their ability to use what they have studied. **Got it?** brings the learning experience full circle: students have learned it, tried it, practised it, used it, and now they've **Got it!**

In MindTap, everything that a student needs, from content presentations to assessments, appears on a single screen. Each step builds on the previous one, which builds students' confidence in their ability to comprehend and implement the content. This Learning Path is consistent throughout the program, which creates a predictable and comfortable learning environment for students, an environment that engenders confident communicators and engaged citizens.

Linking the Online Learning Experience to Class

Online learning is by its nature individualized. ***¡Hola, amigos!***, Fourth Canadian Edition, helps you bridge the gap between online learning and the classroom experience.

MindTap Mobile App: Students may access their course on their mobile devices and read the text online or offline, set reminders, view their grades, study flashcards, and take practice quizzes on the go once they download the MindTap Mobile app to access ***¡Hola, amigos!*** at cengage.com/mindtap/mobileapp.

Supplementary Materials for Instructors

About the Nelson Education Teaching Advantage (NETA)

The **Nelson Education Teaching Advantage (NETA)** program delivers research-based instructor resources that promote student engagement and higher-order thinking to enable the success of Canadian students and educators. To ensure the high quality of these materials, all Nelson ancillaries have been professionally copyedited.

Be sure to visit Nelson Education's **Inspired Instruction** website at nelson.com/inspired to find out more about NETA. Don't miss the testimonials of instructors who have used NETA supplements and seen student engagement increase!

Instructor Resources

All of the teaching and learning resources that accompany ***¡Hola, amigos!***, with the exception of the audio and video programs, can be found on the Instructor Companion Site at nelson.com/instructor. Here, you will find all the resources listed below, as well as additional in-class activities, correlation guides, teaching suggestions, and much more.

Assessment

With over 2000 questions in a variety of formats (sentence completion, short answer, composition, fill-in-the-blank, and multiple-choice), the ***¡Hola, amigos!*** assessment program is flexible enough to accommodate a range of scheduling factors, contact hours, and ability levels, without sacrificing coverage of the key grammatical structures essential to communication in Spanish.

NETA PowerPoint

Microsoft® PowerPoint® lecture slides for every chapter include many key figures, tables, and photographs from ***¡Hola, amigos!*** NETA principles of clear design and engaging content have been incorporated throughout, making it simple for instructors to customize the deck for their courses.

Image Library

This resource consists of digital copies of illustrations, photographs, and tables that appear in the textbook. Instructors may use these jpegs to customize the NETA PowerPoint or create their own PowerPoint presentations.

Active Learning Guide

This guide offers instructors advice on how to create positive classroom environments that foster student-centred learning, deep learning, and active learning. Drawing on their extensive experience as instructors, the authors offer advice on how to increase student motivation, overcome barriers to learning, develop engagement strategies, and tailor assessment tools to your pedagogical goals.

Answer Keys

The answer keys for the exercises contained in the textbook, the workbook activities, the laboratory activities, and the testing program have been independently checked for accuracy.

Additional teaching resources found on the Instructor Companion Site include

- a complete set of 120 **Situation Cards**, each of which focuses on a clearly defined, realistic communicative task, providing instructors with opportunities to evaluate their students' oral skills
- **video activity worksheets** with approximately 30 questions per chapter, along with corresponding answer keys
- a **CEFR Guide** and **active learning activities**, as well as additional handouts
- **transcriptions** for the audio files for the laboratory exercises, the videos associated with the textbook, and the Grammar Tutorials

In-Text Audio Program / Lab Audio Program

The audio files for the pronunciation and listening practice exercises in the Laboratory Activities section of the *Student Activities Manual* are designed to maximize the student's exposure to natural spoken Spanish and to help improve pronunciation. Pronunciation exercises at the beginning of each exercise create opportunities to practise isolated sounds; subsequent exercises take a more global approach to pronunciation practice. Each lesson also includes lesson-opener dialogues followed by comprehension questions, structured grammar exercises that correspond with each of the concepts presented in the *Puntos para recordar* section of that lesson, a listening comprehension activity, and a dictation. Answers to all exercises, except the dictation, are provided within the lab audio files. The audio files for the *Student Activities Manual* are available on the ***¡Hola, amigos!*** Student Companion Site.

Videos

The video program for ***¡Hola, amigos!*** is designed to develop listening skills and cultural awareness as you view diverse images of the Hispanic world. *Vamos a ver* videos are situational dialogues featuring recurring characters in conversations that reflect everyday life. *El mundo hispánico* videos allow you to experience the culture and geography of the countries featured in each unit. The videos are accessible online in MindTap.

Please note that an additional charge may apply for online access to the video program through MindTap.

Acknowledgments

We wish to thank the Canadian users of ***¡Hola, amigos!*** for their many valuable suggestions on how to adapt the program for Canadian students and instructors. By gathering feedback from across the country, we have been able to pay attention to the different local nuances and preferences of instructors and learners all across Canada.

Mary Lou Babineau, St. Thomas University
Stacey Collins, Langara College
Denise Mohan, University of Guelph
Olivia Montalvo-March, Mount Saint Vincent University
Joanne Rotermundt-de la Parra, Queen's University
Cristina Ruiz Serrano, MacEwan University
Adam Spires, Saint Mary's University
Ramón A. Victoriano-Martínez, University of British Columbia-Vancouver

Also, Rosa Stewart would like to thank the most important "amigos" in her life—Ken, Ben, Alex, Ellie, Andrew, and Minga—for their support while working on this fourth Canadian edition of ***¡Hola, amigos!*** Mercedes Rowinsky-Geurts would like to thank her students, who continue to inspire her, and Len, Evan, Theo, Mateo, and Lucas, who bring her laughter, hope, and inspiration.

Ana C. Jarvis
Raquel Lebredo
Francisco Mena-Ayllón
Mercedes Rowinsky-Geurts
Rosa L. Stewart

CONVERSACIONES BREVES

(Brief Conversations)

Saludos y despedidas

—Buenos días, señora Vega.

—Buenos días, doctor.

—Carlos Montoya. Mucho gusto.

—El gusto es mío, señor Montoya.

—Buenas noches, señora. ¿Cómo está usted?

—Bien, gracias. ¿Y usted?

—Muy bien, gracias.

—Hola, Luis. ¿Qué tal?

—Bien, gracias. ¿Y tú?

—Muy bien.

—¿Cómo te llamas?

—Me llamo Gustavo. ¿Y tú?

—Yo me llamo Laura.

—¿Cómo estás, Laura?

—Muy bien, gracias.

—Hasta mañana, Eva.

—Chau, Julio. Nos vemos.

Vocabulario

SALUDOS *(Greetings)*

Buenas noches.	*Good evening.*
Buenas tardes.	*Good afternoon.*
Buenos días.	*Good morning.*
Hola.	*Hello.*

TÍTULOS *(Titles)*

doctor (Dr.)	*doctor (m.)*
doctora (Dra.)	*doctor (f.)*
profesor(a)	*professor*
señor (Sr.)	*Mr., mister, sir*
señora (Sra.)	*Mrs., ma'am*
señorita (Srta.)	*Miss, young lady*

PREGUNTAS *(Questions)*

¿Cómo está usted?	*How are you? (formal)*
¿Cómo están ustedes?	*How are you? (when addressing two or more people)*
¿Cómo estás?	*How are you? (informal)*
¿Cómo se llama usted?	*What's your name? (formal)*
¿Cómo te llamas?	*What's your name? (informal)*
¿Qué tal?*	*How is it going?*
¿Y tú?	*And you? (informal)*
¿Y usted?	*And you? (formal)*

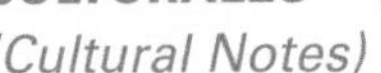

DETALLES CULTURALES

(Cultural Notes)

The expressions *Buenos días*, *Buenas tardes*, and *Buenas noches* can be both greetings and a way to say goodbye. When traveling, it is important to use the greetings and farewells that you hear used by people where you are.

*Spanish is spoken in more than 20 countries, and different countries may use different words to refer to the same thing. The section **De país a país** includes variations corresponding to words marked with asterisks in the vocabularies throughout the book.

DE PAÍS A PAÍS

Mucho gusto.
Encantado(a). *(Argentina, Cuba);* Un placer. *(Centroamérica)*
Response: Igualmente.
¿Qué tal? *(informal)*
¿Qué hubo? *(Colombia, México);* ¿Qué pasa? *(España)*

RESPUESTAS *(Answers)*

Así, así. / Más o menos. / Regular.	*So-so.*
Bien, gracias.	*Fine, thank you.*
El gusto es mío.	*The pleasure is mine.*
mal	*poorly*
Mucho gusto*	*Nice to meet you.*
Muy bien.	*Very well.*
(Yo) me llamo…	*My name is …*

DESPEDIDAS *(Farewells)*

Adiós	*Good-bye.*
Chau.	*Bye.*
Hasta la vista.	*(I'll) see you around.*
Hasta luego.	*(I'll) see you later.*
Hasta mañana.	*(I'll) see you tomorrow.*
Nos vemos.	*(I'll) see you.*

¡Vamos a conversar!

A. Saludos y despedidas

Read the opening dialogues (page 1) out loud with a classmate.

B. La clase de español *(The Spanish class)*

What would you say in the following situations? What would the other person say?

Svetikd/Getty Images

1. It's morning. Greet one of your classmates and ask her/him how it's going.
2. It's 4 P.M. Greet your instructor and ask how he/she is.
3. It's 8 P.M. Greet a classmate and ask his/her name.
4. Introduce yourself to three of your classmates using your full name.
5. Say good-bye to a classmate, whom you'll see tomorrow.

C. Minidiálogos

With a classmate, complete the following mini-dialogues.

1. —Hola, Anita. ¿Qué ____________________?
   —Bien, ____________________. ¿Y ____________________?
2. —¿Cómo se ____________________ Ud., señorita?
   —Me ____________________ Graciela.
3. —Mucho ____________________, señora.
   —El gusto es ____________________.
4. —¿Cómo ____________________ ustedes?
   —____________________ bien, profesora.
5. —Hasta ____________________, Sarah.
   —Nos ____________________.

The alphabet *(El alfabeto)*[1]

¡ATENCIÓN!

All letters are feminine: **la *a*, la *b***, and so on.

[1] In 1994 the Real Academia Española (RAE) decided that **ch** and **ll** are no longer to be considered separate letters of the alphabet. For a complete introduction to Spanish sounds, see Appendix A, page 351.

Letter	Name	Letter	Name	Letter	Name
a	a	j	jota	r	ere
b	be	k	ca	s	ese
c	ce	l	ele	t	te
d	de	m	eme	u	u
e	e	n	ene	v	ve
f	efe	ñ	eñe	w	doble ve
g	ge	o	o	x	equis
h	hache	p	pe	y	i griega
i	i	q	cu	z	zeta

Práctica y conversación

A. Siglas *(Acronyms)*

With a partner, take turns reading the following acronyms in Spanish.

1. CSIS
2. NHL
3. PEI
4. NATO
5. RCMP
6. CFL

B. Apellidos *(Last names)*

In groups of three or four, ask each person in the group what his or her last name is and how to spell it.

- **MODELO:** *¿Cuál es tu apellido? ¿Cómo se deletrea?* (How is it spelled?)

C. Lugares interesantes *(Interesting places)*

Some Canadian places you may be familiar with have names that come from Spanish. This is especially true in British Columbia because the Spanish were among the first explorers of the west coast of Canada. Working with a classmate, spell out the following names.

Gabriola Island	Narvaez Bay	Juan Perez Sound
Casa Loma	Zayan Island	Texada Island
Tofino	Hurtado Point	Montevideo Road

D. Los cognados *(Cognates)*

Cognates are words that look the same in Spanish as in English because they generally come from the same root, many from Latin. Most have the same meaning as well, but there are a few "false cognates" that you will come across later.

Reading these cognates, you will see that you already know a lot of Spanish!

food:

banana	melón	taco	limón	orégano
tomate	mango	pizza	tortilla	

places:

bar	club	hotel	café	hospital	motel

things:

accidente	debate	piano	auto	error	radio
cheque	idea	taxi	crisis	patio	violín

adjectives:

extra	natural	social	horrible
importante	terrible	probable	universal

Práctica

Working with a classmate, take turns saying and spelling the words from the list above.

UNIDAD 1

LOS ESTUDIANTES UNIVERSITARIOS

LECCIÓN 1
¡EN LA UNIVERSIDAD!

OBJETIVOS

- Introduce yourself
- Greet and say good-bye to others
- Name colours
- Describe your classroom
- Describe people
- Request and give telephone numbers
- Give and request information regarding nationality and place of origin

LECCIÓN 2
ESTUDIANTES Y PROFESORES

OBJETIVOS

- Discuss the courses you and your classmates are taking
- Order beverages
- Request and give the correct time
- Name the days of the week, months, and seasons
- Talk about your activities and what you have to do

Danilovski/Shutterstock

Alexandr Vorobev/Shutterstock

Toño Labra/Getty Images

travelgame/Getty Images

LAS UNIVERSIDADES HISPANAS

Estudiar español en un país hispano es una idea excelente para practicar la lengua. ¡Hay *(There are)* muchas opciones!

1. El mural de la Facultad de Medicina de la Universidad Nacional Autónoma de México (UNAM).

2. Fachada de la Universidad de Alcalá de Henares, España. La Organización de las Naciones Unidas para la Educación, la Ciencia y la Cultura asignó este sitio como patrimonio de la humanidad el 13 de junio del 2016.

3. La Facultad de Derecho, Universidad de Buenos Aires.

4. La Universidad Pedro de Valdivia en Santiago de Chile.

LECCIÓN 1 ¡EN LA UNIVERSIDAD!

antoniodiaz/Shutterstock.com

En la Universidad de Toronto
David, un chico canadiense, habla con Lupe, una chica mexicana.

David: ¡Hola, Lupe! ¿Cómo estás?
Lupe: Muy bien, gracias. ¿Qué hay de nuevo?
David: No mucho. Oye, ¿cómo es tu compañera de cuarto?
Lupe: Es simpática. Es estadounidense.
David: ¿Y las clases?
Lupe: Son muy interesantes.
David: ¡Qué bueno!
Lupe: Hasta luego, David.

Nora habla con la profesora Acosta.

Nora: Permiso, profesora Acosta.
Profesora: Buenos días, señorita. ¿Cómo se llama usted?
Nora: Me llamo Nora Ballester.
Profesora: Mucho gusto.
Nora: El gusto es mío profesora.
Profesora: ¿De dónde es usted?
Nora: Soy de Toronto, Ontario.

AVTG/Getty Images

The dialogues present some of the vocabulary and grammar concepts that will be introduced in the lesson. Initially, they can be used as a pronunciation exercise and then they can be revisited to see the vocabulary and grammar in context. At that point the "**Hablemos**" exercises can be done as well.

Sergio habla con Teresa en la biblioteca.

Jean Glueck/Getty Images

Sergio: Hola, Teresa, ¿qué tal?
Teresa: Excelente, Sergio, ¿y tú?
Sergio: Regular. Oye, ¿cuál es tu número de teléfono?
Teresa: Nueve-cero-cinco-veintidós-treinta y cinco.
Sergio: Más despacio, por favor.
Teresa: No hay problema. *[Teresa repite el número.]*
Sergio: Muchas gracias, Teresa.
Teresa: De nada, Sergio.

La profesora Rivas habla con los estudiantes en la clase de español.

Diego Cervo/Shutterstock.com

Profesora: Buenos días. ¿Cómo están ustedes?
Estudiantes: Muy bien, gracias.
David: Profesora, ¿cómo se dice "*Canadian*" en español?
Profesora: Se dice **"canadiense"**.
David: Yo soy canadiense.
Profesora: Muy bien, David, buena pronunciación.

Hablemos *(Let's talk)*

Sobre el diálogo

With a classmate, take turns asking and answering the following questions. Base your answers on the dialogues.

1. ¿Lupe es canadiense?
2. ¿Cómo es su compañera de cuarto?
3. ¿Cómo son las clases?
4. ¿La profesora Acosta habla con un profesor o con una estudiante?
5. ¿Cómo se dice "*Canadian*" en español?
6. ¿Cuál es el número de teléfono de Teresa?
7. ¿David es estadounidense?
8. ¿Dónde habla la profesora con los estudiantes?
9. ¿Cómo está Teresa?
10. ¿Quién es la profesora de español?

DETALLES CULTURALES

En español algunas *(some)* palabras se dicen en inglés. Por ejemplo, en lugar de decir "**dirección electrónica**" o "**correo electrónico**", se dice: **e-mail**. Para decir "@", se dice "**arroba**" y para "**.com**" se dice "**punto com**". Igualmente en inglés se usan unas palabras del español, por ejemplo, *burrito, canyon, chile, El Niño, patio, salsa* y *taco*.

VOCABULARIO
(Vocabulary)

SUSTANTIVOS *(Nouns)*

la biblioteca	*library*
la cafetería	*cafeteria*
la calle	*street*
la chica, la muchacha	*young woman*
el chico, el muchacho	*young man*
la clase	*class*
el (la) compañero(a)	*companion, mate*
— de clase	*classmate*
— de cuarto	*roommate*
la dirección*	*address*
el español	*Spanish (language)*
el (la) estudiante, el (la) alumno(a)	*student*
el hombre	*man*
el libro	*book*
el mapa	*map*
la mujer	*woman*
la pizarra*	*blackboard*
— blanca	*whiteboard*
la universidad	*university*

ADJETIVOS *(Adjectives)*

alto(a)	*tall*
antipático(a)	*unpleasant*
bajo(a)	*short*
bonito(a), lindo(a)	*pretty*
bueno(a)	*good*
canadiense	*Canadian*
delgado(a)	*slender*
difícil	*difficult*
estadounidense	*American*
excelente	*excellent*
fácil	*easy*
fantástico(a)	*fantastic*
favorito(a)	*favourite*
feliz	*happy*
feo(a)	*ugly*
gordo(a)	*fat*
grande	*big*
guapo(a)	*handsome (when referring to a male), beautiful (when referring to a female)*
horrible	*horrible*
inteligente	*intelligent*
interesante	*interesting*
joven	*young*
malo(a)	*bad*
mexicano(a)	*Mexican*
mucho(a)(s)	*a lot, many*
norteamericano(a)	*North American*
pequeño(a)	*small*
perfecto(a)	*perfect*
pobre	*poor*
rico(a)	*rich*
simpático(a)	*charming, nice, fun to be with*
terrible	*terrible*
tonto(a)	*dumb*
universitario(a)	*(related to) university*
viejo(a)	*old*

EXPRESIONES DE CORTESÍA *(Polite expressions)*

De nada.*	*You're welcome.*
Encantado(a).	*The pleasure is mine.*
Muchas gracias.	*Thank you very much.*
Lo siento.	*I'm sorry.*
Más despacio, por favor.	*More slowly, please.*
Perdón.	*Sorry. Pardon me.*
Permiso. Con permiso.	*Excuse me. (e.g., when going through a crowded room)*
Por favor.	*Please.*
Saludos a...	*Say hi to ...*

PREGUNTAS Y RESPUESTAS ÚTILES *(Useful questions and answers)*

¿Cómo?	*How? Excuse me? (when one doesn't hear or understand what is being said)*
¿Cómo es...?	*What is ... like?*
¿Cómo se dice...?	*How do you say ... ?*
Se dice...	*You say ...*
Calle... número...	*Street name / number*
¿Cuál?	*Which one?*
¿Cuál es...?	*What is ... ? / Which one is ... ?*
¿Cuál es su dirección?	*What's your address? (formal)*
¿Cuál es tu dirección?	*What's your address? (informal)*
¿Cuál es su número de teléfono?	*What's your telephone number? (formal)*
¿Cuál es tu número de teléfono?	*What's your telephone number? (informal)*
¿Dónde?	*Where?*
¿De dónde eres?	*Where are you from? (informal)*
¿De dónde es usted?	*Where are you from? (formal)*
Soy de...	*I am from ...*
¿Qué?	*What?*
¿Qué es...?	*What is ... ?*
¿Qué hay de nuevo?	*What's new?*
No mucho.	*Not much.*
¿Quién?	*Who?*

*Recall from **Lección preliminar** that words marked with an asterisk appear in the **De país a país** section.

OTRAS PALABRAS Y EXPRESIONES *(Other words and expressions)*

con	*with*
en	*at, in, on*
esta noche	*tonight*
habla	*he/she speaks*
hay	*there is, there are*
mi	*my*
muy	*very*
no	*no, not*
oye	*listen*
ser	*to be*
sí	*yes*
tu	*your*
y[1]	*and*

DE PAÍS A PAÍS

la dirección el domicilio *(Méx.)*
la pizarra el pizarrón *(Cono Sur)*
de nada por nada *(Méx.)*
marrón café *(Méx.)*; carmelito(-a) *(Cuba)*
la computadora el ordenador *(Esp.)*

Amplía tu vocabulario *(Expand your vocabulary)*

Vocabulario para la clase *(Vocabulary for the class)*

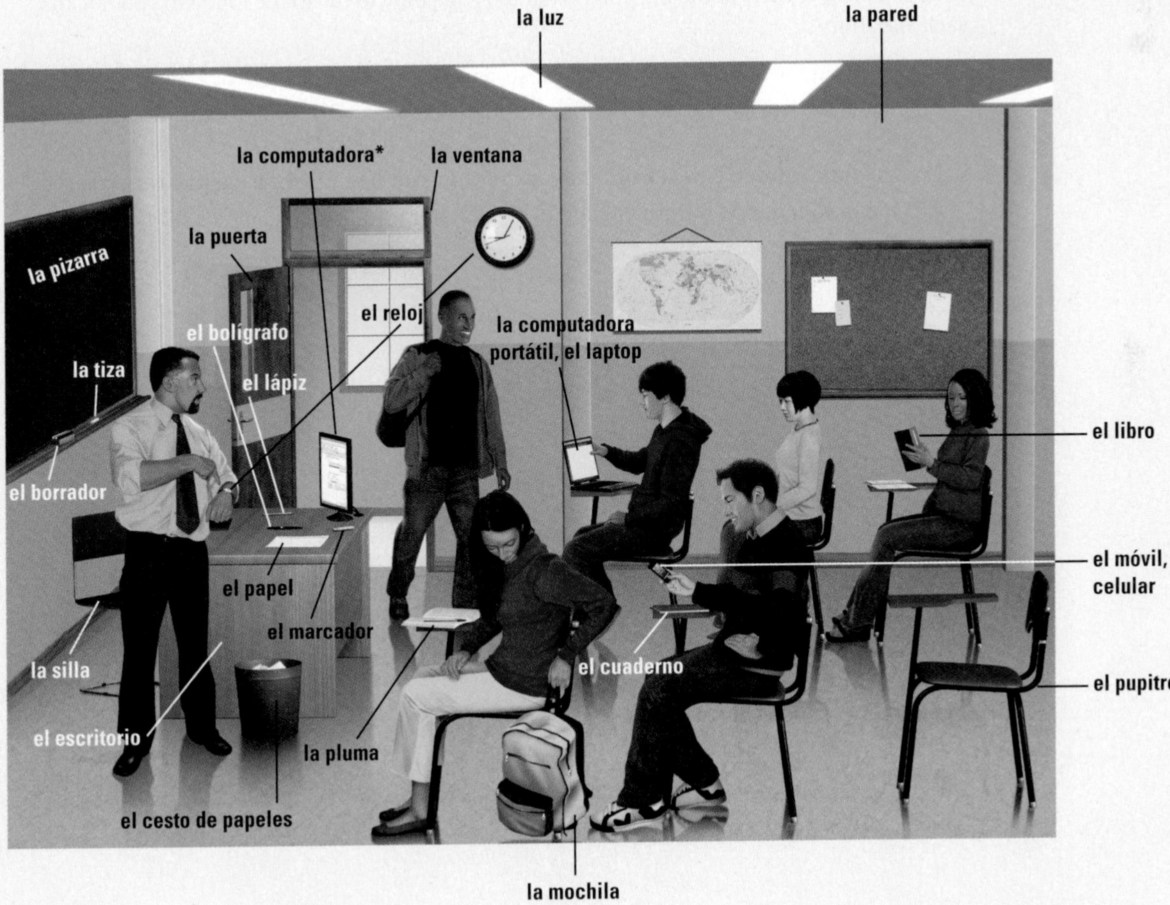

[1]**y** will change to **e** before words starting with an **i**- or **hi**-. Example: *Es simpático **e** inteligente. Estudio* (I study) *biología **e** historia.*

Para practicar el vocabulario
(To practise vocabulary)

A. Los estudiantes

Complete each sentence, using vocabulary from **Lección preliminar** and **Lección 1**.

1. ¿Cómo te __________ tú? ¿María?
2. ¿Cómo se __________ *"window"* en español?
3. —¿Cuál es tu __________? —Es calle Oak, número 237.
4. La profesora Rivas __________ con los alumnos en español.
5. ¿De dónde __________ usted? ¿De México?
6. ¿Cómo __________ usted? ¿Bien?
7. En la clase hay un profesor y veinte __________.
8. Viviana es una __________ bonita, inteligente y __________.
9. ¿Fernando es tu __________ de cuarto?
10. Adiós. __________ a Norma.

B. Yo soy el anfitrión (la anfitriona) *(I'm the host/hostess)*

You are having a party in the evening. What are you going to say to the following people in each situation?

1. You open the door to one of your guests and greet him.
2. You go back to the kitchen, walking through your crowded living room. You accidentally push someone.
3. You didn't understand a word that one of your guests said. She is talking very fast.
4. One of your guests introduces you to his or her friend.
5. Three of your guests are leaving.

C. ¿Qué necesitamos? *(What do we need?)*

Which object(s) do you and your classmates need? Begin each sentence with **"Necesitamos** *(We need)...*"

1. to write on
2. to carry your books and notebooks
3. to tell the time
4. to write with
5. to communicate with your friends
6. to read from in class
7. to sit in class
8. to send an e-mail
9. to enter or exit the classroom
10. to be able to see when it is dark

Andrey_Popov/Shutterstock.com

D. ¿Qué necesitas?

With a partner, turn to pages 8–9 and, using indefinite articles, take turns indicating what you need for class. Name twelve items.

- **MODELO:** *Necesito una silla.*

E. ¿Qué hay en la clase?

The word **hay** can mean both *"there is"* and *"there are"*.

- **MODELO:** Hay una profesora en la clase. *There is a professor in the class.*
  Hay muchos estudiantes. *There are many students.*

With a classmate, note at least three things that are in the classroom and three things that might be in your backpack.

Pronunciación *(Pronunciation)*

Las vocales *(vowels)* a, e, i, o, u[2]

Spanish vowels are constant, clear, and short. To practise the sound of each vowel, listen to the correct pronunciation. Then repeat the following words out loud.

a	mapa	sábado	hasta mañana
	hablar	trabajar	de nada
e	mes	leche	estudiante
	este	Pepe	semestre
i	silla	libro	universidad
	tiza	lápiz	señorita
o	doctor	Soto	los profesores
	dónde	borrador	domingo
u	mujer	alumno	universidad
	gusto	lunes	computadora

[2]See Appendix A for a complete introduction to Spanish pronunciation.

PUNTOS PARA RECORDAR

1 Gender and number of nouns
(Género y número de los sustantivos)

LEAP FORWARD

You will learn more about gender in "Gender, part II" on page 41.

Gender, part I

- In Spanish, all nouns—including those denoting nonliving things—are either masculine or feminine in gender.[3]

Masculine	Feminine
el profesor	la profesora
el cuaderno	la tiza
el lápiz	la ventana

- Most nouns that end in -**o** or denote males are masculine: **cuaderno**, **hombre**.
- Most nouns that end in -**a** or denote females are feminine: **ventana**, **mujer**.

¡ATENCIÓN!

Some common exceptions include the words **día** and **mapa**, which end in **-a** but are masculine, and **mano** *(hand)*, which ends in **-o** but is feminine.

Here are some helpful rules to remember about gender.

- Some masculine nouns ending in **-o** have a corresponding feminine form ending in **-a: el secretario / la secretaria**.
- When a masculine noun ends in a consonant, you often add **-a** to obtain its corresponding feminine form: **el doctor / la doctora**.
- Some nouns have the same form for both genders: **el estudiante / la estudiante**. In such cases, gender is indicated by the article **el** (masculine) or **la** (feminine).
- Pay attention to the agreement in gender and number. In order to do this, always look at the noun first: **chicas** (feminine/plural) / **las** (feminine/plural) **chicas**.

Práctica *(Practice)*

¿Masculino o femenino?

Place **el** or **la** before each noun.

1. ___ mapa
2. ___ tiza
3. ___ escritorio
4. ___ secretaria
5. ___ silla
6. ___ profesora

[3]See Appendix C for a Glossary of Grammatical Terms.

7. ___ pizarra
8. ___ libro
9. ___ mujer
10. ___ puerta
11. ___ ventana
12. ___ bolígrafo
13. ___ hombre
14. ___ día
15. ___ secretario
16. ___ mano
17. ___ computadora
18. ___ profesor

Plural forms of nouns

Spanish singular nouns are made plural by adding **-s** to words ending in a vowel and **-es** to words ending in a consonant. When a noun ends in **-z**, change the **z** to **c** and add **-es**.

Singular	Plural
silla	sillas
estudiante	estudiantes
profesor	profesores
borrador	borradores
lápiz	lápices

¡ATENCIÓN!

When an accent mark falls on the *last* syllable of a word that ends in a consonant, it is omitted in the plural form:

lecc**ión** → lecc**iones**[4]

Práctica

¿Cuál es el plural?

Give the plural of the following nouns. Try to include the definite article for each word as well.

1. mapa
2. profesor
3. tiza
4. lápiz
5. ventana
6. mochila
7. lección
8. escritorio
9. borrador
10. día
11. luz
12. papel

2 Definite and indefinite articles *(Artículos determinados e indeterminados)*

The definite article

Spanish has four forms that are equivalent to the English definite article *the*.

	Singular	Plural
Masculine	**el**	**los**
Feminine	**la**	**las**

[4]For an explanation of written accent marks, refer to Appendix A.

el	profesor	**la**	profesora
el	lápiz	**la**	pluma
los	profesores	**las**	profesoras
los	lápices	**las**	plumas

¡ATENCIÓN!

Always learn new nouns with their corresponding definite articles. This will help you remember their gender. The definite and indefinite articles have to agree in gender and number with the noun.

la profesor**a** | **las** profesor**as**
un profesor | **unos** profesor**es**

The indefinite article

The Spanish equivalents of *a (an)* and *some* are as follows:

	Singular	Plural
Masculine	**un** *a, an*	**unos** *some*
Feminine	**una** *a, an*	**unas** *some*

un	libro	**unos**	libros
un	profesor	**unos**	profesores
una	silla	**unas**	sillas
una	ventana	**unas**	ventanas

Práctica

A. ¿Qué es?

For each of the following illustrations, identify the noun and its corresponding definite and indefinite articles.

1. ____________

2. ____________

3. ____________

4. ____________ 5. ____________ 6. ____________ 7. ____________

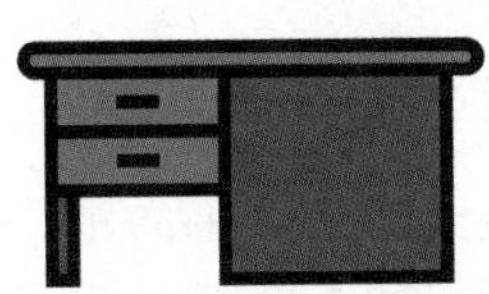

8. ____________ 9. ____________ 10. ____________

B. ¿Necesitas algo? *(Do you need anything?)*

Ask a partner whether he or she needs any of the objects below. Be careful to use the appropriate definite article: either **el** or **la**. If your partner doesn't need a particular object, he or she must select another one. Then, switch roles. Each of you should select at least five objects.

- **MODELO:** —*¿Necesitas el teléfono celular?* (Do you need the cellphone?)
  —*Sí, necesito el teléfono celular.* (Yes, I need the cellphone.)
  —*No, necesito la mochila.* (No, I need the backpack.)

FLASHBACK

Flashback will call your attention to material it would be helpful to review.

Review the vocabulary on pages 8 and 9.

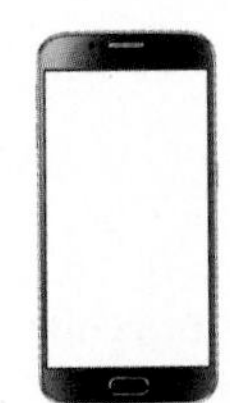

3 Subject pronouns
(Pronombres personales usados como sujetos)

Singular		Plural	
yo	*I*	**nosotros**	*we (m.)*
		nosotras	*we (f.)*
tú	*you (familiar)*	**vosotros**	*you (m., familiar)*
		vosotras	*you (f., familiar)*
usted	*you (formal)*	**ustedes**	*you (formal, familiar)*
él	*he*	**ellos**	*they (m.)*
ella	*she*	**ellas**	*they (f.)*

DETALLES CULTURALES

En España es muy común escuchar (*hear*) la forma de "tú" en muchos lugares. En países de Centro y Sudamérica, es más común el uso de "usted" con personas desconocidas (*strangers*).

- Use the **tú** form as the equivalent of *you* when addressing a close friend, a relative, or a child. Use the **usted** form in *all* other instances. In most Spanish-speaking countries, young people tend to call each other **tú**, even if they have just met.
- In Latin America, **ustedes** (abbreviated **Uds.**) is used as the plural form of both **tú** and **usted** (abbreviated **Ud.**). In Spain, however, the plural form of **tú** is **vosotros(as)**.

  Gilberto y tú son de México. — *Gilberto and you are from Mexico.*
  Ana y tú sois españolas. — *Ana and you are Spaniards.*

- The masculine plural forms **nosotros**, **vosotros**, and **ellos** can refer to the masculine gender alone or to both genders together:

  Juan y Roberto → **ellos** Juan y María → **ellos**

- Unlike English, Spanish does not generally express *it* or *they* as separate words when the subject of the sentence is a thing.

  Es una mesa. — *It is a table.*

Práctica

A. ¿Quiénes son?

What subject pronouns do the following pictures suggest to you?

1. _____ *(I)*

2. _____ *(you, familiar)*

3. _____ *(we, masculine)*

4. _____ *(we, feminine)*   5. _____ *(they, masculine)*   6. _____ *(you, formal)*

7. _____ *(he)*   8. _____ *(she)*   9. _____ *(you, formal)*

B. ¿Tú, Ud., Uds. o vosotros?

What pronoun would you use to address the following people?

1. the president of the university
2. two strangers
3. your best friend
4. your mother
5. a new classmate
6. your neighbour's children (in Spain / in Mexico)

4 Present indicative of *ser*
(Presente de indicativo del verbo ser*)*

The verb **ser** *(to be)* is irregular. Its forms must therefore be memorized.

	ser	
yo	**soy**	*I am*
tú	**eres**	*you (fam.) are*
Ud.		*you (form.) are*
él	**es**	*he is*
ella		*she is*
nosotros(as)	**somos**	*we are*
vosotros(as)	**sois**	*you (fam.) are*
Uds.		*you are*
ellos	**son**	*they (m.) are*
ellas		*they (f.) are*

—Ud. **es** el doctor Rivas, ¿no? —No, **soy** el profesor Diaz.	*"**You are** Dr. Rivas, right?"* *"No, **I'm** professor Diaz."*
—¿De dónde **son** Uds.? —**Somos** de Calgary.	*"Where **are you** (all) from?"* *"**We are** from Calgary."*
—¿De dónde eres tú? —Yo **soy** de Terranova.	*"Where **are you** from?"* *"**I am** from Newfoundland."*
—¿Y Silvia? —Ella **es** de Quebec.	*"And Silvia?"* *"**She is** from Quebec."*

¡ATENCIÓN!

In Spanish when you use a title with a last name, a definite article is required when speaking about the person. This is not done in direct address.

El señor García es de Ottawa. — *Mr. García is from Ottawa.*

but:

—Señorita Salas, ¿cómo está Ud.? — *—Miss Salas, how are you?*

Práctica y conversación

A. Minidiálogo

Complete the following e-mail from a new friend using the correct form of **ser**.

¡Hola!

Yo ________ Helen Davis. Mi clase de español ________ fantástica. La profesora Álvarez ________ mexicana y nosotros ________ canadienses. ¿Tú ________ estudiante? ¿Cuál ________ tu clase favorita? ¿Los estudiantes de tu universidad ________ interesantes?

Chau,

Helen

B. ¿De dónde son?

Miss Soto works in the Admissions Office and these students are telling her where they are from. Using the verb **ser**, complete what they are saying.

1. David / Columbia Británica
2. Yo / Terranova
3. Ana y Eva / Alberta
4. La señorita Mendoza / Saskatchewan
5. Nosotros / Nueva Escocia
6. Raúl y tú / Nuevo Brunswick

Now indicate what Miss Soto would say to a girl, an older gentleman, and two young men to ask them where they are from.

C. Compañeros de clase *(Classmates)*

Form groups of three or four students and ask each other the following questions.

¿Cómo te llamas?
¿De dónde eres?
¿De dónde es tu compañera(o) de cuarto?
¿Quién es el profesor (la profesora) de español?
¿Qué hay en la clase?

FLASHBACK

See pages 8–9 for classroom vocabulary.

5 *¿Qué?* and *¿cuál?* used with *ser*

(¿Qué? y ¿cuál? usados con el verbo ser*)*

- *What?* translates as **¿qué?** when it is used as the subject of the verb and asks for a definition.

—**¿Qué** es una paella?	*"**What** is a paella?"*
—Es un plato español.	*"It's a Spanish dish."*

- *What?* translates as **¿cuál?** when it is used as the subject of a verb and asks for a choice. **Cuál** conveys the idea of selection from among several or many available objects, ideas, and so on.

—**¿Cuál** es tu clase favorita?	*"**What** is your favourite class?"*
—Es español.	*"It's Spanish."*

Práctica y conversación

A. ¿Qué o cuál?

Complete with the correct question word.

1. ¿__________ es una mochila?
2. ¿__________ es tu amigo, David o José?
3. ¿__________ es tu dirección?
4. ¿__________ son tacos?
5. ¿__________ es tu profesor? ¿El señor Rojas o el señor Gallego?

B. Los compañeros de clase hablan

Complete the dialogues using **qué** or **cuál** in a question as needed.

1. **Ana:** ¿____________________?
   Miguel: Mi clase favorita es español.
2. **José:** ¿____________________?
   Graciela: Calle San Sebastián, número 2611.
3. **Rubén:** ¿____________________?
   Clara: Mi número de teléfono es 839-2192.
4. **Mercedes:** ¿Desea *(Do you want)* un pisco?
   Jorge: ¿____________________?
5. **Yolanda:** Es una bebida *(drink)* chilena. ¿Desea una empanada?
   Víctor: ¿____________________?
   Yolanda: Es una comida *(food)* típica latinoamericana.

6 Forms of adjectives and agreement of articles, nouns, and adjectives

(La formación de adjetivos y la concordancia de artículos, nombres y adjetivos)

Forms of adjectives

- Most adjectives in Spanish have two basic forms: the masculine form ending in **-o** and the feminine form ending in **-a**. Their corresponding plural forms end in **-os** and **-as**, respectively.

profesor mexican**o**	profesores mexican**os**
profesora mexican**a**	profesoras mexican**as**
chico simpátic**o**	chicos simpátic**os**
chica simpátic**a**	chicas simpátic**as**

- When an adjective ends in **-e** or a consonant, the same form is normally used with both masculine and feminine nouns.

muchacho inteligent**e**	muchacha inteligent**e**
libro difíci**l**	clase difíci**l**

- The only exceptions are as follows:
  - Adjectives of nationality that end in a consonant have feminine forms ending in **-a**.

señor españo**l** *(Spanish)*	señora españo**la**
señor inglé**s** *(English)*	señora ingle**sa**

  - Adjectives that end in **-ista** do not reflect gender.

un chico optimista	una chica optimista
un hombre pesimista	una mujer pesimista

  - In forming the plural, adjectives follow the same rules as nouns.

mexican**o**	→	mexican**os**
feli**z**	→	feli**ces**
difíci**l**	→	difíci**les**

Position of adjectives

- In Spanish, adjectives that describe qualities (*pretty, smart,* and so on) generally *follow* nouns, while adjectives of quantity precede them:

  Hay **dos** chicas **bonitas**.

Agreement of articles, nouns, and adjectives

- In Spanish, the article, the noun, and the adjective agree in gender and number.

El muchach**o** es simpátic**o**.	**Los** muchach**os** son simpátic**os**.
La muchach**a** es simpátic**a**.	**Las** muchach**as** son simpátic**as**.

Colours as adjectives

Colores *(Colours)*

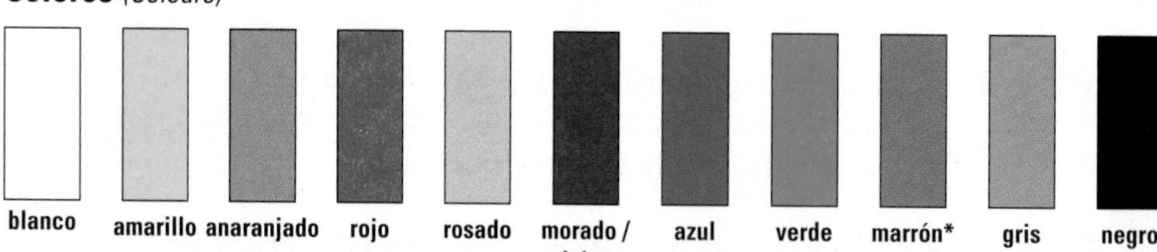

- Colours ending in **-o** will change to **-a** after a singular, feminine noun.
- Colours that end with a consonant or an **-e** do not change after feminine or masculine nouns.
- There must always be agreement in number with all colours.

el cuaderno rojo	la pluma roja
un escritorio gris	una silla gris
el marcador verde	la mochila verde
unos lápices azules	unas paredes azules

Práctica y conversación

A. ¿Cómo son...?

With a partner, take turns asking and answering the following questions. In your answers, contradict what is stated.

- **MODELO:** —¿Eva es tonta?
  —*¡Al contrario* (On the contrary)*! Es muy inteligente.*

1. ¿Los chicos son bajos?
2. ¿Elena es joven?
3. ¿Eva y Gloria son antipáticas?
4. ¿Luis y Francisco son feos?
5. ¿Elsa es gorda?
6. ¿Las lecciones son fáciles?
7. ¿Las casas *(houses)* son grandes?
8. ¿Ellos son pobres?

FLASHBACK

Review adjectives on page 8 and proper use of **y** or **e** on page 9 (footnote).

B. Para conversar *(To talk)*

With a partner, take turns asking each other what these people are like. Ask: **¿Cómo es...?** *(What is . . . like?)*

1. Sofia Vergara
2. Ryan Gosling
3. Jennifer Lopez
4. Antonio Banderas
5. Sandra Oh
6. Drake
7. Margaret Atwood
8. Justin Bieber
9. Yoda (de Star Wars)
10. William Shatner

C. ¡A describir!

With a classmate, take turns asking each other questions about the people in the photo.

- **MODELO 1:** Estudiante 1: ¿Federico es alto o bajo?
  Estudiante 2: *Federico es alto.*

Mateo, Carlos *Susana* *Pedro* *Teresa* *Luis* *Paquito* *Federico* *David* *Lolita* *Ana*

Photos (L to R): Creatas/Thinkstock; Ljupco Smokovski/Shutterstock.com; Michael Jung/Shutterstock.com; Stockyimages/Shutterstock.com; Stockyimages/Shutterstock.com; Stock Foundry/Design Pics/Thinkstock; Andresr/Shutterstock.com; Stocklite/Shutterstock.com; Jeka/Shutterstock.com

D. ¡Somos pintores! *(We are painters!)*

Working with a partner, say what colour is produced by mixing the following colours:

1. rojo y amarillo
2. blanco y negro
3. rojo y blanco
4. azul y rojo
5. amarillo y azul

E. ¿Qué hay en la clase y de qué color es?

Look around your classroom and identify various things stating what colour they are.

- **MODELO:** Hay una puerta. La puerta es gris. *There is a door. The door is grey.*

7 Numbers 0 to 40 *(Números de 0 a 40)*

Learn the Spanish numbers from 0 to 40.

LEAP FORWARD

Numbers from 41 to 200 are presented on page 42, and numbers to 2,000,000 appear on page 79.

0	cero	**21**	veintiuno
1	uno	**22**	veintidós
2	dos	**23**	veintitrés
3	tres	**24**	veinticuatro
4	cuatro	**25**	veinticinco
5	cinco	**26**	veintiséis
6	seis	**27**	veintisiete
7	siete	**28**	veintiocho
8	ocho	**29**	veintinueve
9	nueve	**30**	treinta
10	diez	**31**	treinta y uno
11	once	**32**	treinta y dos
12	doce	**33**	treinta y tres
13	trece	**34**	treinta y cuatro
14	catorce	**35**	treinta y cinco
15	quince	**36**	treinta y seis
16	dieciséis[5]	**37**	treinta y siete
17	diecisiete	**38**	treinta y ocho
18	dieciocho	**39**	treinta y nueve
19	diecinueve	**40**	cuarenta
20	veinte		

¡ATENCIÓN!

Uno changes to **un** before a masculine singular noun: **un libro** *(one book)*. **Uno** changes to **una** before a feminine singular noun: **una silla** *(one chair)*. The final **-o** is also dropped when **uno** is added to higher numbers before a masculine noun.

veintiún **hombres** ***veintiuna*** **mujeres**

[5]The numbers sixteen to nineteen and twenty-one to twenty-nine can also be spelled with a **y** *(and)*: **diez y seis, diez y siete... veinte y uno, veinte y dos**, and so on. The pronunciation of each group of words, however, is identical to the corresponding words spelled with **i**.

Práctica y conversación

A. Números de teléfono

Say the telephone number of each of the people shown on the phone screen. Start by giving each number individually and then give the first number and do the other numbers in pairs.

Contacts
Nombres
Teléfonos
María Luisa Alonso 325-2210
Julián Benavídez 416-0329
Teresa Clamores 721-4613
Profesor Dávila 236-2518
Amanda Espronceda 612-3937
Crista Mendoza 826-1105
Jorge Núñez 722-1014
Simón Peña 542-0112
Estella Vargas 933-4428
Emergencia 911

Ody_Stocker/Shutterstock.com

B. ¿Cuál es tu número de teléfono?

Ask three or four of your classmates for their names and phone numbers. Write down each response and repeat it to that person, asking, **¿Es correcto?** *(Is that correct?)* He or she will say **"sí"** or **"no"** and will correct any mistakes.

C. Sumas y restas *(Additions and subtractions)*

Learn the following mathematical terms; then, with a partner, take turns adding and subtracting.

+ más **– menos** **= son**

- **MODELO:** 7 + 4 = 11 *(Siete más cuatro son once.)*
  20 – 6 = 14 *(Veinte menos seis son catorce.)*

1. 20 + 15 = _____
2. 16 – 11 = _____
3. 17 – 13 = _____
4. 11 + 16 = _____
5. 19 + 11 = _____
6. 13 – 8 = _____
7. 30 – 20 = _____
8. 18 + 18 = _____
9. 23 – 14 = _____
10. 21 + 19 = _____

Práctica y traducción

Using the vocabulary and grammatical concepts presented in the **Lección preliminar** and **Lección 1**, translate the following sentences. This exercise can be done individually or as a pair activity.

1. Ana is a nice and intelligent student.
2. They are classmates. She is Mexican.
3. I am Canadian. Professor Clarke is from St. John's.
4. —Good morning, Dr. Suárez.
   —Good morning, Miss Smith. How are you?
   —Very well, thank you.
5. There are two green blackboards and there is one red door.

ENTRE NOSOTROS *(Among us)*

¡Conversemos!

Para conocernos mejor *(To get to know each other better)*

Get to know your partner better by asking each other the following questions.

1. ¿Cómo te llamas?
2. ¿Cómo estás?
3. ¿De dónde eres?
4. ¿Cuál es tu dirección?
5. ¿Cuál es tu número de teléfono?
6. ¿Qué hay en tu mochila?
7. ¿Quién es tu profesor(a) favorito(a)?
8. ¿Cómo es tu mejor amigo(a) *(best friend)*?

Búsqueda de gente *(People search)*

The goal of this exercise is, as quickly as possible, to find ten classmates who each match one of the following descriptions. When approaching a classmate, you may ask: **"¿Eres...?"**, adding the appropriate adjective, for instance, **"¿Eres paciente?"** If your classmate agrees that he or she matches the description, the person will sign his or her name on the line next to the description.

NOMBRE	
1.	es muy paciente.
2.	es inteligente.
3.	es muy liberal.
4.	es conservador(a).
5.	es popular.
6.	es eficiente.
7.	es perfeccionista.
8.	es atlético(a).
9.	es optimista.
10.	es pesimista.

Escucha y contesta *(Listen and answer)*

Form groups of three. Taking turns, each member of the group will introduce himself/herself by saying at least three sentences. For instance:

1. Me llamo...
2. Soy de...
3. Soy...

After each person in the group has introduced himself or herself, each person will then say something about another group member.

Y ahora... *(And now...)*

Write a brief summary, indicating what you have learned about your classmates.

¿Cómo lo decimos? *(How do we say it?)*

What would you say in the following situations? What might the other person say? Act out these scenes with a partner.

1. You meet Mrs. García in the evening and you ask her how she is.
2. You ask Professor Vega how to say "I'm sorry" in Spanish.
3. You ask a young girl what her name is.
4. You ask a classmate what her roommate is like.
5. You ask a classmate where he or she is from.
6. You say good-bye to someone you expect to see at some point in the future.
7. You ask a friend how he or she is and what is new with him or her.
8. You ask Miss Suárez what her address is.
9. You didn't understand what someone said. He or she is speaking too fast.
10. You are going through a crowded room. You stepped on someone's foot.
11. Someone is introduced to you.
12. You ask a classmate what his or her phone number is.

¿Qué pasa aquí? *(What's going on here?)*

With a partner, look at the photograph and create a dialogue between the people in the photo. They should greet each other, introduce themselves, and tell each other where they're from.

Hinterhaus Productions/Getty Images

Para escribir *(To write)*

Un correo electrónico

Your professor has assigned you a friend that is studying at a Mexican university. Your new friend wants to know what you are like. Write him or her an e-mail, describing yourself with as much detail as you can. Begin the e-mail by saying: "**Estimado(a)** (your friend's name)**...**" At the end, ask your new friend for a description and end with "**Un abrazo** *(A hug)*, (your name)."

Situaciones *(Situations)*

You and a friend decide to go to your professor's office to clarify some grammatical concepts. Using the vocabulary from this lesson, write a dialogue between you, your friend, and the professor. Remember to use the new expressions you've learned! Each person in the dialogue must have at least three interactions with others.

UN DICHO

Saber es poder.

This is a popular saying in Spanish. Find out what it means. Does it have an equivalent in English?

csp/Shutterstock.com

La Universidad Nacional Autónoma de México

ASÍ SOMOS

Vamos a escuchar

A. María Luisa Rojas y Enrique Vera Acosta

You will hear María Luisa Rojas and Enrique Vera Acosta talking about themselves. Pay close attention to what they say. You will then hear six statements about what you have heard. Indicate whether each statement is true **(V, Verdadero)** or false **(F, Falso)**.

1. María Luisa es mexicana. ☐ V ☐ F
2. María Luisa es estudiante. ☐ V ☐ F
3. María Luisa es alta. ☐ V ☐ F
4. Enrique es de Chile. ☐ V ☐ F
5. Enrique es estudiante. ☐ V ☐ F
6. Enrique es viejo. ☐ V ☐ F

Vamos a leer

ESTRATEGIA

Cognados

When you read, it is very useful to be aware of cognates. *Cognates* are words that are similar in spelling and meaning in two languages. Some Spanish cognates are identical to English words. In other instances, the words vary only in minor or predictable ways. As you scan the information about these four students, find the cognates used.

B. Al leer

As you read the information about these Hispanic students, try to find the answer to each of the following questions.

1. ¿De dónde es María Isabel? ¿Cómo es ella?
2. ¿Cuál es su *(her)* especialización? ¿Qué planea estudiar?
3. ¿De dónde es Gustavo Serrano?
4. ¿Qué dicen de Gustavo las chicas?
5. ¿Cuál es su *(his)* especialización? ¿Qué planea ser?
6. Según él, ¿cómo es?
7. ¿De dónde es Ana Luisa? ¿Cómo es?
8. ¿Cuál es su especialización? ¿Qué planea hacer *(to do)*?
9. ¿Quién es su novelista favorita?
10. ¿De dónde es Isabel Allende?
11. ¿Juan Carlos Calvo es un estudiante graduado?
12. ¿Dónde trabaja Juan Carlos?

Estudiantes hispanos en la Universidad de Calgary

Andresr/Shutterstock.com

María Isabel Fuentes, de Toronto, Ontario, es una chica inteligente y, según° ella, muy optimista. Su especialización° es biología y planea estudiar° medicina.

according to
major
planea... *plans to study*

wavebreakermedia/Shutterstock.com

Gustavo Serrano es de Victoria, Columbia Británica. Las chicas dicen° que Gustavo es guapo y muy simpático. Su especialización es matemáticas y planea ser ingeniero. Según él, es perfeccionista, pero no es muy paciente.

say

Minerva/Shutterstock.com

Ana Luisa Carreras, de Montreal, Quebec, es estudiosa y muy eficiente. Su especialización es español y planea enseñar°.
Su novelista favorita es Isabel Allende, de Chile.

to teach

Nico Blue/Getty Images

Juan Carlos Calvo es un estudiante graduado y planea ser abogado°. Es de Halifax, Nueva Escocia. Trabaja° en la biblioteca.

lawyer
He works

C. ¿Y tú?

Write a brief essay about yourself. You will need a dictionary. Include the following phrases.

1. Yo soy de... *(your birthplace)*
2. Soy... *(two or three personal characteristics)*
3. Mi especialización es... *(your field of study)*
4. Planeo ser... *(your career goal)*
5. Mi asignatura favorita es... *(My favourite subject)*
6. Mi novelista favorito(a) es... *(your favourite novelist)*
7. Yo vivo *(live)* en... *(the city where you live)*

LECCIÓN 2 ESTUDIANTES Y PROFESORES

Odua Images/Shutterstock.com

Por la mañana, Lisa, una chica canadiense, habla con Alina, su nueva compañera de cuarto, que es hispanocanadiense. Las dos estudian en la Universidad de Alberta, en Edmonton.

Lisa: Alina, ¿cuántas clases tomas este semestre?
Alina: Tomo cinco clases: inglés, matemáticas, física, psicología y biología. ¿Y tú? ¿Qué clases tomas?
Lisa: Yo tomo historia, literatura, química, ciencias políticas y español.
Alina: No son clases fáciles.
Lisa: No, las dos tomamos clases difíciles. ¿Tú trabajas, Alina?
Alina: Sí, pero trabajo en el verano, de julio a septiembre.
Lisa: Yo trabajo los sábados y los domingos por la tarde, porque necesito dinero.
Alina: Necesitamos descansar, ¿verdad?
Lisa: Sí, ¿vamos a bailar esta noche?
Alina: Sí, es una idea excelente. Ya es tarde, Lisa. ¿Hablamos por la tarde?
Lisa: Sí, hasta luego.

Ana Sandoval y José Santos conversan en la cafetería de la universidad. Él es profesor de contabilidad y ella trabaja en la oficina de administración.

José: ¿Deseas tomar café?
Ana: No, gracias. Yo no tomo café.
José: ¿Deseas una taza de té?
Ana: Sí, muchas gracias. Oye, ¿tú enseñas solamente por la mañana?
José: No, también enseño los martes y jueves por la noche, y los lunes por la tarde.
Ana: Trabajas mucho...
José: ¡Sí, es verdad! Por eso enseño más cursos. Oye... ¿qué hora es?
Ana: Es la una y media. ¿Por qué?
José: Porque a las dos hay un programa muy importante en la tele.
Ana: ¿Es tu programa favorito?
José: ¡Sí! ¡Adiós! Nos vemos.
Ana: Muy bien, hasta mañana.

Hablemos

Sobre el diálogo

With a classmate, take turns asking and answering the following questions. Base your answers on the dialogues.

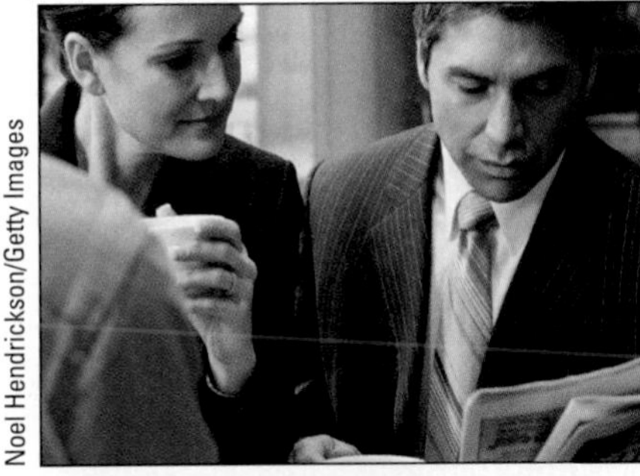
Noel Hendrickson/Getty Images

David Curtis/Age fotostock

1. ¿ Es Alina hispanocanadiense? ¿Y Lisa?
2. ¿Dónde estudian las dos chicas?
3. ¿Qué clases toma Alina este semestre? ¿Y Lisa?
4. ¿Toman clases fáciles o difíciles?
5. ¿Quién trabaja en el verano?
6. ¿Dónde conversan Ana y José?
7. ¿Qué enseña José?
8. ¿Dónde trabaja Ana?
9. ¿Ana desea tomar café o no desea tomar café?
10. ¿José trabaja mucho?

Entrevista a tu compañero(a)

Take turns asking and answering these questions.

1. ¿Dónde estudias tú? (Yo estudio...)
2. ¿Qué clases tomas este semestre? (Yo tomo...)
3. ¿A qué hora terminan tus clases? (Mis clases...)
4. ¿Tú estudias después de *(after)* tus clases? (Sí, ...)
5. ¿Con quién cenas tú? (Yo ceno...)
6. ¿Con quién conversas tú? (Yo converso...)
7. ¿Dónde trabajas tú? (Yo trabajo...)
8. ¿Tú deseas tomar café o agua *(water)*? (Yo deseo...)

DETALLES CULTURALES

En los países de habla hispana, muchos estudiantes estudian con un(a) compañero(a) o en grupos. Generalmente viven con su familia. Hay muy pocas residencias universitarias *(dormitories)*.

VOCABULARIO

COGNADOS

la administración
la biología
el dólar
la física
el (la) hispanocanadiense
la historia
la idea
importante
imposible
internacional
la literatura
las matemáticas
el programa
la psicología
el semestre
la tele, la televisión

SUSTANTIVOS

el (la) amigo(a)	*friend*
el (la) mejor amigo(a)	*best friend*
la asignatura*	*course, subject*
el aula (f.)	*classroom*
la biblioteca	*library*
el cumpleaños	*birthday*
el dinero*	*money*
el fin de semana	*weekend*
la hora	*hour, time*
el horario de clases[1]	*class schedule*
hoy	*today*
la librería	*bookstore*
la mañana	*morning*
la noche	*night*
la oficina	*office*
— de administración	*administration office*
el requisito	*requirement*
la semana	*week*
la tarde	*afternoon*
la tarea	*homework*
la vida	*life*

VERBOS

bailar	*to dance*
cenar	*to have dinner*
comprar	*to buy*
conversar*	*to talk, converse*
desear	*to wish, want*
enseñar	*to teach*
escuchar	*to listen to*
estudiar	*to study*
hablar	*to speak*
necesitar	*to need*
practicar	*to practise*
terminar	*to end, to finish, to get through*
tomar	*to take (a class); to drink*
trabajar	*to work*

ADJETIVOS

aburrido(a)	*boring*
bueno(a)	*good*
juntos(as)	*together*
nuestro(a)	*our*
nuevo(a)	*new*
todos(as)	*all*

PREGUNTAS Y RESPUESTAS

¿A qué hora...?	*(At) What time ... ?*
¿Cuándo?	*When?*
¿Cuántos(as)?	*How many?*
por la mañana, por la tarde, por la noche	*in the morning, in the afternoon, in the evening*
¿Por qué?	*Why?*
porque	*because*
¿Qué hora es?	*What time is it?*
¿verdad?	*right?, true?*
ya es tarde	*it's already late*

OTRAS PALABRAS Y EXPRESIONES

a	*at (with time of day); to*
a veces	*sometimes*
de	*of, from*
entonces	*then*
este semestre	*this semester / this term*
los (las) dos	*both*
mañana	*tomorrow*
no vamos	*we are not going*
pero	*but*
pues	*then, well*
que	*who, that*
solamente, sólo[2]	*only*
también	*also, too*
y media	*half past*

[1]Spanish uses prepositional phrases that correspond to the English adjectival use of nouns: **horario de clases** *(class schedule)*.

[2]The RAE notes that the accent on **sólo** meaning *only* needs to be used only in the case of ambiguity, for example: **Yo voy a estar solo dos días en Madrid.** *I will be alone two days in Madrid.* versus **Yo voy a estar sólo dos días en Madrid**. *I will be in Madrid only two days.* You will see both versions in current printed materials because the rule is fairly new.

Amplía tu vocabulario

Más asignaturas *(For more options regarding fields of study, please search online and you could add them to this list as needed)*

la administración de empresas	*business administration*	**la geografía**	*geography*
la antropología	*anthropology*	**la geología**	*geology*
el arte	*art*	**la informática**	*computer science*
las ciencias políticas	*political science*	**el inglés**	*English (language)*
la contabilidad	*accounting*	**la música**	*music*
la educación física	*physical education*	**la química**	*chemistry*
el francés	*French (language)*	**la sociología**	*sociology*

Para pedir bebidas *(Ordering drinks)*

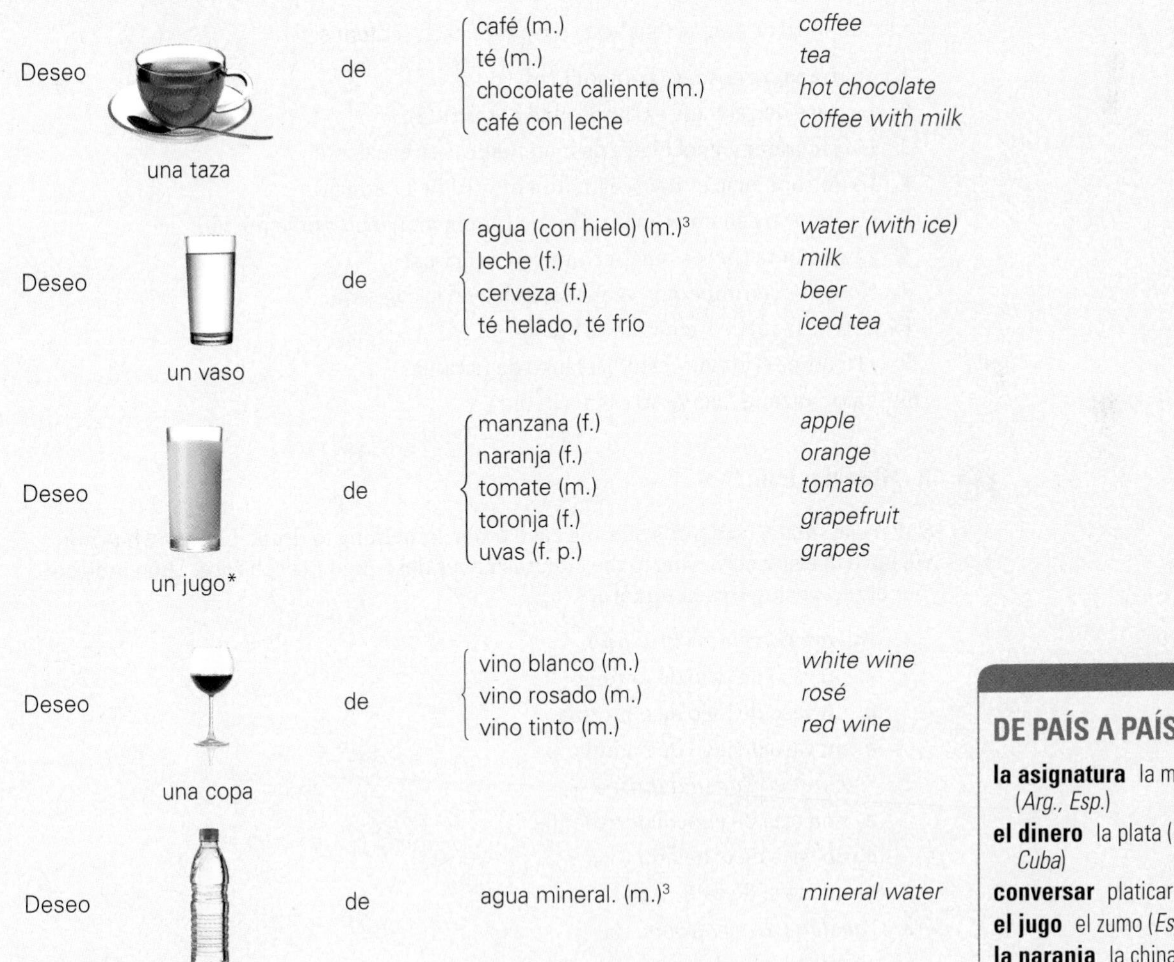

Deseo una taza de
- café (m.) — *coffee*
- té (m.) — *tea*
- chocolate caliente (m.) — *hot chocolate*
- café con leche — *coffee with milk*

una taza

Deseo un vaso de
- agua (con hielo) (m.)[3] — *water (with ice)*
- leche (f.) — *milk*
- cerveza (f.) — *beer*
- té helado, té frío — *iced tea*

un vaso

Deseo un jugo de
- manzana (f.) — *apple*
- naranja (f.) — *orange*
- tomate (m.) — *tomato*
- toronja (f.) — *grapefruit*
- uvas (f. p.) — *grapes*

un jugo*

Deseo una copa de
- vino blanco (m.) — *white wine*
- vino rosado (m.) — *rosé*
- vino tinto (m.) — *red wine*

una copa

Deseo una botella de
- agua mineral. (m.)[3] — *mineral water*

una botella

DE PAÍS A PAÍS

la asignatura la materia (*Arg., Esp.*)
el dinero la plata (*Cono Sur, Cuba*)
conversar platicar (*Méx.*)
el jugo el zumo (*Esp.*)
la naranja la china (*Puerto Rico*)

[3] Though **agua** is a feminine noun, it takes a masculine definite article in the singular form, e.g., **el agua fría**. In the plural, it takes the feminine form, e.g., **las aguas termales**.

Para practicar el vocabulario

A. Palabras y más palabras

What word or phrase from **Lección 2** corresponds to the following?

1. opuesto *(opposite)* de día
2. asignatura donde estudiamos novelas y poemas
3. clases que necesitamos tomar
4. blanco, rosado o tinto
5. en preparación para tomar un examen, necesitamos...
6. una bebida que tomamos con leche
7. solo
8. *Sleeman* o *Moosehead,* por ejemplo
9. los idiomas nacionales de Canadá
10. opuesto de caliente

B. En la universidad

Circle the word or phrase that best completes each sentence.

1. Yo (trabajo / enseño) contabilidad.
2. La clase de geología es (imposible / aburrida).
3. El (programa / chocolate) de matemáticas es excelente.
4. La antropología es una asignatura muy (difícil / amiga).
5. Carlos y yo cenamos en la cafetería (por la mañana / por la noche).
6. ¿A qué hora (necesitan / terminan) tus clases?
7. Nosotros (terminamos / conversamos) en la cafetería.
8. El (vino / té) de Argentina es bueno.
9. ¿Tú deseas (tomar / estudiar) jugo de naranja?
10. La (manzana / cerveza) es una bebida.

C. ¿Qué deciden?

With a classmate, take turns offering each other something to drink. Choose what you will have to drink according to the circumstances described in each case. Then indicate your choice, using **Deseo tomar...**

1. *You are allergic to citrus fruit.*
   a. un vaso de jugo de toronja
   b. un vaso de jugo de manzana
   c. un vaso de jugo de naranja
2. *You are very hot and thirsty.*
   a. una taza de chocolate caliente
   b. un vaso de té helado
   c. una taza de café
3. *You don't drink alcohol.*
   a. una botella de agua mineral
   b. una botella de cerveza
   c. una copa de vino tinto
4. *You're having breakfast in Madrid.*
   a. una copa de vino rosado
   b. un vaso de agua con hielo
   c. una taza de café con leche

5. *It's a cold winter night.*
    a. un vaso de jugo de uvas
    b. una taza de chocolate caliente
    c. un vaso de leche fría

D. ¿Qué clases necesito?

With a partner, take turns saying what class(es) you need according to the following situations. Start by saying **Necesito tomar...**

1. You want to learn more about famous painters.
2. You would like to get a job in the business world.
3. You need two humanities classes.
4. You need three science classes.
5. You know very little about other countries.
6. You need to learn about computers.
7. You would like to help with your family's business.

Sean Locke/123 Royalty Free

¿Que asignaturas toman los estudiantes? Escribe *(Write)* por lo menos *(at least)* tres oraciones *(sentences)*.

Pronunciación

Linking[4]

To practise linking, listen to the correct pronunciation. Then say the following sentences out loud.

1. Habla en la universidad.
2. Juan habla con Norma Acosta.
3. Termino a la una.
4. ¿A qué hora es su clase de español?
5. Deseo un vaso de agua.

[4]See Appendix A for an explanation of linking.

PUNTOS PARA RECORDAR

1 Present indicative of *-ar* verbs

(Presente de indicativo de los verbos terminados en -ar)

- In this chapter we are introducing verbs ending in **-ar** to showcase the mechanics of verb conjugation in Spanish. Spanish verbs are classified according to their endings. There are three conjugations: **-ar**, **-er**, and **-ir**.

  The infinitive (unconjugated form) of a Spanish verb consists of a stem and an ending. The stem is what remains after the ending (**-ar**, **-er**, or **-ir**) is removed from the infinitive.

LEAP FORWARD

The conjugations for **-er** and **-ir** verbs will be presented on page 68.

hablar *(to speak)*		
Singular		
	Stem Ending	
yo	habl- **o**	Yo **hablo** español.
tú	habl- **as**	Tú **hablas** español.
Ud.	habl- **a**	Ud. **habla** español.
él	habl- **a**	Juan **habla** español. Él **habla** español.
ella	habl- **a**	Ana **habla** español. Ella **habla** español.
Plural		
nosotros(as)	habl- **amos**	Nosotros(as) **hablamos** español.
vosotros(as)	habl- **áis**	Vosotros(as) **habláis** español.
Uds.	habl- **an**	Uds. **hablan** español.
ellos	habl- **an**	Ellos **hablan** español.
ellas	habl- **an**	Ellas **hablan** español.

—Rosa, tú **hablas** inglés, ¿no? — *"Rosa, you **speak** English, don't you?"*
—Sí, **hablo** inglés y español. — *"Yes, **I speak** English and Spanish."*

—¿Qué idioma **hablan** Uds. con el profesor? — *"What language **do you speak** with the professor?"*
—**Hablamos** español. — *"**We speak** Spanish."*

DETALLES CULTURALES

Español y **castellano** son sinónimos. En muchos países de habla hispana para referirse al idioma no usan el término **español**; usan **castellano**. Este término también se usa para referirse al español como una asignatura en las escuelas *(schools)*.

- Native speakers usually omit subject pronouns in conversation because the ending of each verb form indicates who is performing the action described by the verb. The context of the conversation also provides clues as to whom the verb refers. However, the forms **habla** and **hablan** are sometimes ambiguous even in context. Therefore, the subject pronouns **usted**, **él**, **ella**, **ustedes**, **ellos**, and **ellas** are used in speech with greater frequency than the other pronouns.

- Regular verbs ending in **-ar** are conjugated like **hablar**. Other verbs conjugated like **hablar** are: **bailar**, **cenar**, **comprar**, **conversar**, **desear**, **enseñar**, **escuchar**, **estudiar**, **necesitar**, **terminar**, **tomar**, and **trabajar**.

—¿A qué hora **terminan** Uds. hoy? — *"What time **do you finish** today?"*
—**Terminamos** a las tres. — *"**We finish** at three o'clock."*

—¿Qué **necesitas**? — *"What **do you need**?"*
—**Necesito** el horario de clases. — *"**I need** the class schedule."*

—**Deseo** hablar con Roberto. — *"**I want** to speak with Roberto."*

- The Spanish present tense has three equivalents in English.

Yo hablo. { *I speak.* / *I am speaking.* / *I do speak.* }

¡ATENCIÓN!

In Spanish, as in English, when two verbs are used together, the second verb remains in the infinitive.

Deseo **hablar** con Roberto. *I want **to speak** with Roberto.*

Práctica y conversación

A. Olga habla con Sergio

Complete the following conversation between two students. Use the present indicative of the verbs in the list. The number in parentheses beside some of the verbs indicates the number of times they will be used in the exercise.

desear necesitar tomar (2) estudiar (2) trabajar (2) terminar (2)

Olga: ¿Cuántas clases (1) ______________ tú este semestre?
Sergio: (2) ______________ cuatro clases.
Olga: Tú y Álvaro (3) ______________ en la cafetería, ¿no?
Sergio: Sí, nosotros (4) ______________ los lunes y miércoles. Oye, ¿tú (5) ______________ tomar un vaso de agua?
Olga: Sí, gracias. ¿A qué hora (6) ______________ tú hoy?
Sergio: Mis clases (7) ______________ a las cuatro de la tarde.
Olga: ¿Tú y Álvaro (8) ______________ juntos en la biblioteca para el examen?
Sergio: Sí, (9) ______________ por la noche. Ah, (yo) (10) ______________ tu número de teléfono.
Olga: Es siete-treinta-veinticinco-doce.

B. Entrevista a tu compañero(a) *(Interview your partner)*

Interview your partner, using the following questions.

1. ¿Cuántas clases tomas este semestre?
2. ¿Qué asignaturas tomas? ¿Son fáciles o difíciles?
3. ¿Estudias en la biblioteca o en tu casa *(house)*?
4. ¿Trabajas en la universidad?
5. ¿Cuántas horas *(hours)* trabajas?
6. ¿Trabajas en el verano?
7. ¿Deseas un vaso de jugo o una botella de agua mineral?
8. ¿Tú tomas café o chocolate caliente? ¿Tú tomas vino?

C. Observa, recuerda y escribe *(Observe, remember, and write)*

With a partner, observe the following pictures and write three sentences using the **-ar** verbs: **bailar**, **cenar**, **estudiar**, and **trabajar**. Write complete sentences, making sure there is agreement between the subject and the verb. Share the sentences with another group and correct each other's work, if necessary.

- **MODELO:** (hablar)
  Ellos hablan *en la cafetería en la mañana.*

Ralf Hettler/Getty Images

Tyler Olson/Shutterstock.com

George Doyle/Getty Images

Monkey Business Images/Shutterstock.com

2 Interrogative and negative sentences
(Oraciones interrogativas y negativas)

Interrogative sentences

- In Spanish, there are several ways of asking a question to elicit a *yes/no* response.

¿**Elena** habla español?
¿Habla **Elena** español? } Sí, Elena habla español.
¿Habla español **Elena**?

Elena habla español, ¿verdad?	*Elena speaks Spanish, right?*
Elena habla español, ¿no?	*Elena speaks Spanish, doesn't she?*

- All the questions ask for the same information and have the same meaning. The subject may be placed at the beginning of the sentence, after the verb, or at the end of the sentence. Note that written questions in Spanish begin with an opening question mark.

—¿**Trabajan Uds.** en la biblioteca? —No, trabajamos en la cafetería.	*"**Do you work** in the library?"* *"No, we work in the cafeteria."*
—¿**Habla** español **la profesora**? —Sí, y también habla inglés.	*"**Does the professor speak** Spanish?"* *"Yes, and she also speaks English."*
—¿**Carmen es** bonita? —Sí, y muy simpática.	*"**Is Carmen** pretty?"* *"Yes, and very nice."*

¡ATENCIÓN!

Spanish does not use an auxiliary verb, such as *do* or *does,* in an interrogative sentence.

¿**Habla** Ud. inglés?	***Do you speak*** *English?*
¿**Necesita** Luis el horario de clase?	***Does Luis need*** *the class schedule?*

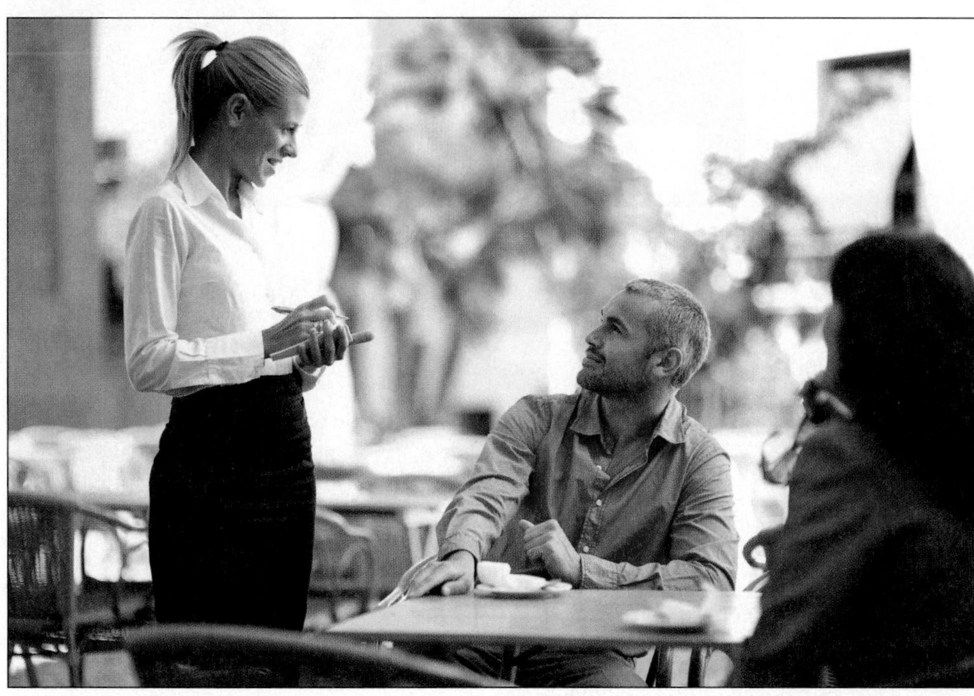

Adie Bush/Getty Images

¡Buenos días! ¿Qué desean beber?

Negative sentences

- To make a sentence negative in Spanish, simply place the word **no** in front of the verb.

Yo tomo café.	*I drink coffee.*
Yo **no** tomo café.	*I* ***don't*** *drink coffee.*

If the answer to a question is negative, the word **no** appears twice: once at the beginning of the sentence followed by a comma, as in English, and again before the verb.

—¿Trabajan Uds. en la cafetería?	*"Do you work in the cafeteria?"*
—**No**, nosotros **no** trabajamos en la cafetería.	*"**No**, we **don't** work in the cafeteria."*

¡ATENCIÓN!

Spanish does not use an auxiliary verb, such as the English *do* or *does,* in a negative sentence.

Ella no estudia inglés.	***She does not study*** *English.*
Yo no estudio hoy.	***I do not study*** *today.*

—¿Deseas un sándwich de jamón (*ham*)?

—No, gracias, soy vegetariana.

Hasloo Group Production Studio/Shutterstock.com

Práctica y conversación

A. ¿Qué preguntó? *(What did he ask?)*

Complete the following dialogues by supplying the questions that would elicit the responses given.

- **MODELO:** —*¿Deseas un jugo de naranja?*
  —Sí, deseo un vaso de jugo de naranja.

1. —¿ ______________________________ ?
   —Sí, estudiamos en la biblioteca.
2. —¿ ______________________________ ?
   —No, este semestre tomo sociología.
3. —¿ ______________________________ ?
   —No, deseamos agua mineral.
4. —¿ ______________________________ ?
   —Sí, ellos trabajan en el verano.
5. —¿ ______________________________ ?
   —No, tomo jugo.
6. —¿ ______________________________ ?
   —No, deseo una taza de chocolate caliente.

B. ¿Quiere saber?

This person wants to know many things. Use the cues provided to give him the information.

- **MODELO:** —¿Usted es de Halifax? (Regina)
  —*No, no soy de Halifax, soy de Regina.*

1. ¿Tú necesitas el libro? (el horario de clases)
2. ¿Tú tomas café? (té frío)
3. ¿Necesitamos muchos libros? (dos)
4. ¿Rebeca es colombiana? (hispanocanadiense)
5. ¿Elsa termina a las ocho? (a las siete)
6. ¿Ellos hablan español? (inglés)
7. ¿Es difícil la clase de geografía? (fácil)
8. ¿Tu nueva compañera de cuarto es baja? (alta)

C. ¿Cuál es la pregunta?

Complete the following sentences with an appropriate interrogative word or phrase.

1. —¿__________ se llama la profesora? —Se llama profesora Salinas.
2. —¿__________ es tu libro? —Mi libro es el azul.
3. —¿__________ es Marisa? —Es de España.
4. —¿__________ clases tomas? —Tomo español y psicología.
5. —¿__________ sillas hay en la clase? —Hay treinta y cinco sillas.
6. —¿__________ estudias español? —Porque es interesante.
7. —¿__________ compras libros? ¿En la librería o en línea? —En la librería.
8. —¿__________ termina la clase? —Termina muy tarde.

FLASHBACK

Remember that interrogative words or phrases can be used to form questions: **¿cómo?**, **¿cuándo?**, and **¿cuál?** See page 8.

D. ¿Cómo eres tú?

Using *yes/no* questions or interrogative words or phrases, ask a partner about the following things. Be sure to compare each other's answers.

- **MODELO:** si (*if*) estudia inglés

  Estudiante 1: —*¿Estudias inglés?*

  Estudiante 2: —*No, no estudio inglés, estudio español. ¿Y tú?*

1. si es de Canadá
2. si toma siete clases este semestre
3. las clases que toma
4. si estudia en la biblioteca o en casa
5. si necesita trabajar

3 Possessive adjectives *(Adjetivos posesivos)*

Forms of the Possessive Adjectives		
Singular	*Plural*	
mi	**mis**	*my*
tu	**tus**	*your (fam.)*
su	**sus**	*your (form.)*, *his*, *her*, *its*, *their*
nuestro(a)	**nuestros(as)**	*our*
vuestro(a)	**vuestros(as)**	*your (fam., pl.)*

- Possessive adjectives always precede the nouns they introduce. They agree in number (singular or plural) with the nouns they modify.

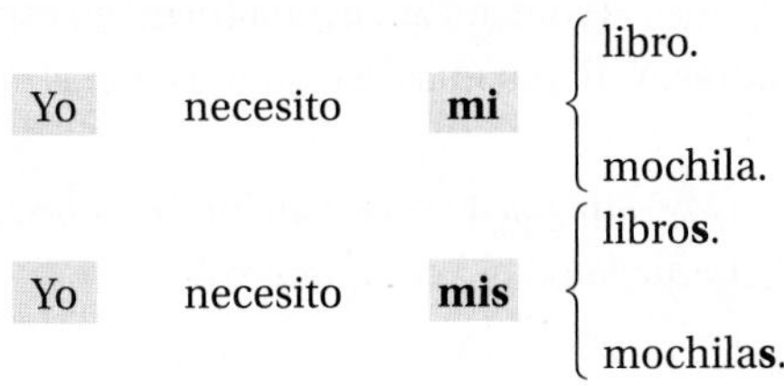

Yo necesito mi libro. / mochila.
Yo necesito mis libros. / mochilas.

- **Nuestro** and **vuestro** are the only possessive adjectives that have the feminine endings **-a** and **-as**. The others take the same endings for both genders.

Nosotros	necesitamos	**nuestro**	libro.
		nuestra	computadora.
Nosotros	necesitamos	**nuestros**	libros.
		nuestras	computadoras.

- Possessive adjectives agree with the thing possessed and *not* with the owner. For instance, two male students would refer to their female professor as **nuestra profesora**, because **profesora** is feminine.

- Because **su** and **sus** have several possible meanings, the forms **de él**, **de ella**, **de ellos**, **de ellas**, **de Ud.**, or **de Uds.** can be substituted to avoid confusion. Use this pattern: *article* + *noun* + **de** + *pronoun.*

— ¿Es **la amiga de él**?	*"Is she* ***his*** *friend?"*
— Sí, es **su** amiga.	*"Yes, she is* ***his*** *friend."*

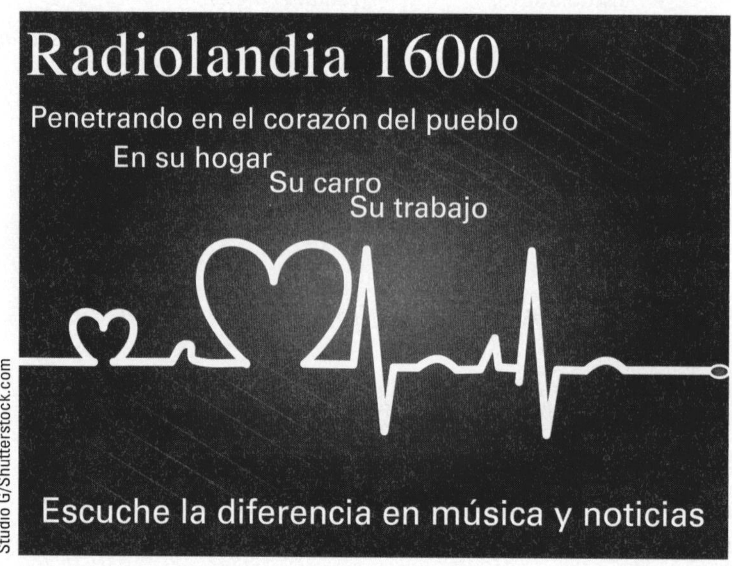

Radiolandia 1600
Penetrando en el corazón del pueblo
En su hogar
Su carro
Su trabajo
Escuche la diferencia en música y noticias

Studio G/Shutterstock.com

Práctica y conversación

A. Mi amigo mexicano

Your professor has assigned you a penpal from Mexico. You are writing him an e-mail about your first weeks of classes. Fill in the blanks with the correct possessive adjectives.

1. ________________ (My) clase de español es fantástica. ________________ (Our) profesora es inteligente.
2. ________________ (Our) libro es nuevo.
3. Deseo ________________ (your, form.) ayuda *(help)* en español.
4. Tomo cinco asignaturas. Y tú, ¿cuántas asignaturas tomas en ________________ (your, fam.) universidad?
5. ________________ (My) amigos de clase son interesantes. ¿Cómo son ________________ (your, fam., pl.) compañeros?

B. En la clase

Complete the following exchanges using the appropriate possessive adjectives that correspond to each subject.

1. —¿Tú necesitas ________________ bolígrafo rojo?
   —Sí, necesito ________________ bolígrafo rojo y ________________ lápices negros.
2. —¿De dónde es la profesora de Uds.?
   — ________________ profesora es de Ottawa.
3. —¿Qué necesita Roberto?
   —Necesita ________________ cuadernos y ________________ libro de español.
4. —Los alumnos de Uds., ¿son mexicanos?
   —No, ________________ alumnos son argentinos.
5. —¿Qué necesita Ana? ¿Ella necesita ________________ mochila?
   —No, necesita ________________ reloj.

C. Entrevista a tu compañero(a)

Interview your partner, using the following questions.

1. ¿De dónde es tu mejor amigo(a)?
2. ¿Tus padres *(parents)* son de Edmonton?
3. ¿Necesitas tus libros hoy?
4. ¿Son interesantes tus clases?
5. ¿Es simpático(a) tu compañero(a) de cuarto?
6. ¿Tú y tus amigos estudian juntos?
7. ¿Dónde estudian?
8. ¿Estudias por la mañana o por la tarde?

FLASHBACK 

If you would like to review Gender of nouns I, see page 12.

4 Gender of nouns, part II *(Género de los nombres, parte II)*

Here are practical rules to help you determine the gender of those nouns that do not end in **-o** or **-a**. There are also a few important exceptions.

- Nouns ending in **-ción**, **-sión**, **-tad**, and **-dad** are feminine.

la lec**ción**	*lesson*	**la** ciu**dad**	*city*
la televi**sión**	*television*	**la** liber**tad**	*freedom, liberty*

- Many words that end in **-ma** are masculine.

el progra**ma**	*program*	**el** cli**ma**	*climate*
el siste**ma**	*system*	**el** proble**ma**	*problem*
el te**ma**	*theme*	**el** poe**ma**	*poem*
el idio**ma**	*language*		

- The gender of nouns that have other endings and that do not refer to males or females must be learned. Remember that it is helpful to memorize a noun with its corresponding article.

el español	**el** borrador	**la** noche	**la** clase
el inglés	**el** reloj	**la** tarde	**la** leche
el café	**el** té	**la** luz	**la** calle

Práctica

¿Masculino o femenino?

Add **el**, **la**, **los**, or **las** before each noun.

1. ________ universidad
2. ________ programas
3. ________ televisión
4. ________ libertad
5. ________ relojes
6. ________ poema
7. ________ leche
8. ________ ciudades
9. ________ borrador
10. ________ idiomas
11. ________ clima
12. ________ lecciones
13. ________ inglés
14. ________ luces
15. ________ ilusiones
16. ________ problemas

FLASHBACK

Review numbers from 0 to 40 on page 22.

5 Numbers 41 to 200 *(Números de 41 a 200)*

41	cuarenta y uno	**100**	cien
45	cuarenta y cinco	**101**	ciento uno
50	cincuenta	**115**	ciento quince
60	sesenta	**175**	ciento setenta y cinco
70	setenta	**180**	ciento ochenta
80	ochenta	**200**	doscientos
90	noventa		

Práctica

A. Sumas y restas

LEAP FORWARD

You will find more information about numbers on page 79.

With a partner, take turns solving the problems.

+ más **- menos** **= son**

1. 27 + 13 = ___
2. 37 + 12 = ___
3. 90 + 15 = ___
4. 75 + 23 = ___
5. 52 - 20 = ___
6. 200 - 30 = ___
7. 65 - 35 = ___
8. 80 - 35 = ___
9. 200 - 100 = ___
10. 190 - 10 = ___

B. Números de teléfono

In many Spanish speaking countries, it's common to give a telephone number by saying the first number alone and the rest in pairs. With a partner, take turns reading the telephone number that each person requires from the advertisements on the next page, using the pattern a Spanish-speaking person would use.

- **MODELO:** Sara wants to buy a necklace.

  —¿Cuál es el número de teléfono de la joyería?

  — Es dos-cincuenta y dos-ochenta y nueve- cero- seis-treinta y uno.

1. Carlos wants to have his picture taken.
2. Sergio wants to send flowers to his wife.
3. Elena is having car trouble.
4. Lupe needs to have a prescription filled.
5. Alicia and Esteban want to buy a necklace for their mother's birthday.
6. Fernando needs to make a dinner reservation.
7. Eva and Luis need an apartment.
8. Antonio wants to know if a bookstore is open on Sundays.

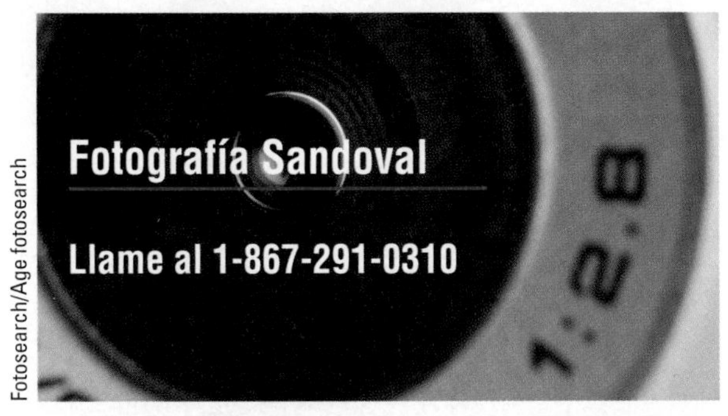

Fotosearch/Age fotosearch

Florería Margarita
¿Necesita flores? Llame al 905-789-4522

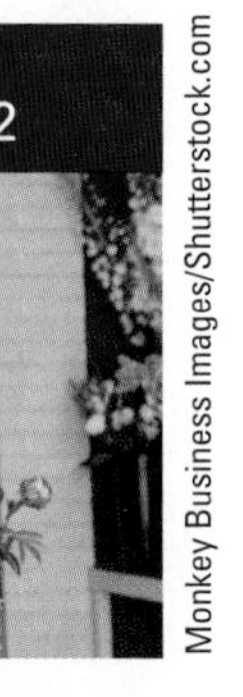

Monkey Business Images/Shutterstock.com

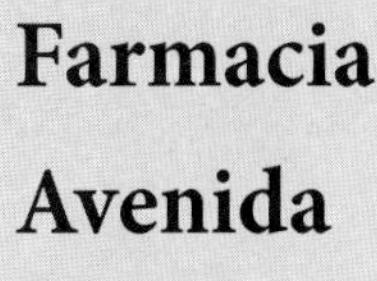

Andresr/Shutterstock.com

Farmacia
Avenida
¿Una emergencia?
Llame al 416-478-6327

Fuse/Thinkstock

Syda Productions/Shutterstock.com

Denis Ponkratov/Shutterstock.com

¿Busca un apartamento?
Llame al: 1-888-495-3000
SE VENDE
CASA

Andy Dean Photography/Shutterstock.com

ajt/Age fotostock

6 Telling time *(La hora)*

- The following word order is used for telling time in Spanish:

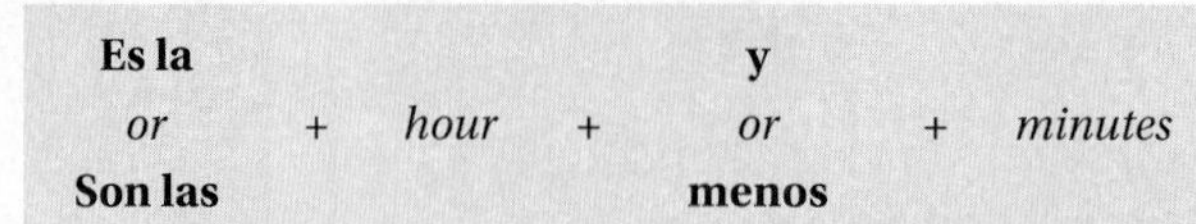

Es la *or* **Son las**	+	*hour*	+	**y** *or* **menos**	+	*minutes*

Arcady/Shutterstock.com

Es la una y veinte.

Son las seis menos diez.

- **Es** is used only with **una**.

Es la una y cuarto. — ***It is*** *a quarter after one.*

- **Son** is used with all the other hours.

Son las dos y cuarto. — ***It is*** *a quarter after two.*
Son las cinco y diez. — ***It is*** *ten after five.*

SÁBADO, Programación de Telecaribe

6:00 PM	**La sorpresa de tu vida**
6:50 PM	**Noticiero Cartagena T.V.**
7:00 PM	**Champagne**
7:30 PM	**Esta sí es la costa**
8:00 PM	**Supervivientes: Perdidos en Honduras**
9:00 PM	**Noticiero Televisa**
9:30 PM	**Las amazonas**
10:00 PM	**Amor gitano**
11:00 PM	**Noticiero Cartagena T.V.**
11:10 PM	**Cierre**

- The feminine definite article is always used before the hour, since it refers to **la hora**.

Es **la** una menos veinticinco.	*It is twenty-five to one.*
Son **las** cuatro y media.	*It is four-thirty.*

- The hour is given first, then the minutes.

Son las **cuatro** y **diez**.	*It is **ten** after **four**.* (literally, "four and ten")

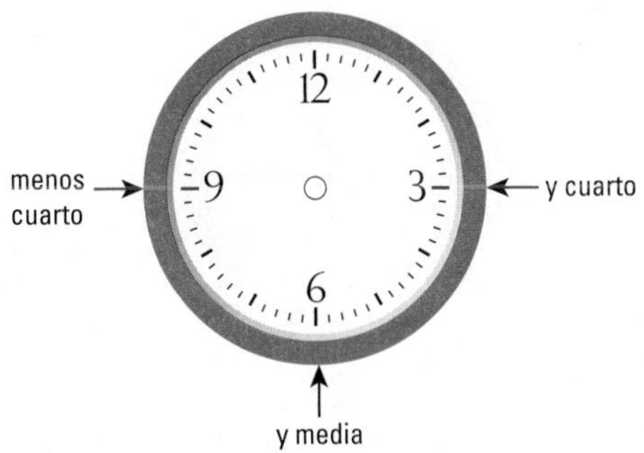

- The equivalent of *past* or *after* is **y**.

Son las doce **y** cinco.	*It is five **after** twelve.*

- The equivalent of *to* or *till* is **menos**. It is used with fractions of time up to a half hour.

Son las ocho **menos** veinte.	*It is twenty **to** eight.* (literally, "eight minus twenty")

- To ask for the time, say: **¿Qué hora es?** To find out at what time an event will take place, use **¿A qué hora...?** as shown below. Observe that in the responses the equivalent of *at* + *time* is **a** + **la(s)** + *time*.

—¿**A qué** hora es la clase de arte? —**A la** una.	*"**What time** is art class?"* *"**At** one o'clock."*
—¿**A qué hora** termina Julio hoy? —**A las** cinco y media.	*"**What time** does Julio finish today?"* *"**At** five-thirty."*
—¿**Qué** hora es? —**Es** la una y cuarto.	*"**What** time is it?"* *"It **is** a quarter after one.*
—**Son** las cinco y media.	*"It **is** five-thirty."*

- Note the difference between **de la** and **por la** in expressions of time.
  - When a specific time is mentioned, **de la (mañana, tarde, noche)** should be used. This is the equivalent to the English A.M. and P.M.

Estudiamos a las cuatro **de la tarde**.	*We study at 4 P.M.*

  - When no specific time is mentioned, **por la (mañana, tarde, noche)** should be used.

Yo trabajo **por la mañana** y ella trabaja **por la noche**.	*I work **in the morning** and she works **at night**.*

- Midday and midnight are expressed with **el mediodía** and **la medianoche**.

DETALLES CULTURALES

Para los horarios de aviones *(planes)*, trenes *(trains)*, autobuses y algunas *(some)* invitaciones, se usa el sistema de veinticuatro horas. Por ejemplo, las cuatro de la tarde son las dieciséis horas.

Práctica y conversación

A. ¿Qué hora es?

Give the time indicated on the following clocks, writing out the numerals in Spanish. Start with clock number one; then read the times aloud.

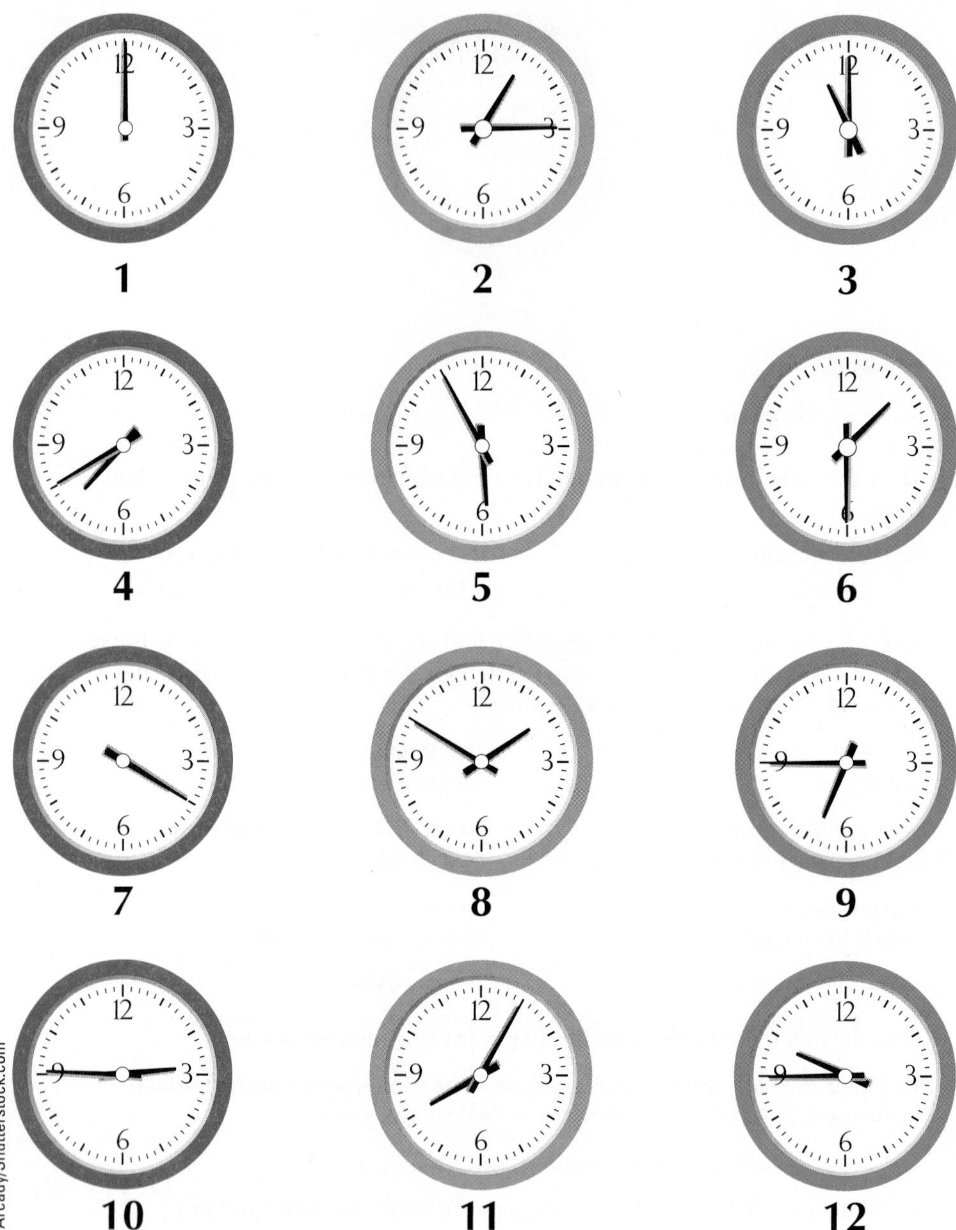

Arcady/Shutterstock.com

B. Entrevista a tu compañero(a)

Interview your partner, asking the following questions.

1. ¿A qué hora es tu primera *(first)* clase?
2. ¿A qué hora termina?
3. ¿A qué hora termina tu última *(last)* clase?
4. ¿Estudias por la mañana, por la tarde o por la noche?
5. ¿Mañana estudiamos juntos(as)? ¿A qué hora deseas estudiar?
6. ¿A qué hora trabajas?
7. ¿A qué hora terminas de trabajar?
8. ¿A qué hora es tu programa de televisión favorito?

C. Nuestros horarios

With a partner, talk about your class schedule. Indicate whether your classes are in the morning, afternoon, or evening.

7 Days of the week and months and seasons of the year

(Los días de la semana y los meses y las estaciones del año)

Days of the week (Los días de la semana)

Las actividades de Elsa fuera de (*outside of*) clase.

MARZO

lunes	martes	miércoles	jueves	viernes	sábado	domingo
			1	2 Estudiar con Ana	3 ¡Fiesta!	4
5 Examen de arte	6 Clase de yoga	7	8 Conferencia	9	10	11 Cena con la familia
12	13	14	15	16	17 Trabajar en la biblioteca	18
19	20	21	22	23	24 Estudiar con amigos	25
26	27	28 Examen de inglés	29	30 Clase de yoga	31 Trabajar en la biblioteca	

- In Spanish-speaking countries, the week begins on Monday.
- Note that the days of the week are not capitalized in Spanish.
- The days of the week are masculine in Spanish. The masculine definite articles **el** and **los** are used with them to express *on:* **el lunes**, **los martes**, etc.
- To ask: "What day is today?" say: **"¿Qué día es hoy?"**

Months of the year (Los meses del año)

enero	*January*	**mayo**	*May*	**septiembre**	*September*
febrero	*February*	**junio**	*June*	**octubre**	*October*
marzo	*March*	**julio**	*July*	**noviembre**	*November*
abril	*April*	**agosto**	*August*	**diciembre**	*December*

¡ATENCIÓN!

In Spanish, months are not capitalized.

- To ask for the date, say:

  ¿Qué fecha es hoy? — ***What's the date today?***

- When telling the date, always begin with the words **Hoy es...**

  Hoy es el 20 de mayo. — ***Today is** May 20th.*

- Note that the number is followed by the preposition **de** *(of)*, and then the month.

el 15 de mayo	*May 15th*
el 10 de septiembre	*September 10th*
el 12 de octubre	*October 12th*

- The ordinal number **primero** *(first)* is used when referring to the first day of the month. In Spanish today, some people say **el uno de**: **el uno de febrero**.

el primero de febrero	***February 1st***
—¿Qué fecha es hoy, **el primero de octubre**? —No, hoy es **el 2 de octubre**.	*"What's the date today, **October 1st**?"* *"No, today is **October 2nd**."*

Seasons of the year *(Las estaciones del año)*

la **primavera**

el **verano**

el **otoño**

el **invierno**

mandritoiu/Shutterstock.com

- Note that all the seasons are masculine except **la primavera**.

Práctica

A. Mi calendario

With a partner, look at the calendar on page 47 and take turns asking each other on which day each event takes place.

- **MODELO:** *—¿Cuándo estudio con Ana?*
  —El viernes 2.

DETALLES CULTURALES

Las estaciones ocurren en épocas opuestas en los dos hemisferios. Por ejemplo, cuando en Canadá y en los Estados Unidos (hemisferio norte) es verano, en Chile y Argentina (hemisferio sur) es invierno. En Chile y Argentina la Navidad *(Christmas)* es siempre en verano.

B. Fechas importantes

On what dates do the following annual events take place?

1. Canada Day
2. Halloween
3. St. Patrick's Day
4. Boxing Day
5. Christmas
6. the first day of spring
7. Valentine's Day
8. Remembrance Day

C. Las estaciones del año

In which season does each of these months fall in the Northern Hemisphere?

1. febrero
2. agosto
3. mayo
4. enero
5. octubre
6. julio
7. abril
8. noviembre

D. ¿Cuándo es?

On what dates do the following events occur?

1. your mother's birthday
2. your father's birthday
3. your best friend's birthday
4. your birthday
5. the first day of classes this semester
6. the end of classes

E. Feliz cumpleaños

Divide a piece of paper into two columns: 1) months and 2) names. Ask each of your classmates **¿Cuándo es tu cumpleaños?** When you find out the answer, ask them to write their name beside the month in which they were born. The person who has a name beside each month first, wins! Share the names of your classmates who have their birthdays in the current month.

Práctica y traducción

Review the vocabulary and grammatical concepts studied in **Lección 2**, as you translate the following sentences.

1. —Sara, what's the date today?
   —It's October 14th.
2. There are thirty days in April.
3. On Monday, Mr. Salinas works in the cafeteria.
4. We want a cup of coffee and a glass of apple juice.
5. —At what time is your biology class, Olivia?
   —It's at four-thirty.

DETALLES CULTURALES

Debido a *(Due to)* los cambios de estaciones, el lugar de las comidas en las fechas importantes cambia de acuerdo al hemisferio. Para la Navidad, por ejemplo, en Canadá, se come en el comedor *(dining room)* de la casa. En los países del hemisferio sur, se come generalmente al aire libre. Los tipos de comida son diferentes también.

ENTRE NOSOTROS

¡Conversemos!

Para conocernos mejor

Get to know your partner better by asking each other the following questions.

1. ¿Qué asignaturas tomas este semestre?
2. ¿Cuál es tu clase favorita?
3. ¿Conversas con tus amigos en la cafetería? ¿Tomas café con ellos?
4. ¿Cuántas horas estudias? ¿Cuántas horas trabajas?
5. ¿Tú trabajas los sábados? ¿Y los domingos?
6. En el verano, ¿tomas clases o trabajas?
7. ¿Qué clases deseas tomar el próximo *(next)* semestre?
8. ¿Cuál es tu estación favorita?
9. ¿Deseas tomar café, leche o té?
10. ¿Deseas agua con hielo o jugo de naranja?

Búsqueda de gente

Interview your classmates to identify who does the following activities. Be sure to change the statements to questions. Include your instructor, but remember to use the **Ud.** form when addressing him or her.

- **MODELO:** Trabaja los domingos.
  ¿Trabaja usted los domingos?

NOMBRE	
1.	trabaja por la noche.
2.	trabaja cuatro horas al día *(a day)*.
3.	toma clases en el verano.
4.	toma mucho café.
5.	toma cerveza o vino.
6.	estudia los domingos.
7.	estudia en la biblioteca.
8.	toma una clase de yoga.
9.	toma una clase de psicología.
10.	desea tomar una clase de música.

Y ahora...

Write a brief summary, indicating what you have learned about your classmates.

¿Cómo lo decimos?

What would you say in the following situations? What might the other person say? Act out these scenes with a partner.

1. You want to ask a friend what subjects he or she is taking this semester.
2. You want to tell someone what subjects you are taking.

3. You want to ask someone where he or she works.
4. You want to order something to drink.
5. You want to know the time.
6. You want to ask a classmate if his or her classes are easy or difficult.

¿Qué dice aquí?

With a classmate, study Virginia's schedule and take turns asking each other the following questions.

1. ¿Cuándo es la clase de historia? ¿A qué hora?
2. ¿Cuántas clases toma Virginia a las 8 de la mañana? ¿Qué clase es?
3. ¿Qué toma los martes y jueves a las once?
4. ¿Qué idioma estudia Virginia? ¿Qué días?
5. ¿Cuándo estudia con el grupo?
6. ¿A qué hora almuerza *(has lunch)* Virginia? ¿Dónde?
7. ¿Dónde trabaja Virginia?
8. ¿Cuántas horas trabaja por semana *(per week)*?
9. ¿En qué clases hay laboratorio?
10. ¿Qué estudia Virginia los sábados?

Search

Horario de Virginia

	lunes	martes	miércoles	jueves	viernes	sábado
8:00	Biología		Biología		Biología	
9:00	Japonés	Japonés	Japonés	Japonés		
10:00	Estudiar con el grupo		Estudiar con el grupo		Estudiar con el grupo	Informática
11:00		Educación fisica		Educación fisica		
12:00	Cafetería	Cafetería	Cafetería	Cafetería	Cafetería	
1:00		Biología (Laboratorio)		Japonés (Laboratorio)		
2:00	Trabajar en la biblioteca					
3:00						
4:00						
5:00						
6:00						
7:00	Historia		Historia			
8:00						

Para escribir

Tu horario

With a partner, create a schedule for both of you. Use the following questions to ask information about each other's schedule. When you finish, compare your schedules and find out which days you may meet, have dinner together, or study Spanish.

¿Qué clases tomas?
¿Qué días es la clase de...? ¿A qué hora?
¿Trabajas? ¿Qué días? ¿A qué hora?
¿Cuándo estudias? ¿A qué hora? ¿Dónde? ¿Con quién?

ACTIVE LEARNING ACTIVITY

Bingo!

To apply some of the concepts covered in **Lección preliminar**, **Lección 1**, and **Lección 2**, create a Bingo game following these steps.

Step 1: With the class divided into groups, each group will select 20 words from the vocabulary of these lessons and find an image for each word. Make sure the words are different from the ones picked by other groups. Outside class, each group will create a bingo card with the group's chosen images (templates for bingo cards can be found easily online). The cards must have 5 columns of 4 rows each. On the day when the game is to be played, each group will hand in individual small copies of its chosen images for the instructor to pick during the game. The instructor will call the words, and the first group to call "Bingo!" wins.

Step 2: After the game is finished, each group should select three words and create sentences with each of them on the board.

ASÍ SOMOS

Vamos a ver

Dos amigos

ESTRATEGIA

Anticipating new vocabulary
Before doing the first activity with a classmate, read over the definitions provided for new vocabulary.

Antes de ver el video *(Before watching the video)*

A. Preparación

Take turns with a partner asking and answering the following questions.

1. ¿En qué universidad estudias tú?
2. ¿Estudias para enfermero(a) *(nurse)*?
3. ¿Tú estudias para abogado(a) *(lawyer)*?
4. ¿Conversas con tus amigos(as) por teléfono?
5. ¿Tú necesitas libros o bolígrafos?
6. ¿Tú tomas una clase de biología?
7. ¿Cuántos libros necesitas para *(for)* tus clases?
8. ¿A qué hora estudias tú?
9. ¿Estudias con un(a) amigo(a) a veces?
10. ¿Cuántas horas trabajas?
11. ¿Cuál es tu número de teléfono?
12. ¿Cómo son tus amigos?

El video

Avance *(Preview)*
Pablo y Marisa, estudiantes de la Universidad de Costa Rica, estudian juntos y son buenos amigos. Cuando Marisa conoce a *(meets)* Fernando y Pablo conoce a Victoria, los dos amigos están un poco celosos *(jealous)*.

Después de ver el video *(After watching the video)*

B. ¿Quién lo dice? *(Who says it?)*

Who said the following sentences? Take turns with a partner answering.

Marisa **Pablo** **Victoria** **Fernando**

1. Necesito comprar los libros para mi clase de biología.
2. ¡Hola! Marisa, este es Fernando Rivas.
3. Oye, ¡Pablo es muy guapo! ¿Tienes *(Do you have)* su número de teléfono?

4. Pablo..., Marisa es muy bonita.... ¿Tienes su número de teléfono?
5. Oye, Pablo... Victoria es muy bonita... ¿verdad?
6. Bueno, no es mi tipo.

C. ¿Qué pasa? *(What happens?)*

Take turns with a partner asking and answering the following questions. Base your answers on the video.

1. ¿Pablo y Marisa son estudiantes?
2. ¿En qué universidad estudian?
3. ¿Son amigos?
4. ¿Estudian juntos a veces?
5. ¿Pablo estudia para abogado o para profesor?
6. ¿Marisa estudia para enfermera o para profesora?
7. ¿Hoy conversan en la clase o por teléfono?
8. ¿Qué necesita comprar Marisa?
9. ¿Qué clase toma Marisa?
10. ¿Los libros cuestan *(cost)* mucho dinero?
11. Esta noche, ¿estudian en la universidad o en el apartamento de Marisa?
12. ¿A qué hora estudian?
13. ¿Hasta qué hora trabaja Marisa?
14. ¿Pablo es guapo? ¿Marisa es bonita?
15. El número de teléfono de Marisa, ¿figura o no figura en la guía?

D. Más tarde

The following exchanges took place after the scenes depicted in the video. With a partner, supply the questions that elicited the answers below.

Fernando y Pablo

Fernando: ______________________________

Pablo: Sí, Marisa y yo somos muy buenos amigos.

Fernando: ______________________________

Pablo: Sí, estudiamos juntos.

Victoria y Marisa

Victoria: ______________________________

Marisa: Sí, Pablo estudia para abogado.

Victoria: ______________________________

Marisa: No, Pablo no es mi novio.

Pablo y Marisa

Pablo: ______________________________

Marisa: No, yo no trabajo mañana.

Pablo: ______________________________

Marisa: No, no necesito más libros.

Pablo: ______________________________

Marisa: Sí, nos vemos mañana. ¡Chau!

CANADÁ

LA CULTURA HISPANA EN CANADÁ:

Hay más de un millón de hispanos en Canadá. La mayoría vive en Toronto, Montreal y Vancouver. Entre otras influencias hispanas en la cultura canadiense, encontramos: la música, la comida, el arte, los deportes y las costumbres. Muchos hispanos-canadienses han obtenido éxito internacional. De acuerdo al Censo de 2016, "553.495 personas declararon hablar español en su hogar en 2016 en Canadá, más de las 493.055 que lo declararon en 2011"[1].

[1]Data from: http://nmnoticias.ca/2017/08/02/censo-2016-canada-cifras-espanol-hispanos-latinos/

MÚSICA: ALEX CUBA[1] (CUBA, 1974)

Éxitos, entre otros: En el **2017**, graba su sexto *(sixth)* álbum, *Lo único constante*, con doce canciones. Este fue nominado en la competición Grammy en el **2017**, en la categoría álbum de Pop Latino. Una canción muy exitosa es "Piedad de mí", para la cual Alex Cuba creó *(created)* un video fantástico que puedes ver en el *sitio oficial.*

Con el álbum *Healer*, **2016**, ganó *(won)* el Grammy Latino como el mejor álbum de Pop Latino.

También ganó dos Premios *(Awards)* Juno en Canadá. En el **2006**, gana el Álbum del Año en la categoría Música del Mundo por su disco *(record)* *Humo de Tabaco (Tobacco Smoke)* y en el **2008** gana por *Agua del Pozo (Well's Water)*.

En el **2010**, gana el Grammy como el Mejor Nuevo Artista.

[1]All the information about Alex Cuba comes from www.alexcuba.com

Jordan Strauss/Invision/AP Images

Alex Cuba vive en Smithers, B.C.

Courtesy of Carlos Delgado

ARTE: CARLOS DELGADO (COLOMBIA)[1]

Su trabajo explora la conexión entre el hombre y el medio ambiente *(environment)*. Sus obras son reconocidas en muchas partes del mundo. Su serie titulada *Ser humano en el sistema (Being Human in the System)* ha tenido varias exhibiciones en Colombia (2016), Canadá (2016) y Suecia (2017). Su trabajo *Viajeros bajo la luna (Travellers Under the Moon)*, recibió el *Premio de Acceso al Arte* otorgado por la fundación de Arte de Toronto en el 2015, entre otros premios. Sus obras se presentan en la *Galería 133*, en Toronto, y en la *Galeria Lohme*, en Suecia.

Carlos Delgado hace mucho trabajo con la comunidad. Uno de los programas que ha creado en Toronto es: *En nuestros zapatos (In Our Shoes)* usando zapatos como forma de expresión artística.

[1]All the information about Carlos Delgado comes from: https://www.artcarlosdelgado.com

Courtesy of Carlos Delgado

COMIDA Y CULTURA:

Muchos platos hispanos son muy populares en Canadá, como los tacos y la paella, y se pueden conseguir *(you can get them)* con facilidad. En muchas ciudades se organizan festivales; por ejemplo, en octubre se festeja el mes de la cultura hispana en Toronto. Durante todo el mes se promociona la comida y la cultura hispana con eventos especiales.

Larisa Blinova/Shutterstock.com

latin cuisine

Courtesy of the Hispanic Canadian Heritage Council

LECCIÓN 1

TOMA ESTE EXAMEN

LECCIÓN PRELIMINAR Y LECCIÓN 1

A. Gender and number of nouns; Definite and indefinite articles

Place the corresponding definite and indefinite article before each noun.

	Definite	Indefinite	Noun
1.	___________	___________	lápices
2.	___________	___________	días
3.	___________	___________	hombre
4.	___________	___________	mujeres
5.	___________	___________	mano
6.	___________	___________	silla
7.	___________	___________	borradores
8.	___________	___________	mapas

B. Subject pronouns

Indicate which pronoun would be used to talk about the following people.

1. Ana y yo (*f.*) ______________
2. Jorge y Rafael ______________
3. la Dra. García ______________
4. usted y el Sr. López ____________
5. Amalia y Teresa ____________
6. el doctor Torres ____________

Now give the pronouns used to address the following people.

7. Julián y tú ______________ (Sp./LA)
8. your professor ______________
9. your best friend ____________

C. Present indicative of *ser*

Complete the following sentences, using the present indicative of the verb **ser**.

1. Yo ___________ mexicana y John ___________ canadiense.
2. Liam y tú ___________ de Thunder Bay?
3. Teresa y yo ___________ estudiantes.
4. Las plumas ___________ rojas.
5. ¿Tú ___________ de Windsor?
6. ¿De dónde ___________ Ud.?

D. Forms of adjectives and agreement of articles, nouns, and adjectives

Change each sentence according to each new element.

1. Las alumnas son canadienses. (alumno)
2. Las tizas son verdes. (lápices)
3. El escritorio es blanco. (mesas)
4. Es una mujer española. (hombre)
5. El profesor es inglés. (profesoras)
6. La chica es rica. (muchachos)
7. Es un hombre inteligente. (mujer)
8. La señora es muy simpática. (señores)

E. The alphabet

Spell the following last names in Spanish.

1. Díaz
2. Jiménez
3. Vargas
4. Parra
5. Feliú
6. Acuña

F. Numbers 0 to 40

Write the following numbers in Spanish.

1. 8 ______________________
2. 14 ______________________
3. 26 ______________________
4. 11 ______________________
5. 35 ______________________
6. 10 ______________________
7. 13 ______________________
8. 0 ______________________
9. 40 ______________________
10. 17 ______________________
11. 39 ______________________
12. 15 ______________________

G. Vocabulary

Complete the following sentences, using vocabulary from **Lección preliminar** and **Lección 1**.

1. ¿Cómo se ______________ Ud.? ¿Teresa? ¿De ______________ es Ud.?
2. Mucho ______________, señor Vargas.
3. ¿Cómo se ______________ "*desk*" en español?
4. Mi compañera de ______________ es ______________ bonita.
5. Hay una profesora y diez ______________ en la clase.
6. Rosa ______________ con el profesor.
7. Buenos días. ¿Cómo ______________ usted? ¿Bien?
8. Adiós. ______________ a Marisa.
9. ¿Cómo ______________ Sergio? ¿Guapo?
10. —Muchas gracias.
    —De ______________.

H. Translation

Express the following in Spanish.

1. Good morning, Miss Moreno. How are you?
2. Sergio speaks with Ana in class.
3. What is your phone number, Anita?
4. Lupe is intelligent and nice.
5. What is Viviana like?

LECCIÓN 2

A. Present indicative of -*ar* verbs

Complete each sentence with the correct form of the verb in parentheses.

1. ¿Tú ____________________ leche? *(drink)*
2. La señora Paz ____________________ con los alumnos. *(talks)*
3. Nosotros ____________________ inglés con la doctora Torres. *(speak)*
4. Yo ____________________ tomar café. *(wish)*
5. ¿Ud. ____________________ matemáticas o biología? *(study)*
6. Ana y Paco ____________________ en la biblioteca. *(work)*
7. Ernesto ____________________ la pluma roja. *(needs)*
8. Eva y yo ____________________ en agosto. *(finish)*

B. Interrogative and negative sentences

Convert the following statements first into questions and then into negative statements.

1. Ellos hablan inglés con los estudiantes.
   a. ____________________
   b. ____________________
2. Ella es de México.
   a. ____________________
   b. ____________________
3. Ustedes terminan hoy.
   a. ____________________
   b. ____________________

C. Possessive adjectives

Complete these sentences, using the Spanish equivalent of the word in parentheses.

1. ¿Tú necesitas ____________________ libro? *(your)*
2. Yo hablo con ____________________ profesor. *(her)*
3. Nosotros necesitamos hablar con ____________________ profesora. *(our)*
4. Trabajo con ____________________ compañeros de clase. *(my)*
5. ¿Ud. desea hablar con ____________________ amigos? *(your)*
6. Carlos habla con ____________________ profesores. *(our)*
7. Los estudiantes necesitan hablar con ____________________ profesor. *(their)*
8. Necesito ____________________ número de teléfono. *(his)*

D. Gender of nouns (part II)

Write **el**, **la**, **los**, or **las** before each of the following nouns.

1. __________ lecciones
2. __________ relojes
3. __________ idioma
4. __________ unidades
5. __________ problemas
6. __________ café
7. __________ ciudad
8. __________ televisión

E. Numbers 41 to 200

Write the following phrases in Spanish. (Write the numbers in words.)

1. 80 ballpoint pens
2. 46 backpacks
3. 72 clocks
4. 33 windows
5. 200 chairs
6. 115 notebooks
7. 68 students
8. 50 maps
9. 95 computers

LECCIÓN 2

F. Telling time

Write the Spanish equivalent of the words in parentheses.

1. Oye, ¿qué hora es? ______________________? *(Is it one o'clock?)*
2. Luis toma química ______________________. *(at nine-thirty in the morning)*
3. Estudiamos español ______________________. *(in the afternoon)*
4. ______________________ las ocho. *(It's)*
5. La clase es ______________________. *(at a quarter to three)*

G. Days of the week and months and seasons of the year

Write the names of the missing days.

lunes, ____________, ____________, jueves, ____________, ____________, domingo

Give the following dates in Spanish.

1. March 1st ____________________
2. June 10th ____________________
3. August 13th ____________________
4. December 26th ____________________
5. September 3rd ____________________
6. October 28th ____________________
7. July 17th ____________________
8. April 4th ____________________
9. January 2nd ____________________
10. February 5th ____________________

During what seasons do these months fall in the Northern Hemisphere?

1. febrero ____________________
2. abril ____________________
3. octubre ____________________
4. julio ____________________

H. Vocabulary

Complete the following sentences, using vocabulary from **Lección 2**.

1. ¿Qué ______________ es? ¿Las dos?
2. Necesito el ______________ de clases. ¡Ah! ______________ está!
3. Yo tomo ______________ dos clases.
4. Deseo una ______________ de café y un ______________ de agua.
5. ¿Ellos ______________ café en la cafetería?
6. Este ______________ tomo tres clases.
7. Marzo, abril y mayo son los meses de la ______________.
8. ¿Qué ______________ estudias? ¿Historia?
9. Él toma una ______________ de vino.
10. Deseo tomar ______________ de manzana.

I. Translation

Express the following in Spanish.

1. —Clara, what classes are you taking?
   —I'm taking English, History, and Spanish.
2. Professor Salinas is from Mexico. He is our biology professor.
3. Martina wants to study, but Jorge wants a cup of coffee.
4. —What time is it?
   —It's ten thirty.
5. July 1st is Canada Day.

UNIDAD 2

LA VIDA SOCIAL

LECCIÓN 3
EN CASA

OBJETIVOS

- Talk about a weekend at home
- Talk about possession
- Talk about how you feel

LECCIÓN 4
UNA CELEBRACIÓN

OBJETIVOS

- Discuss plans for a party
- Talk about family
- Explain what you are going to do

Lucy Brown - loca4motion/Shutterstock.com

Judy Bellah/age Fotostock

Kobby Dagan/age Fotostock

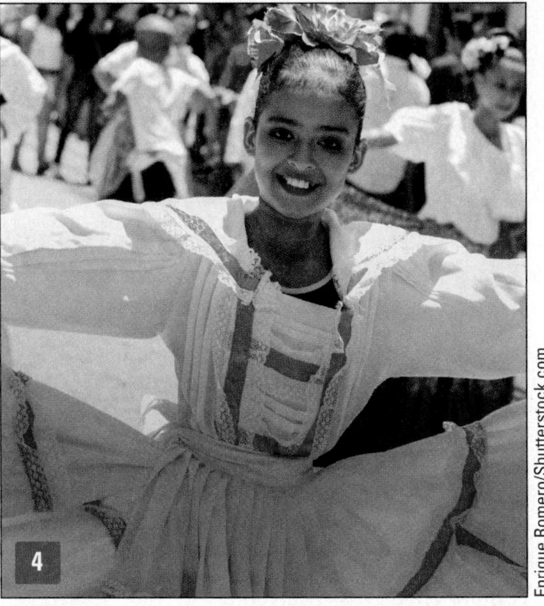

Enrique Romero/Shutterstock.com

¿CÓMO CELEBRAS TÚ?

En el mundo hispano las celebraciones son muy importantes. Hay celebraciones nacionales, como "El Día de Independencia", celebraciones religiosas, como "El Día de los Muertos", o celebraciones familiares, como cumpleaños o bodas.

1. La fiesta de Flores y Palmas (el primer domingo de mayo) en Panchimalco, El Salvador. Es una celebración religiosa importante.

2. En Guatemala hay un festival de cometas *(kites)* gigantes para conmemorar *(honour)* a los muertos el 1 y el 2 de noviembre.

3. En Oaxaca, México, celebran el Día de los Muertos. Las fiestas son del 31 de octubre al 2 de noviembre.

4. Esta niña baila en la celebración de independencia en La Lima, Honduras. La independencia de Honduras se celebra el 15 de septiembre.

LECCIÓN 3 EN CASA

Zlatko Kostic/Getty Images

Alicia, Diego y Susan son tres amigos que tienen un apartamento en la Ciudad de México. Alicia y Diego son de Puebla, otra ciudad de México, pero Susan es de Calgary. Ella estudia español y ahora vive con sus amigos.

Alicia: ¡Buenos días, chicos! Es tarde y hoy tenemos muchas cosas que hacer. Diego, esta noche vienen mamá y papá para comer con nosotros, necesitamos limpiar la casa.

Diego: Alicia, tienes razón. ¿Qué debo hacer?

Alicia: Pues, si *(if)* tú limpias la sala de estar, yo barro la cocina. Después, podemos preparar la comida.

Susan: Yo lavo los platos. En Canadá siempre ayudo con los trabajos de la casa.

Alicia: Gracias, Susan, ¡eres una compañera de casa excelente!

Susan: Dividir el trabajo es una buena idea.

Diego: Sí, es verdad. ¿Quién limpia el baño?

Alicia: ¡Mi hermano favorito!

Diego: Pero, Alicia, soy tú único *(only)* hermano, ¡gracias!

Más tarde:

Susan: Ahora tenemos que preparar la comida.

Diego: Yo preparo la ensalada. Susan, nuestro padre come ensalada todos los días.

Alicia: Sí. Y mamá siempre bebe limonada. ¿Hay limonada en el refrigerador?

Susan: Creo que hay limonada, jugo de naranja, agua mineral y leche. ¿A qué hora vienen tus padres?

Diego: Llegan a las siete. Chicas, ¿tienen calor? ¿Debo abrir las ventanas?

Alicia: Sí, solo un rato porque mamá siempre tiene frío.

Susan: ¡Mañana nosotros debemos descansar! No deseo limpiar más.

Hablemos

Sobre el diálogo

With a classmate, take turns asking and answering the following questions. Base your answers on the dialogue.

Diego Cervo/Shutterstock.com

1. ¿Dónde viven Alicia, Diego y Susan?
2. ¿De dónde son?
3. ¿Quiénes vienen esa noche?
4. ¿Qué hace Diego? Y, ¿qué hace Alicia?
5. ¿Quién lava los platos?
6. En Canadá, ¿qué hace Susan?
7. ¿Qué come el padre de Diego y Alicia todos los días?
8. ¿Hay bebidas en el refrigerador? ¿Qué hay?
9. ¿A qué hora llegan los padres de Alicia y Diego?
10. ¿Por qué abre las ventanas Diego?

Ouda Images/Shutterstock.com

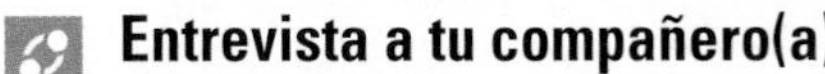

Entrevista a tu compañero(a)

With a classmate, take turns asking and answering the following questions.

1. ¿Tú tienes hermanos? (*Hint:* **Yo tengo...**) ¿Cómo son (es)?
2. En tu casa, ¿quién cocina?
3. ¿Qué trabajos de la casa haces? ¿Qué trabajos no deseas hacer?
4. ¿Con quién compartes tu casa?
5. ¿Limpias tu dormitorio todas las semanas?
6. En tu casa, ¿quién saca la basura? ¿Quién limpia el baño?
7. ¿A qué hora cenan?
8. ¿Tú vives con un(a) compañero(a) de casa?

DETALLES CULTURALES

En muchos países hispánicos los jóvenes viven en la casa de sus padres cuando son estudiantes. Si tienen que estudiar en otra ciudad, viven en un apartamento con parientes *(relatives)* o amigos. Pero los fines de semana, a veces *(sometimes)* regresan *(return)* a casa para pasar tiempo con la familia.

VOCABULARIO

COGNADOS

el apartamento
el desastre
la ensalada
la excusa
la familia[1]
favorito(a)
el garaje
la limonada
la mamá
el momento
el papá
la residencia estudiantil

SUSTANTIVOS

el baño, el cuarto de baño	*bathroom*
la basura	*garbage*
la casa	*house*
la ciudad	*city*
la cocina	*kitchen, stove*
el comedor	*dining room*
la comida	*meal, food*
el correo electrónico	*e-mail*
la cosa	*thing*
el cuarto	*room*
el dormitorio*	*bedroom*
la hermana	*sister*
el hermano	*brother*
la mesa	*table*
el mensaje de texto	*text (message)*
los muebles	*furniture*
los padres	*parents*
el plato	*plate, dish*
la ropa	*clothes*
la sala, la sala de estar	*living room*
la telenovela	*soap opera*
el tiempo	*time*
el trabajo	*work*
los trabajos de la casa, los quehaceres	*housework, household chores*

VERBOS

abrir	*to open*
aprender	*to learn*
arreglar	*to tidy; to arrange*
ayudar	*to help*
barrer	*to sweep*
beber	*to drink*
comer	*to eat*
compartir	*to share*
correr	*to run*
creer	*to believe*
deber	*must, should*
descansar	*to rest*
dividir	*to divide*
escribir	*to write*
hacer (yo hago)	*to do; to make*
lavar	*to wash*
leer	*to read*
limpiar	*to clean*
llegar	*to arrive*
mandar	*to send*
mirar	*to watch, to look at*
planchar	*to iron*
preparar	*to prepare*
recibir	*to receive*
sacar	*to take out*
secar	*to dry*
tener (e > ie)	*to have*
venir (e > ie)	*to come*
vivir	*to live*

OTRAS PALABRAS Y EXPRESIONES

allá	*over there*
allí	*there*
antes (de)	*before*
aquí	*here*
conmigo	*with me*
cosas que hacer	*things to do*
cuando	*when*
después	*afterwards*
especialmente	*especially*
para	*for, in order to*
pasar la aspiradora	*to vacuum*
¿Quién (es)?	*Who (is it)?*
rápidamente	*quickly*
siempre	*always*
tener que + *infinitive*	*to have to*
tocar (llamar) a la puerta	*to knock at the door*
todavía	*still*
un rato	*a while*

[1]Verbs used with **la familia** are conjugated in the third-person singular: **Mi familia es pequeña**.

Amplía tu vocabulario

Aparatos electrodomésticos y batería de cocina *(Home appliances and kitchen utensils)*

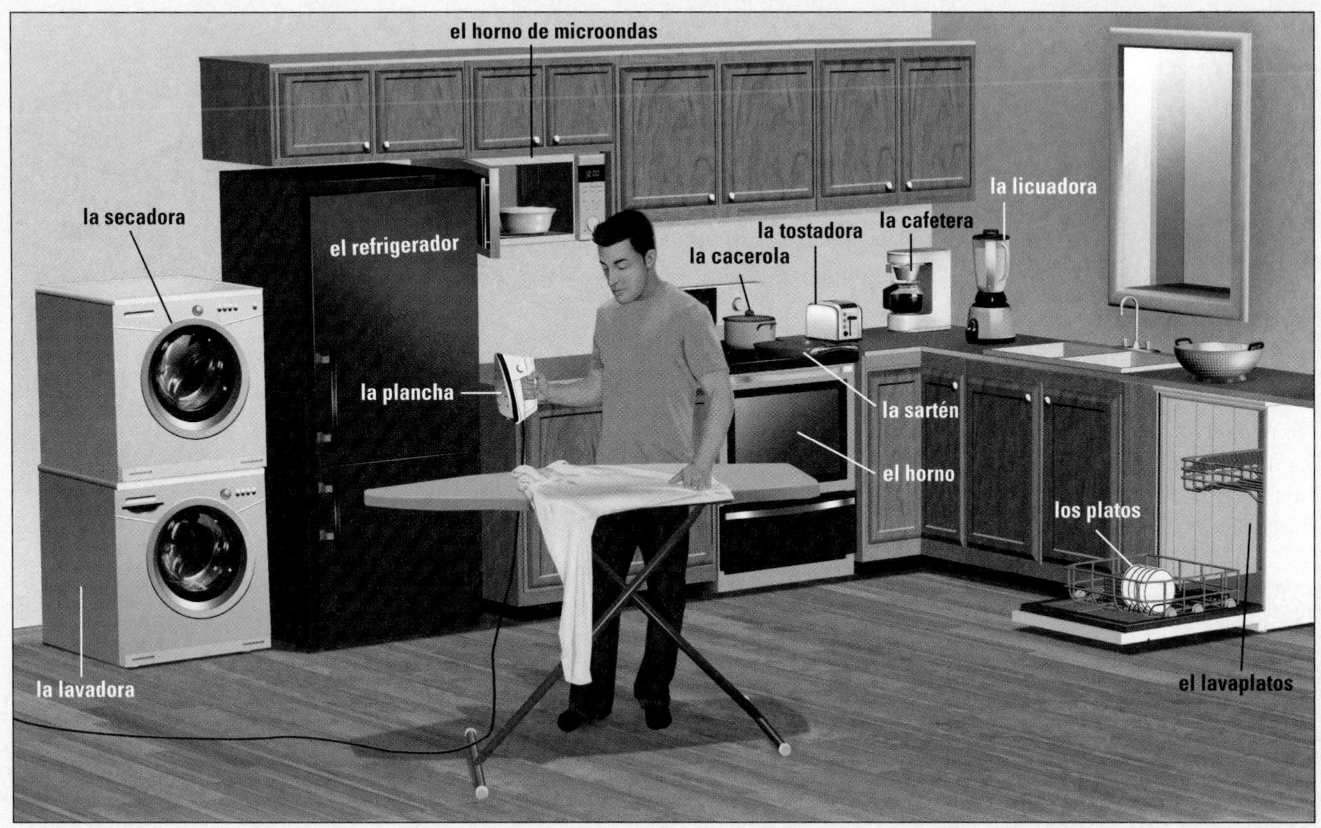

DE PAÍS A PAÍS

el refrigerador la heladera, la refrigeradora *(Méx., Cono Sur)*; la nevera *(Esp.)*

el dormitorio la recámara *(Méx.)*

DETALLES CULTURALES

Las telenovelas en español se ven *(are seen)* no solamente en el mundo hispano, sino que también son populares en países como Rusia, Japón y Canadá. Muchos temas *(topics)* sociales importantes, como el abuso de las drogas, se presentan frecuentemente en las telenovelas para informar a la gente de su peligro *(danger)*.

Para practicar el vocabulario

A. En casa *(At home)*

Select the word or phrase that best completes each sentence.

1. Raúl no (ayuda / llega) con los trabajos de la casa. (Siempre / Después) tiene una excusa.
2. El dormitorio de Aurora es un (desastre / tiempo).
3. Tú limpias el cuarto de (baño / sala).
4. Mi mamá mira su (sartén / telenovela) favorita.
5. La ensalada está en el (garaje / refrigerador).
6. (Tocan / Miran) a la puerta. ¿Quién es?
7. Todavía tenemos muchas (cosas / cacerolas) que hacer.
8. Elisa no come porque no tiene (comida / sala de estar).
9. Necesito un (plato / trabajo) para la comida.
10. Mi hermana (descansa / prepara) en el dormitorio.

FLASHBACK

To review the use of two verbs together, see the **"Atención"** box on page 35.

B. ¿Qué debes hacer?

Look at the pictures and say what you should do today. Start each sentence with **Debo...**

- **MODELO:** *Debo lavar el cuarto de baño.*

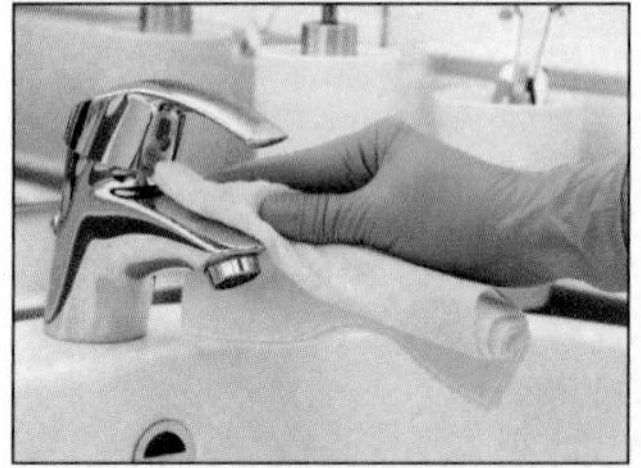

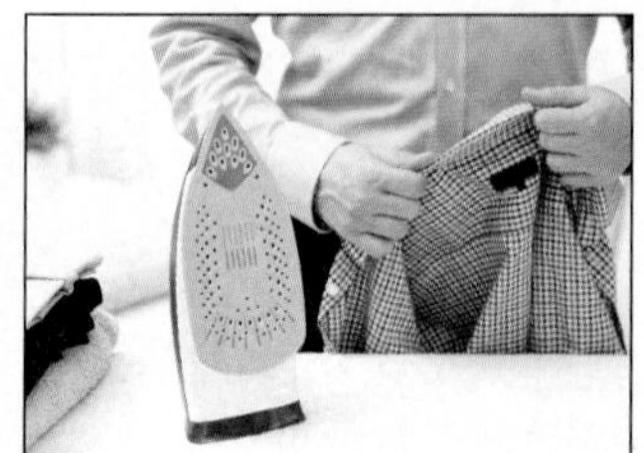

C. ¿Qué necesitas?

With a partner, look at the following list and take turns asking each other what you need to do the task.

- **MODELO:** lavar la ropa

  —*¿**Qué necesitas para*** (to) *lavar la ropa?*

  —*Necesito la lavadora.*

1. secar la ropa
2. preparar el café
3. planchar
4. lavar los platos
5. mandar un correo electrónico

6. preparar un batido *(shake)*
7. calentar (*heat*) la comida
8. preparar pan tostado (*toast*)

D. Los trabajos de la casa

You have a busy day ahead. Write a short e-mail to your roommate saying what needs to be done. Start with: *Hoy yo necesito...* Be creative and add as much as you can to your sentences by including where you need to do the task, with whom, and at what time.

- **MODELO:**

Hola, Marta,

Hoy yo necesito limpiar el cuarto de baño por la mañana. Después, a las diez de la mañana...

E. ¡Mucho trabajo!

Imagine what is taking place in this kitchen. With a classmate, create a dialogue of at least ten sentences among the four young people, expressing what each person will do to prepare the meal.

Nancy Ney/Getty Images

Roberto, Clara, Jorge y Susana

Pronunciación

Las consonantes *(consonants)* b, v

In Spanish, **b** and **v** have the same bilabial sound. To practise this sound, listen to the correct pronunciation. Then say the following words out loud, paying particular attention to the sound of **b** and **v**.

b	**b**asura	**b**arrer	**b**e**b**er	**b**año	a**b**rir	**B**enavente
v	di**v**idir	**v**iene	**v**i**v**ir	la**v**ar	fa**v**orito	

PUNTOS PARA RECORDAR

1 Present indicative of *-er* and *-ir* verbs

(Presente de indicativo de los verbos terminados en -er *y en* -ir*)*

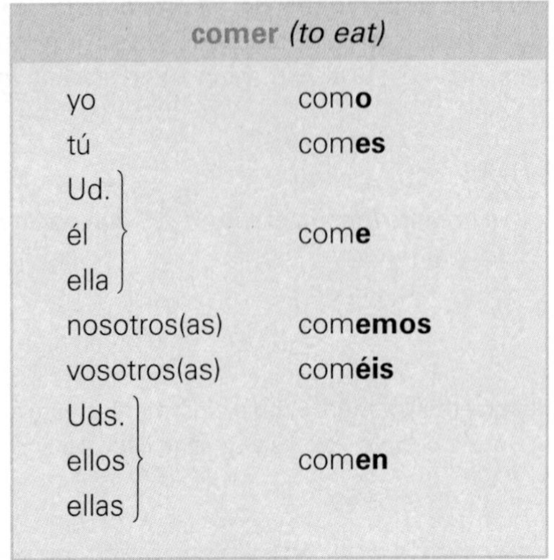

comer *(to eat)*	
yo	com**o**
tú	com**es**
Ud. / él / ella	com**e**
nosotros(as)	com**emos**
vosotros(as)	com**éis**
Uds. / ellos / ellas	com**en**

Regular verbs ending in **-er** are conjugated like **comer**. Other regular **-er** verbs are: **aprender**, **barrer**, **beber**, **correr**, **creer**, **deber**, and **leer**.

—Uds. **beben** café, ¿no? — *"**You drink** coffee, don't you?"*
—No, **bebemos** limonada. — *"No, **we drink** lemonade."*

—¿**Nosotros debemos** limpiar la sala? — *"**Should we** clean the living room?"*
—No, **Uds. deben** preparar la comida. — *"No, **you should** prepare the food."*

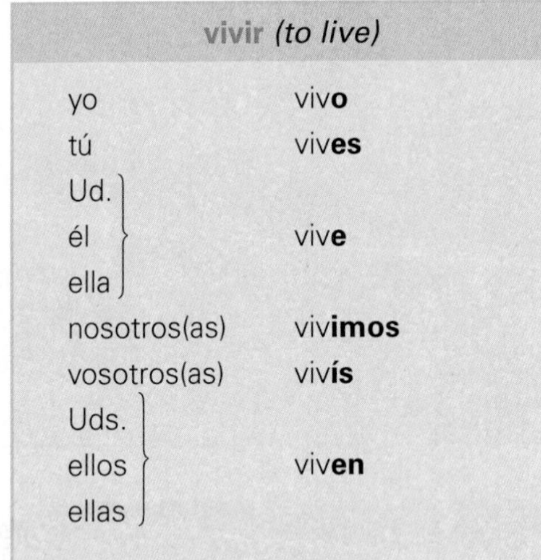

vivir *(to live)*	
yo	viv**o**
tú	viv**es**
Ud. / él / ella	viv**e**
nosotros(as)	viv**imos**
vosotros(as)	viv**ís**
Uds. / ellos / ellas	viv**en**

Regular verbs ending in **-ir** are conjugated like **vivir**. Other regular **-ir** verbs are: **abrir**, **dividir**, **escribir**, and **recibir**.

—**Tú escribes** en inglés, ¿no? — *"**You write** in English, don't you?"*
—No, **escribo** en español. — *"No, **I write** in Spanish."*

—¿**Uds. viven** en Monterrey? — *"**Do you live** in Monterrey?"*
—No, **nosotros vivimos** en Guadalajara. — *"No, **we live** in Guadalajara."*

—¿**Tú recibes** muchos mensajes de texto? — *"Do **you receive** many text messages?"*
—Sí, **recibo** muchos. — *"Yes, **I receive** many."*

LightField Studios/Shutterstock.com

Julio pasa la aspiradora y Elisa lee en su tableta.

Práctica y conversación

A. Minidiálogos

Complete the following exchanges appropriately, using the present indicative of the verbs in each one.

1. **vivir**
   —¿Dónde ____________________ Uds.?
   —Nosotros ____________________ en Guanajuato.
   —¿Y Pablo?
   —Él ____________________ en Puebla.
2. **comer**
   —¿A qué hora ____________________ tú?
   —Yo ____________________ a las dos.
3. **leer**
   —¿Qué libro ____________________ vosotros?
   —Nosotros ____________________ *El Quijote.*[2]
4. **beber**
   —¿Ud. ____________________ vino tinto?
   —No, yo ____________________ vino blanco.
5. **correr**
   —¿Uds. ____________________ por la mañana?
   —Sí, nosotros ____________________ por la mañana, pero Carlos ____________________ por la tarde.
6. **dividir**
   —¿Tú ____________________ los trabajos de la casa?
   —Sí, yo ____________________ el trabajo con mi hermano.
7. **deber**
   —¿Qué ____________________ limpiar Uds.?
   —Yo ____________________ limpiar el baño y Alicia ____________________ limpiar la cocina.
8. **barrer**
   —¿Quién ____________________ el garaje? ¿Tú?
   —No, Teresa y yo ____________________ la sala.
9. **recibir**
   —¿Vosotros ____________________ cartas *(letters)*?
   —No, nosotros ____________________ correos electrónicos.
10. **escribir**
    —¿Ud. ____________________ con lápiz?
    —No, yo ____________________ con pluma.

[2] *El ingenioso hidalgo don Quijote de la Mancha*, Miguel de Cervantes's famous novel

B. Entrevista a tu compañero(a)

Interview a partner, using the following questions.

1. ¿Tú vives cerca de *(near)* la universidad? ¿Dónde vives?
2. ¿Bebes café por la mañana? Y por la tarde, ¿bebes té?
3. ¿Comes en la cafetería de la universidad? ¿A qué hora comes?
4. ¿Tú corres por la mañana?
5. ¿Tú escribes en inglés o en español? ¿Lees mucho?
6. ¿Tú abres la ventana de tu dormitorio por la noche?
7. ¿Recibes muchos correos electrónicos?
8. ¿Qué días debes sacar la basura?

C. Piensa *(Think)* y escribe

Create sentences expressing the activities that different people will be doing at a specific time of the day using the following verbs: **aprender**, **barrer**, **beber**, **comer**, **correr**, **escribir**, and **leer**.

2 Possession with *de* *(El caso posesivo)*

The **de** + *noun* construction is used to express possession or relationship. Unlike English, Spanish does not use the apostrophe.

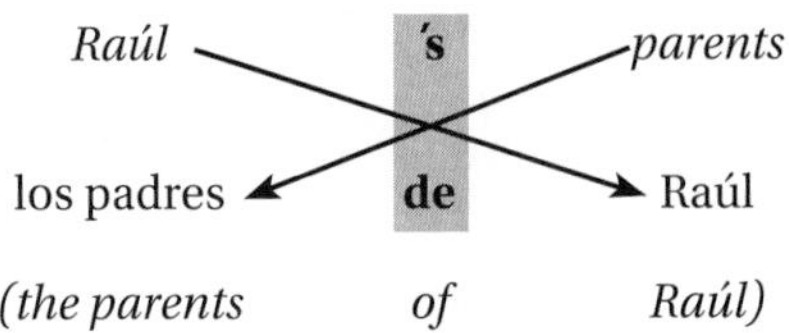

—¿Ellos son **los** hermanos **de** Rafael?	*"Are they Rafael's brothers?"*
—No, son **los** hijos **de** Oscar.	*"No, they are Oscar's children."*
—¿Dónde viven Uds.?	*"Where do you live?"*
—En **la** casa **de** Pedro.	*"At Pedro's house."*

¡ATENCIÓN!

Note the use of the definite article before the words **casa**, **hermanos**, and **hijos**.

Anita escribe el número de teléfono de su amiga en su móbil.

AJ_Wat/Getty Images

Práctica y conversación

A. ¿De quién es?

Express the relationship we see in each photograph using **de** + *noun* (i.e., the equivalent of *Marisa's room*).

FLASHBACK

Remember that when you use a title in Spanish, you must use a definite article. See page 18.

el dormitorio / Marisa

los padres / la señorita Salinas

el hermano / Jorge

los estudiantes / la profesora Flores

la ropa / Luis

las amigas / Glen

B. ¿Quiénes son?

You and a classmate are trying to figure out how guests at a party know each other. Ask each other who the other guests are, and what relationships exist among them.

- **MODELO:** La señora López tiene *(has)* dos estudiantes: Eva y Ana.
  —¿Quiénes son Eva y Ana?
  —Eva y Ana son las estudiantes de la señora López.

1. Elena tiene un hermano: Roberto.
2. La profesora Fernández tiene tres alumnos: Sergio, Daniel y Luis.
3. Jorge tiene una hermana: Marisa.
4. La señora Gutiérrez tiene una secretaria: Alicia.
5. Diana tiene un amigo: Fernando.
6. Eva tiene dos profesoras: la doctora Vélez y la doctora Mena.
7. José Luis tiene un compañero de clase: David.
8. Marta tiene dos compañeras de cuarto: Silvia y Mónica.

C. ¿De quién es?

Think about five objects you have borrowed from someone. Write sentences that state what you've borrowed and from whom. Share your sentences with a classmate.

3 Present indicative of *tener* and *venir*

(Presente de indicativo de tener *y* venir*)*

- The verb **tener** means *to have* or *to own.*

Yo **tengo** diez libros.	*I **have** ten books.*
Ella **tiene** una tostadora.	*She **has** a toaster.*

tener *(to have)*		**venir** *(to come)*	
yo	**tengo**	yo	**vengo**
tú	**tienes**	tú	**vienes**
Ud. / él / ella	**tiene**	Ud. / él / ella	**viene**
nosotros(as)	**tenemos**	nosotros(as)	**venimos**
vosotros(as)	**tenéis**	vosotros(as)	**venís**
Uds. / ellos / ellas	**tienen**	Uds. / ellos / ellas	**vienen**

—¿**Tienes** la sartén? —Sí, **tengo** la sartén y la cacerola.	*"**Do you have** the frying pan?"* *"Yes, **I have** the frying pan and the saucepan."*
—¿**Vienes** mañana por la mañana? —No, **vengo** el jueves.	*"**Are you coming** tomorrow morning?"* *"No, **I'm coming** on Thursday."*
—¿Cuántos platos **tienen Uds.**? —**Tenemos** ocho platos.	*"How many dishes **do you have**?"* *"**We have** eight dishes."*
—¿**Uds. vienen** a la universidad los martes y jueves? —No, **nosotros venimos** los lunes, miércoles y viernes.	*"**Do you come** to the university on Tuesdays and Thursdays?"* *"No, **we come** on Mondays, Wednesdays, and Fridays."*

- **Tener que** means *to have to,* and it is followed by an infinitive.

—¿**Tienes que** limpiar la casa hoy? —No, hoy no **tengo que** limpiar.	*"**Do you have to** clean the house today?"* *"No, I don't **have to** clean today."*
—¿Qué **tienes que** hacer hoy? —**Tengo que** aprender el vocabulario.	*"What do you **have to** do today?"* *"**I have to** learn the vocabulary."*

Práctica y conversación

A. Minidiálogos

Supply the missing forms of **tener** and **venir** to complete the dialogues.

1. —¿Cuándo ____________________ Uds.?

   —Pedro ____________________ el sábado y yo ____________________ el domingo.

   —¿Con quién ____________________ tú?

   —Yo ____________________ con la Srta. Aranda.

2. —¿Tú ______________ a mi casa mañana?

—No, yo ______________ el viernes.

3. —¿Uds. ______________ una licuadora?

—Sí, y también una cafetera.

4. —¿Cuándo ______________ vosotras de Guadalajara?

—______________ el jueves.

5. —¿Tú ______________ que lavar la ropa hoy?

—No, yo no ______________ que lavar la ropa hoy.

B. Preguntas para ti *(Questions for you)*

With a classmate, take turns answering the following questions, using the cues provided.

- **MODELO:** —¿Qué días vienes tú a la universidad? (los lunes y miércoles)

  —Yo vengo a la universidad los lunes y miércoles.

1. ¿Cuántas clases tienes tú? (cinco)
2. ¿Tú y tus amigos vienen a la universidad los sábados? (no)
3. ¿Qué días tienen que lavar la ropa? (los martes y jueves)
4. ¿Tú tienes que trabajar los domingos? (no)
5. ¿Qué tienes que hacer hoy? (escribir correos electrónicos)
6. ¿Vosotros tenéis que limpiar la casa? (sí)

C. ¿Qué tienen que hacer?

You and your partner take turns saying what everyone has to do. Use the elements given in your answers and include an appropriate verb.

- **MODELO:** Elsa / la ensalada

  Elsa tiene que preparar la ensalada.

1. yo / la sala de estar
2. Ana y Eva / los platos
3. nosotros / un mensaje de texto
4. Marta / la aspiradora
5. Roberto / la basura
6. Sergio / el garaje

D. ¿Hay mucho trabajo?

With a partner, ask each other five questions about what you have to do at different times and on different days. Follow the model.

- **MODELO:** *—¿Qué tienes que hacer el sábado?*

  —Tengo que barrer el garaje.

FLASHBACK

Review the days of the week on page 47.

4 Expressions with *tener* (*Expresiones con* tener)

The following idiomatic expressions are formed with **tener**.

tener (mucho) calor	*to be (very) hot*
tener (mucho) frío	*to be (very) cold*
tener (mucha) sed	*to be (very) thirsty*
tener (mucha) hambre	*to be (very) hungry*
tener (mucho) sueño	*to be (very) sleepy*
tener (mucha) prisa	*to be in a (great) hurry*
tener (mucha) suerte	*to be (very) lucky*
tener (mucho) cuidado	*to be (very) careful*
tener (mucho) éxito	*to be (very) successful*
tener (mucho) miedo	*to be (very) afraid, scared*
tener (mucha) razón	*to be right*
no tener razón	*to be wrong*
tener ... años (de edad)	*to be . . . years old*

—**¿Tienes hambre?**
—No, pero **tengo** mucha **sed**.

"Are you hungry?"
*"No, but **I am** very **thirsty**."*

—¿Cuántos **años tiene** Eva?
—**Tiene** veinte **años**.

*"How **old is** Eva?"*
*"**She is** twenty **years old**."*

Práctica y conversación

A ¿Qué tienen?

Describe what the following people may be feeling using an expression with **tener**.

Yo ____________________ de la araña *(spider)*.

Javier y Yolanda ____________________.

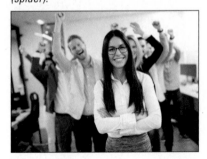

Todos nosotros ____________________. ¡El proyecto es perfecto!

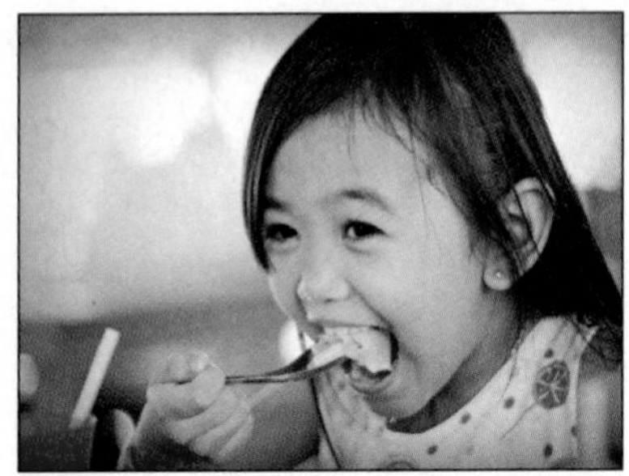

Clarita ____________________. Desea mucha comida.

Tú ________________. No deseas llegar tarde a tu trabajo.

Vosotras ________________.

La chica ________________. Bebe agua fría.

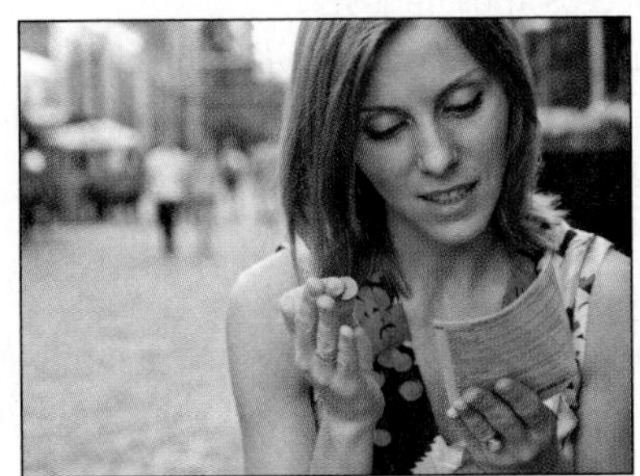

Paula no ________________. No gana *(win)* la lotería.

B. ¿Cómo se sienten? *(How do these people feel?)*

Using expressions with **tener**, create sentences according to the information given.

1. Carlos and Daniel are in the middle of the Sahara desert at 11 A.M.
2. Luis hasn't had a bite to eat for fifteen hours.
3. Marta sees a snake near her feet.
4. Darío and Eva have to get to the airport in a few minutes.
5. Rosa is in northern Alberta in February.
6. Martín wins the lottery.
7. Alicia thinks that Canadian winters are cold.
8. The boys fall down the stairs.

C. ¿Por qué...?

With a partner, take turns indicating why you are or are not doing the following, using an expression with **tener**.

1. ¿Por qué no abres las ventanas?
2. ¿Por qué corres?
3. ¿Por qué no comes ensalada?
4. ¿Por qué no tomas un vaso de limonada?
5. ¿Por qué necesitas un suéter (*sweater*) hoy?

D. ¿Qué tiene(n)?

Discuss with a partner how these people are feeling according to the situation. Use expressions with **tener**.

- **MODELO:** Elisa y Ana miran una película de horror (*horror movie*).
  Ellas tienen miedo.

1. Inés estudia y lava la ropa a las tres de la mañana.
2. La mamá de Alicia tiene que preparar comida para treinta personas. La fiesta es en seis horas.

3. Es enero en Manitoba. Tú no tienes abrigo *(coat)*.
4. Los estudiantes tienen un examen de matemáticas muy difícil.
5. La profesora tiene clase en cinco minutos y está *(is)* en la biblioteca.
6. El señor Cisneros gana (*wins*) la lotería.
7. Paquito cree que 2 + 2 = 5.
8. Yo deseo tres manzanas, dos naranjas y muchas uvas.

E. Entrevista a tu compañero(a)

Interview a classmate, using the following questions.

1. ¿Cuántos años tienes?
2. ¿Qué comes cuando tienes hambre?
3. ¿Qué bebes cuando tienes frío? ¿Y cuando tienes calor?
4. ¿Tienes sueño en este momento?
5. ¿Tú tienes miedo a veces (*sometimes*)?
6. ¿Tú siempre tienes razón?
7. Cuando tienes sed, ¿bebes agua o limonada?
8. ¿A veces tienes prisa cuando vienes a la universidad?

5 Demonstrative adjectives and pronouns
(Adjetivos y pronombres demostrativos)

	Masculine	Feminine
this	**este**	**esta**
these	**estos**	**estas**
that	**ese**	**esa**
those	**esos**	**esas**
that (over there)	**aquel**	**aquella**
those (over there)	**aquellos**	**aquellas**

Esta casa. **Aquella casa.** **Esa casa.**

- Demonstrative adjectives point out persons and things. Like all other adjectives, they agree in gender and number with the nouns they modify. Unlike other adjectives, they come before the noun.

- If the object is close to the person, the demonstratives are: **este**, **esta**, **estos**, **estas**.

Necesito **este** plato y **esta** taza.	*I need **this** plate and **this** cup.*
Estos amigos mandan muchos mensajes de texto.	***These** friends send a lot of text messages.*

- If the object is further away from the person we use: **ese**, **esa**, **esos**, **esas**.

Esa casa tiene dos dormitorios.	***That** house has two bedrooms.*
Esos chicos viven en **esa** casa.	***Those** guys live in **that** house.*

- If the person or object is even farther away, the demonstratives **aquel**, **aquella**, **aquellos**, and **aquellas** are used.

Andrés vive en **aquella** casa.	*Andrés lives in **that** house over there.*
Aquellos cuadernos son de Ben.	***Those** notebooks over there are Ben's.*

- The words used as demonstrative pronouns are the same as the demonstrative adjectives, but when a demonstrative pronoun is used, the noun is left out.

—¿Qué ensalada quiere Ud., **esta** o **esa**?	*"Which salad do you want, **this one** or **that one**?"*
—Quiero **aquella**.	*"I want **that one over there**."*
Este apartamento es de Alejandro pero **ese** es de Jorge.	***This** apartment is Alejandro's but **that one** is Jorge's.*
Aquellas cacerolas son rojas y **estas** son azules.	***Those** pots **over there** are red and **these** are blue.*

- Each demonstrative pronoun has a neuter form. The neuter forms have no gender and refer to unspecified situations, ideas, or things. They are used only in the singular form: **esto**, **eso**, and **aquello**.

—¿Qué es **esto**?	*"What's **this**?"*
—Es la tostadora de Sara.	*"It's Sara's toaster."*
—Marcos corre un maratón el sábado.	*"Marcos is running a marathon on Saturday."*
—**Eso** es muy interesante.	*"**That**'s very interesting."*

FLASHBACK

The adverbs of location—**aquí**, **allí**, and **allá**—are often used with demonstratives. See these words in the vocabulary on page 64.

Práctica y conversación

A. *Este, ese* y *aquel*

Describe in Spanish the following illustrations, using the suggested demonstrative adjectives.

1. *this, these*:

a. ____________________ **b.** ____________________

c. ______________________ d. ______________________

2. *that, those*:

a. ______________________ b. ______________________

c. ______________________ d. ______________________

3. *that (over there); those (over there)*:

a. ______________________ b. ______________________

c. ______________________ d. ______________________

B. Minidiálogos

Complete the following exchanges with the Spanish equivalent of the demonstrative pronouns in parentheses.

1. —¿Necesitas estos platos?

   —No, necesito ________________. *(those)*
2. —¿Cuál de las mesas necesitan Uds.?

   —________________. *(This one)*
3. —¿Cuáles son tus tazas? ¿________________ o ________________?
   (These / those over there)

   —________________. *(Those)*
4. —¿Cuál es tu casa? ¿________________ o ________________?
   (This one / that one)

   —________________. *(That one over there)*

C. La casa es un desastre.

Complete the exercise with the necessary demonstrative adjective or pronoun.

Este sábado Olga y Graciela tienen una fiesta de cumpleaños para un amigo, Nacho. Las chicas tienen que limpiar la casa en preparación.

Graciela: —Olga, necesitas barrer ________________ *(this)* sala de estar. Yo lavo ________________ *(these)* platos y ________________ *(those)* tazas.

Olga: —Muy bien. Pero tengo que escribir ________________ *(this)* correo electrónico antes de limpiar. Es para mis padres.

Graciela: —________________ *(That)* es bueno. Debes escribir el correo electrónico y después, ayudar con todo ________________ *(this)* trabajo. ¿________________ *(Those over there)* libros son de Pedro?

Olga: —No, ________________ *(these)* son de Pedro, ________________ *(those over there)* son de Clara.

Graciela: —¿Por qué hay libros de nuestros amigos aquí? ¡________________ *(This)* casa es un desastre!

D. Nuestros compañeros

You and your partner take turns asking each other who the people in your class are according to the relative distance. Use the appropriate demonstrative adjectives.

- **MODELO:** —*¿Quién es John?*

  —***Ese** muchacho cerca de (near) la pizarra.*

6 Numbers from 300 to 2,000,000 *(Números de 300 a 2.000.000)*

300	trescientos	**700**	setecientos	**2000**	dos mil
400	cuatrocientos	**800**	ochocientos	**1.000.000**	un millón
500	quinientos	**900**	novecientos	**2.000.000**	dos millones
600	seiscientos	**1.000**	mil		

- In Spanish, one does not count in hundreds beyond one thousand; thus 1,100 is expressed as **mil cien.** Note that Spanish uses a comma where English uses a decimal point to indicate values below one: $1.095,99 (Spanish) = $1,095.99 (English).

- When a number from 200 to 900 is used before a feminine noun, it takes a feminine ending: **doscient*as* mes*as*.**

- This is also true for higher numbers that incorporate the numbers 200–900: **mil doscient*as* treinta sill*as*, dos mil ochocient*as* plum*as*.**

- In Spanish you do not need the equivalent of "a" before one thousand:

  Necesito mil dólares. — *I need a thousand dollars.*

- **Mil** does not have a plural form (**dos mil**, **tres mil**, etc.) but **millón** does: **dos millones**, **tres millones**, etc. When followed by a noun you must use **de** between **millón/ millones** and the noun.

  Hay dos **mil** estudiantes aquí. — *There are two **thousand** students here.*
  Hay 1.000.000 **de** habitantes en esa ciudad. — *There are one million inhabitants in that city.*

Práctica

A. Sumas y restas

With a partner, solve the following mathematical problems in Spanish.

1. 308 + 70 = ______
2. 500 + 1.460 = ______
3. 653 + 347 = ______
4. 892 – 163 = ______
5. 216 + 284 = ______
6. 1.000 – 350 = ______
7. 700 + 280 = ______
8. 125 + 275 = ______
9. 900 – 620 = ______
10. 230 + 725 = ______

B. ¿Cuánto cuesta?

You and your new housemate need to furnish your apartment. With a partner, take turns saying how much everything costs.

- **MODELO:** —¿Cuánto cuesta el refrigerador? ($1.650)
  —*Cuesta mil seiscientos cincuenta dólares.*

1. ¿Cuánto cuesta la tostadora?
2. ¿Cuánto cuesta el lavaplatos?
3. ¿Cuánto cuesta la lavadora?
4. ¿Cuánto cuesta la computadora portátil?
5. ¿Cuánto cuesta la licuadora?
6. ¿Cuánto cuesta la cafetera?
7. ¿Cuánto cuesta la mesa?
8. ¿Cuánto cuestan los platos?

1. 

2. 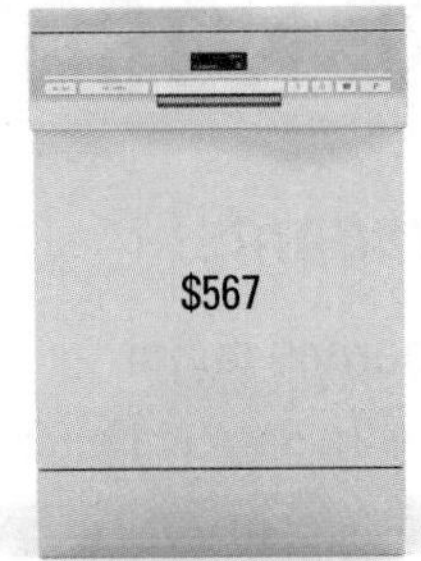

3. 

4. 

5. 

6. 

7. 

8. 

Práctica y traducción

Review the vocabulary and grammatical concepts studied in **Lección 3** as you translate the following sentences.

1. Today I have to clean my bedroom. It is a disaster!
2. Clara's family eats in the dining room.
3. Juan and Pablo prepare the meal and Susana washes the dishes.
4. When we have things to do, we are always in a hurry.
5. This pot is green, and that one (over there) is red.

ENTRE NOSOTROS

¡Conversemos!

Para conocernos mejor

Get to know your partner better by asking each other the following questions.

1. ¿En qué ciudad vives tú? ¿Y tus padres?
2. ¿Cuántos años tienes? ¿Y tu mejor amigo(a)?
3. ¿Qué días limpias tu casa?
4. ¿Quién prepara la comida en tu casa?
5. ¿Con quién divides los trabajos de la casa? ¿Qué haces tú?
6. ¿Tú trabajas todos los días?
7. ¿Quién lava y plancha tu ropa?
8. ¿Qué aparatos electrodomésticos tienes en tu cocina?
9. ¿Qué bebes cuando tienes sed?
10. ¿Qué tienes que hacer mañana?
11. ¿Tu dormitorio es un desastre a veces (*sometimes*)?
12. ¿Qué trabajo de la casa no haces?

Búsqueda de gente

Interview your classmates to identify who fits the following descriptions. Include your instructor, but remember to use the **Ud.** form when addressing him or her.

NOMBRE	
1.	lava su ropa los fines de semana.
2.	prepara la comida los domingos.
3.	vive con sus padres.
4.	limpia su casa los sábados.
5.	llega a clase temprano (*early*).
6.	tiene veinte años.
7.	siempre tiene sueño.
8.	necesita descansar.
9.	siempre tiene prisa.
10.	manda más de 100 mensajes de texto por día.

Y ahora...

Write a brief summary, indicating what you have learned about your classmates.

¿Cómo lo decimos?

What would you say in the following situations? What might the other person say? Act out these scenes with a partner.

1. You and a friend have invited guests for dinner and must decide what each of you has to do to prepare for the party.
2. You tell your roommate that there is a knock at the door.
3. You go shopping for things you need for your kitchen.
4. You complain that there are a thousand things to do.

¿Qué pasa aquí?

Get together in groups of three or four and write about the people in the pictures. Try to say at least two or three things each. You may want to say something about what the people are like, what task they are doing, and why they are doing it. Be sure to mention the day of the week, the time of day, and any other things that might add to your story.

Iakov Filimonov/Shutterstock.com

Iakov Filimonov/Shutterstock.com

Iakov Filimonov/Shutterstock.com

Para escribir

El fin de semana

Select ten verbs from page 64 of the vocabulary list and write about what you do on a typical weekend.

UN DICHO

Hogar, dulce hogar

This is a saying about home life. Can you guess the meaning?

David Bank/Getty Images

La Casa Azul: Ahora es el Museo Frida Kahlo. Ella vivió (*lived*) en esta casa con su esposo, Diego Rivera.

ASÍ SOMOS

Vamos a escuchar

A. ¿Qué hacemos hoy?

You will hear a conversation between Amelia and her husband, Jorge, about what they have to do today. Pay close attention to what they say. You will then hear ten statements about what you heard. Indicate whether each statement is true **(V)** or false **(F)**.

1. ☐ V ☐ F
2. ☐ V ☐ F
3. ☐ V ☐ F
4. ☐ V ☐ F
5. ☐ V ☐ F
6. ☐ V ☐ F
7. ☐ V ☐ F
8. ☐ V ☐ F
9. ☐ V ☐ F
10. ☐ V ☐ F

Vamos a leer

ESTRATEGIA

Buscar vocabulario nuevo

The following is a note that a mother writes to her daughter, Nora, about things she and her brother have to do around the house. Think about all the vocabulary you have learned about this topic and, as you scan the note, look for additional words or expressions that are new to you.

B. Al leer

As you read the note, try to find the answer to each of the following questions.

1. ¿Dónde deja *(leave)* la Sra. Peña la nota?
2. ¿Hasta qué hora tiene que trabajar la Sra. Peña?
3. ¿Adónde tiene que ir después? ¿Para qué?
4. ¿A qué hora llega a su casa?
5. ¿Quién tiene que ayudar a Nora?
6. ¿Dónde tienen que lavar los platos sucios?
7. ¿Dónde tienen que secar la ropa que está en la lavadora?
8. ¿Qué tienen que barrer?
9. ¿Qué tienen que limpiar?
10. ¿Qué tienen que preparar?
11. ¿Tienen que pasear al gato *(cat)* o al perro?
12. ¿Qué hay en el refrigerador?
13. ¿La mamá de Nora tiene mucho que hacer en la oficina?

Sobre la nota

Esta es una nota que la Sra. Peña, la mamá de Nora, deja para su hija en la mesa de la cocina.

magenavi/Getty Images

Una nota de mamá

Nora,
Hoy tengo que trabajar hasta° las seis de la tarde y después tengo que ir a la tienda° para comprar un regalo° para tu papá. Llego a casa a eso de° las siete. ¡Necesito ayuda! Tú y tu hermano tienen que hacer lo siguiente°:

1. Lavar los platos sucios° en el lavaplatos.
2. Secar la ropa que está en la lavadora, en la secadora.
3. Sacar la basura.
4. Barrer la cocina.
5. Pasar la aspiradora.
6. Preparar una ensalada para la cena°.
7. Limpiar el baño.
8. Pasear al perro°.

Si tienen hambre, hay pollo° en el refrigerador. Me voy porque tengo mil cosas que hacer en la oficina.
¡Gracias!
Mamá

until / store
present / **a...** *at about*
lo... *the following*
dirty
dinner
pasear... *walk the dog*
chicken

C. ¿Y tú?

Write a few sentences explaining what chores you usually do and when. Do you do them alone or does anybody help you? Include the following subjects.

1. los platos sucios
2. la ropa
3. el baño
4. la basura
5. la cocina
6. la cena
7. el café
8. el perro
9. la mesa
10. tu cuarto

LECCIÓN 4 UNA CELEBRACIÓN

Ponomarencko/Dreamstime.com

Silvia y Esteban deciden dar una fiesta para celebrar el cumpleaños de Mónica, una chica guatemalteca que ahora vive en San Salvador con la familia de Silvia.

Esteban: Tenemos que mandar las invitaciones. ¿A quiénes vamos a invitar?

Silvia: A todos nuestros amigos, a mis primos, al novio de Mónica y a Yolanda.

Esteban: Yo no conozco a Yolanda. ¿Quién es?

Silvia: Es la hermana del novio de Mónica.

Esteban: ¿Ah, sí? ¿Es bonita? ¿Es rubia, morena o pelirroja? No es casada, ¿verdad?

Silvia: Es morena, de ojos castaños, delgada, de estatura mediana... encantadora... y es soltera.

Esteban: Bueno, si baila bien, ya estoy enamorado.

Silvia: Oye, tenemos que planear la fiesta. Va a ser en el club, ¿no?

Esteban: No, va a ser en la casa de mis abuelos. Ellos están en Costa Rica con mi madrina y yo tengo la llave de la casa.

Silvia: ¡Perfecto! Yo traigo los entremeses y la torta de cumpleaños.

Esteban: Yo traigo las bebidas y la música. Yo sé que mis abuelos no tienen música para bailar.

En la fiesta, cuando Mónica, su novio y Yolanda llegan a la casa, todos gritan: ¡Feliz cumpleaños!

Mónica: *(Contenta)* ¡Qué sorpresa!

Silvia: ¿Qué deseas tomar? ¿Vino, cerveza...? ¿O deseas comer algo?

Mónica: Una copa de vino tinto para brindar con todos mis amigos.

Silvia: *(Levanta su copa.)* ¡Un brindis! ¡Por Mónica! ¡Salud!

Todos: ¡Salud!

Esteban: *(A Yolanda)* Hola, soy Esteban Campos. Tú eres Yolanda, ¿verdad?

Yolanda: Sí, mucho gusto.

Esteban: ¿Bailamos?

Yolanda: Sí, aunque no sé bailar muy bien.

Esteban y Yolanda bailan y conversan. Todos los invitados lo pasan muy bien.

Silvia: *(A Mónica)* Veo que Yolanda y Esteban están muy animados.

Mónica: Sí, hacen una buena[1] pareja. Oye, Silvia, la fiesta es todo un éxito. ¡Muchas gracias!

Después de la fiesta, Esteban lleva a Silvia y a Mónica a su casa. Las chicas están cansadas, pero contentas.

© Jamie Grill/iconica/Getty Images

© foobean01/Stock.Xchng

Hablemos

Sobre el diálogo

With a classmate, take turns asking and answering the following questions. Base your answers on the dialogue.

1. ¿Quiénes van a dar una fiesta? ¿Para quién es la fiesta?
2. ¿Qué celebra Mónica? ¿Dónde vive ella ahora?
3. ¿A quiénes van a invitar Silvia y Esteban?
4. ¿Quién es Yolanda? ¿Cómo es ella?
5. ¿Dónde va a ser la fiesta?
6. ¿Dónde están los abuelos de Esteban?
7. ¿Qué va a traer Silvia para la fiesta? ¿Y Esteban?
8. ¿Con quiénes llega Mónica a la fiesta? ¿Qué gritan todos?
9. ¿Con qué va a brindar Mónica?
10. ¿Yolanda desea bailar? ¿Ella sabe bailar bien?

Entrevista a tu compañero(a)

With a classmate, take turns asking and answering the following questions.

1. ¿Tú vas a muchas fiestas?
2. ¿Estás cansado(a) hoy?
3. ¿Tienes hermanos? ¿Cuántos? ¿Cómo son?
4. ¿Dónde viven tus abuelos? ¿Viven cerca de tu casa?
5. ¿Cuándo es tu cumpleaños? ¿Celebras tu cumpleaños en tu casa o en un club?
6. ¿Das muchas fiestas? ¿A quiénes invitas?
7. Cuando hay una fiesta en casa de un(a) amigo(a), ¿qué llevas tú?
8. En una fiesta, ¿bailas o conversas con tus amigos(as)?
9. ¿Sabes bailar bien? ¿Sabes bailar salsa?
10. ¿Qué tipo de música escuchas?

DETALLES CULTURALES

En muchos países hispanos, se celebran los quince años de las chicas con una fiesta muy grande. Se llama "La quinceañera" *(to showcase that the girl is celebrating her 15th year)*. En la celebración, los invitados bailan, comen y están felices. La familia planea la fiesta y manda las invitaciones con tiempo. Los amigos y la familia celebran juntos.

---

[1] Usually, in Spanish, an adjective follows the noun: **Un amigo bueno / Una amiga buena**. However, an adjective can also precede a noun to emphasize its significance. When **bueno** precedes a masculine singular noun, it drops the final **o**: **Un buen amigo**.

VOCABULARIO

COGNADOS

el bar
el club
guatemalteco(a)
hondureño(a)
la invitación
salvadoreño(a)
la sorpresa

SUSTANTIVOS

el brindis *toast (i.e., at a celebration)*
el cine *movies, movie theatre*
el coche* *car*
los entremeses *appetizers, finger food*
el éxito *success*
la fiesta *party*
el (la) invitado(a) *guest*
la llave *key*
los ojos *eyes*
la pareja *couple*
la película *movie*
el perro *dog*
la torta* *cake*

VERBOS

brindar *to toast*
caminar *to walk*
celebrar *to celebrate*
conducir (yo conduzco), manejar *to drive*
conocer (yo conozco) *to know, to be acquainted*
dar *to give*
decidir *to decide*
estar *to be*
gritar *to shout*
invitar *to invite*
levantar *to raise*
llamar *to call*
llevar *to take (someone or something somewhere)*
mandar, enviar[2] *to send*
planear *to plan*
poner (yo pongo) *to put, place*
saber (yo sé) *to know*
salir (yo salgo) *to go out, to leave*
traducir (yo traduzco) *to translate*
traer (yo traigo) *to bring*
ver (yo veo) *to see*

ADJETIVOS

animado(a) *in good spirits*
cansado(a) *tired*
casado(a) *married*
castaño(a) *brown (eyes, hair)*
contento(a) *happy, content*
enamorado(a) *in love*
encantador(a) *charming*
enfermo(a) *sick*
feliz *happy*
moreno(a)* *dark, brunet(te)*
pelirrojo(a) *red-haired*
próximo(a) *next*
rubio(a) *blond(e)*
soltero(a) *single*
triste *sad*

OTRAS PALABRAS Y EXPRESIONES

¿A quién(es)? *Whom?*
ahora *now*
aunque *although*
¿Bailamos? *Shall we dance?*
cerca (de) *near, close*
comer algo *to have something to eat*
de estatura mediana *of medium height*
de ojos castaños *with brown eyes*
don *title of respect, used with a man's first name*
doña *title of respect, used with a woman's first name*
lejos (de) *far (from)*
pasarlo bien *to have a good time*
¡Qué sorpresa! *What a surprise!*
¡Salud! *Cheers!*
todo un éxito *quite a success*
ya *already*

DE PAÍS A PAÍS

el coche el carro *(LA)*; el auto *(ConoSur)*
la torta la tarta *(Esp.)*; el pastel *(Méx.)*
moreno(a) trigueño(a) *(Cuba, Honduras, Par.)*

[2]Note conjugation of **enviar**: **envío, envías, envía, enviamos, enviáis, envían.**

Amplía tu vocabulario

Todos nosotros

Doña Elsa

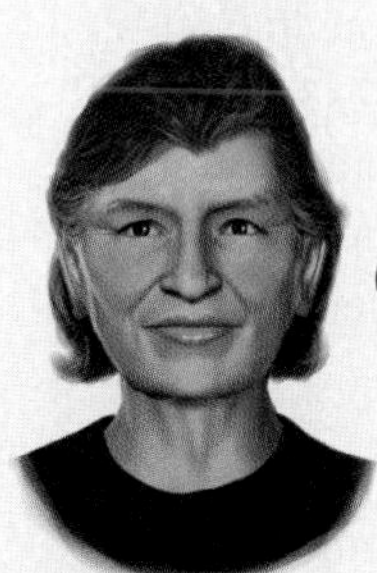

la abuela *(grandmother)*
la suegra *(mother-in-law)*
la esposa *(wife)*

los abuelos *(grandparents)*

Don Rafael

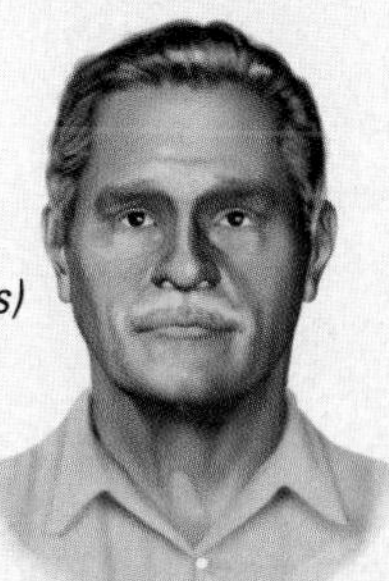

el abuelo *(grandfather)*
el suegro *(father-in-law)*
el esposo *(husband)*

Eva

la hija *(daughter)*
la tía *(aunt)*
la hermana *(sister)*
la madre *(mother)*
la mamá *(mom)*

Carlos

el yerno *(son-in-law)*
el cuñado *(brother-in-law)*

Sergio

el hijo *(son)*
el tío *(uncle)*
el hermano *(brother)*
el padre *(father)*
el papá *(dad)*

Marta

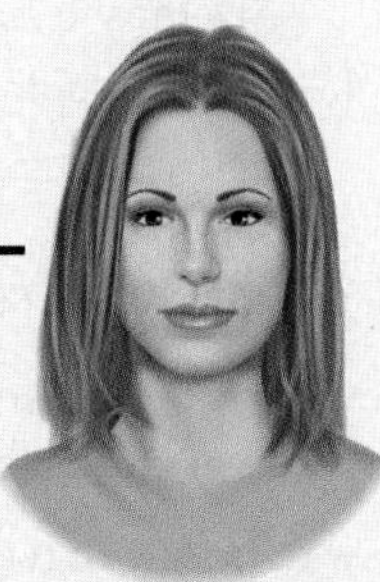

la nuera *(daughter-in-law)*
la cuñada *(sister-in-law)*

Ana

la sobrina *(niece)*

Miguel

el sobrino *(nephew)*
el nieto *(grandson)*

Zara

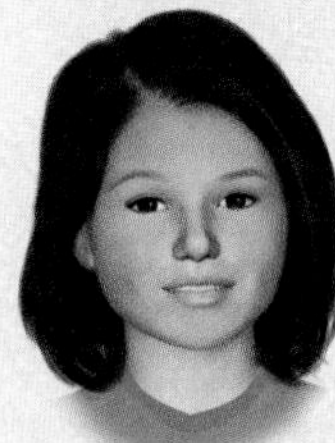

la prima *(cousin)*

Marcos

el primo *(cousin)*

Elena

la nieta *(granddaughter)*

el bisabuelo(a)	*great-grandfather/ great-grandmother*	**el medio hermano(a)**	*half-brother/half-sister*
el hermanastro(a)	*stepbrother/stepsister*	**la novia**	*girlfriend, bride*
el hijastro(a)	*stepson/stepdaughter*	**el novio**	*boyfriend, bridegroom*
la madrastra	*stepmother*	**el padrastro**	*stepfather*
la madrina	*godmother*	**el padrino**	*godfather*
		el pariente	*relative*

DETALLES CULTURALES

Cuando los hispanos hablan de su "familia", incluyen a sus tíos, primos, etc. Generalmente, tienen una buena relación entre ellos. Las celebraciones familiares son muy importantes.

Para practicar el vocabulario

A. Preguntas y respuestas

Match the questions in column A with the answers in column B.

A	B
1. ¿Bailamos?	**a.** Los entremeses y la torta.
2. ¿Es casada?	**b.** Las invitaciones.
3. ¿Es rubia o morena?	**c.** No, es soltera.
4. ¿Qué comida hay en la fiesta?	**d.** Ahora no, gracias.
5. ¿Qué celebran hoy?	**e.** Mi cumpleaños.
6. ¿Qué mandas antes de la fiesta?	**f.** Es pelirroja.

B. Planes para la fiesta

Complete the following exchanges with vocabulary from **Lección 4**.

1. —Cuando ustedes ____________ una fiesta con amigos, ¿qué preparan para comer?
   —Nosotros preparamos los ________________ y una ___________.
2. —¿Ustedes ___________ las invitaciones una semana antes de la fiesta?
   —Sí, es bueno ___________ cuántos __________ vienen.
3. —¿Por qué ___________ fiestas ustedes?
   —Damos fiestas para ___________ y _________ con amigos.
4. —¿Es popular dar una fiesta ____________?
   —Sí, ___________ es difícil __________ una fiesta así *(like that)*.

C. Una fiesta de cumpleaños

Hoy es el cumpleaños del abuelo don Rafael, ¿cómo está su familia hoy? ¿Qué hacen para celebrar su cumpleaños ¿Dónde es la fiesta? ¿Quiénes están allí? ¿Qué van a comer y beber?

Now write one or two paragraphs about don Rafael's birthday.

Jack Hollingsworth/Getty Images

D. Los parientes

With a partner, take turns saying what the relationship of one person to another is following the family tree.

- **MODELO:** *Doña Elsa es la mamá de Eva.*

1. Doña Elsa es la ________________ de don Rafael.
2. Marta es la ________________ de Zara, Marcos y Elena.
3. Sergio es el ________________ de Eva.
4. Carlos es el ________________ de Ana y Miguel.
5. Ana y Miguel son los ________________ de Zara, Marcos y Elena.
6. Don Rafael y doña Elsa son los ________________ de Sergio y Eva.

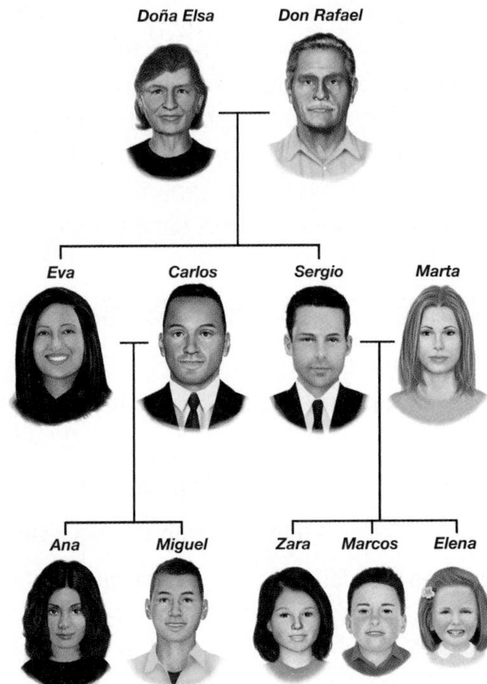

E. De mi álbum de fotos

Bring photos of you as a baby. Don't include your name. In class, students will hand in their pictures to the instructor who will mix them up and distribute 3 or 4 pictures per group. Students need to identify the person in the picture! When they do, they should go to the identified person and ask: ¿Es esta tu foto? It will be good to include a picture of the instructor in the mix!

Pronunciación

La consonante *c*

In Spanish, **c** has two different sounds: [*s*] and [*k*]. The [*s*] sound occurs in **ce** and **ci**, the [*k*] sound in **ca**, **co**, **cu**, **cl**, and **cr**. Listen to the correct pronunciation; then say the following words out loud.

[*s*]		[*k*]	
cerveza	**cien**cias	**Car**men	**cuá**ndo
gra**cias**	ne**ce**sito	**can**sado	**cl**ub
invita**ción**	**ce**lebrar	**có**mo	**cr**eo

PUNTOS PARA RECORDAR

1 Verbs with irregular first-person forms
(Verbos irregulares en la primera persona)

The following verbs are irregular in the first-person singular of the present tense.

Verb	*yo* form	Regular forms
salir *(to go out, to leave)*	**salgo**	sales, sale, salimos, salís, salen
hacer *(to do, to make)*	**hago**	haces, hace, hacemos, hacéis, hacen
poner *(to put, to place)*	**pongo**	pones, pone, ponemos, ponéis, ponen
traer *(to bring)*	**traigo**	traes, trae, traemos, traéis, traen
conducir *(to drive, to conduct)*	**conduzco**	conduces, conduce, conducimos, conducís, conducen
traducir *(to translate)*	**traduzco**	traduces, traduce, traducimos, traducís, traducen
conocer *(to know)*	**conozco**	conoces, conoce, conocemos, conocéis, conocen
ver *(to see)*	**veo**	ves, ve, vemos, veis, ven
saber *(to know)*	**sé**	sabes, sabe, sabemos, sabéis, saben

¡ATENCIÓN!

The verb **salir** must be followed by the preposition **de** when talking about leaving a place.

Ellos salen **de** la casa. — *They leave the house.*

This verb phrase is also used when it refers to going shopping: **salir de compras**.

Yo salgo **de compras** los sábados. — *I go shopping on Saturdays.*

Práctica y conversación

A. Olga y yo...

With a partner, take turns comparing what Olga does to what you do.

- **MODELO:** Olga traduce los sustantivos.
  Yo traduzco los verbos.

1. Olga sale de su casa a las ocho de la mañana.
2. Olga pone su dinero en el Banco de Montreal.
3. Olga conoce Guatemala.
4. Olga sabe bailar salsa.
5. Olga trae las bebidas a la fiesta.
6. Olga conduce un Honda.
7. Olga ve una película.
8. Olga hace ejercicio *(exercises)* por la mañana.

B. ¿Qué haces tú?

With a partner, take turns asking each other about some of your daily activities.

1. ¿A qué hora sales de casa por la mañana?
2. ¿Qué pones en tu mochila?
3. ¿Traes un sándwich para comer o comes en la cafetería?

4. ¿Conduces a la universidad?
5. ¿Traduces del inglés al español?
6. ¿Ves muchas películas los sábados por la noche?
7. ¿Cuándo haces la tarea?
8. ¿Sabes bailar salsa, merengue o tango?

C. Cambio de persona

Read the following paragraph and change it from the third person to the first person.

- **MODELO:** Luisa **sale** de la casa a las nueve de la mañana.
  *Yo **salgo** de la casa a las nueve de la mañana.*

Ana **sabe** que es el cumpleaños de Beto. Ella **conoce** a sus amigos. **Hace** las invitaciones y las **manda**. **Sale** a comprar la comida y **hace** una torta de chocolate. **Pone** la torta y la bebida en la mesa. **Trae** su música favorita para bailar. Ella **sabe** que Beto sabe bailar muy bien. Ana **conduce** a la casa de Beto.

2 *Saber* vs. *conocer*

The verb *to know* has two Spanish equivalents, **saber** and **conocer**, which are used to express distinct types of knowledge.

- **Saber** means *to know something by heart, to know how to do something* (a learned skill), or *to know a fact* (information).

—¿**Sabes** el poema *"In Flanders Fields"* de memoria?	*"**Do you know** the poem 'In Flanders Fields' by heart?"*
—No.	*"No."*
—¿Ana **sabe** bailar salsa?	*"**Does** Ana **know how** to dance salsa?"*
—No muy bien...	*"Not very well . . . "*
—¿Ud. **sabe** el número de teléfono de David?	*"**Do you know** David's phone number?"*
—Sí, es 8-26-49-30.	*"Yes, it's 8-26-49-30."*

- **Conocer** means *to be familiar or acquainted with a person, a thing, or a place.*

—¿**Conocen** Uds. todas las novelas de Cervantes?	*"**Are you familiar with** all of Cervantes's novels?"*
—No, no todas.	*"No, not all of them."*
—¿**Conoces** San Salvador?	*"**Do you know** (Have you been to) San Salvador?"*
— Sí, es una ciudad muy bonita.	*"Yes, it is a very pretty city."*

Práctica y conversación

A. ¿*Saber* o *conocer*?

Fill in the blanks with the correct form of **saber** or **conocer**.

1. —Marisa, ¿__________ tú la dirección de Antonio?
2. —No, yo no __________ su dirección.
3. —Tu amiga Rebeca __________ a Antonio, ¿verdad?
4. —Sí, ella __________ su número de teléfono también.
5. —Nosotros deseamos comida mexicana; ¿tú __________ un buen restaurante mexicano en la ciudad?

6. —No, pero hay un restaurante hondureño muy bueno. Mis padres __________________ a los dueños *(owners)*.
7. —Gracias. Nosotros __________________ que en Honduras es muy popular bailar Punta.
8. —¿Ustedes __________________ bailar Punta?
9. —No, pero yo __________________ a un chico hondureño muy simpático, y deseo aprender a bailar Punta.

B. ¿Qué sabes y qué conoces?

With a partner, take turns interviewing each other, using the **tú** form. Ask if your partner *knows* the following. You'll have to decide whether to use **saber** or **conocer**.

- **MODELO:** bailar salsa

  —¿Sabes bailar salsa?

  —Sí, yo sé bailar salsa.

  —No, no sé bailar salsa.

1. el número de teléfono de una buena pizzería
2. Guatemala
3. las novelas de Isabel Allende
4. hablar italiano
5. a los padres de tu mejor amigo(a)
6. el poema *"In Flanders Fields"* de memoria
7. dónde vive el/la presidente de la universidad
8. preparar entremeses

C. Preguntas y más preguntas

Divide the class into groups of four students each. Name them **A** or **B**, alternatively. Each group must prepare five questions using **saber** and **conocer**. When the questions are ready, students in a group **A** should pair up with a group **B**. Group **A** starts asking Group **B** the questions. When they are answered, groups **A** and **B** should switch.

3 Personal *a* *(La* a *personal)*

- The preposition **a** is used in Spanish before a direct object (recipient of the action expressed by the verb) referring to a specific person or persons. When the preposition **a** is used in this way, it is called the *personal* **a** and has no English equivalent.

		Direct object
Yo conozco	**a**	Roberto.
I know		*Roberto.*

— ¿Tú conoces **a** Carmen? — *"Do you know Carmen?"*
— Sí, conozco **a** Carmen. — *"Yes, I know Carmen."*

¡ATENCIÓN!

When there is a series of direct object nouns referring to people, the personal **a** is repeated.

¿Tú conoces *a* Lucía y *a* Héctor?

- The personal **a** is *not* used when the direct object is a thing or place.

  Yo conozco Kingston. — *I know Kingston.*

- The personal **a** is seldom used following the verb **tener** even if the direct object is a person or persons.

  Tengo dos hermanas. — *I have two sisters.*

- The personal **a** is also used when referring to pets.

Yo llevo **a** mi perro a la veterinaria. *I take my dog to the vet.*

- The personal **a** is used when asking a question with **quién(es)**.

—¿**A** quién llamas? *"Who(m) are you calling?"*
—Llamo **a** mi amiga Graciela. *"I'm calling my friend Graciela."*

Práctica y conversación

A. Minidiálogos

Complete the following exchanges, using the personal **a** when appropriate. Leave the space blank if **a** is not needed.

1. —¿Tú conoces _______ Silvia y _______ Mónica?
   —Conozco _______ Mónica, pero no conozco _______ Silvia.
2. —¿_______ quién llevas a la fiesta?
   —Llevo _______ mi amiga Clara y _______ mi prima.
3. —¿Tienes _______ hermanos?
   —Sí, tengo _______ un hermano y _______ dos hermanas.
4. —¿Qué tienes que hacer?
   —Tengo que llevar _______ mi perro a la veterinaria.

B. Un día ocupado

Using the underlined verbs, answer the questions for each situation using the names in the family tree presented on page 89.

- **MODELO:** Eva llama a su hermano. ¿A quién llama?
  Eva llama a Sergio.

1. Carlos llama a su suegro. ¿A quién llama?
2. Marta lleva a su cuñada a una fiesta. ¿A quién lleva?
3. Zara y Marcos invitan a su primo a comer. ¿A quién invitan?
4. Doña Elsa llama a sus hijos todos los sábados. ¿A quiénes llama?
5. Sergio y Marta traen a sus hijos a la fiesta de cumpleaños del abuelo. ¿A quiénes traen?
6. Ana y Miguel conocen muy bien a sus primos. ¿A quiénes conocen muy bien?

4 Contractions: *al* and *del* (*Contracciones:* al y del)

- The preposition **a** and the definite article **el** contract to form **al**.

Llevamos	**a**	+	**el**	profesor.
Llevamos		**al**		profesor.

- Similarly, the preposition **de** and the definite article **el** contract to form **del**.

Tiene los libros	**de**	+	**el**	profesor.
Tiene los libros		**del**		profesor.

¡ATENCIÓN!

A + **el** and **de** + **el** must *always* be contracted to **al** and **del**.

—¿Vienes **del** club? — *"Are you coming* ***from the*** *club?"*
—No, vengo **de la** biblioteca. — *"No, I'm coming* ***from the*** *library."*

—¿Necesitas llegar **al** trabajo a las 8:30 de la mañana? — *"Do you need to arrive* ***at*** *your job at 8:30 A.M.?"*
—No, necesito llegar **a las** 7 de la mañana. — *"No, I need to arrive* ***at*** *7 A.M."*

- None of the other combinations of prepositions and definite articles (**de la**, **de los**, **de las**, **a la**, **a los**, **a las**) is contracted.

El esposo **de la** profesora viene **a la** clase de español.

filadendron/istock via Getty Images

¡Qué sorpresa! Todos están animados para la fiesta sorpresa del mejor amigo. Ellos celebran su cumpleaños. Conversa con un(a) compañero(a) y describan (*describe*) la foto.

Práctica y conversación

A. ¿Qué hacen?

You and your partner will take turns saying what everyone is doing using the words provided. Remember to conjugate the verbs and add prepositions when needed. Words provided: **salir de**, **venir de/a**, **traer**, **conocer**, **ver**, **saber**.

- **MODELO:** Teresa / venir / cine.
  Teresa viene del cine.

1. Ines / salir / teatro.
2. Luis / conocer / doctor Rojas.
3. Los estudiantes / venir/ laboratorio.
4. El padre / llevar / abuelo / hospital.
5. Elisa / traer / perro.
6. Nosotros / llamar / profesor.
7. Yo / salir / club / tarde.

B. Entrevista a tu compañero(a)

With a partner, take turns asking each other the following questions.

1. ¿Planeas fiestas con tus amigos?
2. ¿Conoces un club popular en esta ciudad?
3. ¿Cuándo es una fiesta todo un éxito?
4. ¿Mandas invitaciones electrónicas para la fiesta?
5. ¿Cómo celebras tu cumpleaños?
6. Hay una fiesta el sábado, ¿a quién debemos invitar?

5 Present indicative of *ir*, *dar*, and *estar*

(Presente de indicativo de ir, dar *y* estar*)*

	ir *(to go)*	dar *(to give)*	estar *(to be)*
yo	**voy**	**doy**	**estoy**
tú	**vas**	**das**	**estás**
Ud. / él / ella	**va**	**da**	**está**
nosotros(as)	**vamos**	**damos**	**estamos**
vosotros(as)	**vais**	**dais**	**estáis**
Uds. / ellos / ellas	**van**	**dan**	**están**

— ¿Dónde **está** Aurora? *"Where **is** Aurora?"*
— **Está** en el cine. *"**She is** at the movie theatre."*
— ¿No **da** una fiesta hoy? *"Isn't **she giving** a party today?"*
— No, **yo doy** una fiesta. *"No, **I'm giving** a party."*

— ¿Adónde **vas**? *"Where **are you going** (to)?"*
— **Voy** a la biblioteca. *"**I'm going** to the library."*
— ¿**No estás** cansada? *"**Aren't you** tired?"*
— No, no **estoy** cansada. *"No, **I am** not tired."*

LEAP FORWARD

This concept will be further explored in **Lección 5** when students will explore more uses of the verb **estar**.

¡ATENCIÓN!

The verb **estar** is used to indicate location and to describe conditions at a given moment in time. **Estar** and **ser** are not interchangeable.

Location: Susana **está** en el club. *Susana **is** at the club.*
Current condition: **Estoy** cansada. *I **am** tired.*

Práctica y conversación

A. Fiestas y más fiestas

Complete the following statements about Mónica's birthday party, using the appropriate forms of **dar**, **ir**, and **estar**.

1. Todos los amigos de Silvia ________________ a la fiesta que ella y Esteban ________________ para Mónica. Esteban ________________ dinero para la fiesta.

2. La abuela de Esteban no ____________________ a la fiesta; ella ____________________ en Tegucigalpa.
3. En la fiesta, Mónica ____________________ muy contenta y los invitados ____________________ muy animados.
4. Las bebidas y los entremeses ____________________ en la mesa.
5. Yo no ____________________ a la fiesta porque no ____________________ invitado.
6. Yo no ____________________ muchas fiestas en mi casa, pero mis amigos y yo ____________________ a fiestas en el club.

B. Entrevista a tu compañero(a)

You and your partner take turns interviewing each other, using the following questions.

1. ¿Adónde vas los viernes?
2. ¿Vas al cine los sábados? ¿Con quién?
3. ¿Vas al trabajo los domingos?
4. ¿Tú y tus amigos van a muchas fiestas?
5. ¿Estás invitado(a) a una fiesta esta noche?
6. ¿Das muchas fiestas en tu casa?
7. ¿Estás cansado(a) hoy?
8. ¿Dónde están tus amigos ahora?

C. ¿Adónde van?

With a classmate, look at the photo and answer the following questions, using your imagination. Pretend you are one of the people in the picture.

1. ¿Adónde van ustedes?
2. ¿Cómo estás tú ahora? Y, ¿cómo están tus amigos?
3. ¿Dónde desean comer ustedes por la tarde?
4. ¿Adónde van por la noche?

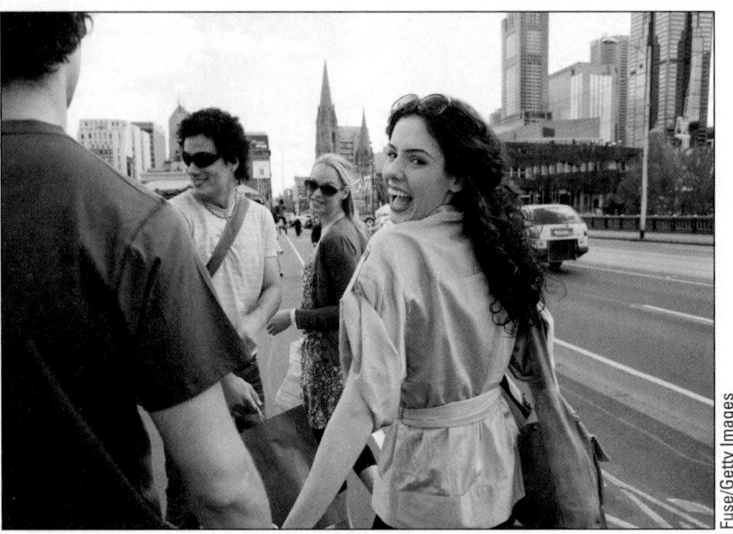

Fuse/Getty Images

6 *Ir a* + infinitive (*Ir a + el infinitivo*)

The **ir a** + *infinitive* construction is used in Spanish to express future time, in the same way English uses the expression *to be going* + *infinitive.*

ir *(conjugated)*	+	**a**	+	*infinitive*
Voy		**a**		**estudiar**.
I am going				*to study*

— ¿**Tú vas a bailar** con Jorge?	*"**Are you going to dance** with Jorge?"*
— No, **voy a bailar** con Carlos.	*"No, **I'm going to dance** with Carlos."*

Práctica y conversación

A. ¿Qué vamos a hacer?

What will be the result of each of the following situations? Indicate what *is going to happen.*

- **MODELO:** Yo tengo hambre.
  Voy a comer algo.

1. Ud. tiene un examen mañana.
2. Ud. y yo tenemos sed.
3. Tus amigos vienen a tu casa.
4. Raquel y Luis dan una fiesta.
5. Anita está cansada.
6. Marcelo desea celebrar su cumpleaños.

B. Entrevista a tu compañero(a)

You and your partner take turns interviewing each other, using the following questions.

1. Cuando vas a estudiar, ¿dónde estudias?
2. ¿Cuántas horas vas a estudiar?
3. ¿Qué vas a hacer mañana al mediodía?
4. ¿Vas a caminar mañana?
5. ¿Adónde van a ir tú y tus amigos el viernes para *(in order to)* celebrar el fin de semana?
6. ¿Vas a dar una fiesta el sábado?
7. ¿A quiénes vas a invitar a tu próxima fiesta?
8. ¿Qué bebidas vas a servir *(serve)* en tu fiesta?

C. Un fin de semana *(weekend)*

In groups of three, use your imagination to answer these questions about the four young people pictured here.

1. ¿Qué planes tienen estos estudiantes para el fin de semana?
2. ¿Adónde van a ir?
3. ¿Van a estar siempre juntos?
4. ¿Van a trabajar?
5. ¿Qué va a comer y beber cada uno de ellos?
6. ¿Quién va a estudiar?
7. ¿Quién va a practicar un deporte *(sport)*?
8. ¿A quiénes va a ver Arturo el sábado?

Phovoir/Shutterstock.com

Estos son Sandra, Sergio, Arturo y Patricia.

Now write a group composition based on what you discussed. Each of you should write two sentences. Be careful: the story needs to flow.

Práctica y traducción

Review the vocabulary and grammatical concepts studied in **Lección 4** as you translate the following sentences.

1. My brother is going to work in Guatemala in January.
2. —Marisa, do you know Professor Margarita Salinas?
   —Yes, she is my mathematics professor.
3. I bring my car to the university.
4. We're tired and are not going to the club tonight.
5. Her aunt celebrates her birthday with a party.

ENTRE NOSOTROS

¡Conversemos!

Para conocernos mejor

Get to know your partner better by asking each other the following questions.

1. ¿Cuándo vas a dar una fiesta?
2. ¿Tienes música para bailar?
3. ¿Sabes cantar *(to sing)* *"Feliz cumpleaños"* en español?
4. ¿Qué haces los sábados por la tarde? ¿Y por la noche?
5. ¿A qué hora sales de tu casa?
6. ¿Cuántos hermanos tienes?
7. ¿Tú conduces bien?
8. ¿Ves a tus abuelos los fines de semana?
9. ¿Conoces un restaurante mexicano bueno?
10. ¿Cuál es tu película favorita?

Búsqueda de gente

Interview your classmates to identify who fits the following descriptions. Include your instructor, but remember to use the **Ud**. form when addressing him or her.

NOMBRE	
1.	tiene amigos en un país hispano.
2.	es la nieta (el nieto) favorita(o) de su abuela.
3.	visita a sus tíos frecuentemente.
4.	da muchas fiestas en su casa.
5.	va a muchas celebraciones familiares.
6.	sabe bailar salsa, merengue o tango.
7.	conoce México, Guatemala o El Salvador.
8.	va a comer en la cafetería mañana.
9.	está cansado hoy.
10.	sabe hacer tortas.

Y ahora...

Write a brief summary, indicating what you have learned about your classmates. Include three of the most interesting aspects about them.

¿Cómo lo decimos?

What would you say in the following situations? What might the other person say? Act out these scenes with a partner.

1. You and a friend are planning a party. You ask him or her what beverages he or she is going to bring.
2. You ask a friend what he or she is going to do on Saturday and with whom.
3. You talk to a friend about some members of your family.

¿Qué pasa aquí?

Get together in groups of three or four and create a conversation among the people in the picture. You might have them introduce one another and discuss their friends, their activities, the occasion, or the party itself.

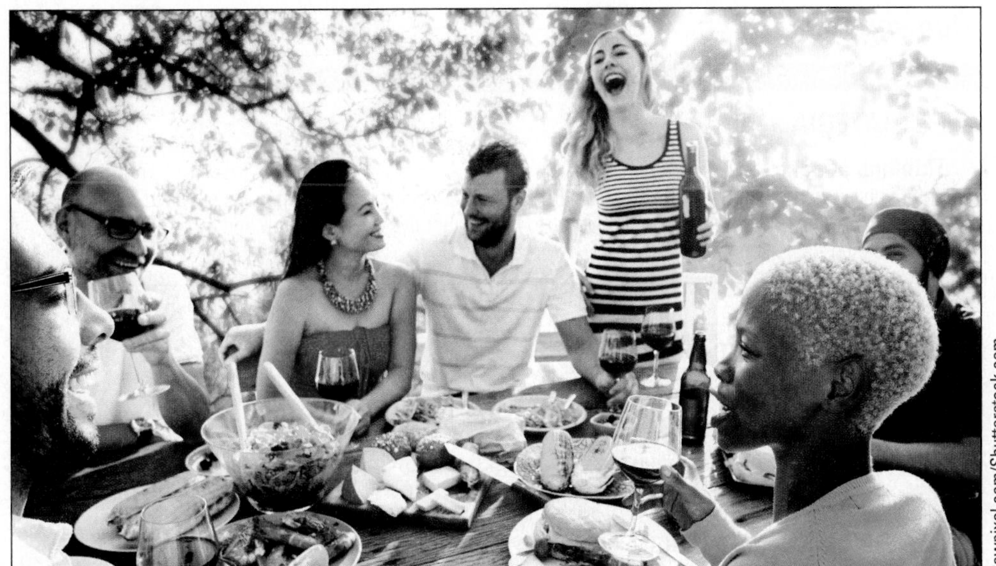

Rawpixel.com/Shutterstock.com

Para escribir

Una invitación electrónica

You are sending an electronic invitation to a friend, inviting him or her to a birthday party you are giving for someone.

Brainstorm about the place, the day, and the time, whom you are going to invite, what you are going to serve, and what you are going to do. Now make a list of all the details and then organize the electronic invitation. Search online sites to create the invitation. Have fun!

ACTIVE LEARNING ACTIVITY

A Birthday Party!

The class will be divided into groups and you will be planning the perfect birthday party. In a few sentences, describe the setting, the number of guests invited, the activities, and the food and drinks you will be serving. You need to use the vocabulary from **Lección 4**. The activity could be done as homework or it could be done in class, and shouldn't take more than ten minutes. Selected groups will present to the class. Each group should hand in the sentences to the instructor with the names of all the participants listed.

ASÍ SOMOS

Vamos a ver

¡Qué sorpresa!

ESTRATEGIA

Thinking ahead

Before doing the first activity with a classmate, remember to check the translations provided for new vocabulary. Then read the **Avance** *(Preview)*, to know what the video is about, and try to anticipate what is going to happen.

Antes de ver el video

A. Preparación

Take turns with a partner asking and answering the following questions.

1. ¿Tú estudias en la biblioteca?
2. ¿A qué hora vienes a la universidad?
3. ¿Tú tienes mil cosas que hacer?
4. ¿Tú vas a lavar los platos, vas a limpiar el baño o vas a pasar la aspiradora?
5. ¿Tú tienes hambre? ¿Hay algo para comer *(Is there something to eat)* en el refrigerador?
6. ¿Qué bebes cuando tienes sed?
7. Cuando limpias tu casa o apartamento, ¿barres la cocina?
8. ¿Tú vas a trabajar después de la clase?
9. ¿Tú eres un poco *(a little)* mandón (mandona) *(bossy)* a veces?
10. Cuando das una fiesta, ¿tienes muchos invitados?
11. ¿Qué tomas cuando tienes dolor de cabeza *(headache)*: aspirinas o Tylenol?
12. ¿Tú necesitas dormir *(to sleep)* más?

El video

Avance

Los amigos de Marisa están en el apartamento de la muchacha, muy ocupados preparando una fiesta sorpresa para celebrar su cumpleaños. Cuando Marisa regresa más tarde y ellos se esconden *(they hide)*, la sorpresa de Marisa es realmente grande…

Después de ver el video

B. ¿Quién lo dice?

Who said the following sentences? Take turns with a partner answering.

Marisa **Teresa** **Pablo** **Victoria**

1. ¡Ay, no, ¡qué horrible! ¿Dónde están las aspirinas...?
2. En el cuarto de Marisa. Son de ella. ¡Pablo! ¡Apúrate! Después de pasar la aspiradora, tienes que sacudir *(to dust)* los muebles...
3. Pero estoy un poco cansado... Victoria es muy mandona...
4. ¡Sorpresa! ¡Feliz cumpleaños!
5. ¡Tenemos mil cosas que hacer! Yo voy a limpiar el baño.
6. Sí... ¡Qué sorpresa! ¡Que me trague la tierra! *(I want to disappear!)*

C. ¿Qué pasa?

Take turns with a partner asking and answering the following questions. Base your answers on the video.

1. ¿Dónde está Marisa? ¿A qué hora viene?
2. ¿Qué va a limpiar Teresa? ¿Qué tiene que hacer Pablo?
3. ¿Dónde está la aspiradora?
4. ¿Qué problema tiene Pablo?
5. ¿Para qué son los bocadillos *(sandwiches)* que están en el refrigerador?
6. ¿Dónde debe poner Pablo los libros?
7. ¿Qué tiene que hacer Pablo después de pasar la aspiradora?
8. ¿Qué piensa *(thinks)* Pablo de Victoria?
9. ¿Qué va a buscar Teresa?
10. ¿Qué problemas tiene Marisa?

D. Más tarde

The following exchanges took place after the scenes depicted in the video. With a partner, supply the questions that elicited the answers below.

Pablo y Marisa

Pablo: ¿______________________________?
Marisa: Son las once.
Pablo: ¿______________________________?
Marisa: No, no necesito dormir. Estoy bien.

Teresa y Victoria

Teresa: ¿______________________________?
Victoria: Sí, yo voy a lavar los platos.
Teresa: ¿______________________________?
Victoria: Sí, Teresa. Es necesario pasar la aspiradora.
Teresa: ¿______________________________?
Victoria: No sé... creo que está en el cuarto de Marisa.

EL MUNDO HISPÁNICO

EL SALVADOR

INFORMACIÓN GENERAL:

Capital: San Salvador

Población: 6.345.000 de habitantes

Educación: 88% de alfabetización

Moneda: Dólar estadounidense

GEOGRAFÍA Y CLIMA:

El Salvador es el país más pequeño de Centroamérica, pero es el más densamente poblado. Su área es más pequeña que la Isla de Vancouver. Como otros países centroamericanos, tiene una temporada de lluvia y una de sequía y un clima tropical. La costa pacífica (300 kilómetros) es popular con personas que quieren hacer surf porque hay olas *(waves)* muy grandes. El Salvador tiene más de 200 volcanes, y por eso lo llaman *la tierra (land) de los volcanes*.

Hugo Brizard - YouGoPhoto/ Shutterstock.com

Vista del *Volcán Izalco*

PERSONAS IMPORTANTES:

Ovidiu Hrubaru/Alamy Stock Photo

Francesca Miranda también diseña vestidos de novia.

Oscar Romero fue un arzobispo salvadoreño que luchó *(fought)* por los derechos *(rights)* de los pobres. Él hablaba *(spoke)* de la pobreza, la injusticia, la tortura y la violencia en El Salvador. Desafortunadamente fue asesinado por sus opiniones.

De El Salvador vienen futbolistas muy importantes, como Mágico González, Juan Francisco Barraza (retirados) y Rodrigo Zelaya.

Francesca Miranda es una famosa diseñadora de ropa para mujeres y hombres. Tiene muchas boutiques en todo el mundo, incluyendo *(including)* Canadá y los Estados Unidos, pero también se pueden comprar sus diseños en línea.

COMIDA:

Posiblemente la comida más conocida de El Salvador es la *pupusa*. Esta es una tortilla de maíz rellena *(stuffed)* con una variedad de ingredientes, por ejemplo, frijoles, cerdo y queso. Normalmente se sirve con una ensalada de repollo *(cabbage)* y salsa de tomate. La *sopa de pata* es otro plato muy popular. El nombre de esta sopa viene de uno de los ingredientes, patas de vaca *(cow feet)*. En la sopa también hay callos *(tripe)*, vegetales, repollo y varias especias. Los tamales son otra comida preferida en El Salvador. Este plato se hace de muchas cosas: pollo, maíz o cerdo.

DerekNeumeier/iStock by Getty Images

Pupusas de carne y queso. Deliciosas y fáciles de hacer.

INFORMACIÓN INTERESANTE:

- El Salvador frecuentemente tiene terremotos *(earthquakes)*. Es el único país de Centroamérica que no tiene una costa en el Caribe.
- Hay muy poca gente completamente indígena en el país.
- Joya de Cerén es un lugar que fue un centro maya. Desafortunadamente una explosión volcánica cubrió *(covered)* el pueblo con ceniza. Se considera el *Pompeii* de las Américas.

Matyas Rehak/ Shutterstock.com

Ruina de Joya de Cerén

EL MUNDO HISPÁNICO

GUATEMALA

INFORMACIÓN GENERAL:

Capital: Ciudad de Guatemala

Población: 17.263.000 de habitantes

Educación: 75% de alfabetización

Moneda: Quetzal

GEOGRAFÍA Y CLIMA:

Guatemala se encuentra en Centroamérica y fue parte del imperio maya. El país es montañoso y tiene temporadas de lluvia y de sequía. La temperatura no cambia mucho, por eso se conoce como *el país de la eterna primavera.* En sus bosques hay numerosos pájaros, entre ellos el quetzal, que le da nombre a la moneda del país y es el símbolo nacional. Guatemala es un país de volcanes también.

Simon Dannhauer/Shutterstock.com

Vista del lago Atitlán

COMUNIDAD INDÍGENA:

Después de Perú y Bolivia, Guatemala tiene el pueblo indígena más grande del mundo hispano. La mayor parte son maya. Otra parte del pueblo guatemalteco es mestizo, una combinación de europeo e indígena, y muy pocos son solo de origen europeo. Rigoberta Menchú es una mujer indígena que ha luchado *(has fought)* por los derechos de la gente pobre de Guatemala. En 1992, ganó el Premio Nobel de la Paz por sus esfuerzos *(efforts)*.

catwalker/Shutterstock.com

Imagen de Rigoberta Menchú en un sello noruego después de ganar el Premio Nobel de Paz

COMIDA:

La dieta guatemalteca incluye frijoles, arroz y tortillas de maíz. Hay unos platos especiales como el *pepián* y el *kak'ik*. El pepián es una fusión de ingredientes europeos e indígenas. Es un guisado *(stew)* que se hace con carne (res, pollo o cerdo), vegetables y varias especias. El kak'ik es una sopa de pavo *(turkey)* que se sirve con arroz.

Fanfo/Shutterstock.com

Pepián

INFORMACIÓN INTERESANTE:

- El nombre de Guatemala significa *el lugar de muchos árboles* en náhuatl.
- Guatemala es un gran productor de café.
- El lago Atitlán es el más profundo de Centroamérica. Si visitas este lago, vas a tener la oportunidad de ver unos volcanes.
- El *huipil* es parte de la ropa de las guatemaltecas. Cada pueblo tiene su propio diseño. Los colores son muy vibrantes.

SL_Photography/iStock by Getty Images

Una vista del mercado de Sololá, cerca de Panajachel y el lago Atitlán

EL MUNDO HISPÁNICO

HONDURAS

INFORMACIÓN GENERAL:

Capital: Tegucigalpa

Población: 9.113.000 de habitantes

Educación: 88% de alfabetización

Moneda: Lempira

LA GENTE DE HONDURAS:

Más del 90% del pueblo hondureño es mestizo, una mezcla de europeos e indígenas. El grupo indígena más grande es el Lenca, pero su idioma ha desaparecido *(has disappeared)*.

GEOGRAFÍA Y CLIMA:

Honduras es un país pequeño y, comparado con otros países de Centroamérica, no tiene volcanes. Esto no es favorable porque las tierras volcánicas son, por lo general, fértiles para la agricultura. El país tiene muchas montañas y el clima en esas zonas es templado, pero cerca de la costa, es tropical.

chrisontour84/ Shutterstock.com

Las cataratas *(waterfalls)* de Pulhapanzak son un lugar turístico.

COMIDA:

Los hondureños comen muchos frijoles, maíz y plátanos. Dos platos típicos son las *baleadas* y la *sopa de frijoles*. La baleada es una tortilla de harina *(flour)* rellena *(filled)* con frijoles, y otros ingredientes, como queso, jamón y huevos. En general se come para el desayuno. La sopa de frijoles consiste en frijoles, ajo, cebolla y especias. Se sirve con huevos, plátanos o aguacates.

Manuel Chinchilla/ Shutterstock.com

Sopa de frijoles

Manuel Chinchilla/ Shutterstock.com

Baleada

MÚSICA:

Un estilo musical popular en Honduras es *Punta*. Esta música tiene una base africana. Se produce con tambores, caracoles *(drums, shells)* y otros instrumentos. Es una danza con ritmos intensivos y movimientos rápidos.

INFORMACIÓN INTERESANTE:

- El nombre de la capital, Tegucigalpa, significa *colina de plata (silver hill)*. Honduras significa *profundo (deep)*. Se dice que cuando Cristóbal Colón llegó a la costa de Honduras, vio la profundidad de las aguas y por eso lo llamó así.
- La moneda, Lempira, tiene el nombre de un cacique *(chief)* que luchó *(fought)* contra la invasión de los españoles.
- El 10 de septiembre es un día especial: *El Día del Niño*. En este día se celebran a los niños en todo el país. Muchos padres les dan regalos también.
- La mayor atracción turística es Copán, una ciudad que existió hace unos dos mil años y de la cual solo quedan ruinas.

Stefano Ember/ Shutterstock.com

Una cabeza tallada en piedra en las ruinas de Copán

Enrique Romero/ Shutterstock.com

Póster para El Día del Niño

MÉXICO

INFORMACIÓN GENERAL:

Capital: Ciudad de México

Población: 127.500.000 de habitantes

Educación: 95% de alfabetización

Lengua(s): español y varios idiomas indígenas (68 reconocidos)

Moneda: Peso mexicano

LA COMIDA:

La comida mexicana es conocida en todo el mundo. En Canadá, comemos tacos, enchiladas y tamales. Además, muchos ingredientes tienen sus orígenes en México, por ejemplo, el chocolate, el maíz y los chiles.

Courtesy of Rosa Stewart

Una comida típica

LUGARES DE INTERÉS:

Courtesy of Rosa Stewart

Vista de Monte Albán

¿Qué quieres hacer? México tiene de todo. Si quieres hacer deportes acuáticos puedes ir a las playas de la costa Atlántica o Pacífica. Por ejemplo, Cancún tiene playas con arena blanca. En Puerto Vallarta puedes hacer parapente *(paragliding)* sobre el océano.

Si deseas explorar ruinas, hay muchas opciones. La pirámide del sol en Teotihuacán se construyó antes de la época de los aztecas. Hay ruinas de los zapotecas, cerca de Oaxaca en el sur del país y por supuesto, las ruinas mayas en el este.

MÚSICA, CINE, ARTE:

La música más conocida de México es la de mariachis, pero los mexicanos escuchan todo tipo de música latina y de otros países. El cine es muy importante en México también. Unos actores populares son Gael García Bernal, Diego Luna y Salma Hayek. Ella empezó su carrera como actriz en telenovelas.

Hay muchos artistas mexicanos importantes. Frida Kahlo fue una artista mexicana. Ella estuvo casada con Diego Rivera, un pintor y muralista. Las obras de Frida Kahlo muestran *(show)* las diferentes etapas de su vida.

LA HISTORIA:

En México hubo una gran revolución en 1910. Hombres como Pancho Villa y Emiliano Zapata lucharon por la revolución, pero también muchas mujeres participaron.

FOR ALAN/Alamy Stock Photo

Soldaderas en la Revolución de 1910

OTRAS COSAS INTERESANTES:

Chihuahua es uno de los estados en México. El perro nacional de México es uno que no tiene pelo. El Xoloitzcuintle era sagrado para los aztecas.

Las celebraciones son muy importantes. Una muy especial es el "Día de los muertos". En esta fecha la gente recuerda a los seres queridos que han muerto, pero no es una celebración triste. Muchas personas preparan comida especial, por ejemplo, "pan de muerto". Por la noche hay fiestas y los adultos y los niños se visten de esqueletos.

Masarik/Shutterstock.com

El Xoloitzcuintle es un perro sin pelo. Su nombre viene del náhuatl (azteca).

Suriel Ramzal/Shutterstock.com

Pan de muerto y calaveras de dulce

LECCIÓN 3

TOMA ESTE EXAMEN

LECCIÓN 3

A. Present indicative of *-er* and *-ir* verbs

Complete each sentence with the correct form of the Spanish equivalent of the verb in parentheses.

1. El profesor __________ *(writes)* en la pizarra.
2. Ana y yo __________ *(live)* en la casa de la Sra. Paz.
3. Ellos __________ *(must)* limpiar el baño.
4. ¿Tú__________ *(run)* por la noche?
5. Yo __________ *(drink)* limonada.
6. Esteban __________ *(eats)* en la cocina.
7. María __________ *(opens)* las ventanas.
8. ¿__________ *(Receive)* Uds. libros de inglés?

B. Possession with *de*

Write the Spanish equivalent of the words in parentheses.

1. Estela es __________. *(David's friend)*
2. Aquí está __________. *(my brother's clothing)*
3. Ellos viven en __________. *(Mrs. Peña's house)*
4. Ellos son __________. *(Eva's parents)*

C. Present indicative of *tener* and *venir*

Complete the following sentences, using the present indicative of **tener** or **venir**.

1. ¿Tú __________ a la universidad los lunes?
2. Eva y yo __________ con Roberto porque nosotras no __________ automóvil.
3. Ellos __________ mis libros de español, pero hoy no __________ a clase.
4. Yo no __________ a la universidad los viernes porque no __________ clases.
5. Sergio no __________ hijos.
6. Elvira __________ que lavar la ropa ahora.

D. Expressions with *tener*

Say how you and everybody else feel according to each situation, using expressions with **tener** and **mucho(a)**.

1. It's July and you are in Montreal. **(Yo...)**
2. Marcelo hasn't had anything to eat for the last twelve hours. **(Marcelo...)**
3. Adela's throat is very dry. **(Adela...)**
4. I am in Whitehorse and it is winter. **(Tú...)**
5. We haven't slept for the last twenty-four hours. **(Nosotros...)**
6. The boys are being chased by a big dog. **(Los muchachos...)**
7. You have one minute to get to your next class, across campus. **(Yo...)**

LECCIÓN 3

E. Demonstrative adjectives and pronouns

Use the appropriate demonstrative adjective.

1. *(those)*	a. __________ cosas	b. __________ muebles
2. *(this)*	a. __________ cocina	b. __________ dormitorio
3. *(that over there)*	a. __________ café	b. __________ limonada
4. *(that)*	a. __________ casa	b. __________ refrigerador
5. *(these)*	a. __________ platos	b. __________ casas

F. Numbers from 300 to 2,000,000

Write the following numbers in Spanish.

1. 567 ______________________________
2. 790 ______________________________
3. 1000 ______________________________
4. 345 ______________________________
5. 615 ______________________________
6. 1.340.874 ______________________________
7. 965 ______________________________
8. 825 ______________________________
9. 481 ______________________________
10. 13.816 ______________________________

G. Vocabulary

Complete the following sentences, using vocabulary from **Lección 3**.

1. No deseo hacer los __________ de la casa.
2. Tengo que descansar un __________.
3. ¿__________ es ese señor?
4. Yo escribo muchos correos __________ los sábados.
5. Ellos tienen muchas __________ que hacer hoy.
6. Jorge, necesito los __________. Cenamos en cinco minutos.
7. Comemos en el __________.
8. Tocan a la __________ y Héctor corre a __________.
9. Debes __________ la basura.
10. Mis amigos __________ en un __________.
11. Yo __________ limonada cuando tengo __________.
12. Andrés tiene que __________ la aspiradora.

H. Translation

Express the following in Spanish.

1. Juan has to take out the garbage.
2. —We are very hungry.
   —Why don't you eat?
3. Hector cleans the living room, but he doesn't wash the dishes.
4. —How old are you?
   —I'm eighteen years old.
5. This house is big. That one over there is small.

LECCIÓN 4

A. Verbs with irregular first-person forms

Answer the following questions in complete sentences.

1. ¿A qué hora sales de tu clase de español?
2. ¿Qué coche conduces?
3. ¿Siempre traes todos los libros a la clase?
4. En la clase, ¿traduces del inglés al español?
5. ¿Haces la tarea *(homework)* todos los días?
6. ¿Conoces México?
7. ¿Sabes bailar salsa?
8. ¿Ves a tus padres todos los días?
9. ¿En qué banco *(bank)* pones tu dinero?

B. *Saber* vs. *conocer*

Complete the following sentences, using the present indicative of **saber** or **conocer**.

1. ¿Tú _______________ México? ¿_______________ hablar español?
2. Yo no _______________ el número de teléfono de Ana.
3. Nosotros _______________ las novelas de Cervantes.
4. ¿Uds. _______________ a Frida Kahlo?
5. ¿Olga _______________ bailar?

C. Personal *a*

Write a sentence with each group of words, adding any necessary words.

1. Yo / conocer / la tía / Julio
2. Luis / tener / tres tíos / dos tías
3. Ana / llevar / su prima / fiesta
4. Uds. / conocer / San Salvador
5. el profesor / tener / veinte estudiantes
6. Aurora / conocer / Rita / Carlos y / María
7. nosotros / invitar / Teresa / y su familia
8. ellas / llamar / un taxi

D. Contractions: *al* and *del*

Rewrite the following sentences, replacing the words in italics with the words in parentheses. Make all necessary changes.

1. No conocemos a la *señora* Vega. (señor)
2. Es la hermana de la *profesora*. (profesor)
3. Venimos de la *fiesta*. (club)
4. Voy a la *clase*. (laboratorio)
5. Vengo del *aula*. (playa)

E. Present indicative of *ir*, *dar*, and *estar*

Complete the following exchanges, using the present indicative of **ir**, **dar**, and **estar**.

1. —¿Tú _______________ una fiesta el sábado?
   —No, yo no _______________ una fiesta. Elena _______________ una fiesta el sábado.

2. —¿Adónde _____________ Uds. hoy?
   —Yo _____________ a la universidad y mi novio _____________ a trabajar.
3. —¿Cómo estás?
   — _____________ bien, gracias.
4. —¿Cuánto dinero _____________ Uds. para la fiesta?
   —Nosotros _____________ 50 dólares.
5. —¿Uds. _____________ cansados?
   —No, nosotros no _____________ cansados.
6. —¿Con quién _____________ tú al club?
   —Yo _____________ con Ricardo. ¿Y ustedes?
   —Nosotros _____________ con Elsa.

F. *Ir a* + infinitive

Write the question that originated each response, using the cues in italics.

1. Yo voy a estudiar *en el laboratorio.* (tú)
2. Nosotros vamos a comer *sándwiches.*
3. Roberto va a ir *con Teresa.*
4. Yo voy a terminar *a las cuatro.* (Ud.)
5. Ellos van a trabajar *el sábado.*

G. Vocabulary

Complete the following sentences, using vocabulary from **Lección 4**.

1. La mamá de mi mamá es mi _____________.
2. Vamos a comer _____________.
3. Mi madrina es morena de ojos _____________.
4. ¿Es rubia, morena o _____________?
5. Es de _____________ mediana.
6. Dan una fiesta de _____________ para Ana hoy.
7. Elena no es casada; es _____________.
8. Paco y Rosa hacen una buena _____________.
9. Ellos traen los _____________ para comer en la fiesta.
10. La orquesta toca *(is playing)* una salsa. ¿Quieres _____________?
11. Todos _____________ su copa y brindan: ¡_____________!
12. La fiesta es todo un _____________.

H. Translation

Express the following in Spanish.

1. My cousin has green eyes.
2. I go out a lot in the evening, but I don't drive.
3. —Tina, do you know Roberto?
   —Yes, and I know where he lives, too.
4. Mr. Rivera's children are going to the club.
5. We are going to have a party tomorrow because it's my birthday.

UNIDAD 3

¿QUÉ COMEMOS HOY?

LECCIÓN 5

EN UN RESTAURANTE

OBJETIVOS

- Order meals at cafes and restaurants
- Request and pay your bill
- Talk about what is going on
- Describe people and things
- Make comparisons

LECCIÓN 6

EN EL MERCADO

OBJETIVOS

- Shop for groceries in supermarkets and specialty stores
- Avoid repetition by using pronouns
- Contradict what someone else is saying
- Talk about how long something has been going on

Ton Koene/age Fotostock

YURI CORTEZ/Getty Images

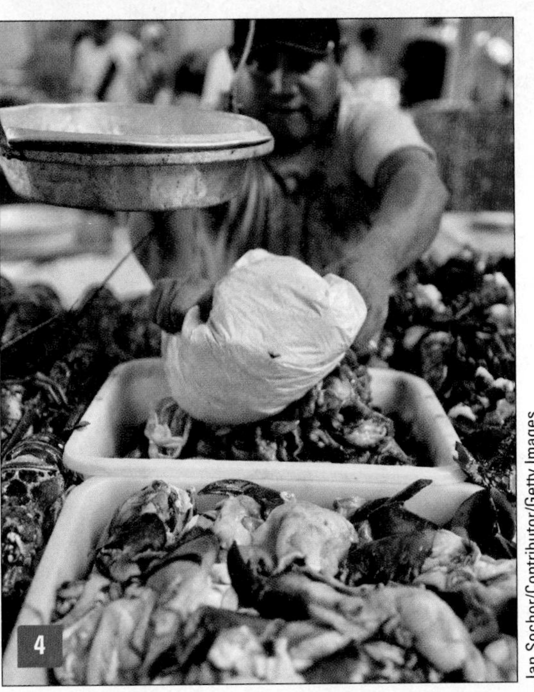

Kseniya Ragozina/Alamy Stock Photo

Jan Sochor/Contributor/Getty Images

LA COMIDA EN EL MUNDO HISPANO

La comida es un aspecto muy importante de la vida en los países hispanos. Cada país tiene sus platos típicos. Algunos son muy simples y otros son más complicados *(complicated)*, pero todos son muy sabrosos.

Filip Bjorkman/Shutterstock.com

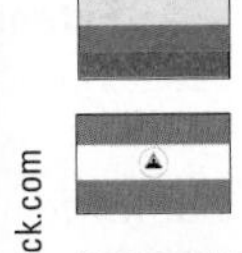

1. Mujer palenquera de Cartagena, Colombia

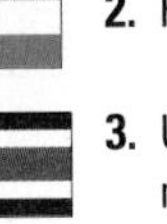

2. Restaurante en Nicaragua

3. Un puesto de fruta en el mercado municipal en Cartago, a unos 25 kilómetros al sur de San José, Costa Rica

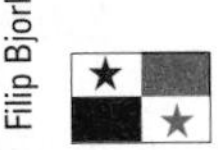

4. Mercado de pescado y mariscos en la ciudad de Panamá, Panamá

LECCIÓN 5 EN UN RESTAURANTE

karelnoppe/Shutterstock.com

Laura y su novio, Esteban, están en un restaurante muy elegante en Bogotá. Esta noche celebran el cumpleaños de Laura. Ahora están conversando y esperando al camarero.

Laura: [*Leyendo el menú*] ¡Ay, no sé qué comer! Pollo a la parrilla, langosta, pescado...

Esteban: Yo quiero bistec con puré de papas y verduras. Laura, ¿quieres compartir una ensalada para empezar?

Laura: Sí, una ensalada con camarones. Aquí viene el camarero.

Camarero: Buenas noches. ¿Desean saber la especialidad de la casa? Hoy tenemos dos: cordero asado o bistec con langosta. ¿Desean comenzar con una bebida?

Laura: Para mí, vino tinto y un vaso de agua, gracias.

Esteban: Yo prefiero una cerveza.

Camarero: ¿Y para comer?

Laura: El cordero asado con arroz y vegetales.

Esteban: Yo deseo el bistec con langosta y puré de papas. Vamos a empezar con una ensalada de camarones.

Más tarde.

Esteban: Bueno, es tu cumpleaños, tenemos que pedir un postre. Tienen flan, torta, helado, pastel...

Laura: Yo quiero torta de chocolate con helado. ¿Y tú?

Esteban: Voy a pedir el flan. ¿Por qué no tomamos un café después?

Esteban pide la cuenta y paga. Deja una propina para el camarero y salen del restaurante.

Al día siguiente van a un restaurante para desayunar con unos amigos, Martín y Eva.

Martín: ¡Hola! Feliz cumpleaños, Laura.

Laura: Gracias, Martín.

Eva: Mi hermana piensa que este restaurante es el mejor de la ciudad.

Martín: Bueno, vamos a ver. Hoy quiero huevos, jamón, papas y panqueques.

Esteban: ¡Oye, nosotros necesitamos comer algo también! Yo prefiero huevos y pan tostado con mantequilla y mermelada. ¿Qué quieres tú, Laura?

Laura: Creo que prefiero una ensalada de fruta y un jugo de naranja. No tengo mucha hambre hoy.

Eva: Y yo, voy a pedir panqueques y yogur con fruta. ¡Delicioso!

Cuando terminan de desayunar son las once de la mañana. Martín paga la cuenta.

DO Photo/Shutterstock.com

Margouillat Photo/Shutterstock.com

Hablemos

Sobre el diálogo

With a classmate, take turns asking and answering the following questions. Base your answers on the dialogue.

1. ¿Qué celebran Laura y Esteban?
2. ¿Dónde están?
3. ¿Qué bebe Laura? ¿Y Esteban?
4. ¿Qué quiere Laura de postre? ¿Y Esteban?
5. ¿Quiénes son Martín y Eva?
6. ¿Qué quiere comer Martín?
7. ¿Qué prefiere Esteban?
8. ¿Quién come una ensalada de fruta?
9. ¿Qué bebe Laura?
10. ¿Quién paga la cuenta?

Entrevista a tu compañero(a)

With a classmate, take turns asking and answering the following questions.

1. ¿Cuál es tu restaurante favorito?
2. ¿Tú prefieres ensalada o sopa de verduras? (*Hint:* **Yo prefiero...**)
3. ¿Deseas puré de papas o papas fritas con un bistec?
4. ¿Prefieres comer arroz con pollo o cordero asado?
5. ¿Qué postre deseas?
6. Si tú y un(a) amigo(a) van a un restaurante, ¿quién paga la cuenta? ¿Quién deja la propina?
7. ¿Cuál es tu comida favorita?
8. ¿Qué comes en el desayuno?
9. ¿Comes verduras y frutas todos los días?
10. ¿Caminas o corres frecuentemente?

DETALLES CULTURALES

En los países de habla hispana, el café se sirve después del postre, nunca durante la comida. Generalmente es café tipo espreso, y se sirve en tazas muy pequeñas. También es muy popular el café con leche. En España, una persona consume un promedio de 4,5 kilos de café por año. México produce mucho café, pero el promedio de consumo por persona es de 1,2 kilos por año.

VOCABULARIO

COGNADOS

el aniversario
el coctel / cóctel
la crema
delicioso(a)
la fruta
la hamburguesa
la lista
el menú
el panqueque
el restaurante
la sopa
la vainilla
el yogur

SUSTANTIVOS

el almuerzo	*lunch*
el arroz	*rice*
— con leche	*rice pudding*
el bistec	*steak*
la boda	*wedding*
el (la) camarero(a)*	*waiter, waitress*
los camarones*	*shrimp*
la cebolla	*onion*
la cena	*dinner*
el cordero	*lamb*
la cuenta	*check, bill*
el desayuno	*breakfast*
el flan	*caramel custard*
la galleta	*cookie*
el helado*	*ice cream*
el huevo	*egg*
el jamón	*ham*
la langosta	*lobster*
la mantequilla*	*butter*
la mermelada	*jam*
el (la) niño(a)	*child*
el pan	*bread*
— tostado	*toast*
la papa*	*potato*
el pastel	*pie*
el perro caliente	*hot dog*
el pescado	*fish*
el plato hondo	*soup plate, bowl*
el pollo	*chicken*
el postre	*dessert*
la propina	*tip*
el puré de papas	*mashed potatoes*
las vacaciones[1]	*holidays*
el (la) vegano(a)	*vegan*
el (la) vegetariano(a)	*vegetarian*
la verdura, el vegetal	*vegetable*

VERBOS

cerrar (e > ie)	*to close*
dejar	*to leave (behind)*
desayunar	*to have breakfast*
empezar (e > ie), comenzar (e > ie)	*to begin, to start*
entender (e > ie)	*to understand*
esperar	*to wait (for)*
pagar	*to pay*
pensar (e > ie)	*to think*
preferir (e > ie)	*to prefer*
querer (e > ie)	*to want, to wish*
reservar	*to reserve*
tocar	*to touch, to play an instrument, to play music*

ADJETIVOS

asado(a)	*baked, roasted*
limpio(a)	*clean*
mayor	*older, oldest*
mejor	*better, best*
menor	*younger*
mismo(a)	*same*
ocupado(a)	*busy*
sabroso(a)	*tasty*
sucio(a)	*dirty*
tímido(a)	*shy*

OTRAS PALABRAS Y EXPRESIONES

a la parrilla	*grilled*
al día siguiente	*the next day*
algo	*something*
de postre	*for dessert*
de vacaciones	*on vacation*
la especialidad	*specialty*
— de la casa	*house specialty*
hacer una reservación	*to make a reservation*
más tarde	*later*
el menú del día	*daily special, fixed menu*
para el desayuno (el almuerzo, la cena)	*for breakfast (lunch, dinner)*
pensar + *infinitive*	*to plan*
siguiente	*next*
tráigame / tráiganos	*bring me / bring us*

[1] The word for *vacation* in Spanish is always plural, so it must be used with a plural form of the verb, and all adjectives associated with it must also be in the plural form. **Sus vacaciones son en julio.** *Her vacation is in July.*

Amplía tu vocabulario

Para poner la mesa *(To set the table)*

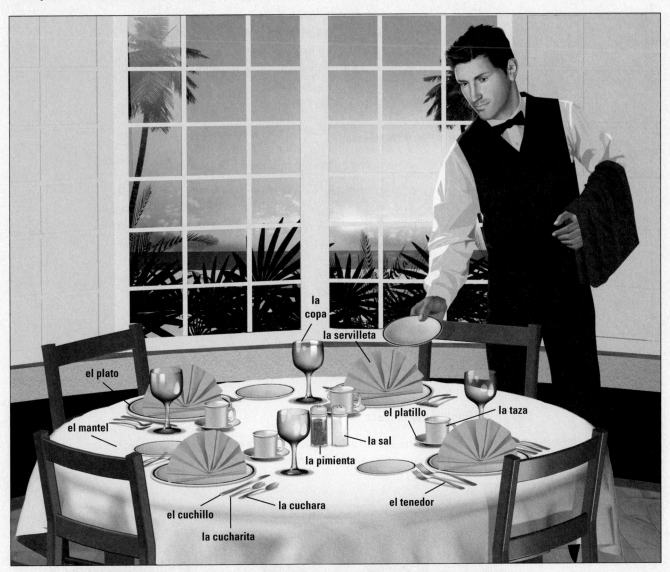

la copa
la servilleta
el plato
el platillo
la taza
el mantel
la sal
la pimienta
el tenedor
la cuchara
el cuchillo
la cucharita

DE PAÍS A PAÍS

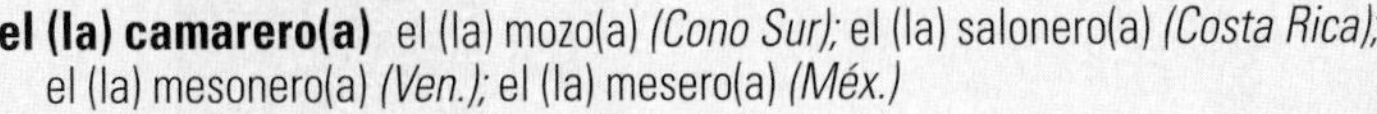

el (la) camarero(a) el (la) mozo(a) *(Cono Sur);* el (la) salonero(a) *(Costa Rica);* el (la) mesonero(a) *(Ven.);* el (la) mesero(a) *(Méx.)*

los camarones las gambas *(Esp.)*

el helado la nieve *(Méx.)*

la mantequilla la manteca *(Cono Sur)*

la papa la patata *(Esp.)*

Para practicar el vocabulario

A. En el restaurante

Choose the word or phrase that best completes each sentence.

1. Quiero una ensalada de (camareros / camarones / cuentas).
2. La especialidad de hoy es bistec con (langosta / pastel / mantequilla).
3. De postre quiero (cordero / pollo / helado).
4. No quiero salmón. No deseo el (jamón / huevo / pescado) hoy.
5. Quiero puré de (gambas / papas / arroz).
6. Quiero (almuerzo / pollo / mermelada) a la parrilla.
7. Voy a pagar la (cuenta / cebolla / idea).
8. Javier deja una buena (boda / propina / verdura) para el camarero.

B. Preguntas y respuestas

Match the questions in column A with the answers in column B.

A	B
1. ¿Qué quieres beber?	a. No, comen perros calientes.
2. ¿Quieres langosta?	b. Sí, quiero pollo a la parrilla.
3. ¿Quieres sopa?	c. Es a las once y media.
4. ¿Comen hamburguesas?	d. Está limpio.
5. ¿Comes pan?	e. Sí, quiero sopa de cebolla.
6. ¿A qué hora es el almuerzo?	f. No, con helado.
7. ¿Quieres pollo?	g. Quiero beber cerveza.
8. ¿Comen flan con crema?	h. Quince dólares.
9. ¿Cómo está el cuarto?	i. Sí, como pan con mantequilla y mermelada.
10. ¿Cuánto dejas de propina?	j. No, no quiero langosta. Prefiero camarones.

C. Para poner la mesa

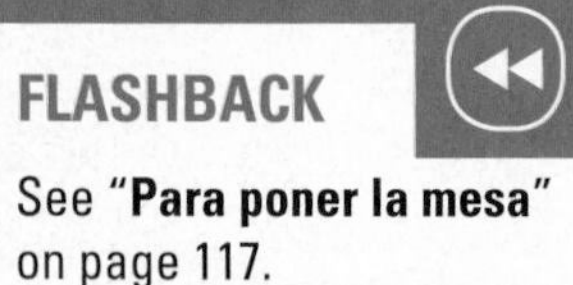

FLASHBACK
See "Para poner la mesa" on page 117.

With a partner, decide what items you are going to need to set the table for a meal that will include soup, salad, steak, dessert, water, wine, and coffee. Start out with a tablecloth and napkins.

James Steidl / SuperFusion / SuperStock

D. Deseo...

With a partner, play the roles of two dining companions looking at the menu and talking about what they are going to order. One of you has a tight budget to keep and the other has more money. Start by saying: "**Deseo...**"

Menú
TAPAS
Camarones con ajo (garlic) $8,00
Quesadilla: pollo o carne $6,50
ENSALADAS
Ensalada mixta $5,75
Ensalada de tomate $5,00
SOPAS
Gazpacho $7,25
Sopa de vegetales $4,95
Sopa de pollo $6,95
PRIMER PLATO
Hamburguesa $12,99
Pollo asado $15,75
Langosta $33,00
POSTRES
Helado de chocolate $3,95
Helado de vainilla $3,95
Flan $5,75
BEBIDAS
Agua mineral $3,00
Vino tinto $7,50
Vino blanco $7,50
Cerveza $6,95

OT Vinta/Shutterstock.com

Pronunciación

Las consonantes *g, j, h*

A. Practise the sound of Spanish **g** in the following words.

pa**g**ar	**g**racias
gambas	**g**uapo
lan**g**osta	trái**g**anos

B. Practise the sound of Spanish **j** (or **g** before **e** and **i**) in the following words.

ba**j**o	pare**j**a	**J**ulio
giro	anaran**j**ado	**J**avier
Gerardo	me**j**or	ve**g**etales

C. Repeat the following words. Remember that the Spanish **h** is silent.

a**h**ora	**h**asta	**h**elado
hoy	**h**ola	**h**amburguesas
hora	**h**istoria	**h**uevo

PUNTOS PARA RECORDAR

1 Present progressive *(Estar + gerundio)*

The present progressive describes an action that is in progress. It is formed with the present tense of **estar** and the **gerundio** (equivalent to the English *-ing* form) of the verb. Study the formation of the **gerundio** in the following chart.

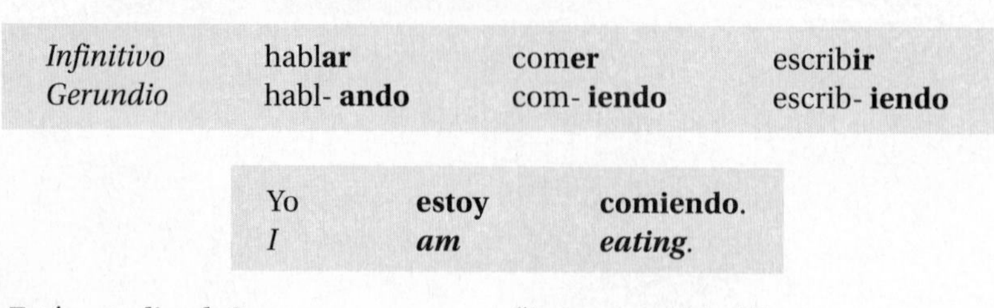

Infinitivo	habl**ar**	com**er**	escrib**ir**
Gerundio	habl- **ando**	com- **iendo**	escrib- **iendo**

Yo	**estoy**	**comiendo.**
I	***am***	***eating.***

FLASHBACK

You may want to review the conjugation of the verb **estar** on page 97.

—**¿Estás estudiando?** — ***"Are you studying?"***
—No, **estoy mirando** la televisión. — *"No, **I am watching** television."*

- The following forms are irregular. Note the change in their stems.

decir	→	**d*i*ciendo**	*saying*
dormir	→	**d*u*rmiendo**	*sleeping*
leer	→	**le*y*endo**	*reading*
pedir	→	**p*i*diendo**	*asking for*
servir	→	**s*i*rviendo**	*serving*
traer	→	**tra*y*endo**	*bringing*

- Some verbs, such as **ser**, **estar**, **ir**, and **venir**, are *rarely* used in the progressive construction.

¡ATENCIÓN!

In Spanish, the present progressive should *never* be used to indicate a future action. The present tense is used in future expressions that would require the present participle in English.

Enrique está hablando por teléfono en el cine.

Rich Legg/iStockphoto

Práctica

A. En casa de los Carreras

With a partner, say what is happening, using the cues provided.

1. Tú / preparar / una ensalada
2. Javier / traer / los manteles
3. Yo / comer / una hamburguesa
4. Los niños / dormir
5. Andrea y yo / desayunar / en la cocina

B. ¿Qué están haciendo?

Use the clues provided to make up a sentence about each picture using the present progressive.

1. Tú (*comer*)

2. Yo (*leer*)

3. Las chicas (*bailar*)

4. Eva (*servir*)

5. El profesor (*preparar*)

6. Nosotros (*escribir*)

C. En una fiesta

With a partner, take turns asking and answering what everybody is doing at Andrea's party. Use the cues provided and the present progressive to formulate the questions. Use your imagination when responding.

	Persona	Pregunta
1.	Javier	qué / hacer
2.	Andrea	qué / servir
3.	Pablo	con quién / bailar
4.	Eva y Pablo	qué / beber
5.	Juan	qué / comer
6.	Olga y Estela	con quién / hablar

2 Uses of *ser* and *estar* (*Usos de* ser *y* estar)

The English verb *to be* has two Spanish equivalents, **ser** and **estar**, which have distinct uses and are *not* interchangeable.

FLASHBACK

Review the verb **ser**, pages 17–18, and the verb **estar**, page 97.

Uses of ser

Ser expresses a fundamental quality and identifies the essence of a person or thing: *who* or *what* the subject is.

- It describes the basic nature or inherent characteristics of a person or thing. It is also used with expressions of age that do not refer to a specific number of years.

Anita **es** tímida.	*Anita* ***is*** *shy.*
Estela **es** joven.	*Estela* ***is*** *young.*

- It is used with **de** to indicate origin and with adjectives denoting nationality.

Carmen **es** colombiana; **es** de Bogotá.	*Carmen* ***is*** *Colombian; she* ***is*** *from Bogota.*

- It is used to identify professions and jobs.

Yo **soy** profesor de francés.	*I* ***am*** *a French professor.*

- With **de**, it is used to indicate possession or relationship.

El vaso **es** de Ana.	*The glass* ***is*** *Ana's.*
Ellas **son** las hermanas de Javier.	*They* ***are*** *Javier's sisters.*

- With **de**, it describes the material that things are made of.

El reloj **es de** oro.	*The watch* ***is*** *gold.*
Los tenedores **son de** plata.	*The forks* ***are*** *silver.*

- It is used with expressions of time and with dates.

Son las cuatro y media.	*It* ***is*** *four-thirty.*
Hoy **es** jueves, primero de julio.	*Today* ***is*** *Thursday, July 1st.*

- It is used with events as the equivalent of "taking place."

La fiesta **es** en mi casa.	*The party* ***is*** *(taking place) at my house.*

Uses of estar

Estar is used to express more transitory qualities than **ser** and often implies the possibility of change.

- It indicates place or location.

Ana **está** en casa.	*Ana* ***is*** *at home.*

- It indicates a condition, often the result of an action, at a given moment in time.

El plato **está** limpio.	*The plate* ***is*** *clean.*
Las servilletas **están** sucias.	*The napkins* ***are*** *dirty.*

- With personal reactions, it describes what is perceived through the senses—that is, how a subject tastes, feels, looks, or seems.

¡Estás muy bonita hoy!	***You look*** *very pretty today!*
La sopa **está** muy sabrosa.	*The soup* ***is*** *(tastes) delicious.*

- In present progressive constructions, it describes an action in progress.

Estoy desayunando.	***I am*** *having breakfast.*

Práctica y conversación

A. *¿Ser* o *estar*?

With a partner, take turns making statements about each illustration, using **ser** or **estar** as needed.

- **MODELO:** Pedro _____ y Luis_____.
  *Pedro **es alto** y Luis **es bajo**.*

1. Mario ______________ moreno y Ana ______________ rubia.

2. Eva ______________.

3. El doctor Torres ______________.

4. Yo ______________.

Febrero
1 2 3 4
5 6 7 8 9 10 11
12 13 14 15 16 17 18
19 20 21 22 23 24 25
26 27 28

5. Hoy ______________.

6. Los estudiantes ______________.

7. ______________ las cuatro menos cuarto.

8. Nosotros ______________.

B. Carlos Alberto y Marisa

Complete the following story about Carlos Alberto and his girlfriend, Marisa, using the present indicative of **ser** or **estar**, as appropriate.

Carlos Alberto (1) __________________ joven, alto y delgado. (2) __________________ estudiante de la Universidad Central. Él (3) __________________ de Panamá, pero ahora (4) __________________ en Costa Rica. (5) __________________ las nueve de la noche y Carlos Alberto decide ir a la casa de Marisa. Marisa (6) __________________ su novia y (7) __________________ una chica muy inteligente y simpática. —¡Qué bonita

(8) ____________________ hoy, Marisa! —exclama Carlos Alberto cuando ella abre la puerta. Los dos van a una fiesta. La fiesta (9) ____________________ en la casa de Andrea y Javier. Andrea (10) ____________________ de El Salvador y Javier (11) ____________________ de Argentina. Los dos (12) ____________________ estudiantes de la Universidad de McGill. Los padres de Andrea (13) ____________________ en Toronto. La madre de Javier también (14) ____________________ en Toronto, pero su esposo (15) ____________________ en Buenos Aires porque tiene que trabajar. Carlos Alberto y Marisa (16) ____________________ muy contentos porque (17) ____________________ muy buenos amigos de Andrea y Javier. Los cuatro (18) ____________________ planeando un viaje *(a trip)* a Honduras.

C. Entrevista a tu compañero(a)

Interview a partner, using the following questions.

1. ¿Eres canadiense?
2. ¿De qué ciudad eres?
3. ¿Cómo es tu mejor amigo(a)?
4. ¿Dónde están tus padres ahora?
5. ¿Estás cansado(a)?
6. ¿Qué día es hoy?
7. ¿Qué hora es?
8. ¿Vas a una fiesta el sábado? ¿Dónde es?

D. En la clase

Select a country from any of the *Mundo Hispánico* sections of the book. Now imagine that you have the chance to visit this place. Prepare a mind map that includes the information below. After completing the mind map, prepare five sentences using **ser** and **estar** to describe your destination of choice. Share your information with other students.

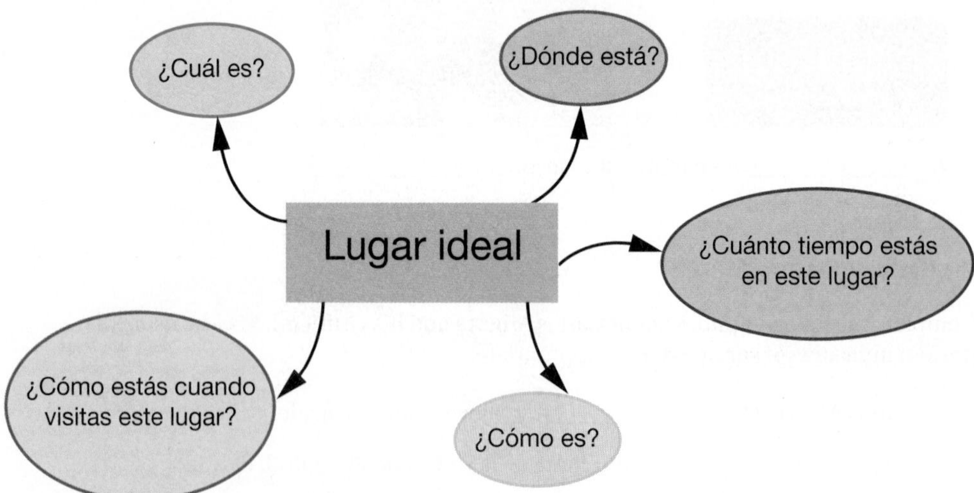

3 Stem-changing verbs: *e > ie*

(Verbos que cambian en la raíz: e > ie*)*

As you have already seen, Spanish verbs have two parts: a stem and an ending (**-ar, -er,** or **-ir**). Some Spanish verbs undergo a change in the stem in the present indicative tense. When **e** is the last stem vowel and it is stressed, it changes to **ie** as shown below.

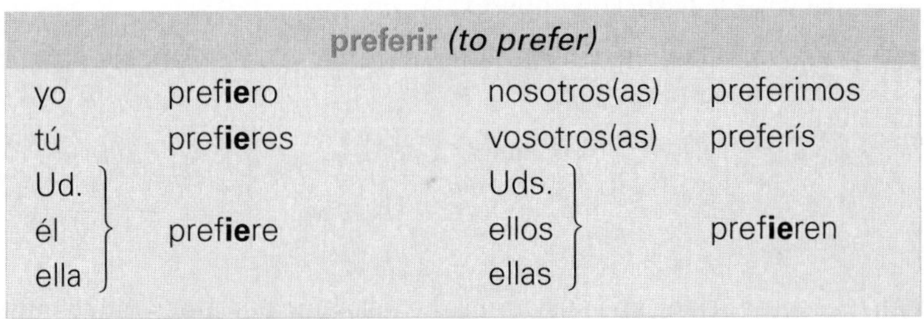

preferir *(to prefer)*			
yo	pref**ie**ro	nosotros(as)	preferimos
tú	pref**ie**res	vosotros(as)	preferís
Ud. / él / ella	pref**ie**re	Uds. / ellos / ellas	pref**ie**ren

FLASHBACK

The verbs **tener** and **venir** have the same stem-change as the verbs presented here. See page 72.

- Note that the stem vowel is not stressed in the verb forms used with **nosotros(as)** and **vosotros(as)**; therefore, the **e** does not change to **ie**.
- Stem-changing verbs have the same endings as regular **-ar**, **-er**, and **-ir** verbs.
- Other verbs that also change from **e** to **ie**[2] are: **cerrar**, **comenzar**, **empezar**, **entender**, **pensar**[3], and **querer**.

LEAP FORWARD

There are other stem-changing verbs that follow this pattern. We will see that there are **o > ue** (page 142) and **e > i** (page 144) verbs as well.

—¿**Quieres** bistec? *"**Do you want** steak?"*
—No, **prefiero** pollo. *"No, **I prefer** chicken."*

—¿A qué hora **comienzan** Uds. a trabajar? *"At what time **do you begin** to work?"*
—**Comenzamos** a las diez. *"**We begin** at ten."*

¡ATENCIÓN!

Comenzar and **empezar** are followed by an **a** before another verb in the infinitive.

Yo comienzo **a** trabajar. *I start to work.*
Yo empiezo **a** estudiar. *I start to study.*

Práctica y conversación

A. No están de acuerdo

Alicia and Sergio cannot agree on anything. Supply the correct form for each verb.

Alicia: ¿Tú (1) ____________ (pensar) ir a la fiesta de Olga?
Sergio: Yo no (2) ____________ (querer) ir a una fiesta;
(3) ____________ (preferir) ir a un restaurante con los muchachos.
Alicia: ¡Ellos también (4) ____________ (querer) ir a la fiesta!
Sergio: ¿A qué hora (5) ____________ (empezar) la fiesta?

(continued)

[2] For a complete list of stem-changing verbs, see Appendix B: Verbs.
[3] When followed by an infinitive, **pensar** means *to plan*: **Pienso estudiar hoy.**

Alicia: (6) ______________________ (Comenzar) a las nueve, pero Beatriz y yo (7) ______________________ (querer) estar allí a las ocho porque tenemos que llevar las bebidas.

Sergio: Carlos y yo (8) ______________________ (pensar) ir a la biblioteca. Nosotros (9) ____________(empezar) a estudiar esta tarde para un examen de matemáticas.

Alicia: ¡¿Uds. (10) ______________________ (pensar) ir a la biblioteca hoy?! Entonces yo voy a la fiesta con Roberto.

Sergio: Bueno, la biblioteca (11) ______________________ (cerrar) a las diez. Yo voy a la fiesta después.

Alicia: ¡Perfecto! Nos vemos allí.

B. Dime... *(Tell me ...)*

With a partner, take turns asking and answering the following questions with complete sentences, using the illustrations as cues.

1. ¿Qué quieres tomar?

2. ¿A qué hora empieza la clase?

3. ¿Adónde quieren ir Uds.?

4. ¿Qué prefiere comer Adela?

SEPTIEMBRE

Lunes	Martes	Miércoles	Jueves	Viernes	Sábado	Domingo
						1
2	3	4	5	6	7	8
9	10	11	12	13	14	15
16	17	18	19	20	21	22
23/30	24	25	26	27	28	29

5. ¿Cuándo comienzan las clases?

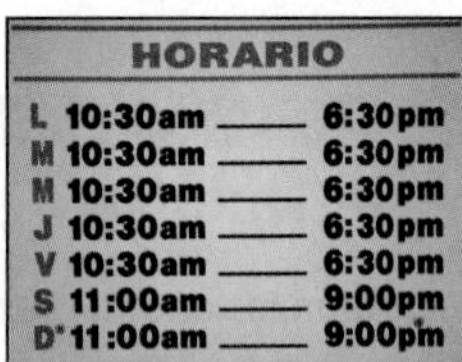

HORARIO		
L	10:30am	6:30pm
M	10:30am	6:30pm
M	10:30am	6:30pm
J	10:30am	6:30pm
V	10:30am	6:30pm
S	11:00am	9:00pm
D*	11:00am	9:00pm

6. ¿A qué hora cierran la biblioteca?

7. ¿Qué preferís beber vosotros: ponche o vino?

DICIEMBRE

Lunes	Martes	Miércoles	Jueves	Viernes	Sábado	Domingo
						1
2	3	4	5	6	7	8
9	10	11	12	13	14	15
16	17	18	19	20	21	22
23/30	24/31	25	26	27	28	29

8. ¿En qué mes empieza el invierno?

9. ¿Con quién piensas ir?

C. ¿Qué piensas tú?

Working with a partner, ask him or her the following questions.

1. ¿Qué quieres hacer el sábado?
2. ¿Dónde prefieres comer y con quién?
3. ¿A qué hora empiezas a estudiar normalmente?
4. ¿Qué piensas hacer en el verano?
5. ¿Tienes un restaurante favorito? ¿A qué hora abre? ¿A qué hora cierra?
6. ¿Siempre entiendes a la profesora (al profesor)?

4 Comparative and superlative adjectives, adverbs, and nouns

(Comparativo y superlativo de adjetivos, adverbios y nombres)

Comparisons of inequality

- In Spanish, the comparative of inequality of most adjectives, adverbs, nouns, and actions is formed using **más** *(more)* or **menos** *(less)* and **que** *(than)*.

Action:	Yo estudio **más que** Luisa.	*I study **more than** Luisa.*
Noun:	Ana tiene **más** libros **que** José.	*Ana has **more** books **than** José.*
Adverb:	Gil corre **más** rápidamente **que** tú.	*Gil runs **more** quickly **than** you.*
Adjective:	Beto es **más** alto **que** Carlos.	*Beto is **taller than** Carlos.*

- **De** is used instead of **que** before a numerical expression of quantity or amount.

El camarero tiene **más de** cinco mesas. *The waiter has **more than** five tables.*
Hugo paga **menos de** diez dólares. *Hugo pays **less than** ten dollars.*

Práctica

¿Quién tiene más o menos?

- **MODELO:** Carmen: siete papas / Beto: ocho papas
  Carmen tiene menos papas que Beto.

1. Mamá: cinco cebollas / la tía: cuatro cebollas
2. Paquito: dos perros calientes / José: tres perros calientes
3. Tina: seis copas / Julieta: una copa
4. Nosotros: doce tenedores / ellos: diez tenedores
5. Tú: veinte platos / tus amigos: treinta platos

Comparisons of equality

- To form comparisons of equality with adjectives, adverbs, nouns, and verbs, you must use a variation of **tanto como** to express *as much as*.
  - With an action, you use the phrase immediately after the verb:

Mario lee **tanto como** Vera. *Mario reads **as much as** Vera.*

  - With an adjective or adverb, you use an abbreviated form of **tanto como** with the adjective or adverb in between.

Silvia es **tan alta como** Clara. *Silvia is **as tall as** Clara.*
Walter cocina **tan bien como** tú. *Walter cooks **as well as** you.*

  - With nouns, **tanto** functions as an adjective and must agree in gender and number with the noun that follows.

David tiene **tanto** dinero **como** Nina. *David has **as much** money **as** Nina.*
Edgar compra **tanta** fruta **como** tú. *Edgar buys **as much** fruit **as** you.*
Yo tengo **tantas** vacaciones **como** mi primo. *I have **as many** holidays **as** my cousin.*
Uds. necesitan **tantos** platos **como** Juan. *You need **as many** plates **as** Juan.*

¡ATENCIÓN!

When using the comparisons of equality and inequality with verbs, the verb needs to appear first.

Yo estudio **más que** ella.	*I study **more than** her.*
Arturo corre **menos que** Esteban.	*Arturo runs **less than** Esteban.*
Lisa habla por teléfono **tanto como** Pablo.	*Lisa speaks on the phone **as much as** Pablo.*

Práctica

Compramos las mismas *(same)* cosas

- **MODELO:** Gil: pescado / Ignacio: pescado también
  Gil compra tanto pescado como Ignacio.

1. Oscar: cinco hamburguesas / Martín: cinco hamburguesas también
2. Gabriela: seis manteles / Frida: seis manteles también
3. Yo: mucho arroz / tú: mucho arroz también
4. Ellos: mantequilla / nosotros: mantequilla también
5. Vosotros: doce tazas / ellos: doce tazas también

The superlative

- The superlative construction is similar to the comparative. It is formed by placing the definite article before the person or thing being compared.

definite article	+	*(noun)*	+	**más** or **menos**	+	*adjective*	+	**de**

¡ATENCIÓN!

Note that the Spanish **de** translates to the English *in* or *of* after a superlative.

—¿Quién es **el estudiante más inteligente** de la clase?	*"Who is **the most intelligent student** in the class?"*
—Mario es **el más inteligente** de todos.	*"Mario is **the most intelligent** of all."*
Ellos son los más altos **de** la clase.	*They are the tallest ones **in** the class.*

Erik Lam/Shutterstock.com

Veloz, el perro de Luis, es más grande que Pequeñito, el perro de Ana.

Irregular comparative forms

- The following adjectives and adverbs have irregular comparative and superlative forms in Spanish.

Adjective	Adverb	Comparative	Superlative
bueno *(good)*	bien *(well)*	**mejor** *(best)*	**el (la) mejor**
malo *(bad)*	mal *(badly)*	**peor** *(worse)*	**el (la) peor**
viejo *(old)*		**mayor** *(older)*	**el (la) mayor**
joven *(young)*		**menor** *(younger)*	**el (la) menor**

- When the adjectives **grande** and **pequeño** refer to size, the regular comparative forms are generally used.

Tu clase es **más grande que** la de Antonio. — *Your class is **bigger than** Antonio's.*

- When these adjectives refer to age, the irregular comparative forms **mayor** and **menor** are used.

—¿Felipe es **mayor que** tú? — *"Is Felipe **older** than you?"*
—No, es **menor que** yo. — *"No, he's **younger** than I (am)."*

- The irregular comparative forms must agree in number, not in gender.

Mis hermanas son **mayores que** yo. — *My sisters are **older than** I.*
Mis primos son **menores que** yo. — *My cousins are **younger than** I.*

- For the superlative form, the article must reflect gender.

Las langostas de la isla del Príncipe Eduardo son las **mejores**. — *The lobsters from Prince Edward Island are **the best**.*

Práctica y conversación

A. Más o menos...

Complete the following sentences, giving the Spanish equivalent of the words in parentheses.

1. Mi amigo(a) es ______________________ tú. *(less intelligent than)*
2. Mi primo baila ______________________ yo. *(as badly as)*
3. ¿Tu esposo tiene ______________________ cuarenta años? *(more than)*
4. Andrea es ______________________ su hermana. *(younger than)*
5. Tú eres ______________________ ella. *(thinner than)*
6. Luis es ______________________ Ariel. *(as nice as)*
7. Yo no tengo ______________________ tú. *(as many books as)*
8. Nosotros damos ______________________ Uds. *(as many parties as)*
9. Este restaurante es ______________________ todos. *(the best of)*
10. La langosta es ______________________ el pollo. *(tastier than)*

B. Comparaciones

Establish comparisons between the following people and things, using the adjectives provided and adding any necessary words.

1. Hotel Hilton / Comfort Inn / mejor
2. Chris Hadfield / yo / inteligente
3. Penélope Cruz / Shakira / bonita
4. Terranova / Ontario / pequeña
5. La torre (*tower*) CN / mi casa / alta
6. el abuelo / el nieto / mayor
7. Colombia / Costa Rica / grande
8. Justin Bieber / Bruce Springsteen / menor

C. Ustedes y Sergio

With a partner, make comparisons between you and Sergio.

Sergio...

1. ... mide (*measures*) un metro setenta (*1,70 metres*).
2. ... baila muy bien.
3. ... tiene dieciséis años.
4. ... tiene diez dólares en el banco (*bank*).
5. ... estudia una hora todos los días.
6. ... tiene cinco hermanos.
7. ... conduce muy mal.
8. ... come ocho huevos en el desayuno.

D. Mis vecinos (*neighbours*)

Turn to page 21 in **Lección 1**. With a partner take turns talking about your neighbours. Using your imagination, you may wish to comment on height, age, what they have and how they compare with you.

5 Pronouns as objects of prepositions
(Pronombres usados como complemento de preposición)

The object of a preposition is the noun or pronoun that immediately follows it.

La fiesta es **para María (ella).** Ellos van **con nosotros.**

Singular		Plural	
mí	*me*	**nosotros(as)**	*us*
ti	*you (fam.)*	**vosotros(as)**	*you (fam.)*
Ud.	*you (form.)*	**Uds.**	*you (form. / fam.)*
él	*him*	**ellos**	*them (masc.)*
ella	*her*	**ellas**	*them (fem.)*

FLASHBACK

Review subject pronouns on page 16.

- Only the first- and second-persons singular, **mí** and **ti**, are different from regular subject pronouns.
- When used with the preposition **con**, **mí** and **ti** become **conmigo** and **contigo**, respectively. The other forms do not combine: **con él**, **con ella**, **con ustedes**, and so on.

—¿El café es para **mí**? *"Is the coffee for **me**?"*
—No, no es para **ti**; es para **él**. *"No, it's not for **you**; it's for **him**."*

—¿Vas a la fiesta **conmigo**? *"Are you going **with me** to the party?"*
—No, no voy **contigo**; voy con **ellos**. *"No, I'm not going **with you**; I'm going **with them**."*

Práctica y conversación

A. Entre amigos

Complete the following sentences with the correct forms of the pronouns and prepositions in parentheses.

1. Elena no va ______________, Anita. *(with you)*
2. Esas servilletas son para ______________ y el mantel es para ______________. *(me / her)*
3. Teresa está hablando de ______________. *(us)*
4. Elsa va a venir con ______________. *(them, masc.)*
5. Olga no va a ir al restaurante ______________; va a ir ______________. *(with you, pl. / with me)*
6. El vino no es para ______________, Paco; es para ______________. *(him / you)*
7. El postre es para ______________, señorita. *(you)*
8. El café es para______________. *(them, fem.)*

B. Entrevista a tu compañero(a)

Interview a partner, using the following questions.

1. Cuando tú vas a un restaurante, ¿quién va contigo generalmente?
2. De postre, el camarero trae flan con crema; ¿es para ti?
3. Tú vas a preparar dos postres para tus padres: arroz con leche y pastel. ¿Cuál es para él y cuál es para ella?
4. ¿Qué idioma hablan tú y tu familia entre *(among)* Uds.?
5. Tú tienes un helado de chocolate. ¿Es para mí?
6. ¿Quieres ir al restaurante conmigo hoy?

Práctica y traducción

Review the vocabulary and grammatical concepts studied in **Lección 5** as you translate the following sentences.

1. My vacation starts in December. I want to go to Costa Rica.
2. For breakfast, Luis eats toast with butter and jam. He also drinks a glass of milk.
3. What do you prefer for lunch: fish, lamb, or lobster?
4. Professor Ortega's students are the best in the university.
5. Alicia buys one ice cream for her and one hot dog for me.

DETALLES CULTURALES

En muchos países de habla hispana, el desayuno generalmente es café con leche y pan dulce *(sweet)*. El almuerzo, que es la comida principal del día, se sirve entre la una y las dos de la tarde. La cena generalmente no se sirve antes de las ocho o las nueve de la noche. La mayoría de los restaurantes no empiezan a servir la cena antes de las nueve de la noche.

ENTRE NOSOTROS

¡Conversemos!

Para conocernos mejor

Get to know your partner better by asking each other the following questions.

1. ¿Cuál es el mejor restaurante de esta ciudad? ¿Cuál es la especialidad de la casa?
2. ¿A qué hora empiezan a servir el almuerzo en los restaurantes de tu ciudad?
3. Cuando pagas la cuenta en un restaurante, ¿dejas una buena propina?
4. ¿A qué hora es el almuerzo en tu casa? ¿A qué hora desayunas?
5. ¿Dónde piensas desayunar mañana? ¿Qué vas a desayunar?
6. ¿Prefieres tomar café con crema o café sin *(without)* crema?
7. ¿Tú prefieres pollo a la parrilla, cordero asado, hamburguesas o perros calientes?
8. Generalmente, ¿qué comes de postre?
9. Si la cuenta del restaurante es cien dólares, ¿cuánto dejas de propina?
10. ¿Tu mejor amigo(a) es mayor o menor que tú?

Búsqueda de gente

Interview your classmates to identify who fits the following descriptions. Be sure to change the statements to questions. Include your instructor, but remember to use the **Ud.** form when addressing him or her.

NOMBRE	
1.	es de otra provincia.
2.	es tímido(a).
3.	es el (la) más inteligente de la familia.
4.	es tan alto(a) como su padre.
5.	siempre está cansado(a).
6.	piensa ir a comer más tarde.
7.	está leyendo un buen libro.
8.	comienza a trabajar a las ocho.
9.	va a salir de Canadá en sus vacaciones.
10.	tiene un hermano(a) mayor / menor.

Y ahora...

Write a brief summary, indicating what you have learned about your classmates.

¿Cómo lo decimos?

What would you say in the following situations? What might the other person say? Act out these scenes with a partner.

1. You are at a café having breakfast. You are very hungry. Order a big breakfast.
2. You are having lunch with a friend. Suggest a few things he or she can eat and drink.
3. Call a restaurant and make reservations for dinner.

4. You have invited some friends to a party. Tell them it's at your house and what time it starts.
5. Your friend has suggested having dinner at a restaurant that isn't very good. Tell him that it's the worst restaurant in town and tell him/her which restaurant is the best, in your opinion.

¿Qué pasa aquí?

Get together in groups of three or four and imagine what these people are going to order for lunch. Use the vocabulary from this lesson to write about what each person wants to eat (the mom, her son and her two daughters). Each person should select two items to eat and something to drink.

© Stewart Cohen/Blend Images/Getty Images

Para escribir

En un restaurante

Using the vocabulary from this lesson, prepare a menu for a Spanish-speaking restaurant. Include as many items as possible from the ones presented, and try to add images and an eye-catching format to attract clients. Remember to include the name of the restaurant, location, hours of operation, and specials. Create a slogan for the restaurant.

UN DICHO

Come y bebe, porque la vida es breve.

This piece of advice reminds us of a similar one in English. Do you know what it is? Is it good advice?

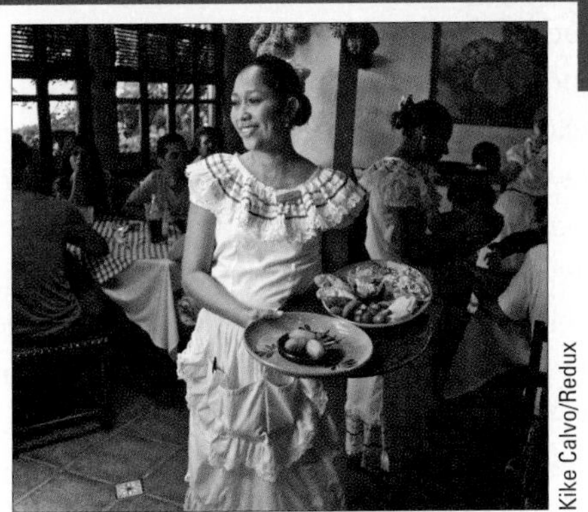

Kike Calvo/Redux

Comida típica en un restaurante salvadoreño

ASÍ SOMOS

Vamos a escuchar

A. Teresa y Mario

You will hear a conversation between Teresa and Mario. Pay close attention to what they say. You will then hear ten statements about what you have heard. Indicate whether each statement is true **(V)** or false **(F)**.

1. ☐ V ☐ F
2. ☐ V ☐ F
3. ☐ V ☐ F
4. ☐ V ☐ F
5. ☐ V ☐ F
6. ☐ V ☐ F
7. ☐ V ☐ F
8. ☐ V ☐ F
9. ☐ V ☐ F
10. ☐ V ☐ F

Vamos a leer

ESTRATEGIA

Expanding your vocabulary through reading
One of the purposes of reading is to increase your vocabulary. Here you are going to read the menu of a restaurant. Look for the new words that you are going to find when you read it, and make them part of your vocabulary.

B. Al leer

After reading the menu, take turns with a partner asking and answering the following questions.

1. ¿Cuál es la especialidad del restaurante Miramar?
2. En el menú, ¿qué sopas hay?
3. ¿Qué tipos de ensaladas hay?
4. ¿Con qué se sirven todos los platos?
5. ¿Qué mariscos *(shellfish)* hay en el menú? ¿Cuál cuesta *(cost)* más?
6. ¿Qué tipos de pescado hay? ¿Cuál es el más caro?
7. En la sección de las carnes, ¿hay solamente pollo? ¿Qué más *(What else)* hay?
8. ¿Hay muchos o pocos *(few)* tipos de postres?
9. ¿Cuánto cuesta (*cost*) el cordero?
10. ¿Cuál es el postre que tiene menos calorías?
11. En el restaurante, ¿sirven *(serve)* bebidas alcohólicas *(alcoholic)*? ¿Cuáles son?
12. ¿Que es más caro, el vino blanco o el vino tinto?
13. ¿Qué más hay en el menú para beber?
14. ¿Cuál es la más cara de las bebidas? ¿Cuánto cuesta?

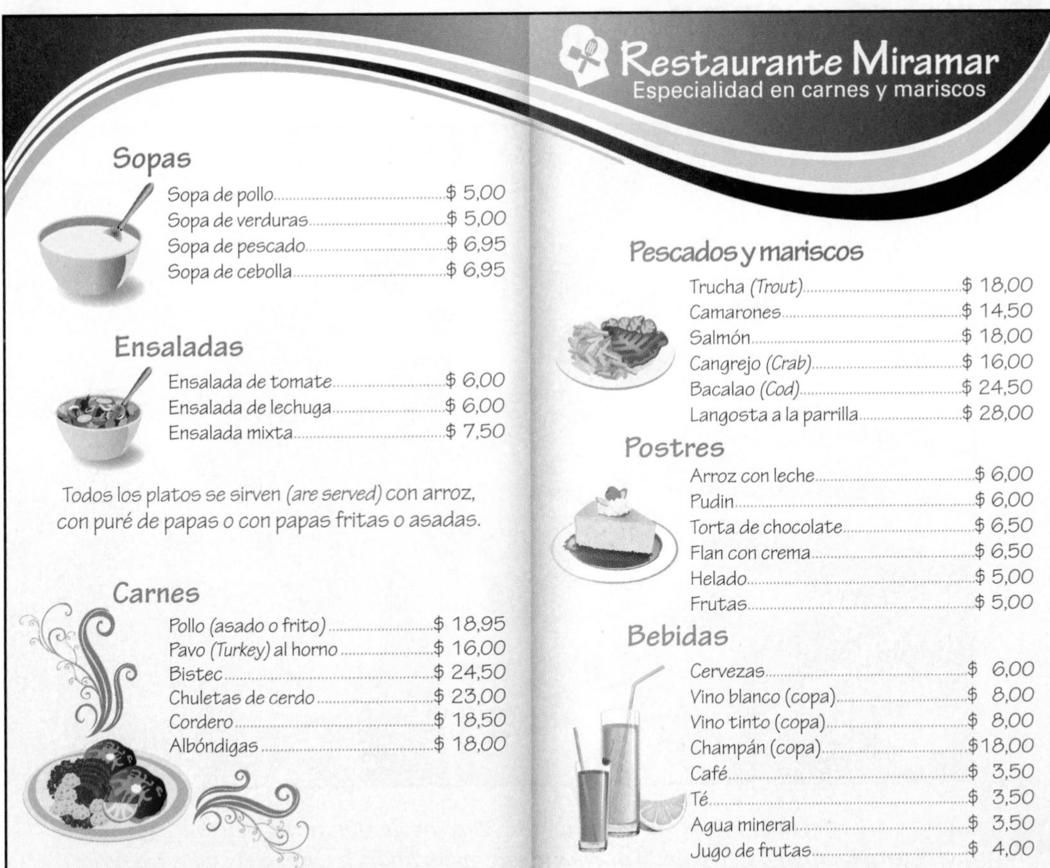

Restaurante Miramar
Especialidad en carnes y mariscos
Sopas
Sopa de pollo $ 5,00
Sopa de verduras $ 5,00
Sopa de pescado $ 6,95
Sopa de cebolla $ 6,95
Ensaladas
Ensalada de tomate $ 6,00
Ensalada de lechuga $ 6,00
Ensalada mixta $ 7,50
Todos los platos se sirven (are served) con arroz, con puré de papas o con papas fritas o asadas.
Carnes
Pollo (asado o frito) $ 18,95
Pavo (Turkey) al horno $ 16,00
Bistec $ 24,50
Chuletas de cerdo $ 23,00
Cordero $ 18,50
Albóndigas $ 18,00
Pescados y mariscos
Trucha (Trout) $ 18,00
Camarones $ 14,50
Salmón $ 18,00
Cangrejo (Crab) $ 16,00
Bacalao (Cod) $ 24,50
Langosta a la parrilla $ 28,00
Postres
Arroz con leche $ 6,00
Pudin $ 6,00
Torta de chocolate $ 6,50
Flan con crema $ 6,50
Helado $ 5,00
Frutas $ 5,00
Bebidas
Cervezas $ 6,00
Vino blanco (copa) $ 8,00
Vino tinto (copa) $ 8,00
Champán (copa) $18,00
Café $ 3,50
Té $ 3,50
Agua mineral $ 3,50
Jugo de frutas $ 4,00

C. A comer con un(a) amigo(a)

Imagine that you and a classmate are dining at the Miramar restaurant. Select from the menu something to drink, something to eat, and a dessert. How much is each person going to pay? Decide how much you are going to leave as a tip.

D. ¿Y ustedes?

Take turns with a classmate asking and answering the following questions.

1. ¿Tú prefieres comer en tu casa o en un restaurante? ¿Cuál es tu comida favorita?
2. ¿Prefieres comer pollo, carne o pescado? ¿Comes mariscos? ¿Cuál prefieres?
3. ¿Comes postre después de las comidas? ¿Cuál es tu postre favorito?
4. En las comidas, ¿bebes café, té o refrescos *(soft drinks)*? ¿Prefieres tomar agua?

LECCIÓN 6 EN EL MERCADO

lev dolgachov/Syda Productions/age Fotostock

Marta y Ariel son dos amigos que viven juntos. Ellos son de Honduras, pero hace un mes que viven en Managua, la capital de Nicaragua, en un apartamento que está cerca de la universidad.

Marta: No hay nada en el refrigerador, excepto un poco de carne. Tenemos que ir al supermercado.

Ariel: ¿Podemos almorzar antes de ir? Yo estoy muerto de hambre.

Marta: Bueno, podemos ir a un restaurante antes...

Más tarde, en el supermercado...

Ariel: Necesitamos azúcar, una docena de huevos, mantequilla, papel higiénico, detergente... ¿qué más? ¿Dónde está la lista?

Marta: Yo la tengo. A ver... papas, zanahorias, brócoli, apio, pimientos...

Ariel: ¡Tantos vegetales! ¿Quién los va a comer?

Marta: ¡Tú y yo! Nosotros debemos comer de siete a ocho vegetales o frutas al día.

Don José y doña Ada, los padres de Ariel, están en un mercado al aire libre.

Don José: ¿Cuánto cuestan las chuletas de cerdo?

Doña Ada: Son un poco caras, pero podemos comprarlas, si tú quieres. ¿Quieres chuletas de cerdo o chuletas de ternera?

Don José: Las dos, y también chuletas de cordero.

Doña Ada: ¡No, no! Tienes que elegir una.

Don José: Está bien... elijo las chuletas de cerdo. Después tenemos que ir a la pescadería y a la panadería.

Doña Ada: Sí, pero antes voy a comprar pepinos, tomates y cebollas.

Don José: También necesitamos salsa de tomate porque quiero preparar mis famosos espaguetis con albóndigas.

Doña Ada: Buena idea. Tu hermana vuelve a las seis y puede cenar con nosotros.

Don José: ¡Perfecto! Tú tienes el día libre hoy, de modo que yo soy el cocinero.

Doña Ada: ¡Y tú cocinas muy bien!

Hablemos

Sobre el diálogo

With a classmate, take turns asking and answering the following questions. Base your answers on the dialogue.

© Corbis RF/Alamy

© Bryan Busovicki/Shutterstock

1. ¿De dónde son Marta y Ariel y dónde viven ahora?
2. ¿Qué quiere hacer Ariel antes de ir al supermercado?
3. ¿Qué comida hay en el refrigerador?
4. ¿Qué van a comprar Ariel y Marta para lavar la ropa?
5. ¿Qué dice Marta de los vegetales y de las frutas?
6. ¿Quién tiene la lista?
7. ¿Dónde están los padres de Ariel?
8. ¿Las chuletas de cerdo son baratas o caras?
9. ¿Qué chuletas elige don José?
10. ¿Por qué va a cocinar don José hoy?

Entrevista a tu compañero(a)

Take turns with a partner asking and answering the following questions.

1. ¿Qué días vas al supermercado? ¿Tú vas al supermercado cuando estás muerto(a) de hambre?
2. ¿Qué necesitas para lavar la ropa? ¿Llevas una lista cuando vas al supermercado?
3. ¿Qué vegetales necesitas comprar?
4. ¿Cuántos vegetales y cuántas frutas comes al día?
5. ¿Prefieres comer chuletas de cerdo o chuletas de ternera?
6. ¿Tú cocinas a veces? ¿Qué tipo de salsa usas para preparar espaguetis?
7. ¿Qué haces tú cuando tienes el día libre? ¿Sales con tus amigos?
8. ¿Tú conoces a una pareja de recién casados? ¿Viven cerca de tu casa?

DETALLES CULTURALES

Canadá importa muchos productos de los países hispanos. Por ejemplo, de Colombia importa bananas, flores frescas y café, entre otros productos. De Costa Rica importa piñas, maíz, café y bananas. De Perú importa uvas, espárragos, guayabas y mangos.

VOCABULARIO

COGNADOS

el brócoli
el detergente
la docena
los espaguetis
excepto
famoso(a)
la fruta
gluten

SUSTANTIVOS

el aceite (de oliva)	*(olive) oil*
la albóndiga	*meatball*
el apio	*celery*
el azúcar	*sugar*
el cangrejo	*crab*
la carne	*meat*
la chuleta	*chop*
— de cerdo	*pork chop*
— de cordero	*lamb chop*
— de ternera	*veal chop*
el (la) cocinero(a)	*cook*
la ensalada mixta	*mixed salad*
los mariscos	*shellfish*
el mercado	*market*
— al aire libre	*outdoor market*
la panadería	*bakery*
el papel higiénico	*toilet paper*
el pepino	*cucumber*
la pescadería	*fish market*
el pimiento, el ají	*pepper*
el queso	*cheese*
la receta	*the recipe*
la salsa	*sauce, salsa*
el supermercado	*supermarket*
el tomate*	*tomato*
el vinagre	*vinegar*
la zanahoria	*carrot*

VERBOS

almorzar (o > ue)	*to have lunch*
cocinar	*to cook*
conseguir (e > i)	*to get, to obtain*
costar (o > ue)	*to cost*
decir (e > i)	*to say, to tell*
dormir (o > ue)	*to sleep*
elegir (e > i), escoger[1]	*to choose*
encontrar (o > ue)	*to find*
pedir (e > i)	*to ask for*
poder (o > ue)	*to be able to, can*
recordar (o > ue)	*to remember*
seguir (e > i)	*to follow, to continue*
servir (e > i)	*to serve*
volver (o > ue)	*to return*

ADJETIVOS

barato(a)	*inexpensive*
caro(a)	*expensive*
tantos(as)	*so many*

OTRAS PALABRAS Y EXPRESIONES

a ver	*let's see*
al día	*per day*
de modo (manera) que (así que)	*so*
el día libre	*the day off*
está bien	*all right, o.k.*
estar muerto(a)(s) de hambre	*to be starving*
libre	*off, free (available)*
nada	*nothing*
¿Qué más?	*What else?*
los recién casados	*newlyweds*
un poco (de)	*little*
sin gluten	*without gluten*

DE PAÍS A PAÍS

el tomate el jitomate (*Méx.*)
el aguacate la palta (*Cono Sur*)
el plátano la banana (*Cono Sur*)
la fresa la frutilla (*Cono Sur*)
el melocotón el durazno (*Méx., Cono Sur*)
la sandía el melón de agua (*Cuba, Puerto Rico*); la patilla (*Col., Puerto Rico, R. Dom., Ven.*)

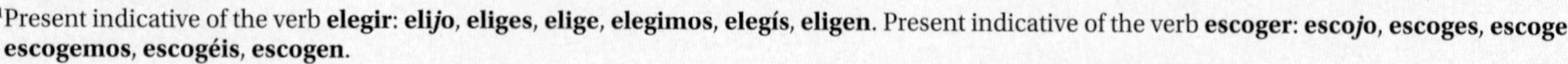

[1]Present indicative of the verb **elegir: eli*j*o, eliges, elige, elegimos, elegís, eligen**. Present indicative of the verb **escoger: esco*j*o, escoges, escoge, escogemos, escogéis, escogen.**

NEL

Amplía tu vocabulario

Más comestibles

Para practicar el vocabulario

A. ¿Qué es?

Write the words or phrases from the vocabulary in **Lección 6** that correspond to the following.

1. lechuga, tomate, aceite de oliva, vinagre y sal: ____________________
2. pimiento: ____________________
3. la usamos para hacer espaguetis: ____________________
4. lo ponemos en el café: ____________________
5. lugar donde compramos pan: ____________________
6. persona que cocina: ____________________
7. fresas, sandías y piñas: ____________________
8. elegir: ____________________
9. de modo que: de ____________________ que
10. cangrejos, por ejemplo: ____________________

B. Preguntas y respuestas

Match the questions in column A with the corresponding responses in column B.

A	B
1. ¿Quieres comer algo?	a. Sí, necesito detergente.
2. ¿Son novios?	b. Vamos al supermercado.
3. ¿Necesitas huevos?	c. En el baño.
4. ¿Vas a lavar la ropa?	d. El cocinero famoso.
5. ¿Quieres chuletas de cerdo?	e. Compro pan.
6. ¿Quién va a cocinar?	f. Sí, necesito una docena.
7. ¿Adónde vamos?	g. No, yo soy vegetariana.
8. ¿Tienes que trabajar?	h. Como tres o cuatro frutas.
9. ¿Qué compras en la panadería?	i. Sí, estoy muerto de hambre.
10. ¿Quieres albóndigas?	j. No, tengo el día libre.
11. ¿Dónde está el papel higiénico?	k. No, de ternera.
12. ¿Cuántas frutas comes al día?	l. No, son recién casados.

C. Preguntas...

Take turns with a partner interviewing each other, using the following questions.

1. ¿Qué comes cuando estás muerto(a) de hambre?
2. ¿Hay un mercado cerca de la universidad?
3. ¿Sabes cocinar?
4. En el desayuno, ¿tomas el café solo o con azúcar?
5. ¿Deseas comer carne o pescado?
6. ¿Qué deseas comer, carne o pescado? ¿Cuál es tu favorito?
7. ¿Qué frutas comes?
8. ¿Compras comida en un mercado al aire libre o en un supermercado? ¿Por qué?

D. ¿Qué comen?

You and your partner have several guests. Discuss what they want based on their likes and dislikes.

- **MODELO:** Tina desea comer frutas.
  Come fresas.

1. Raúl come chuletas, pero no come carne de cerdo.
2. Sergio y Daniel desean comida italiana.
3. Mirta y Silvia comen mariscos.
4. Raúl come frutas tropicales.
5. Mirta quiere comer pastel.
6. Alicia es vegetariana.
7. Luis está a dieta *(on a diet).*
8. Marisa solamente come vegetales.

E. En el supermercado

With a partner, play the roles of two friends who are shopping at a supermarket. The menu for the week is the following: fish with vegetables, fruit salad, and chicken. Talk about all the groceries that you need to buy for the week.

Alija/Getty Images

F. La lista de Maribel

Discuss Maribel's shopping list with a partner.

Maribel está haciendo una lista. ¿Qué tiene que comprar para cocinar?

1. tres cosas para hacer una ensalada
2. tres cosas para hacer espaguetis
3. una cosa para beber
4. Y una cosa más...

¿Maribel va a elegir productos orgánicos? ¿Cuánto va a costar cada una de estas cosas? ¿Cuáles van a ser más caras? ¿Va a ir al supermercado antes o después de almorzar?

Pronunciación

Las consonantes *ll, ñ*

A. Practise the sound of the Spanish **ll** in the following words.

llegar	cebo**ll**a	si**ll**a
llamar	A**ll**ende	a**ll**í
ca**ll**e	e**ll**os	mantequi**ll**a

B. Practise the sound of the Spanish **ñ** in the following words.

se**ñ**or	se**ñ**ora	ni**ñ**o
a**ñ**o	oto**ñ**o	Pe**ñ**a
espa**ñ**ol	ma**ñ**ana	Espa**ñ**a

DETALLES CULTURALES

Hoy los supermercados son muy populares en los países de habla hispana, pero todavía es costumbre *(custom)* comprar uno o dos productos en pequeñas tiendas especializadas: panaderías, pescaderías, fruterías, etc.

PUNTOS PARA RECORDAR

1 Stem-changing verbs: *o > ue*

(Verbos que cambian en la raíz: o > ue*)*

FLASHBACK 

These new stem-changing verbs follow the same pattern as the **e > ie** verbs that were introduced in **Lección 5**, page 125.

- As you learned in **Lección 5**, some Spanish verbs undergo a stem change in the present indicative tense. Some verbs that have **o** as the last stem vowel will change the **o** to **ue** as shown below.

poder *(to be able to)*			
yo	p**ue**do	nosotros(as)	podemos
tú	p**ue**des	vosotros(as)	podéis
Ud. / él / ella	p**ue**de	Uds. / ellos / ellas	p**ue**den

- Note that the stem vowel is not stressed in the verb forms used with **nosotros(as)** and **vosotros(as)**; therefore, the **o** does not change to **ue**.

- Some other verbs that undergo the **o** > **ue** changes are: **almorzar**, **costar**, **dormir**, **encontrar**, **recordar**, and **volver**.[2]

— ¿A qué hora **pueden** ir Uds. a la panadería?	*"What time **can you** go to the bakery?"*
— **Podemos** ir a las dos.	*"**We can** go at two o'clock."*
— ¿A qué hora **vuelves** tú del mercado?	*"At what time **do you return** from the market?"*
— **Vuelvo** a las tres.	*"**I return** at three o'clock."*

Luisa elige la fruta con cuidado *(carefully)*. ¿Tú eliges la fruta en el supermercado? ¿Qué puedes comprar en el mercado? ¿Dónde compras fruta fresca? ¿Cuál es tu fruta favorita?

Dean Drobot/Shutterstock.com

[2]For a complete list of stem-changing verbs, see Appendix B.

Práctica y conversación

A. ¿Qué hacemos?

Create sentences using the components given.

- **MODELO:** Ella / encontrar / los tomates
  Ella encuentra los tomates.

1. Yo / almorzar / en la cafetería
2. David / dormir / por la noche
3. Tú / encontrar a / tus amigos
4. Nosotros / poder / estudiar / por la tarde
5. El libro / costar / $20
6. Ustedes / volver de/ Colombia

B. Minidiálogos

Complete the following exchanges appropriately, using the present indicative of the verbs given.

1. —¿A qué hora __________________ (almorzar) Uds.?
   —Nosotros __________________ (almorzar) a las dos y __________________ (volver) a casa a las cuatro. ¿A qué hora __________________ (volver) tú?
   —Yo __________________ (volver) a las cinco.
2. —¿Ud. __________________ (poder) ir conmigo al supermercado?
   —Sí, yo __________________ (poder) ir contigo esta tarde.
   —¿Ud. sabe cuánto __________________ (costar) el detergente?
   —No, no sé.
3. —Jorge no __________________ (encontrar) el número de teléfono de Nora. ¿Tú sabes cuál es?
   —No, no __________________ (recordar) el número de teléfono, pero __________________ (poder) buscarlo *(look it up)*.
4. —¿Dónde __________________ (dormir) los niños?
   —En mi cuarto; yo __________________ (dormir) en el sofá de la sala.

C. Entrevista a tu compañero(a)

Interview a partner, using the following questions.

1. ¿Puedes ir al mercado conmigo? ¿Qué días puedes ir?
2. ¿Qué cuesta más, el pollo o el pescado? ¿Sabes cuánto cuestan los camarones?
3. ¿Sabes cómo hacer una ensalada de frutas?
4. ¿Dónde puedo comprar frutas?
5. ¿A qué hora almuerzas tú? ¿Dónde?
6. ¿A qué hora vuelves a tu casa hoy?
7. ¿Recuerdas el número de teléfono de todos tus amigos?
8. Generalmente, ¿cuántas horas duermes? ¿Duermes bien?

D. Nosotros(as) tres ...

Get together in groups of three and talk about the following:

1. Whether or not you sometimes have lunch in the cafeteria, and how much lunch costs
2. Things that you want to do every day but cannot do, and why; give details
3. What time you return home on different days and what time you return when you go to a party
4. How many hours you generally sleep

2 Stem-changing verbs: *e > i* (*Verbos que cambian en la raíz:* e > i)

- Some **-ir** verbs undergo a stem change in the present indicative. For these verbs, when **e** is the last stem vowel and it is stressed, it changes to **i** as shown below.

FLASHBACK

These new stem-changing verbs follow the same pattern as the **e > ie** verbs that were introduced in **Lección 5**, page 125, and the ones we have just seen in this **lección** (page 142).

servir (*to serve*)			
yo	sirvo	nosotros(as)	servimos
tú	sirves	vosotros(as)	servís
Ud. / él / ella	sirve	Uds. / ellos / ellas	sirven

- Note that the stem vowel is not stressed in the verb forms used with **nosotros(as)** and **vosotros(as)**; therefore, the **e** does not change to **i**.

- Some other verbs that undergo the **e > i** change are: **decir**[3], **elegir**, **conseguir**[4], **pedir**[5], and **seguir**.

—¿A qué hora **sirven** Uds. el almuerzo?	*"What time **do you serve** lunch?"*
—**Servimos** el almuerzo a las doce.	*"**We serve** lunch at twelve o'clock."*
—¿Dónde **consigues** libros en español?	*"Where **do you get** books in Spanish?"*
—**Consigo** libros en la biblioteca.	*"**I get** books at the library."*

Práctica y conversación

A. Hoy hay cambios en la casa

There has been a change in the way things are done in the house. Change the verbs according to who is doing the action.

1. Elena siempre sirve la comida, pero hoy los hijos ponen la mesa y ________________ (servir) la comida.
2. La mamá consigue los vegetales en el mercado, pero hoy yo ________________ (conseguir) toda la comida en el supermercado.
3. Los chicos piden ensalada y la mamá ________________ (pedir) sopa.
4. Alicia dice que la comida es excelente, pero hoy Luis y Ana ________________ (decir) que no es buena.
5. Nosotros no seguimos las instrucciones, pero Juan ________________ (seguir) las instrucciones siempre.

B. Minidiálogos

Complete the following exchanges, using the present indicative of the appropriate verb from the list.

servir **pedir** **conseguir** **decir** **elegir**

1. —Yo nunca (*never*) ________________ frutas buenas.
   —Mis padres ________________ vegetales buenos en el Mercado Central.
2. —Rosario ________________ la fruta en el mercado, ¿y tú?
   —Sí, yo también ________________ la fruta allí.

---

[3]First person: **yo digo**.
[4]Verbs like **conseguir** drop the **u** before **a** or **o**: **yo consigo**.
[5]**Pedir** also means *to order (in a restaurant)*.

3. —¿Qué ____________________ Uds. en sus fiestas?
   —Nosotros ____________________ hamburguesas y perros calientes.
4. —¿Qué ____________________ tú cuando vas a ese restaurante?
   —Yo ____________________ bistec con langosta.
   —Yo siempre ____________________ que en ese restaurante (ellos) ____________________ los mejores mariscos.

C. Entrevista a tu compañero(a)

Interview a partner, using the following questions.

1. Cuando vas a un restaurante mexicano, ¿qué pides para comer? ¿Qué pides para beber?
2. ¿La comida mexicana es mejor que la italiana? ¿Qué dices tú?
3. ¿Dónde consigues mariscos frescos *(fresh)*?
4. ¿Qué sirves tú en tus fiestas para comer? ¿Y para beber?
5. Cuando tú y tus amigos dan una fiesta, ¿sirven cerveza o refrescos?
6. ¿Tú consigues música en español? ¿Dónde?
7. ¿En qué librería consiguen los estudiantes libros en español?
8. ¿Prefieres escuchar música moderna o clásica? ¿Quién es tu cantante *(singer)* favorito?

3 Direct object pronouns
(Pronombres usados como complemento directo)

- In addition to a subject, most sentences have an object that directly receives the action of the verbs.

  Él compra **el café**. — *He buys* ***the coffee****.*
  S. V. D.O.

  In the preceding sentence, the subject **él** performs the action, while **el café**, the direct object, directly receives the action of the verb. The direct object of a sentence can be either a person or a thing.

- The direct object can be easily identified as the answer to the questions *whom?* and *what?*

  Él compra **el café**. — ***What*** *is he buying?*
  S. V. D.O.
  Alicia llama **a Luis**. — ***Whom*** *is she calling?*
  S. V. D.O.

- Direct object pronouns are used in place of direct objects. The forms of the direct object pronouns are as follows.

Singular		Plural	
me	*me*	**nos**	*us*
te	*you (fam.)*	**os**	*you (fam.)*
lo	*him, you (masc. form.), it (masc.)*	**los**	*them (masc.), you (masc. form. / fam.)*
la	*her, you (fem. form.), it (fem.)*	**las**	*them (fem.), you (fem. form. / fam.)*

Yo tengo **las sillas**. — ¿Ustedes **las** necesitan?

I have ***the chairs****.* — *Do you need* ***them****?*

Position of direct object pronouns

- In Spanish, object pronouns are normally placed before a conjugated verb.

Yo compro **el café**.			*I buy **the coffee**.*
Yo	**lo**	compro.	*I buy **it**.*

- In a negative sentence, **no** must precede the object pronoun.

Yo compro **el café**.				*I buy **the coffee**.*
Yo		**lo**	compro.	*I buy **it**.*
Yo	**no**	**lo**	compro.	*I **don't** buy **it**.*

- When a conjugated verb and an infinitive appear together, the direct object pronoun is either placed before the conjugated verb or attached to the infinitive. This is also the case in a negative sentence.

La	voy a llamar.	*I'm going to call **her**.*
	Voy a llamar**la**.	
No **la**	voy a llamar.	*I'm not going to call **her**.*
No	voy a llamar**la**.	

- In the present progressive, the direct object pronoun can be placed either before the verb **estar** or after the gerund.

Lo	está leyendo.	*He's reading **it**.*
	Está leyéndo**lo**.	

¡ATENCIÓN!

Note the use of the written accent on present participles (also called **"gerundio"** [-**ando** and -**iendo** forms in Spanish]) that have pronouns attached: **está leyéndolo**, **estamos mirándola**.

Práctica y conversación

A. A pensar...

With a classmate, find the appropriate direct object pronouns to say what we do with respect to the following people or things.

- **MODELO:** el café (beber)

  ***Lo** bebemos.*

1. los libros (leer)
2. las frutas (comer)
3. el pan (comprar)
4. el coctel de camarones (comer)
5. la ensalada (preparar)
6. el taxi (tomar)
7. dos chicas (dos muchachos) (llamar)

B. Minidiálogos

Complete the following exchanges, supplying the missing direct object pronouns.

1. —¿Tú tienes la cebolla para *(for)* la ensalada?
   —No, yo no __________________ tengo. ¿Quién tiene el tomate?
   —Julián __________________ tiene.
2. —¿Ustedes compran los vegetales en el supermercado o en el mercado al aire libre?
   —__________________ compramos en el mercado al aire libre.
3. —¿Ustedes toman el café con azúcar y crema *(cream)*?
   —Sí, __________________ tomamos con un poco de azúcar y crema.
4. —¿Tú conoces a los hermanos de Marta?
   —No, yo no __________________ conozco.
5. —¿Ellos __________________ invitan a Uds. a sus fiestas?
   —Sí, siempre __________________ invitan.
6. —¿Uds. están leyendo el libro?
   —Sí, nosotros __________________ estamos leyendo.

C. Susana dice que sí

Susana has a car and her teacher and her friends often need rides. Susana always says yes. What does she say to the following people? Use both forms to answer.

- **MODELO:** **Pablo** —¿Puedes llevarme a la biblioteca?
  —Sí, te puedo llevar.
  or
  —Sí, puedo llevarte.

1. **Ana** —¿Puedes llevarme a casa?
2. **Raúl y Jorge** —¿Puedes llevarnos a la biblioteca?
3. **Profesora** —¿Puedes llevarme a mi apartamento?
4. **Teresa** —¿Puedes llevar a Rosa y a Carmen a casa?
5. **Sergio** —¿Puedes llevar a Pedro y a Luis al restaurante?
6. **Marta y Raquel** —¿Puedes llevarnos al Mercado Central?

D. Planes

You and your friends Gustavo and Jaime are making plans to prepare dinner for the group this evening. Answer Gustavo's questions using direct object pronouns and the cues provided.

1. ¿Cuándo puedes comprar los vegetales? (después de la clase)
2. ¿Quién va a preparar la ensalada? (Alicia)
3. ¿Puedes conseguir queso? (No, Pablo y Luis)
4. A ver, ¿necesitamos las chuletas de cerdo? (Sí,)
5. Yo voy a ir a la panadería, ¿necesitamos pan? (Sí,)
6. ¿Qué más? ¡Oh, sí! Necesitamos aceite de oliva. Jaime, ¿Alicia puede traer el aceite? (Sí,)

DETALLES CULTURALES

La mayoría de los pueblos hispanos tienen un mercado central, con pequeñas tiendas. Mucha gente compra en estos mercados donde los precios generalmente son más bajos y los clientes pueden regatear *(bargain)* con los vendedores *(merchants)*.

E. Necesitamos información

With a partner, take turns answering the following questions, basing your answers on the illustrations. Use direct object pronouns in your responses.

1. ¿A qué hora llama Sara a Luis?

2. ¿Los hijos necesitan el dinero?

3. ¿Quién sirve el café?

4. ¿Quién bebe el refresco?

5. ¿Quién tiene las cartas?

6. ¿Quién abre la puerta?

4 Affirmative and negative expressions
(Expresiones afirmativas y negativas)

Affirmative		Negative	
algo	*something, anything*	**nada**	*nothing*
alguien	*someone, anyone*	**nadie**	*nobody, no one*
algún / **alguno(a)** / **algunos(as)**	*any, some*	**ningún** / **ninguno(a)**	*none, not any; no one*
siempre	*always*	**nunca** / **jamás**	*never*
alguna vez	*ever*		
algunas veces, a veces	*sometimes*		
también	*also, too*	**tampoco**	*neither*
o ... o	*either . . . or*	**ni ... ni**	*neither . . . nor*

—¿Uds. **siempre** van a San José? — *"Do you **always** go to San José?"*
—No, **nunca** vamos. — *"No, we **never** go."*
—Nosotros **tampoco**. — *"**Neither** do we."*

—¿Conoces a **alguien** de Costa Rica? — *"Do you know **anyone** from Costa Rica?"*
—No, no conozco a **nadie** de Costa Rica. — *"No, I don't know **anyone** from Costa Rica."*

- **Alguno** and **ninguno** drop the final **-o** before a masculine singular noun and add an accent, but **alguna** and **ninguna** keep the final **-a**.

  —¿Hay **algún** libro o **alguna** pluma en la mesa? — *"Is there **any** book or pen on the table?"*
  —No, no hay **ningún** libro ni **ninguna** pluma. — *"No, there is **no** book or pen."*

- **Alguno(a)** can be used in the plural form, but **ninguno(a)** is used only in the singular.

  —¿Necesita mandar **algunas** cartas? — *"Do you need to send **some** letters?"*
  —No, no necesito mandar **ninguna** carta. — *"No, I don't need to send **any** letters."*

- **Algún** and **ningún** are adjectives and go before a masculine noun. **Alguno** and **ninguno** are pronouns and therefore replace a noun.

  —¿Tienes **algún** libro en español en tu casa?
  —No, no tengo **ninguno**.

- Spanish sentences frequently use a double negative. In this construction, **no** is placed before the verb. The second negative word either follows the verb or appears at the end of the sentence. **No** is never used, however, if the negative word precedes the verb.

—¿Habla Ud. francés siempre?	*"Do you always speak French?"*
—No, yo **no** hablo francés **nunca**.	*"No, I **never** speak French."*
or:	
—No, yo **nunca** hablo francés.	

—¿Vosotros compráis **algo** aquí?	*"Do you buy **anything** here?"*
—No, no compramos **nada nunca**.	*"No, we **never** buy **anything**."*
or:	
—No, nosotros **nunca** compramos **nada**.	

- In fact, Spanish often uses several negatives in one sentence.

  Yo **nunca** pido **nada tampoco**. *I **never** ask for **anything either**.*

Elena y sus amigas están en la panadería. Ella le manda un texto a su compañera de cuarto:

—¿Elisa, necesitas algo de la panadería?

—No, gracias, Elena. No necesito nada en este momento.

—Bueno, nos vemos más tarde.

antoniodiaz/Shutterstock.com

Práctica y conversación

A. No estoy de acuerdo *(I don't agree)*

Contradict the following statements by saying that just the opposite is true.

- **MODELO:** Eva quiere comer algo.
  *Eva **no** quiere comer **nada**.*

1. Jorge siempre va a ese mercado al aire libre.
2. Ellos tienen algunas verduras.
3. Ana siempre come langosta o cangrejo.
4. Pedro siempre va a ese restaurante y Eva también va.
5. Ella quiere hablar con alguien.
6. Vosotros tenéis algunas amigas españolas.
7. Paco siempre compra algo.
8. Ella nunca habla con nadie.

B. Entrevista a tu compañero(a)

Interview a partner, using the following questions. The answers have to be in the negative.

1. ¿Vas al mercado por la mañana a veces?
2. En el mercado, ¿siempre compras mariscos?
3. ¿Siempre llevas dinero contigo?
4. ¿Necesitas comprar algo en la panadería?
5. Yo nunca voy a la pescadería los domingos. ¿Y tú?
6. ¿Comes algunas frutas tropicales? ¿Cuáles?
7. ¿Alguien va contigo al mercado?
8. ¿Tú comes pan tostado o panqueques por la mañana?
9. ¿Algunas veces vas a un mercado al aire libre?
10. Yo como melocotones, ¿y tú?

C. Queremos saber ...

Working with a partner and using the Internet, find five local places where you can buy food. Look for at least two specialized shops and prepare five questions. Take turns to ask the questions. Answer some in the affirmative and others in the negative. Be creative!

- **MODELO:** *Compras pescado en* (supermarket name)*? No, nunca compro pescado en* (supermarket name).

D. Siempre ..., a veces ..., nunca ...

In groups of three, tell your classmates two things you always do, two things you sometimes do, and two things you never do.

5 *Hace ... que*

- To express how long something has been going on, Spanish uses the following formula.

Hace + *length of time* + **que** + *verb (in the present tense)*		
Hace dos años	**que**	vivo aquí.

I have been living here for two years.

—Oye, ¿dónde está Eva? — *"Listen, where is Eva?"*
—No sé. **Hace dos días que no viene** a clase. — *"I don't know.* ***She hasn't come*** *to class* ***for two days.****"*

- The following construction is used to ask how long something has been going on.

¿Cuánto tiempo hace que + *verb (present tense)*?[6]

—**¿Cuánto tiempo hace que ella trabaja** aquí? — ***"How long has she been working*** *here?"*
—**Hace una semana que trabaja** aquí. — ***"She has been working*** *here* ***for a week."***

[6]Note that English uses the present perfect progressive or the present perfect tense to express the same concept.

Práctica y conversación

A. ¿Cuánto tiempo hace?

In complete sentences, tell how long each action depicted below has been going on. Use **hace ... que** and the length of time specified.

1. ellos / veinte minutos / (bailar)

2. Elisa / tres años / esta calle / (vivir)

3. los amigos / una hora / (conversar)

4. Miguel / dos horas / (estudiar)

5. Julia / seis meses / (trabajar)

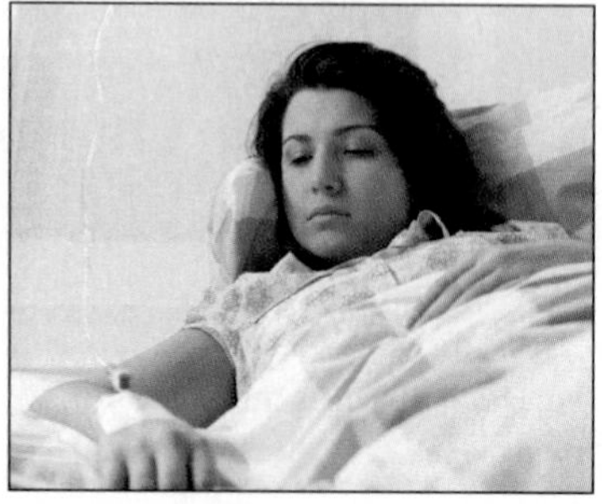

6. Hannah / cinco días / en el hospital / (estar)

B. Entrevista a tu compañero(a)

Interview one of your classmates and then report to the class.

1. ¿Cuánto tiempo hace que vives en esta ciudad?
2. ¿Cuánto tiempo hace que estudias en esta universidad?
3. ¿Cuánto tiempo hace que estudias español?
4. ¿Cuánto tiempo hace que no comes?
5. ¿Cuánto tiempo hace que no ves a tus abuelos?
6. ¿Cuánto tiempo hace que no hablas con tus padres?

7. ¿Cuánto tiempo hace que compras algo en línea?
8. ¿Cuánto tiempo hace que escribes un mensaje de texto?
9. ¿Cuánto tiempo hace que conduces?
10. ¿Cuánto tiempo hace que conoces a tu profesor(a)?

C. ¿Dónde están?

In groups of three or four, mention three or four friends and relatives that you haven't seen for a while.

- **MODELO:** *Hace dos años que no veo a mi prima Eva.*

D. La familia Vargas

Working with a classmate, use your imagination to discuss what's happening in the photo below.

1. Esta es una reunión familiar para el cumpleaños del abuelo. ¿Qué miembros de la familia están en la foto?
2. ¿Qué están comiendo?
3. Los abuelos son los padres de la mamá de Luisito. ¿Cuánto tiempo hace que ellos viven con su hija?
4. ¿Quién prepara la comida y quién la sirve?
5. ¿Puedes describir dónde están comiendo? ¿A qué hora almuerzan?
6. Rubén es un estudiante universitario. ¿Cuándo vuelve a la universidad? ¿Cuánto tiempo hace que está en casa con su familia?

Blend Images/Jon Feingersh/Getty Images

Now, write a couple of sentences about the Vargas family, based on what you talked about with your classmate, trying to add more information about them.

Práctica y traducción

Review the vocabulary and grammatical concepts studied in **Lección 6**, as you translate the following sentences.

1. I have been studying Spanish for two months.
2. We have to go to the supermarket. We need meat, fruit, and detergent.
3. They can buy bread at the bakery.
4. Laura serves the fish. She prepares it with white wine.
5. They never eat strawberries, but they always buy pineapple.

ENTRE NOSOTROS

¡Conversemos!

Para conocernos mejor

Get to know your partner better by asking each other the following questions.

1. Generalmente, cuando almuerzas en la cafetería, ¿cuánto cuesta el almuerzo?
2. ¿Qué tipo de comida prefieres: italiana, china o mexicana?
3. ¿Qué prefieres: la ternera, la carne de cerdo o el pollo?
4. ¿Qué vegetales comes? ¿Cuáles no comes?
5. ¿Tú desayunas en tu casa o en la cafetería? ¿A qué hora desayunas?
6. Generalmente, ¿qué días vas al mercado? ¿Vas por la mañana?
7. Cuando das una fiesta, ¿qué bebidas sirves?
8. ¿Cuánto tiempo hace que no tienes vacaciones?
9. ¿Cenas con tus amigos? ¿Qué cenan?
10. ¿Tus padres te llaman por teléfono todos los días o te mandan mensajes de texto?

Búsqueda de gente

Interview your classmates to identify who fits the following descriptions. Include your instructor, but remember to use the **Ud.** form when addressing him or her.

NOMBRE	
1.	conoce a una pareja de recién casados.
2.	vive cerca de la universidad.
3.	tiene el día libre mañana.
4.	está muerto(a) de hambre.
5.	come cuatro vegetales y cuatro frutas al día.
6.	a veces va a la pescadería.
7.	sabe preparar espaguetis con albóndigas.
8.	es buen(a) cocinero(a).
9.	cocina mejor que su madre.
10.	no bebe ni vino ni cerveza.

Y ahora ...

Write a brief summary indicating what you have learned about your classmates.

¿Cómo lo decimos?

What would you say in the following situations? What might the other person say? Act out these scenes with a partner.

1. You are telling a friend that you need many things from the supermarket. Tell him or her what they are.
2. You are at an outdoor market in Managua and you need vegetables, fish, meat, and bread. You inquire about prices and so on.
3. You are telling someone what ingredients you need to make vegetable soup.
4. You tell someone what you serve to eat and to drink when you give a party.
5. You tell a friend what fruits you need to prepare a fruit salad **(ensalada de frutas)**.

¿Qué pasa aquí?

Working with classmates in groups of three or four, describe what you see in the picture. Create a story about the young man. Where is he? What is he buying? He is going to have a dinner party. Who will be there? What will they do? Make your story as interesting as possible and then share it with the rest of the class.

Ljupco/Getty Images

Para escribir

Un invitado importante

Imagine that next Saturday you are hosting a very important guest. Who is the guest? What are you going to do to prepare for the occasion? What housework do you have to do? What do you need to buy and prepare for dinner? What else are you going to do in honour of your guest's arrival?

ACTIVE LEARNING ACTIVITY

Your Shop

In groups, you will be asked to design a sign in Spanish for a specialty food shop. You should include the name of the store, a catchy phrase to entice customers to shop there, and the store's business hours. A logo showcasing the nature of the store should be included. You could start working in class, finish it outside class, and present it during the next session. After posting all the ideas, the class could vote with sticky notes for the most clear and visually engaging sign.

ASÍ SOMOS

Vamos a ver

Marisa en la cocina

ESTRATEGIA

Being aware of new vocabulary

Before you do the first activity with a classmate, be aware of all the glossed words used in the questions, as well as all vocabulary related to food. Read the **Avance** to see what the video is about, and try to anticipate what will happen.

Antes de ver el video

A. Preparación

Take turns with a partner asking and answering the following questions.

1. ¿Tú siempre comes lo mismo o preparas diferentes comidas?
2. ¿Cuál es tu comida favorita?
3. Cuando tú haces una ensalada, ¿usas lechuga? ¿Usas pepinos? ¿Usas cebolla?
4. ¿Qué es más sabroso: el brócoli o el pepino?
5. ¿Quieres comer papas, zanahorias o brócoli?
6. ¿Tú comes a veces guiso *(stew)* de carne con verduras?
7. ¿Tú comes tocino *(bacon)* con huevos a veces?
8. ¿Tú comes pizza frecuentemente?
9. Vamos a comer pizza. ¿Tú quieres una pizza de pepperoni o de verduras?
10. ¿Tú cocinas a veces? ¿Quién cocina mejor que tú?

El video

Avance

Marisa está preparando una cena para el cumpleaños de Pablo. No tiene los ingredientes necesarios para el guiso y usa otros, con el resultado que podemos imaginar.

Después de ver el video

B. ¿Quién lo dice?

Who said the following sentences? Take turns with a partner answering.

Teresa **Marisa** **Pablo**

1. Siempre comemos pizza, pero... yo sé que él cocina mejor que yo...
2. ¡¿Qué?! ¡No puedes cocinar la lechuga!
3. Necesito una cebolla... ¿Puedo usar un pepino?
4. ¡Tengo una idea! ¿Por qué no sirves mi comida favorita?
5. ¡Mmm! ¡Qué sabroso! ¿Qué es?
6. ¿Quieres probarlo? Fernando y Victoria van a estar aquí a las ocho...

C. ¿Qué pasa?

Take turns with a partner asking and answering the following questions. Base your answers on the video.

1. ¿Qué está haciendo Marisa?
2. ¿Hoy es el cumpleaños de Pablo o de Fernando?
3. ¿Qué usa Marisa en vez de *(instead of)* brócoli? ¿Qué usa en vez de carne?
4. ¿Cuánto tiempo tiene que cocinar el guiso?
5. ¿Cuánto tiempo hace que Marisa conoce a Pablo?
6. ¿Marisa cocina para Pablo a veces?
7. Según *(According to)* Teresa, ¿quién cocina mejor que Marisa?
8. ¿Qué tiene que hacer Teresa?
9. ¿Qué usa Marisa en vez de una cebolla?
10. ¿A qué hora van a estar Victoria y Fernando en el apartamento de Marisa?
11. ¿Cuál es la comida favorita de Pablo?
12. ¿Marisa pide una pizza mediana, grande o extra grande?

D. Más tarde

With a partner, use your imagination to say what Teresa, Marisa, Victoria, Fernando, and Pablo do the next day. Take turns asking and answering the following questions.

1. ¿Marisa hace guiso otra vez *(again)*?
2. ¿Marisa y Pablo desayunan juntos?
3. ¿Pablo invita a almorzar a Marisa?
4. Pablo prepara una ensalada. ¿Cuáles son los ingredientes?
5. ¿Pablo cocina para Marisa o llama por teléfono a la pizzería y pide una pizza?
6. ¿Teresa toma el examen o decide no tomarlo?
7. ¿Teresa trae un libro de recetas *(recipes)* para Marisa?
8. ¿Marisa celebra el cumpleaños de otro amigo?
9. Victoria y Fernando van a un restaurante a cenar. ¿Qué comen y qué beben?
10. Marisa va a dar una fiesta en su casa. ¿Qué va a servir?

EL MUNDO HISPÁNICO

COLOMBIA

INFORMACIÓN GENERAL:

Capital: Bogotá

Población: 49.320.844 de habitantes (2017)

Educación: 94,6% de alfabetización

Clima: Variado, de acuerdo a la zona

DATOS INTERESANTES:

Colombia es el séptimo *(seventh)* país más grande de América. Tiene costa en el océano Pacífico, y accede al océano Atlántico por el mar Caribe, donde tiene varias islas, como el archipiélago de San Andrés, entre otras. Tiene fronteras con diversos países: en el este con Venezuela y Brasil, al sur con Perú y Ecuador, y al noroeste con Panamá.

MEDIO AMBIENTE:

Colombia es un país con diversos climas debido *(due)* a las diferentes alturas de las zonas. Hay zonas calientes, zonas templadas y otras frías. La diversidad de climas produce una variedad grande de flora y fauna. La mayor diversidad se encuentra en las junglas lluviosas *(rainforests)* en la región Pacífica. Es importante saber que la acción de compañías extranjeras *(foreign companies)*, está afectando el medio ambiente debido a la extracción de petróleo *(petroleum extraction)* y minerales.

Stephane Bidouze/Shutterstock.com

Raíz de un árbol en la jungla lluviosa, en Colombia

COMUNIDADES INDÍGENAS:

Los grupos indígenas representan 3,4% de la población con 102 grupos diferentes. Una de las comunidades más importantes son los Wayuú (*Guajiros*, en español), con una población de 144.000 personas, aproximadamente. Viven al norte en Colombia. Su idioma es el Arawak.

Jason Rothe/Alamy Stock Photo

Mujer de la comunidad de Wayuú trabajando en manualidades

MÚSICA:

La música más popular es la Cumbia, la cual es común en otros países latinoamericanos. Al principio solo se usaban tambores y claves, pero con la influencia de las culturas indígenas se agregaron flautas *(flutes)* e instrumentos de percusión.

simonmayer/Getty Images

Clave de madera, instrumento esencial para la Cumbia

EDUCACIÓN:

Existen muchos desafíos en la educación en Colombia. 55% de los niños en las escuelas rurales *(rural schools)* abandonan *(quit)* los estudios antes de terminar.

COMIDA:

nehophoto/Shutterstock.com

Diferentes tipos de arepas

La diversidad cultural presente en la zona ha tenido influencia en la comida. La combinación de las comunidades indígenas y las influencias españolas y africanas crearon una gastronomía muy rica, como en todos los países latinoamericanos. Uno de los platos típicos es la arepa hecho a base de maíz seco. Hay más de 75 recetas de arepas en Colombia y el 73% de los habitantes las comen en el desayuno. Las arepas se pueden comer con diferentes rellenos *(stuffings)*.

LITERATURA:

Gabriel Garcia Marquez, Cien años de soledad (50 Aniversario) (New York: Penguin Random House).

Cien años de soledad

Uno de los escritores más importantes de Colombia fue Gabriel García Márquez —alias Gabo— (1927–2014). Escribió *(wrote)* novelas, cuentos, y era periodista y guionista *(screenwriter)* de cine. Se le considera uno de los mejores escritores del siglo XX. En 1972, recibe el Premio Internacional de Literatura Neustadt y en 1982 recibe el Premio Nobel de Literatura. En 1967, publica la novela *Cien años de soledad.* Esta obra fue traducida *(was translated)* a dieciséis lenguas y es considerada como una de las mejores novelas del siglo XX, de acuerdo a *Los Mejores Libros del Siglo,* por el periódico español *El Mundo.*

NICARAGUA

INFORMACIÓN GENERAL:

Capital: Managua

Población: 6.150.000 de habitantes (2016)

Educación: 78% de alfabetización

Clima: Tropical

MEDIO AMBIENTE:

Se conoce como la tierra de lagos y volcanes. Se puede navegar del mar Caribe al océano Pacífico a través de sus ríos y lagos. Su clima y geografía ofrecen una gran biodiversidad de flora y fauna. Tiene más de 70 sistemas ecológicos, lo que permite que se puedan practicar muchos deportes acuáticos, entre otras actividades.

Simon Dannhauer/Shutterstock.com

La isla de Ometepe en el lago Nicaragua

COMIDA:

Uno de los platos principales en Nicaragua es el gallo pinto que consiste en arroz y frijoles rojos. También tienen una gran variedad de frutas y vegetales frescos. Cuando tienes prisa, puedes comer tostones. Son deliciosos y muy fáciles de hacer: se cortan los plátanos en rodajas *(slices)* y se fríen en aceite. Luego se sacan del aceite, se aplastan y se vuelven a freír. Cuando están crocantes *(crunchy)*, se escurren *(drain)* y se les agrega sal.

Ildi Papp/Shutterstock.com

Un plato de tostones: deliciosos

COMUNIDADES INDÍGENAS:

Hay muchos grupos indígenas en diferentes partes del país. El 8,6% de la población se auto-identifica como residente de un grupo indígena o grupo étnico. De acuerdo al Censo del 2005, los grupos más numerosos son: "... los Miskitu (27,2%), Mestizos de la Costa Caribe (25,3%), ChorotegaNahua-Mange (10,4%), Creole (kriol) y Xiu-Sutiava (4,5% cada uno), Cacaopera-Matagalpa (3,4%), Nahoa-Nicarao (2,5%) y Mayangna-Sumu (2,2.%)."[1] Todas las expresiones culturales y costumbres tienen influencias de estos grupos.

MÚSICA:

La marimba es el instrumento nacional. Es un instrumento de percusión. Generalmente se toca acompañado de guitarras y su sonido es sensual e intenso.

Mike Flippo/Shutterstock.com

Una marimba hecha de madera

LITERATURA:

Gioconda Belli (1948–) es una de las grandes escritoras nicaragüenses. Belli escribe poemas y novelas y es, además, una activista comprometida con su patria. Ella ganó *(won)* muchos premios nacionales e internacionales por su escritura.

Agence Opale/Alamy Stock Photo

Gioconda Belli

[1]Source: http://www.inide.gob.ni/censos2005/resumencensal/resumen2.pdf

EL MUNDO HISPÁNICO

COSTA RICA

INFORMACIÓN GENERAL:

Capital: San José

Población: 4.930.000 de habitantes (2017, estimación)

Educación: 95% de alfabetización

Clima: Tropical

DATO INTERESANTE:

El 1° de diciembre de 1948 se abolieron *(abolished)* las fuerzas armadas en Costa Rica. Es un país muy tranquilo *(tranquil)* y seguro.

EDUCACIÓN:

La educación es gratis *(free)* y obligatoria *(mandatory)* para todos. El país invierte *(invest)* 30% del presupuesto *(budget)* nacional en educación. Dicen que en Costa Rica hay más maestros que policías.

MÚSICA:

Al igual que en Nicaragua, la marimba es un instrumento muy popular en Costa Rica. Hay también una gran variedad de música contemporánea. Debido a la influencia Afro-caribeña, el calipso es una música muy popular.

COMIDA:

Hay muchos platos típicos de acuerdo a la zona. Uno de ellos se llama casado. El casado consiste en frijoles, arroz con pimientos rojos, cebollas, plátanos fritos y una ensalada de repollo con tomate y zanahoria. A eso se le agrega carne de pollo, pescado, ternera o cerdo, con cebollas asadas.

Siepmann/imageBROKER/age Fotostock

Un plato de casado es muy sabroso.

MEDIO AMBIENTE:

gary yim/Shutterstock.com

Las Cataratas La Fortuna, Costa Rica

Costa Rica es un país pequeño, pero tiene 5% de toda la biodiversidad del mundo. 26% del país está compuesto de zonas de conservación y territorios protegidos *(protected territories).* Es parte de América Central y conecta América del Norte con América del Sur. En el norte tiene frontera con Nicaragua y en el sur con Panamá. El eco-turismo es muy popular. Tiene volcanes y cadenas montañosas *(mountain ranges).* Tiene playas *(beaches)* en el océano Atlántico y en el océano Pacífico, además de ríos, que son muy populares para personas con kayaks. Los bosques *(forests)* cubren 54% del territorio nacional.

COMUNIDADES INDÍGENAS:

Hay muchos grupos indígenas en Costa Rica, pero representan solamente 2,4% de la población total. Estos grupos tratan de mantener sus costumbres y sus lenguas. En el 2007, Costa Rica firmó *(signed)* la Declaración de las Naciones Unidas por los Derechos de la Población Indígena.

LITERATURA:

Uno de los escritores jóvenes de Costa Rica es Diego Delfino. Él es un comunicador, autor y periodista independiente. Entre otros proyectos, creó un medio para promover los temas del país en formato digital que fue el más leído en el 2016. Su primera novela se titula: *Mi novia se cayó en un pozo ciego* (2013).

Courtesy of Diego Delfino

Diego Delfino

PANAMÁ

INFORMACIÓN GENERAL:

Capital: Ciudad de Panamá

Población: 4.034.000 de habitantes (2016, estimación)

Educación: 95% de alfabetización

Clima: Tropical

MEDIO AMBIENTE:

La mayoría de los ríos en Panamá no son navegables, excepto el río Chagres que produce energía hidroeléctrica. En el valle del río Chagres, se construyó el lago Gatún, un lago artificial. En la zona del lago hay muchas clases de flora (900 especies de plantas) y fauna (mamíferos, aves, reptiles y anfibios)[2] que se han mantenido protegidas.

EDUCACIÓN:

Todos los niveles educativos son gratis en Panamá, para todos los habitantes.

MÚSICA:

La música es producto de las diferentes influencias culturales de todos los grupos que habitan en Panamá. Entre otras formas musicales, resaltan *(stand out)* la cumbia, la saloma panameña, el calipso, el punto y muchas más. Los instrumentos musicales son también producto de esta diversidad. Entre otros encontramos los tambores *(drums)* de cuña, la Mejoranera *(small guitar)* y el violín.

Paparazzi by Appointment/Alamy Stock Photo

Grupo musical tocando en las calles

DATOS INTERESANTES:

Marian Stoev/EyeEm/Getty Images

Una vista del Canal de Panamá

Panamá está en América Central, en el istmo que une América del Sur con América del Norte. Tiene frontera con Costa Rica en el oeste. En el sureste tiene frontera con Colombia. Al norte, tiene el mar Caribe y el océano Pacífico al sur. Una de las construcciones más importantes es el Canal de Panamá que es un lugar estratégico en la zona y gran fuente de ingresos *(income)*. El Canal de Panamá fue administrado por los Estados Unidos hasta 1999. Ahora, está controlado por Panamá. El país tiene montañas, volcanes y muchos ríos. Es uno de los mejores países de América Latina desde el punto de vista económico.

COMUNIDADES INDÍGENAS:

Hay siete culturas indígenas que contribuyen *(contribute)* a la diversidad cultural del país. Ellas son Ngöbe, Buglé, Guna, Emberá, Wounaan, Bribri y Naso. Han mantenido sus costumbres y tienen sus propios gobiernos locales con control autónomo, lo que ha contribuido a que puedan mantener sus costumbres.

SL-Photography/Shutterstock.com

La danza tradicional de congo en Portobello, Panamá

COMIDA:

La comida panameña también es fruto de la diversidad cultural del país. Se come mucho arroz y sopas. El sancocho es una de las sopas más populares donde se mezclan vegetales, carnes y agua. Estos platos se comen en otros países de la zona con variaciones.

GermanMosquera/Getty Images

Un sabroso plato de sancocho

LITERATURA:

Entre otros escritores famosos, Rogelio Sinán (1902–1994) se destaca por su variedad de géneros: cuentos, poesía, novelas y teatro, entre otros. Sinán fue reconocido con premios por sus obras a nivel nacional e internacional.

James Brunker/Alamy Stock Photo

Una placa de homenaje de los escritores panameños en la casa donde nació el escritor Rogelio Sinán

[2]Source: https://biota.wordpress.com/2007/08/22/diversidad-biologica-del-parque-nacional-chagres/

LECCIÓN 5

TOMA ESTE EXAMEN

LECCIÓN 5

A. Present progressive

Use the present progressive of the verbs **bailar**, **comer**, **dormir**, **leer**, and **servir** to complete the following sentences. Use each verb once.

1. Nosotros ________________ café.
2. Yo ________________ un libro.
3. Fernando ________________ en la fiesta.
4. ¿Qué ________________ (tú)? ¿Pollo?
5. Carlos ________________ en su cuarto.

B. Uses of *ser* and *estar*

Complete each sentence, using the present indicative of **ser** or **estar**.

1. Paco ________________ de Madrid, pero ahora ________________ en Panamá.
2. Gabriela ________________ estudiando italiano. ________________ una chica muy inteligente.
3. Las mesas ________________ de metal.
4. ¡Tú ________________ muy bonita hoy!
5. La fiesta ________________ en el club "Los Violines".
6. Alina ________________ la novia de Marcos.
7. Nosotros ________________ muy cansados.
8. ________________ las cinco de la tarde.
9. Los chicos ________________ de Costa Rica.
10. Las frutas ________________ muy sabrosas hoy.

C. Stem-changing verbs: *e* > *ie*

Complete each sentence with the Spanish equivalent of the verb in parentheses.

1. —¿Tú ________________ pollo o pescado? *(prefer)*
   —Ana ________________ bistec. *(wants)*
2. Las clases ________________ a las seis y terminan a las nueve. *(start)*
3. Nosotros ________________ estudiar esta noche. *(plan)*
4. Ellos ________________ comer aquí. *(prefer)*
5. Ana y yo ________________ venir mañana. *(want)*
6. Yo no ________________ este menú; está en inglés. *(understand)*
7. Vosotros ________________ las ventanas. *(close)*
8. Mañana tú ________________ un trabajo nuevo. *(start)*

D. Comparative and superlative adjectives, adverbs, and nouns

Complete these sentences with the Spanish equivalent of the words in parentheses.

1. Mi abuelo es ________________ yo. *(much older than)*
2. Mi primo no es ________________ mi tío. *(as tall as)*
3. Elsa es ________________ la familia. *(the most intelligent in)*
4. Yo no bailo ________________ tú. *(as well as)*
5. Este hotel es ________________ la ciudad. *(the best in)*
6. Clara es ________________ su hermana. *(much prettier than)*

E. Pronouns as objects of prepositions

Complete each sentence with the Spanish equivalent of the words in parentheses.

1. —¿Tú vienes ________________, Paquito? *(with me)*
   —No, no voy ________________, Anita. Voy ________________. *(with you / with them)*
2. —¿Los camarones son ________________, Tito? *(for you)*
   —No, no son ________________; son ________________. *(for me / for her)*

F. Vocabulary

Complete the following sentences, using vocabulary from **Lección 5**.

1. Voy a ________________ la cuenta y a dejar una buena ________________.
2. Julio quiere ________________ de cebolla y un ________________ de camarones.
3. Ellos quieren pan ________________ con ________________ y ________________.
4. Yo prefiero el pollo ________________, no a la parrilla.
5. La ________________ de la casa es el cordero.
6. De postre quiero ________________ de vainilla.
7. Deseamos ________________ de papas y ________________ de tomates.
8. Rubén no come carne porque es ________________.
9. Para desayunar quiero huevos con ________________.
10. ¿Qué deseas comer, una ________________ o un perro ________________?

G. Translation

Express the following in Spanish.

1. Who is more intelligent than Beto?
2. Are you going to the party with me or with Andrea?
3. I prefer to eat fruits and vegetables.
4. The soup at the cafeteria is very tasty today.
5. Carlos Alberto is over twenty years old.

LECCIÓN 6

LECCIÓN 6

A. Stem-changing verbs: *o > ue*

Complete each sentence, using one of the following verbs: **costar**, **dormir**, **encontrar**, **poder** (use twice), **recordar**, **volver**.

1. Yo no ____________________ el número de teléfono de Raúl.
2. Jorge ____________________ a casa a las cinco.
3. ¿Cuánto ____________________ las chuletas?
4. ¿En qué ____________________ (yo) servirle?
5. Nosotros no ____________________ el dinero. ¿Dónde está?
6. Claudia y yo no ____________________ ir a la pescadería hoy.
7. Él ____________________ en su cuarto.

B. Stem-changing verbs: *e > i*

Complete these sentences, using the present indicative of the following verbs: **conseguir**, **decir**, **pedir**, **servir**. Use each verb twice.

1. Ellos ____________________ trabajo en el hotel.
2. Nosotros ____________________ ensalada y sándwiches en la fiesta.
3. ¿Dónde ____________________ tú fresas?
4. Él ____________________ que está cansado.
5. Ella me ____________________ una taza de café.
6. Yo ____________________ que van al mercado.
7. Mi esposo y yo siempre ____________________ vino cuando comemos en ese restaurante.
8. ¿Dónde ____________________ Ud. las postales *(postcards)* de México?

C. Direct object pronouns

Answer the following questions in the negative, replacing the italicized words with direct object pronouns.

1. ¿Vas a leer *estos libros*?
2. ¿Él *me* conoce? *(Use the **Ud.** form.)*
3. ¿*Te* llevan ellos al mercado?
4. ¿Ella *me* llama mañana? *(Use the **tú** form.)*
5. ¿Necesitas *el detergente*?
6. ¿Tienes *la fruta* aquí?
7. ¿Ellos *los* conocen a Uds.?
8. ¿Uds. consiguen *buenas frutas* en el supermercado?

D. Affirmative and negative expressions

Rewrite the following sentences, changing the negative expressions to the affirmative.

1. No tengo nada aquí.
2. ¿No quiere nada más?
3. Nunca vamos al supermercado.
4. No quiero ni la pluma roja ni la pluma verde.
5. Nunca llamo a nadie.

E. *Hace ... que*

Write the following sentences in Spanish.

1. I have been living in Honduras for five years.
2. How long have you been studying Spanish, Mr. Smith?
3. They have been writing for two hours.
4. She hasn't eaten for two days.

F. Vocabulary

Complete the following sentences, using vocabulary from **Lección 6**.

1. Yo le pongo ____________________ al café.
2. Ellos no quieren ____________________ de cerdo.
3. Va a comprar el pan en la ____________________.
4. En mi casa ____________________ a las doce.
5. ¿A qué hora ____________________ Uds. a su casa?
6. Ellos están ____________________ de hambre.
7. Ana y Jorge son ____________________ casados.
8. Ellos viven ____________________ de la universidad.
9. El ____________________ y la ____________________ son mariscos.
10. Necesito una ____________________ de huevos y ____________________ de tomate para los espaguetis.

G. Translation

Express the following in Spanish.

1. At the market we buy celery, carrots, and cucumbers.
2. I'm starving! At what time do they serve lunch?
3. Hugo asks for pork chops. He wants them with spaghetti.
4. She never speaks to anyone.
5. —How long have you been living here?
   —I've been living here for four years.
6. They can come to the party on Friday.
7. I have a very good recipe for the mixed salad.
8. Mr. Vega is a cook. He works at a famous restaurant.

UNIDAD 4

PARA DIVERTIRSE

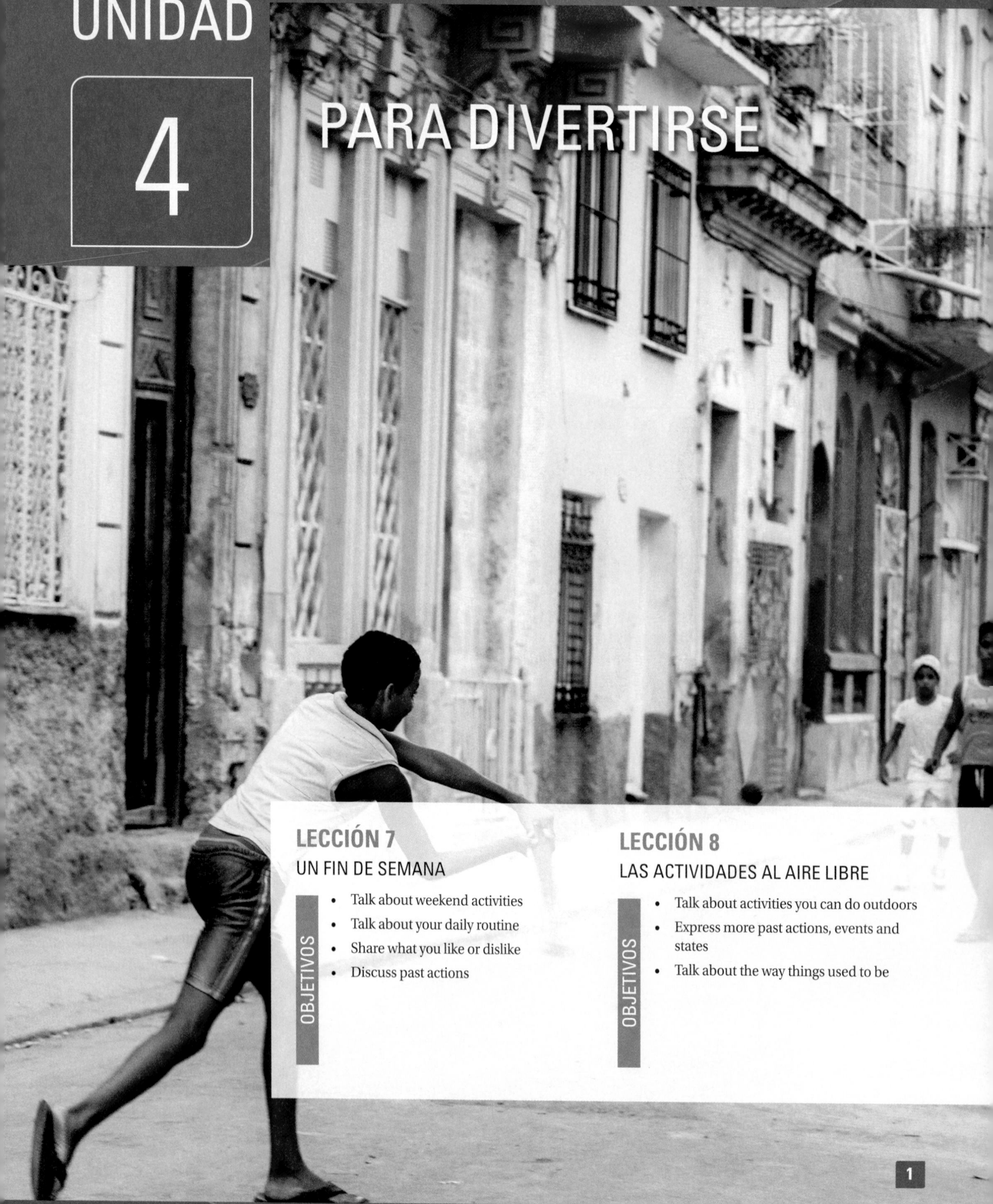

LECCIÓN 7

UN FIN DE SEMANA

OBJETIVOS

- Talk about weekend activities
- Talk about your daily routine
- Share what you like or dislike
- Discuss past actions

LECCIÓN 8

LAS ACTIVIDADES AL AIRE LIBRE

OBJETIVOS

- Talk about activities you can do outdoors
- Express more past actions, events and states
- Talk about the way things used to be

Stefano Ember/Shutterstock.com

Gabriel Ortiz/EyeEm/Getty Images

Nikada/Getty Images

Edson Vandeira/Getty Images

¿QUÉ HACES PARA DIVERTIRTE?

Los estudiantes en las universidades del mundo hispano participan en muchos de los deportes que son populares en Canadá. Por ejemplo, a muchos jóvenes les gusta nadar, hacer surf y acampar en el verano.

1. El béisbol es el deporte más popular en Cuba. Estos niños juegan en una calle de La Habana.

2. Estos jóvenes montan a caballo en una playa muy bonita de la República Dominicana.

3. Puerto Rico tiene muchas playas maravillosas, pero también hay cataratas (*waterfalls*) excepcionales para explorar.

4. Estos montañeros van al Roraima, una meseta muy alta en Venezuela. Está en el Parque Nacional Canaima.

LECCIÓN 7 UN FIN DE SEMANA

Juan-Carlos Herrera-Arango/THINKSTOCK

Carlos Aranda y su esposa Ester son cubanos, pero ahora viven en un apartamento grande y moderno en Santo Domingo. Tienen dos hijos: Olga, de diecinueve años, y Pablo, de diecisiete años.

Carlos y Ester se levantan temprano hoy porque tienen muchos planes para el fin de semana. Los chicos duermen hasta las diez porque anoche fueron a una fiesta de cumpleaños en la casa de sus primos y volvieron muy tarde.

Ester: ¿Vamos a ir al teatro con tus padres? ¿Compraste las entradas? Ellos nos invitaron la semana pasada.

Carlos: Tú sabes que a mí no me gusta ir al teatro; me gusta más el cine. Papá quiere ver la película que ponen en el cine Rex. Es una película extranjera muy interesante...

Ester: Bueno, voy a preguntarles si quieren cambiar sus planes, pero a tu mamá le gustan las comedias románticas.

Carlos: ¡Ah! Teresa nos mandó la invitación para su boda. La recepción va a ser en el club Náutico. Tenemos que comprar un regalo. ¿Quieres ir de compras al centro conmigo?

Ester: Podemos ir un rato. ¿Ya se levantaron los chicos?

Carlos: Sí, están desayunando. Olga no está contenta porque no puede ir a patinar con sus amigos esta tarde.

Ester: Ella sabe que esta tarde tenemos que ir a visitar a la tía Marcela, que nos invitó a merendar.

Carlos: ¡Ay, pobre chica! Quiere divertirse con sus amigos, se va a aburrir con tu tía Marcela...

Ester: ¡Está bien! Le voy a decir que no tiene que ir con nosotros.

Olga y Pablo están hablando en la cocina.

Pablo: Yo voy a ir a nadar con Beto y René esta tarde y después vamos a ir a ver un partido de béisbol.

Olga: ¿No tienes que ir a la casa de la tía Marcela?

Pablo: No, papá me dio permiso para salir con mis amigos.

Olga: ¡Eso no es justo! Yo prefiero salir con mis amigos también. ¡Mamá!

Ester: *[Entra en la cocina.]* No tienes que ir con nosotros, Olga.

Olga: Esta noche, ¿puedo ir a bailar con María Inés y su hermano? Hay un club nocturno nuevo...

Ester: ¡Ajá! ¿El hermano...?

Olga: A los dos nos gusta bailar... eso es todo...

Ester: Bueno, pero tienes que volver antes de la medianoche.

Olga: ¡Les voy a decir que me tienen que traer a casa a las doce menos cinco!

Kaponia Aliaksei/Shutterstock.com

Patagonik Works/GETTY IMAGES

Hablemos

Sobre el diálogo

With a classmate, take turns asking and answering the following questions. Base your answers on the dialogues.

1. ¿De dónde son Carlos y Ester? ¿En qué ciudad viven ahora?
2. ¿Cuántos hijos tienen Carlos y Ester y cuántos años tienen?
3. ¿Por qué se levantan temprano hoy? ¿A qué hora se levantan los chicos?
4. ¿Qué les mandó Teresa? ¿Dónde es la recepción?
5. ¿Adónde tienen que ir esta tarde?
6. ¿Qué va a hacer Pablo por la tarde? ¿Y después?
7. ¿Por qué no tiene que ir Pablo a casa de su tía?
8. ¿Qué prefiere hacer Olga?
9. ¿Qué quiere hacer Olga esta noche? ¿Adónde quiere ir?
10. ¿A qué hora tiene que volver Olga a casa? ¿A qué hora la van a traer?

Entrevista a tu compañero(a)

Take turns asking and answering these questions.

1. ¿Prefieres ir al cine o al teatro?
2. ¿A qué hora regresas a tu casa cuando sales con tus amigos?
3. ¿Adónde vas con ellos?
4. ¿Qué actividades haces cuando no tienes clase?
5. Escalar una montaña, montar en bicicleta, esquiar o patinar, ¿cuál prefieres?
6. ¿Qué haces con tus amigos los fines de semana?
7. ¿Tus amigos y tú van a bailar los sábados por la noche?
8. ¿Hay clases de baile en tu universidad?

DETALLES CULTURALES

Las películas estadounidenses son muy populares en el mundo hispánico. Generalmente tienen subtítulos en español o están dobladas *(dubbed)*. Hay muchos actores hispanos conocidos por todo el mundo, entre ellos encontramos a Salma Hayek, Penélope Cruz, Gael García Bernal y Javier Bardem.

VOCABULARIO

COGNADOS

el béisbol
moderno(a)
el permiso
el plan
la recepción
el teatro
la visita

SUSTANTIVOS

el boleto, la entrada	*ticket (for an event)*
la cara	*face*
el centro	*downtown, the centre*
el corazón	*heart*
el dedo del pie	*toe*
el diente	*tooth*
la flor	*flower*
el florero	*vase*
la lengua	*tongue*
el/la médico(a)	*doctor*
el parque	*park*
el partido, el juego	*game*
la vez	*time, occasion*

VERBOS

aburrirse	*to be bored*
acostarse (o > ue)	*to go to bed*
afeitarse, rasurarse	*to shave*
bañarse	*to bathe*
cambiar	*to change*
cepillarse	*to brush*
despertarse (e > ie)	*to wake up*
divertirse (e > ie)	*to have a good time*
dormirse (o > ue)	*to fall asleep*
ducharse	*to shower*
encantarle (a uno)	*to love, to like very much*
entrar (en)	*to enter, to go in*
gustarle (a uno)	*to be pleasing (to someone)*
irse	*to leave, to go away*
lavarse	*to wash oneself*
levantarse	*to get up*
maquillarse	*to put on makeup*
merendar (e > ie)	*to have an afternoon snack*
nadar	*to swim*
patinar (sobre hielo)	*to (ice) skate*
ponerse	*to put on*
preguntar	*to ask (a question)*
probarse (o > ue)	*to try on*
quejarse	*to complain*
quitarse	*to take off*
romper	*to break (like a glass)*
romperse*	*to break (a bone, for example)*
sentarse (e > ie)	*to sit down*
sentirse (e > ie)	*to feel*
vestirse	*to get dressed*
visitar	*to visit*

ADJETIVOS

extranjero(a)	*foreign*
justo(a)	*fair*
pasado(a)	*last (in reference to point in time), past*
romántico(a)	*romantic*
último(a)	*last (in a series)*

OTRAS PALABRAS Y EXPRESIONES

anoche	*last night*
anteayer	*the day before yesterday*
ayer	*yesterday*
dolerle (a uno) (o > ue)	*to hurt*
el dolor de cabeza	*headache*
hasta	*until*
importarle (a uno)	*to matter (to someone)*
interesarle (a uno)	*to interest*
molestarle (a uno)	*to bother*
poner (pasar) una película*	*to show a movie*
temprano	*early*
la última vez	*the last time*

DE PAÍS A PAÍS

romperse quebrarse *(Méx.)*
poner una película dar (pasar) una película *(Ecuador, Cono Sur)*
montar en bicicleta andar en bicicleta *(Arg., Méx.)*

Amplía tu vocabulario

Para invitar a alguien a salir *(Asking someone out)*

Este fin de semana, ¿quieres...

- ir a un club nocturno?
- ir a un concierto?
- ir al museo?
- ir al parque?
- ir a la playa?
- ir de compras?
- tener un picnic?
- escalar una montaña?
- esquiar?[1]
- montar en bicicleta*?
- montar a caballo?
- dar una caminata?

Antonio Guillem/Shutterstock.com

Partes del cuerpo *(Parts of the body)*

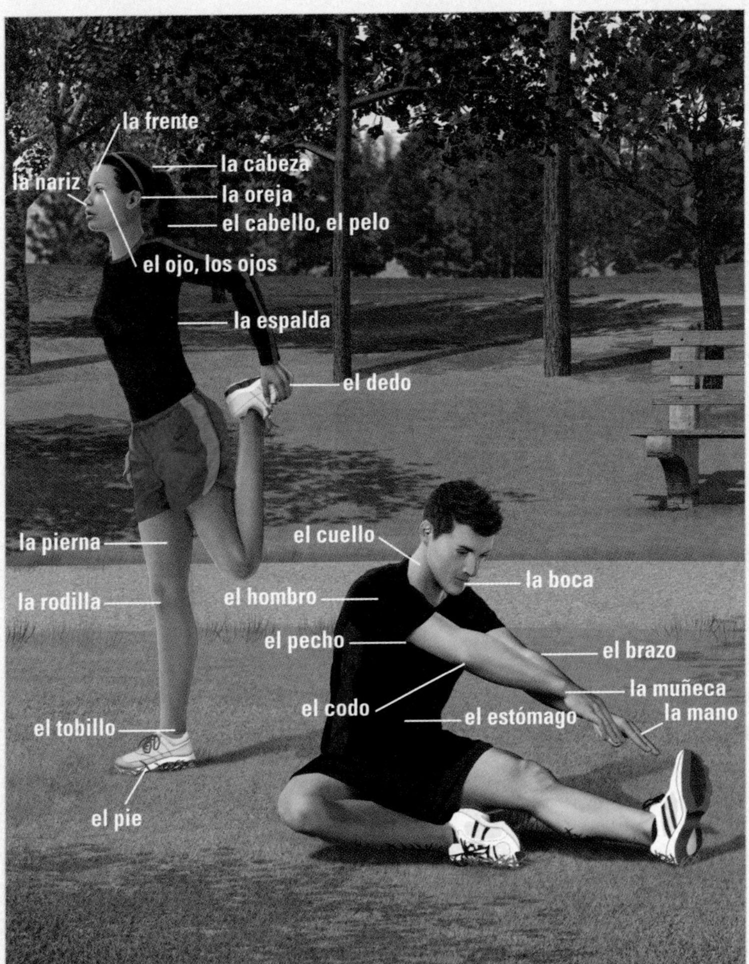

[1]Present indicative of the verb **esquiar: esquío, esquías, esquía, esquiamos, esquiáis, esquían.**

Para practicar el vocabulario

A. Preguntas y respuestas

Match the questions in column A with the answers in column B.

A

1. ¿Isabel es extranjera?
2. ¿Roberto va al club nocturno?
3. ¿Cuánto cuesta la entrada?
4. ¿Necesitas un florero?
5. ¿Quieren merendar esta tarde?
6. ¿Van a nadar?
7. ¿Puedes ir al centro conmigo?
8. ¿A qué hora abre el museo? ¿A las nueve?
9. ¿Estás enferma?
10. ¿Van al cine?

B

a. Cuesta veinte dólares.
b. No, no tenemos hambre.
c. Sí, lo necesito para las flores.
d. Abre tarde, a las once.
e. No puedo ir porque tengo que trabajar.
f. Sí, ponen una película romántica que queremos ver.
g. Sí, es de Cuba.
h. Sí, necesito ir al médico.
i. No, vamos a patinar.
j. Sí, desea bailar.

B. Todos se divierten

Complete the following statements about a great weekend with vocabulary from **Lección 7**.

1. Hoy ____________________ una buena película en el cine Victoria.
2. Los chicos van a ____________________ a caballo.
3. Sergio va a un ____________________ de béisbol.
4. Ana y sus amigos quieren ir a un ____________________ a bailar.
5. Tengo un ____________________ de cabeza.
6. Estoy invitada a la ____________________ de una boda.
7. Vamos a la playa porque queremos ____________________.
8. Vamos al ____________________ a ver *Romeo y Julieta.*
9. Voy a un ____________________ de música clásica.
10. Teresa y Armando van a ____________________ una montaña este fin de semana.

C. ¿Adónde vamos...?

Your friend has accepted your invitation. Where are you going to go? Begin your answers with **Vamos a ir...**

1. You want to sunbathe and swim.
2. You feel like climbing a mountain.
3. You want to go shopping.
4. You want to dance salsa.
5. You want to do a winter activity.
6. You want to see Picasso's paintings.
7. You want to have lunch and enjoy nature.
8. You want to hear some live music.
9. You want to ride your bicycle.
10. You want to go horseback riding.

D. ¿Quieres ir...?

With a partner, play the roles of two friends who cannot agree on where to go or what to do on the weekend. Give at least five examples.

- **MODELO:** —*¿Quieres ir al cine?*
  —*No, prefiero ir al teatro.*

E. ¿Qué sabes de anatomía?

Can you identify these parts of the body in Spanish?

Pronunciación

Las consonantes *l, r, rr*

A. Practise the Spanish **l** in the following words.

O**l**ga	abri**l**	ú**l**timo
mi**l**	Ánge**l**	béisbo**l**
Isabe**l**	ma**l**	vo**l**ver

B. Practise the Spanish **r** in the following words.

mode**r**no	teat**r**o	flo**r**e**r**o
prime**r**o	Pa**r**ís	cua**r**enta
pa**r**tido	favo**r**ito	de**r**echa

C. Practise the Spanish **rr** (spelled **r** both at the beginning of a word and after an **n**) in the following words.

recibir	bo**rr**ador	co**rr**er
En**r**ique	abu**rr**irse	**r**omper
recepción	piza**rr**a	**r**eírse

PUNTOS PARA RECORDAR

1 Reflexive constructions *(Construcciones reflexivas)*

- The reflexive construction (e.g., *I introduce myself.*) consists in Spanish of a reflexive pronoun and a verb.
- Reflexive pronouns refer to the same person as the subject of the sentence does.

Subjects	Reflexive Pronouns	
yo	**me**	*myself, to (for) myself*
tú	**te**	*yourself, to (for) yourself (fam.)*
nosotros(as)	**nos**	*ourselves, to (for) ourselves*
vosotros(as)	**os**	*yourselves, to (for) yourselves (fam.)*
Ud.	**se**	*yourself, to (for) yourself (form.)*
Uds.		*yourselves, to (for) yourselves (form., fam.)*
él		*himself, to (for) himself*
ella		*herself, to (for) herself*
		itself, to (for) itself
ellos, ellas		*themselves, to (for) themselves*

- The third-person singular and plural **se** is invariable, that is, it does not show gender or number.
- Any verb that can act upon the subject can be made reflexive in Spanish with the aid of a reflexive pronoun.

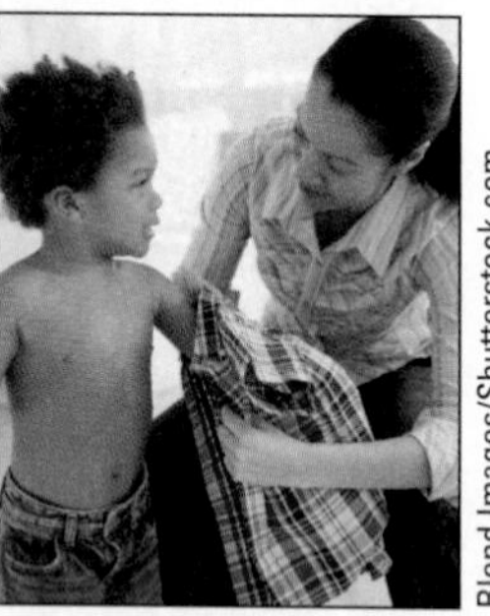

Blend Images/Shutterstock.com

La mamá viste a su hijo.
The mother dresses her son.

VGstockstudio/Shutterstock.com

El chico **se** viste.
The young man dresses (himself).

¡ATENCIÓN!

Reflexive pronouns are positioned in the sentence in the same manner as object pronouns.

vestirse (e > i) *(to dress oneself, to get dressed)*	
Yo **me visto**.	*I dress myself.*
Tú **te vistes**.	*You dress yourself. (fam.)*
Ud. **se viste**.	*You dress yourself. (form.)*
Él **se viste**.	*He dresses himself.*
Ella **se viste**.	*She dresses herself.*
Nosotros **nos vestimos**.	*We dress ourselves.*
Vosotros **os vestís**.	*You dress yourselves. (fam.)*
Uds. **se visten**.	*You dress yourselves. (form., fam.)*
Ellos **se visten**.	*They (masc.) dress themselves.*
Ellas **se visten**.	*They (fem.) dress themselves.*

Commonly Used Reflexive Verbs		
aburrirse	ducharse	quejarse
acostarse (o > ue)	irse	quitarse
afeitarse, rasurarse	lavarse	romperse
bañarse	levantarse	sentarse (e > ie)
cepillarse	llamarse	sentirse (e > ie)
despertarse (e > ie)	maquillarse	vestirse (e > i)
divertirse (e > ie)	ponerse	
dormirse (o > ue)	probarse (o > ue)	

¡ATENCIÓN!

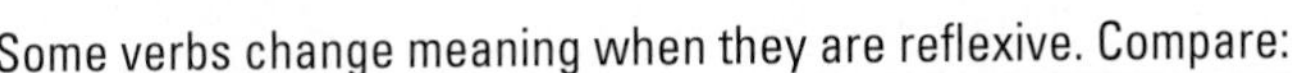

Some verbs change meaning when they are reflexive. Compare:

dormir *to sleep*
dormirse *to fall asleep*

ir *to go*
irse *to leave*

—¿A qué hora **se levantan** Uds.? — *"What time do you **get up**?"*
—Yo **me levanto** a las seis y Jorge **se levanta** a las ocho. — *"I **get up** at six o'clock and Jorge **gets up** at eight."*

—Yo **me acuesto** temprano. — *"I **go to bed** early."*
—Sí, pero tu hermana **se acuesta** muy tarde. — *"Yes, but your sister **goes to bed** very late."*

- With clothing or parts of the body you do not use a possessive adjective when using a reflexive verb.

Tú te pones **la** ropa. — *You put on **your** clothing.*
Nosotros nos lavamos **las** manos. — *We wash **our** hands.*

Práctica y conversación

A. El correo electrónico de Sara

Sara is writing to her friend. Fill in the reflexive pronouns that are missing in her e-mail.

Hola Emilia,

Todos los días yo _______ despierto temprano pero mi hermano no _______ levanta hasta más tarde. _______ vamos a la universidad a las nueve. Mis clases son por la mañana y por la tarde mis amigos y yo _______ divertimos porque tomamos un café juntos y hablamos del día. ¿Cómo _______ llama tu compañera de cuarto este año? ¿Uds. ________ sientan juntas en las clases? ¿Tú________ vas de la universidad en las vacaciones de primavera este año? Yo no ________ quejo porque mis clases son interesantes y mis amigos son fantásticos. Ya son las once y ________ tengo que acostar, mañana hay un examen en la clase de literatura. Todavía necesito duchar________. ¡Buenas noches!

Sara

B. Mi rutina diaria

With a classmate, talk about your daily routine keeping in mind the clues provided. Notice, not everything you mention about your routine requires a reflexive verb. Make sure you both comment on each point.

1. despertarse (a qué hora)
2. levantarse (a qué hora)
3. ducharse (cuánto tiempo)
4. irse de la casa (con quién)
5. almorzar (dónde y con quién)
6. estudiar (dónde y con quién)
7. volver a casa (cuándo)
8. cenar (qué preparas)
9. mirar la televisión (cuánto tiempo)
10. acostarse (a qué hora)

C. ¿Qué hacen?

Look at the photos below and say what they are doing using the reflexive verbs indicated. Try to add more than the verb by noting the time of day and/or the location where the action is taking place.

• **MODELO:**

Gustavo (afeitarse)...
Gustavo se afeita por la mañana.

1. Leticia (despertarse) ...

2. Tú (ducharse)...

3. Rosario (vestirse)...

4. Paquito (bañarse)...

5. Yo (lavarse)...

6. Nosotros (divertirse)...

7. Él (ponerse) la corbata (*tie*).

8. Ellas (maquillarse)...

D. ¿Con qué frecuencia...? *(How often ... ?)*

In groups of three or four, talk about how often you do the following things. Use **siempre**, **todos los días**, **nunca**, and **a veces**.

1. levantarse antes de las siete
2. despertarse muy tarde
3. bañarse por la noche
4. ponerse el pijama para dormir
5. lavarse las manos
6. quejarse de sus profesores

2 Indirect object pronouns

(Los pronombres usados como complemento indirecto)

FLASHBACK

Review direct object pronouns on page 145.

- In addition to a subject and direct object, a sentence can have an indirect object.

  Ella les da el **dinero a los muchachos**.
  S. V. D.O. I.O.

  What does she give? **(el dinero)**
  To whom does she give it? **(a los muchachos)**

  In this sentence, **ella** is the subject who performs the action, **el dinero** is the direct object, and **a los muchachos** is the indirect object, the final recipient of the action expressed by the verb.

- Indirect object nouns are, for the most part, preceded by the preposition **a**.
- An indirect object usually tells *to whom* or *for whom something is done*. Compare these sentences:

  Yo **lo** mando a México. (**lo:** *direct object*)
  *I'm sending **him** to Mexico.*

  Yo **le** mando dinero. (**le:** *indirect object*)
  *I'm sending **him** money. (I'm going to send money **to him**.)*

- An indirect object pronoun can be used with or in place of the indirect object. In Spanish, the indirect object pronoun includes the meaning *to* or *for*. The forms of the indirect object pronouns are shown in the following table.

Singular		Plural	
me	*(to / for) me*	**nos**	*(to / for) us*
te	*(to / for) you (fam.)*	**os**	*(to / for) you (fam.)*
le	*(to / for) you (form.)* *(to / for) him* *(to / for) her*	**les**	*(to / for) you (form., fam.)* *(to / for) them (masc., fem.)*

Inti St Clair/Getty Images

Sergio le envía un mensaje de texto a su novia. ¿Qué le dice de sus planes para el sábado? ¿Va a salir con ella? ¿La va a llamar por teléfono más tarde?

¡ATENCIÓN!

The indirect object pronouns **le** and **les** require clarification when the context does not specify the gender or the person to which they refer. Spanish provides clarification by using the preposition **a** + *pronoun* or *noun*.

- Indirect object pronouns have the same form as direct object pronouns, except in the third person.

- Indirect object pronouns are usually placed in front of the conjugated verb.

  Le damos una propina. — *We give **him** a tip.*

- When used with an infinitive or in the present progressive, however, the indirect object pronoun may either be placed in front of the conjugated verb or attached to the infinitive or the present participle.

  Le voy a escribir una carta.
  Or:
  Voy a escribir**le** una carta. — *I'm going to write **you** a letter.*

  Les estoy diciendo la hora.
  Or:
  Estoy diciéndo**les**[2] la hora. — *I'm telling **them** the time.*

  Le doy la información. — *I give the information ...*
  But: — *(to whom? to him? to her? to you?)*
  Le doy la información **a ella**. — *I give the information **to her**.*

FLASHBACK

Review pronouns as objects of prepositions. See page 130.

- The prepositional phrase provides clarification or emphasis; it is not, however, a substitute for the indirect object pronoun. Although the prepositional form can be omitted, the indirect object pronoun must always be used.

  —¿Qué vas a comprar**le** a tu hija? — *"What are you going to buy (for) your daughter?"*
  —**Le** voy a comprar flores. — *"I'm going to buy **her** flowers."*

Práctica y conversación

A. ¿Qué hacen todos?

Create sentences with the information given below.

- **MODELO:** Mamá / enviar / mensajes de texto / a mí
  Mamá me envía mensajes de texto a mí.

1. Eva / decir / "Hola" / a Gustavo
2. Nosotros / escribir / correos electrónicos / a ellos
3. Hugo / mandar / flores / a Susana
4. Yo / dar / las llaves / a ti
5. El camarero / servir / el postre / a vosotros
6. Tú / traer / las invitaciones / a Juan y a mí
7. La profesora / dar / un examen / a los estudiantes

---

[2]When an indirect object pronoun is attached to a present participle, an accent mark is added to maintain the correct stress.

8. Mis padres / dejar / una propina / a la camarera
9. Vosotros / conseguir / el trabajo / a mí
10. Yo / enviar / el mensaje de texto / a Uds.

B. Una carta a una amiga

Supply the missing indirect object pronouns in the following e-mail.

Querida Alicia,

¡Hola! (1) ______________________ escribo a ti de Cuba, un país maravilloso. Estoy aquí de vacaciones con mis amigos. Yo (2) ______________________ digo a ellos que no hay otro país como este. A mi amigo Juan, (3) ______________________ dieron música cubana y está muy contento. En un restaurante, (4) ______________________ sirvieron a nosotros comida típica, pollo con arroz y frijoles negros *(black beans)*. Por la noche fuimos a bailar y mis amigos (5) ______________________ compraron flores a mí porque mi cumpleaños es mañana. Yo sé que tú y tus padres piensan viajar a Cuba el año que viene. Yo (6) ______________________ voy a dar un libro a ti que compré sobre Cuba.

Un abrazo,

Rebecca

C. Entrevista a tu compañero(a)

Interview a partner, using the following questions.

1. ¿Tú les escribes mensajes de texto a tus amigos?
2. ¿A quién le das un regalo (*gift*) de cumpleaños?
3. ¿Quién te manda correos electrónicos?
4. ¿Quién te sirve café en un restaurante?
5. ¿Tus padres te dan dinero para comprar ropa?
6. ¿Tú vas a mandarle un regalo de cumpleaños a alguien? ¿A quién?
7. ¿Tus padres les hablan a ti y a tus hermanos en inglés o en español?
8. ¿Tú siempre les dices la verdad a tus padres?

D. ¿Qué hablan?

What languages do the people below speak to the people indicated?

alemán *(German)*	**francés**	**italiano**	**portugués**
español	**inglés**	**japonés**	**ruso** *(Russian)*

- **MODELO:** María del Pilar es mexicana. (a mí)
  María del Pilar me habla en español.

1. Boris es de Rusia. (a ti)
2. Giovanni es de Italia. (a ellos)
3. John es de Canadá. (a mí)
4. El Sr. Kurosawa es de Japón. (a ella)
5. Monique y Pierre son de Francia. (a nosotros)
6. Hans es de Alemania. (a Ud.)
7. João es de Brasil. (a él)
8. Rosa y José son de España. (a vosotros)

E. Regalos *(Gifts)*

With a partner, take turns saying what someone gives you as a present and what you give them. Give two examples.

- **MODELO:** *A mi mamá le compro entradas para un concierto.*
  Mi mamá me compra ropa.

¿Qué piensas tú que ella le da a él?

auremar/Shutterstock.com

RODEO Summary of the Pronouns *(Resumen de los pronombres)*

Subject	Reflexive	Indirect Object	Direct Object	Object of Prepositions
yo	**me**	**me**	**me**	**mí**
tú	**te**	**te**	**te**	**ti**
usted *(masc.)*	**se**	**le**	**lo**	**usted**
usted *(fem.)*			**la**	**usted**
él			**lo**	**él**
ella			**la**	**ella**
nosotros(as)	**nos**	**nos**	**nos**	**nosotros(as)**
vosotros(as)	**os**	**os**	**os**	**vosotros(as)**
ustedes *(masc.)*	**se**	**les**	**los**	**ustedes**
ustedes *(fem.)*			**las**	**ustedes**
ellos			**los**	**ellos**
ellas			**las**	**ellas**

Práctica

Queridos padres

Supply all the missing pronouns in the letter that Oscar wrote to his parents and read the letter out loud.

Queridos padres:

Yo (1) ______________ escribo a Uds.* para decir (2) ______________

que estoy bien y estoy trabajando mucho. Yo hablo mucho con mi amiga Eva.

(3) ______________________ está estudiando en la universidad y dice que quiere

conocer (4) ______________________ porque (5) ______________________

siempre (6) ______________________ hablo de (7) ______________________. Ella

(8) ______________________ va a invitar a una fiesta que ella da el viernes. Este fin

de semana quiero ir de compras. (9) ______________________ voy a levantar muy

temprano el sábado. Para (10) ______________________, papá, pienso comprar un reloj.

A (11) ______________________, mamá, (12) ______________________ voy a

comprar un vestido. Para (13) ______________________, pienso comprar un

par de zapatos para la fiesta de Eva. ¿Cómo está mi hermana? Hace mucho que no

(14) ______________________ llamo por teléfono ni (15) ______________________

escribo. ¡Ah! A (16) ______________________ (17) ______________________ quiero

comprar un libro. Bueno, ya son las seis y tengo que bañar (18) ______________________

y vestir (19) ______________________ para ir a la casa de mis amigos. Vamos a estudiar

juntos. (20) ______________________ quiero mucho.

Un abrazo, (*A hug*)

Oscar

* How would this letter change if Oscar was from Spain and the prepositional phrase was **a vosotros?**

3 The verb *gustar* (*El verbo* gustar)

- The verb **gustar** literally means *to be pleasing*. A special construction is required in Spanish to translate the English idea of *to like*. Note that the equivalent of the English direct object becomes the subject of the Spanish sentence. The English subject then becomes the indirect object of the Spanish sentence.

Me gusta **tu *casa*.**		***I** like **your house.***	
I.O.	**S.**	**S.**	**D.O.**
		Your house** is pleasing **to me.	
		S.	**I.O.**

- **Gustar** is *always* used with an indirect object pronoun—in this example, **me**.

- The two most commonly used forms of **gustar** are the third-person singular, **gusta**, if the subject is singular or if the verb is followed by one or more infinitives, and the third-person plural, **gustan**, if the subject is plural.

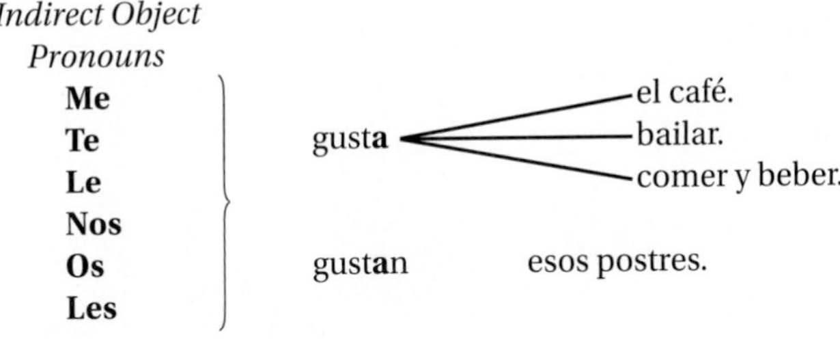

- Note that **gustar** agrees in number with the *subject* of the sentence, that is, the person or thing being liked. Also, when the subject is a general noun, a definite article must be used.

Te gusta **el chocolate**. Me gustan **las manzanas**.	***Chocolate is** pleasing to you.* ***Apples are** pleasing to me.*

- The person who does the liking is the indirect object.

Me gustan las flores.	*Flowers are pleasing **to me.***
—¿**Te** gusta esta bicicleta roja? —No, no **me** gustan las bicicletas rojas.	*"Do **you** like this red bicycle?"* *"No, **I** don't like red bikes."*
—¿**Les** gusta el francés a Uds.? —Sí, **nos** gusta mucho el francés, pero **nos** gusta más el español.	*"Do **you** like French?"* *"Yes, **we** like French very much, but **we** like Spanish better."*

> **¡ATENCIÓN!**
>
> Note that the words **más** and **mucho** immediately follow ***gustar.***

> **DETALLES CULTURALES**
>
> 
>
> En los países hispanos los deportes son muy populares, pero varían de acuerdo al país. En la República Dominicana y en Cuba les gusta mucho el béisbol, pero en Argentina, España y Uruguay, entre otros, prefieren el fútbol.

- The preposition **a** + *a noun* or *pronoun* is used to clarify meaning or to emphasize the indirect object.

A Aurora le gusta esa panadería, pero **a mí** no me gusta.	***Aurora** likes that bakery, but **I** don't like it.*
A Beto y **a María** les gusta ese restaurante.	***Beto** and **Mary** like that restaurant.*

- If the thing liked is an action, the second verb is an infinitive. If more than one infinitive is used as the subject, the singular form of **gustar** is still used.

Me gusta patinar. **Te gusta** esquiar y nadar.	***I like** to skate.* ***You like** to ski and swim.*

- Other verbs that work like **gustar** are: **doler** (*to hurt*), **encantar** (*to love*), **importar** (*to be important*), **interesar** (*to be of interest*) and **molestar** (*to bother*):

Me duele el estómago. A Alberto **le duelen** las piernas después de correr.	*My stomach **hurts**. (My stomach is painful to me.)* *Alberto's legs hurt after running.*
Nos interesa mucho el teatro.	*Theatre **is** very **interesting to us**.*
Te molesta levantarte temprano.	*Getting up early **bothers you**.*

Práctica y conversación

A. ¿Qué les gusta?

Create sentences with the information given to say what pleases everyone.

- **MODELO:** esa película / a mí

  Me gusta esa película a mí.

1. esos floreros / a nosotros
2. viajar a Venezuela / a ti
3. patinar y esquiar / a mí

4. a ella / Cuba
5. a él / no / montar a caballo
6. a Uds. / más / los museos
7. a ella / ese club nocturno
8. a mí / mucho / los restaurantes mexicanos
9. a vosotros / no / la música jazz
10. los picnics / mucho / a mi mamá

B. Preferencias...

Look at the pictures below and say what the people like and don't like to do.

- **MODELO:**  leer (a Nick)
  A Nick le gusta leer.

1. patinar sobre hielo (a nosotras)

2. las flores (a mí)

3. el café (a ti)

4. las frutas (a vosotros)

5. el pan tostado (a ella)

6. el cine (a mis amigos)

C. Los sábados

With a partner, talk about what you, your parents, and your friends like and don't like to do on Saturdays.

- **MODELO:** A mi papá...
  A mi papá le gusta leer. No le gusta trabajar.

1. A mí...
2. A mi mamá...
3. A mi papá...
4. A nosotros...
5. A mis amigos...
6. A mi mejor amigo(a)...

D. Entrevista a tu compañero(a)

Interview a classmate, asking him or her the following questions.

1. ¿Qué te gusta hacer los fines de semana?
2. ¿Te duele la cabeza hoy?
3. Cuando estás estudiando, ¿qué te molesta?
4. ¿Te interesa la historia?
5. ¿Qué les encanta hacer a tus amigos?
6. Para ti, ¿es importante hablar más de un idioma? ¿Por qué?
7. ¿A ti y a tus amigos les gusta más ir de compras o escalar montañas?
8. Cuando te duele la cabeza, ¿qué haces?

E. Queremos saber

Ask a classmate to tell you a few things she/he likes or doesn't like to do. Then say one sentence each using the words: **importar**, **interesar**, **molestar**, **encantar**, and **doler**.

4 Preterite of regular verbs

(El pretérito de los verbos regulares)

- Spanish has two simple past tenses: the preterite and the imperfect. (The imperfect will be presented in **Lección 8**.) The preterite of regular verbs is formed as follows. Note that the endings for **-er** and **-ir** verbs are identical.

-ar verbs **tomar** *(to take)*	**-er** verbs **comer** *(to eat)*	**-ir** verbs **escribir** *(to write)*
tom**é**	com**í**	escrib**í**
tom**aste**	com**iste**	escrib**iste**
tom**ó**	com**ió**	escrib**ió**
tom**amos**	com**imos**	escrib**imos**
tom**asteis**	com**isteis**	escrib**isteis**
tom**aron**	com**ieron**	escrib**ieron**

yo **tomé**	*I **took**; I **did take***
Ud. **comió**	*you **ate**; you **did eat***
ellos **decidieron**	*they **decided**; they **did decide***

- Verbs ending in **-ar** and **-er** that are stem-changing in the present indicative are regular in the preterite.

encontrar	tú enc**ue**ntras	tú enc**o**ntraste
volver	yo v**ue**lvo	yo v**o**lví
cerrar	yo c**ie**rro	yo c**e**rré

- Verbs ending in **-gar**, **-car**, and **-zar** change **g** to **gu**, **c** to **qu**, and **z** to **c** before **é** in the first person of the preterite.

pagar → **pa*gu*é** **buscar** → **bus*qu*é** **empezar** → **empe*c*é**

- Verbs whose stem ends in a strong vowel **(a, e, o)** change the unaccented **i** of the preterite ending to **y** in the third-person singular and plural of the preterite.

leer[3] → **leyó** **leyeron**

- The preterite tense refers to actions or events that the speaker views as completed in the past.

—¿Qué **compraste** ayer? —**Compré** un florero.	*"What **did you buy** yesterday?"* *"**I bought** a vase."*
—¿Qué **comieron** Uds.? —**Comimos** ensalada.	*"What **did you eat**?"* *"**We ate** salad."*
—¿A qué hora **volvió** usted? —Yo **volví** a las seis.	*"What time **did you return**?"* *"I **returned** at six."*
—¿A qué hora **llegaste**? —**Llegué** a las siete.	*"What time **did you arrive?"*** *"**I arrived** at seven."*
—¿**Encontraste** el dinero? —No lo **busqué**.	*"**Did you find** the money?"* *"**I didn't look for** it."*

¡ATENCIÓN!

Note that Spanish has no equivalent for the English *did* used as an auxiliary verb in questions and negative sentences.

Práctica y conversación

A. Minidiálogos

Complete the following dialogues, using the correct preterite forms of the verbs in parentheses.

1. —¿A qué hora ____________ (volver) Uds. ayer?
   —Yo ____________ (volver) a las siete y Mario ____________ (volver) a las nueve. ¿A qué hora ____________ (volver) tú?
2. —____________ (Leer) Ud. este libro, Sr. Vega?
   —Sí, lo ____________ (leer) ayer.
   —¿Ud. lo ____________ (sacar) de la biblioteca o lo ____________ (comprar)?
   —Lo ____________ (sacar) de la biblioteca.
3. —¿Cuándo ____________ (empezar) a trabajar tú?
   —____________ (Empezar) la semana pasada.
   —¿En qué mes ____________ (llegar) tú aquí?
   —____________ (Llegar) en noviembre del año pasado.
4. —¿Con quién ____________ (hablar) vosotras?
   —Yo ____________ (hablar) con mi tía y Ramiro ____________ (hablar) con su abuela.

[3]Preterite of the verb **leer**: **leí, leíste, leyó, leímos, leísteis, leyeron**.

B. Ayer...

Read what the following people typically do. Then complete each sentence using the verb from the first part to say how they varied from their normal routines yesterday.

- **MODELO:** Uds. siempre toman café, pero ayer...
  Uds. siempre toman café, pero ayer tomaron agua.

1. Yo siempre hablo con mis padres, pero ayer...
2. Uds. siempre escriben en inglés, pero ayer...
3. Tú siempre estudias por la mañana, pero ayer...
4. Alberto siempre bebe jugo, pero ayer...
5. Los chicos siempre caminan en el parque, pero ayer...
6. Nosotros siempre comemos en la cafetería, pero ayer...
7. Adela siempre sale con su novio, pero ayer...
8. Vosotros siempre volvéis a las seis, pero ayer...
9. Yo siempre llego a la universidad a las ocho, pero ayer...
10. Yo siempre empiezo a trabajar a las tres, pero ayer...

C. Entrevista a tu compañero(a)

Interview a classmate about his or her activities yesterday, using the following questions. Be sure to pay attention to any reflexive verbs and pronouns.

1. ¿A qué hora te despertaste ayer?
2. ¿Qué desayunaste?
3. ¿Cuándo saliste de tu casa?
4. ¿Llegaste a la universidad temprano?
5. ¿Cuántas horas estudiaste?
6. ¿Almorzaste en la cafetería o en tu casa?
7. ¿A qué hora volviste a casa?
8. ¿Escribiste muchos mensajes de texto ayer? ¿A quién le escribiste?
9. Por la noche, ¿leíste el libro de español?
10. ¿Te dormiste antes de la medianoche?

5 Preterite of *ser, ir, dar,* and *ver*

(El pretérito de ser, ir, dar *y* ver*)*

The preterites of **ser**, **ir**, **dar**, and **ver** are irregular.

ser *(to be)*	**ir** *(to go)*	**dar** *(to give)*	**ver** *(to see)*
fui	**fui**	**di**	**vi**
fuiste	**fuiste**	**diste**	**viste**
fue	**fue**	**dio**	**vio**
fuimos	**fuimos**	**dimos**	**vimos**
fuisteis	**fuisteis**	**disteis**	**visteis**
fueron	**fueron**	**dieron**	**vieron**

¡ATENCIÓN!

Note that **ser** and **ir** have identical preterite forms; however, there is no confusion as to meaning, because the context clarifies it.

—¿**Fuiste** al centro ayer? — *"**Did you go** downtown yesterday?"*
—Sí, **fui** para comprar ropa. Papá me **dio** el dinero. — *"Yes, **I went** to buy clothes. Dad **gave** me the money."*

—¿Quién **fue** tu profesor de español? — *"Who **was** your Spanish professor?"*
—El Dr. Vega. Lo **vi** ayer en la universidad. — *"Dr. Vega. I **saw** him yesterday at the university."*

Práctica y conversación

A. Minidiálogos

Complete the following dialogues, using the preterite of **ser**, **ir**, **dar**, or **ver**.

1. —¿Con quién ________________ tú al cine?
   —________________ con mis amigos.
   —¿________________ (Uds.) por la mañana o por la tarde?
   —________________ por la tarde.
   —¿Qué película vieron?
   —____________una película con Javier Bardem.
2. —¿Cuánto dinero ________________ Uds. para la fiesta?
   —Yo ________________ 10 dólares y Carlos ________________ 5 dólares.
   —¿Luisa ________________ a la fiesta con Roberto?
   —No, ella y Marisol ________________ con Juan Carlos al cine.
3. —¿Quién ________________ el profesor de literatura de Uds. en la universidad el año pasado?
   —________________ el Dr. Rivas.
   —¿Uds. no ________________ estudiantes de la Dra. Torres?
   —No, no ________________ estudiantes de ella.

B. Entrevista a tu compañero(a)

Interview a partner, using the following questions.

1. ¿Quién fue tu profesor(a) favorito(a) el año pasado?
2. ¿Fuiste a la biblioteca ayer? ¿A qué hora?
3. ¿Viste un programa interesante en la televisión el fin de semana pasado?
4. ¿Tus amigos fueron de compras el sábado?
5. ¿Cuándo diste una fiesta?
6. ¿Qué le diste a tu mejor amigo(a) para su cumpleaños?
7. ¿Fueron tú y tus amigos al cine el sábado pasado? ¿Qué película vieron?
8. ¿Fuiste de vacaciones el verano pasado? ¿Adónde fuiste?

Izabela Habur/Getty Images

C. Queremos saber...

Prepare five questions to ask a classmate about his or her leisure activities. Use the preterite of **ser**, **ir**, **dar**, and **ver**.

Práctica y traducción

Review the vocabulary and grammatical concepts studied in **Lección 7**, as you translate the following sentences.

1. Elena gets up at seven o'clock in the morning and she takes a shower.
2. Esteban likes going to baseball games with his friends.
3. The students visited the museum yesterday.
4. I ran in the park with Teresa yesterday and today my legs hurt.
5. We gave our parents tickets for (*para*) a concert. They love the theatre, too.
6. Miss Salinas washes her face before going to bed.

ENTRE NOSOTROS

¡Conversemos!

Para conocernos mejor

Get to know your partner better by asking each other the following questions.

1. ¿Te gusta levantarte temprano? ¿A qué hora te levantaste hoy?
2. ¿A qué hora te acostaste anoche?
3. ¿Qué te gusta hacer los fines de semana? ¿Qué no te gusta hacer?
4. ¿Qué actividades piensas hacer este fin de semana?
5. Si te invitan a un concierto de música clásica, ¿tú vas?
6. ¿Te gusta más patinar o esquiar?
7. ¿Adónde fuiste el sábado pasado? ¿Con quién fuiste?
8. ¿Le escribiste a alguien? ¿A quién?
9. ¿Cuándo fue la última vez que tus padres te dieron dinero?
10. ¿Cuál fue tu clase favorita este año? ¿Por qué te gustó?

Búsqueda de gente

Interview your classmates to identify who fits the following descriptions. Include your instructor, but remember to use the **Ud.** form when addressing him or her.

NOMBRE	
1.	dio una fiesta el mes pasado.
2.	fue a esquiar el año pasado.
3.	va al cine todos los fines de semana.
4.	se rompió el brazo una vez.
5.	va a la playa frecuentemente.
6.	fue de picnic con sus amigos en el verano.
7.	sabe montar a caballo.
8.	le gusta escalar montañas.
9.	se queja de sus profesores a veces.
10.	se despierta muy temprano.

Y ahora...

Write a brief summary, indicating what you have learned about your classmates.

¿Cómo lo decimos?

What would you say in the following situations? What might the other person say? Act out these scenes with a partner.

1. You ask a friend three questions about his or her daily routine.
2. While leaving a movie theatre, you see a friend. Ask him what movie he saw and whether he liked it.
3. You and a friend are making plans for the weekend and are discussing activities that you like.

¿Qué pasa aquí?

The people in this photo are friends trying to plan a weekend. Two of them are making different suggestions and the third one rejects them all. In groups of three, indicate who they are and what they are saying. Say what happens at the end.

ImageSource/Age fotostock

Para escribir

Un día típico

Write a composition of two paragraphs. In the first, describe a typical day in your life: what time you get up, what you generally eat, where you go, what you do, and so on. In the second paragraph, compare your normal routine with what you did last year at this time. Were there any differences? Explain why.

UN DICHO

Todo tiempo pasado fue mejor.

Is there an English equivalent to this saying? Do we all tend to see the past as better? Can you memorize the saying?

David Sutherland/Alamy

Este coche de los años 50 es típico en Cuba. Aquí, también podemos ver parte del Gran Teatro de La Habana y el Capitolio.

ASÍ SOMOS

Vamos a escuchar

A. Planes

You will hear a conversation between Mirta and Rafael, who are planning what they are going to do this weekend. Pay close attention to what they say. You will then hear ten statements about what you have heard. Indicate whether each statement is true **(V)** or false **(F)**.

1. ☐ V ☐ F
2. ☐ V ☐ F
3. ☐ V ☐ F
4. ☐ V ☐ F
5. ☐ V ☐ F
6. ☐ V ☐ F
7. ☐ V ☐ F
8. ☐ V ☐ F
9. ☐ V ☐ F
10. ☐ V ☐ F

Vamos a leer

ESTRATEGIA

El blog de Andrés

Most blogs are written in a way that reflects the experience of the writer. Before reading the blog, keep in mind the vocabulary and grammar structures from this lesson. Looking at the pictures, do they give you an idea of what this reading is about? Read the blog first, and then answer the questions.

B. Sobre el blog

1. ¿Dónde está Andrés?
2. ¿En qué fecha llegó?
3. ¿Cómo es la familia que visita Andrés?
4. ¿Cuántos hijos tiene la familia?
5. ¿Adónde fue Andrés por la mañana?
6. ¿Qué hizo por la tarde?
7. ¿Qué deporte (*sport*) les encanta a los cubanos?
8. ¿Quién es José Martí?
9. ¿Qué le pasó a Andrés en Trinidad?
10. ¿Aprendió algo nuevo? ¿Qué?
11. ¿Cómo son las casas en Trinidad?
12. ¿Cuál es el plato favorito de Andrés en Cuba?
13. ¿Qué bebió con su comida?
14. ¿De dónde viene el nombre de esta bebida?
15. ¿Cuándo regresa Andrés a Canadá?

C. Qué piensas tú?

1. ¿Te gusta viajar a ti?
2. ¿Piensas viajar a Cuba en el futuro?
3. ¿Qué leíste de Cuba que te interesó?
4. Cuando visitas un lugar nuevo, ¿qué te gusta hacer?
5. ¿Qué comes cuando viajas?

El Blog de Andrés

Courtesy of Rosa Stewart

12 de mayo

Sí, mis amigos, ¡esta es la bandera (*flag*) de Cuba! Llegué anteayer. Qué lugar maravilloso. Estoy en una casa particular con una familia muy simpática. Ellos tienen un coche anaranjado y ayer me llevaron a visitar La Habana. Vi cosas muy interesantes. Fuimos al Museo de la Revolución por la mañana y por la tarde caminamos por el centro de la ciudad. Me gustó todo, pero al final del día me dolía un poco la cabeza.

Courtesy of Rosa Stewart

La familia tiene tres hijos. Hoy me levanté a las nueve y los chicos me invitaron a ver un partido de béisbol. A los cubanos les encanta el béisbol. También les interesa mucho la historia. En todas partes hay estatuas *(statues)* del héroe nacional, José Martí. Martí escribió muchos poemas. "Versos sencillos" es uno de ellos y se usa, en parte, en la canción *(song)*, "Guantanamera".

Courtesy of Rosa Stewart

El coche de la familia García

Courtesy of Rosa Stewart

Monumento a José Martí, La Habana

19 de mayo

¡Hola! Hoy les escribo desde Trinidad. Esta mañana me levanté, me duché y salí del hotel temprano. Desafortunadamente, no vi una piedra (*stone*) en la calle y me caí (*fell*) y me rompí el brazo. Aprendí que los servicios médicos en Cuba son fantásticos. No estoy triste porque mis nuevos amigos cubanos me ayudan. Camino todos los días. Las casas en Trinidad son de muchos colores y muchas veces tienen jardines fantásticos.

La comida aquí es muy buena también. Mi plato favorito es "ropa vieja"; sí, así se llama el plato. Es carne de res que se sirve con arroz. Por supuesto (*Of course*), cuando comí la ropa vieja, bebí un daiquiri. El daiquiri se inventó en Cuba. El nombre viene del taíno, el idioma de un grupo indígena que vivió en Cuba y en otras partes del Caribe.

Courtesy of Rosa Stewart

El plato popular, ropa vieja

Courtesy of Rosa Stewart

El daiquiri

Me encanta la vida en Cuba pero tengo que regresar *(return)* a Canadá en dos semanas. ¡Pienso volver algún día!

LECCIÓN 8 LAS ACTIVIDADES AL AIRE LIBRE

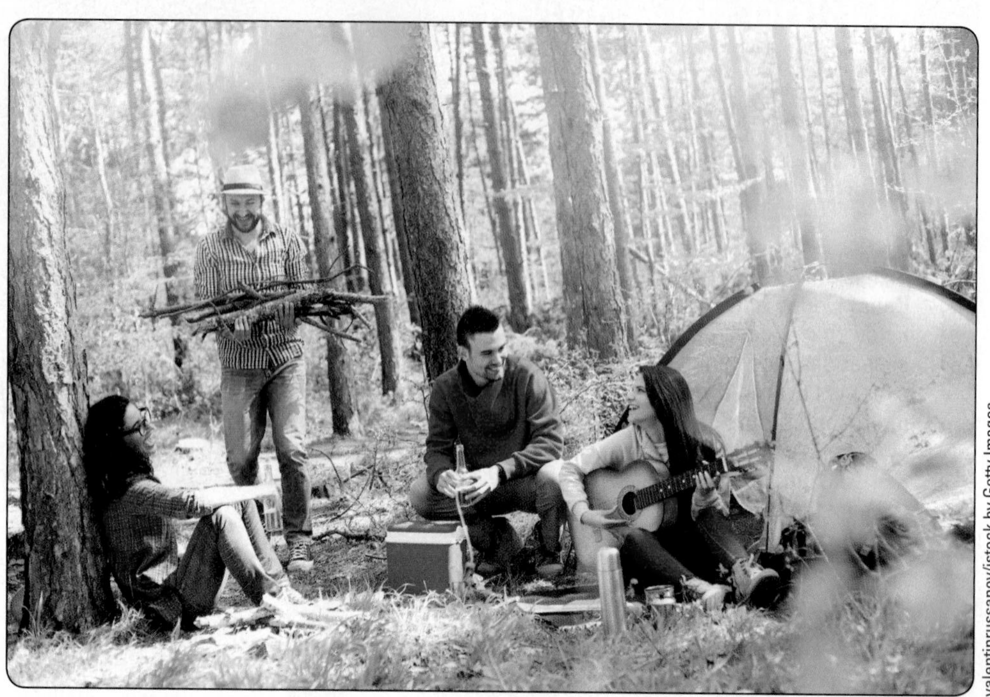

valentinrussanov/istock by Getty Images

Susana y Gloria son dos hermanas dominicanas que hablan con Jaime y David, dos chicos de Venezuela. Los amigos viven en Canadá porque estudian en la Universidad de Victoria. Frecuentemente todos se juntan para ir a cenar, o ir al cine o a la playa. Ahora están planeando un fin de semana.

Jaime: Cuando yo era chico, mi familia y yo siempre íbamos a acampar al Parque Nacional de Canaima, de modo que soy un experto en armar tiendas de campaña y en hacer fogatas.

Susana: En cambio Gloria y yo pasábamos nuestras vacaciones cerca de la playa. Siempre nadábamos y buceábamos.

Gloria: Ya les dije que nosotras no acampábamos nunca. Normalmente nos hospedábamos en hoteles.

Jaime: ¡Les va a encantar dormir bajo las estrellas en una bolsa de dormir!

David: Oye, tu amigo Alberto prometió prestarte sus bolsas de dormir. ¿Te las trajo?

Jaime: No, me las va a traer esta noche. También me va a prestar su caña de pescar.

David: ¡Ah! No hay nada como comer pescado frito *(fried)* que uno acaba de pescar.

Llegaron al parque el viernes por la tarde. Por la noche no durmieron muy bien y hoy están un poco cansados. Se levantaron muy temprano para hacer una caminata y ahora Jaime y David están tratando de pescar algo en el lago.

David: Dormí muy mal anoche. No quiero pasar mucho tiempo tratando de pescar algo.

Jaime: Pronto vamos a tener pescado para el almuerzo. ¡Te lo prometo!

David: Espero que sí, porque tengo mucha hambre. Jaime, ¿dónde pusiste el termo de café?

Jaime: Se lo di a Gloria esta mañana, porque me lo pidió. Oye, después de almorzar podemos alquilar una canoa para ir a remar.

Dos horas más tarde.

David: ¿Por qué no llamamos a Gloria y a Susana y les decimos que no pudimos pescar nada?

Jaime: Buena idea. Estoy cansado de esto, no hay nada en este lago.

© David Woolley/Taxi/Getty Images

Susana y Gloria traen dos cestas de picnic.

Susana: ¡Hola, chicos! Gloria y yo trajimos comida, por si acaso...

Gloria: Pollo frito, ensalada de papas, pastel de manzana...

David: ¡Excelente idea! ¡Vamos a comer!

© Baudot/Shutterstock

Hablemos

Sobre el diálogo

With a classmate, take turns asking and answering the following questions. Base your answers on the dialogues.

1. ¿Para qué se juntan frecuentemente los amigos?
2. ¿Adónde iban a acampar Jaime y su familia cuando él era chico?
3. ¿Dónde pasaban sus vacaciones Gloria y Susana?
4. Según Jaime, ¿qué les va a encantar a Gloria y a Susana?
5. ¿Cómo durmieron todos anoche?
6. ¿Qué hicieron muy temprano por la mañana?
7. ¿Qué le promete Jaime a David?
8. ¿Cuál es el problema de David?
9. ¿Qué pueden hacer todos después de almorzar?
10. ¿Qué comida trajeron Susana y Gloria?

Entrevista a tu compañero(a)

Take turns asking and answering these questions.

1. ¿Prefieres las vacaciones en el campo, en una ciudad o en la playa? ¿Por qué?
2. ¿Te gusta acampar? ¿Tienes un lugar favorito para hacerlo?
3. ¿Qué actividades haces al aire libre?
4. Cuando eras niño(a), ¿qué hacían tú y tu familia en las vacaciones?
5. ¿Tienes planes para el fin de semana? ¿Qué piensas hacer?
6. ¿Hay buenos lugares para hacer una caminata en tu ciudad?
7. ¿Sabes remar en una canoa? ¿Cuándo fue la última vez que lo hiciste?
8. ¿Qué vas a hacer en el verano durante tus vacaciones?

DETALLES CULTURALES

El Parque Nacional de Canaima es una de las áreas naturales más importantes de Venezuela y su mayor atracción turística. Aquí se encuentran las cataratas del Salto Ángel. También existe en el parque una gran variedad de animales, muchos en peligro *(danger)* de extinción. Muchas de las plantas que hay en el parque son exclusivas de esta región.

VOCABULARIO

COGNADOS

la actividad
el autobús*
la canoa
excelente
experto(a)
el hotel
el sándwich
el termo

SUSTANTIVOS

el bloqueador solar, la crema solar	*sunscreen*
la cesta	*basket*
el deporte	*sport*
la estrella	*star*
las gafas de sol*	*sunglasses*
el palo de golf	*golf club*
la pelota	*ball*
la raqueta	*racket*

VERBOS

acampar	*to camp*
alquilar*	*to rent*
armar	*to pitch (a tent), to put together*
hospedarse, quedarse	*to stay (e.g., at a hotel)*
jugar[1] (o > ue)	*to play (a sport)*
juntarse	*to get together*
morir (o > ue)	*to die*
pasar	*to spend (time)*
prestar	*to lend*
prometer	*to promise*
tratar (de) + *infinitive*	*to try to (do something)*
vender	*to sell*

ADJETIVOS

acostumbrado(a)	*accustomed to, used to*
chico(a), pequeño(a)	*little*

OTRAS PALABRAS Y EXPRESIONES

acabar de + *infinitive*	*to have just (done something)*
la actividad al aire libre	*outdoor activity*
bajo	*under*
caminar / pasear al perro	*to walk the dog*
en cambio	*on the other hand*
Espero que sí.	*I hope so.*
ir a acampar	*to go camping*
pedir prestado	*to borrow*
por si acaso	*just in case*
pronto	*soon*
según	*according to*
Vamos a comer.	*Let's eat.*

DE PAÍS A PAÍS

el autobús el ómnibus *(Cono Sur)*; la guagua *(Cuba)*; el bus *(LA)*
las gafas de sol los anteojos de sol *(LA)*
alquilar rentar *(Méx.)*
la bolsa de dormir el saco de dormir *(Esp., Col., Cono Sur)*
el velero el bote de vela *(Cuba, Arg.)*
el traje de baño la trusa *(Cuba)*; el bañador *(Esp.)*; la malla *(Cono Sur)*

[1]Present indicative of the verb **jugar (u > ue): juego, juegas, juega, jugamos, jugáis, juegan.**

Amplía tu vocabulario

Más sobre las actividades al aire libre

Para practicar el vocabulario

A. Preguntas y respuestas

Match the questions in column A with the answers in column B.

A	B
1. ¿Fuiste a jugar fútbol?	**a.** Sí, me encanta.
2. ¿Vas a ir a acampar?	**b.** Sí, soy un experto.
3. ¿Uds. se juntan para salir?	**c.** Sí, bajo las estrellas.
4. ¿Tú sabes armar tiendas de campaña?	**d.** En la cesta de picnic.
5. ¿Dónde se hospedaron?	**e.** Sí, necesito la tienda de campaña.
6. ¿Te gusta pescar?	**f.** En el termo.
7. ¿Compraste una caña de pescar?	**g.** En el hotel Days Inn.
8. ¿Dormiste en una bolsa de dormir?	**h.** Sí, jugué con mis amigos.
9. ¿Dónde pusiste el café?	**i.** No, no me gusta remar.
10. ¿Qué vendían esos hombres?	**j.** No, me la prestaron.
11. ¿Vas a ir en canoa?	**k.** Sí, frecuentemente.
12. ¿Dónde pusiste el pollo frito?	**l.** Pescado.

B. ¿Lógico o ilógico?

Indicate whether each of the following statements is logical (**L**) or illogical (**I**).

1. Necesitamos el traje de baño para armar una tienda de campaña. ☐ L ☐ I
2. En la playa, generalmente, hay salvavidas. ☐ L ☐ I
3. Necesito el coche para hacer una fogata. ☐ L ☐ I
4. Voy a ir a bucear porque quiero tomar el sol. ☐ L ☐ I
5. Vamos a hacer esquí acuático en el lago. ☐ L ☐ I
6. Para remar usamos la tabla de mar. ☐ L ☐ I
7. Hicimos una caminata y ahora estamos muy cansados. ☐ L ☐ I
8. Traje los palos de golf para jugar al tenis. ☐ L ☐ I
9. Siempre nos ponemos bloqueador solar cuando hay sol. ☐ L ☐ I
10. Anoche comimos arena. ☐ L ☐ I

C. Palabras y más palabras

Which word or phrase from **Lección 8** corresponds with the following?

1. La necesito para pescar.
2. Las vemos en el cielo *(sky)*.
3. pequeño
4. a menudo
5. La necesito para jugar al tenis.
6. opuesto de comprar
7. muy, muy bueno
8. Me gusta mucho.
9. quedarse (en un hotel)
10. Lo necesito para tomar el sol.

D. Planes para un fin de semana

With a classmate, play the roles of two friends who are planning a fun weekend. Talk about everything you can do and what you will need to take with you.

E. En la playa

Use your imagination to talk about the people in the photograph below. With a classmate, discuss the following.

1. si van a la playa a menudo o solo una vez al año
2. qué traen a la playa y por qué
3. qué van a comer
4. tres cosas que van a hacer después de estar en la playa
5. las actividades al aire libre que les gustan y las que no les gustan
6. en qué hotel se están hospedando

Now write one or two paragraphs about these people's weekend.

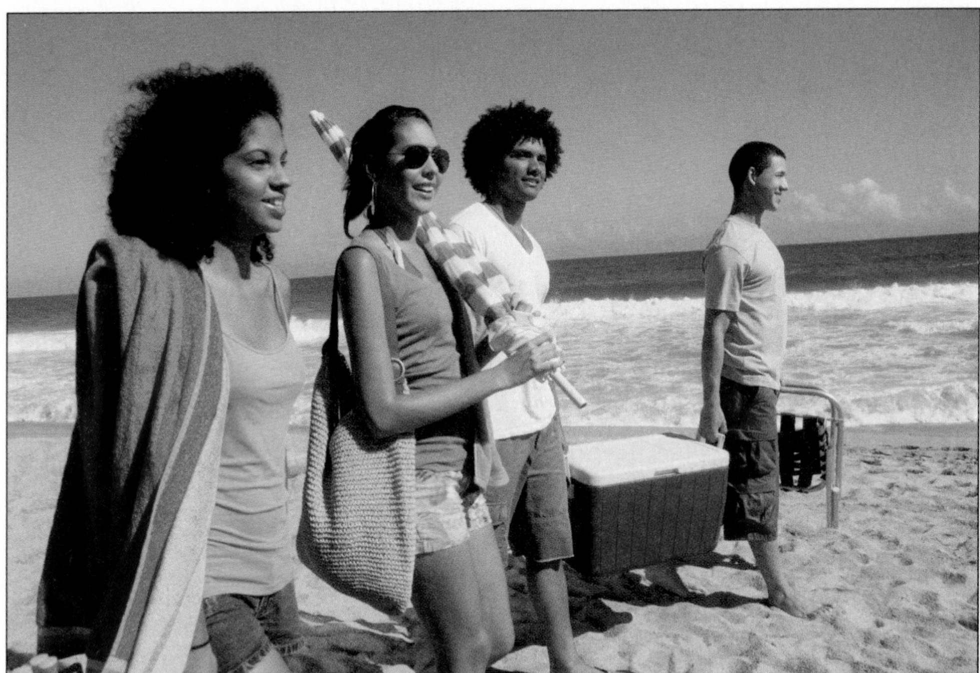

Gabriela Medina/Thinkstock

Pronunciación

Pronunciation in context

In this lesson, there are some words or phrases that may be challenging to pronounce. Listen to the correct pronunciation; then say the following sentences out loud.

1. **Pasábamos** nuestras **vacaciones** en ciudades grandes y **nos hospedábamos** en hoteles muy buenos.
2. Ya te dije que nosotras no estábamos **acostumbradas** a todas estas **actividades**.
3. **Se levantaron** muy temprano para **hacer** una caminata.
4. **Después** de almorzar podemos **alquilar** una canoa para ir a **remar**.
5. ¿Por qué no **llamamos** a Gloria y a Susana y les **decimos** que no pudimos pescar nada?

PUNTOS PARA RECORDAR

1 Preterite of some irregular verbs

(El pretérito de algunos verbos irregulares)

FLASHBACK

Notice that the irregular verbs do not have accents on first- and third-person forms. You may wish to review the formation of the preterite of regular verbs on pages 184–185.

The following Spanish verbs are irregular in the preterite.

	yo	**tú**	**Ud. / él / ella**	**nosotros(as)**	**vosotros(as)**	**Uds. / ellos / ellas**
tener	tuve	tuviste	tuvo	tuvimos	tuvisteis	tuvieron
estar	estuve	estuviste	estuvo	estuvimos	estuvisteis	estuvieron
poder	pude	pudiste	pudo	pudimos	pudisteis	pudieron
poner	puse	pusiste	puso	pusimos	pusisteis	pusieron
saber	supe	supiste	supo	supimos	supisteis	supieron
hacer	hice	hiciste	hizo	hicimos	hicisteis	hicieron
venir	vine	viniste	vino	vinimos	vinisteis	vinieron
querer	quise	quisiste	quiso	quisimos	quisisteis	quisieron
decir	dije	dijiste	dijo	dijimos	dijisteis	dijeron
traer	traje	trajiste	trajo	trajimos	trajisteis	trajeron
conducir	conduje	condujiste	condujo	condujimos	condujisteis	condujeron
traducir	traduje	tradujiste	tradujo	tradujimos	tradujisteis	tradujeron

—¿Qué **trajeron** Uds. ayer? *"What **did you bring** yesterday?"*
—**Trajimos** las cestas. *"**We brought** the baskets."*

—Ayer no **viniste** a clase. ¿Qué **hiciste**? *"**You did** not **come** to class yesterday. What **did you do**?"*
—**Tuve** que trabajar. *"**I had** to work."*

—¿**Hubo** un examen? *"**Was there** an exam?"*
—No. *"No."*

¡ATENCIÓN!

- In the third-person singular of the verb **hacer**, the **c** changes to **z** in order to maintain the original soft sound of the **c** of the infinitive.
- The **i** is omitted in the third-person plural ending of the verbs **decir**, **traer**, **conducir**, and **traducir**.
- The preterite of **hay** (impersonal form of **haber**) is **hubo**.

  Hubo una fiesta en la playa el fin de semana. *__There was__ a party at the beach last weekend.*

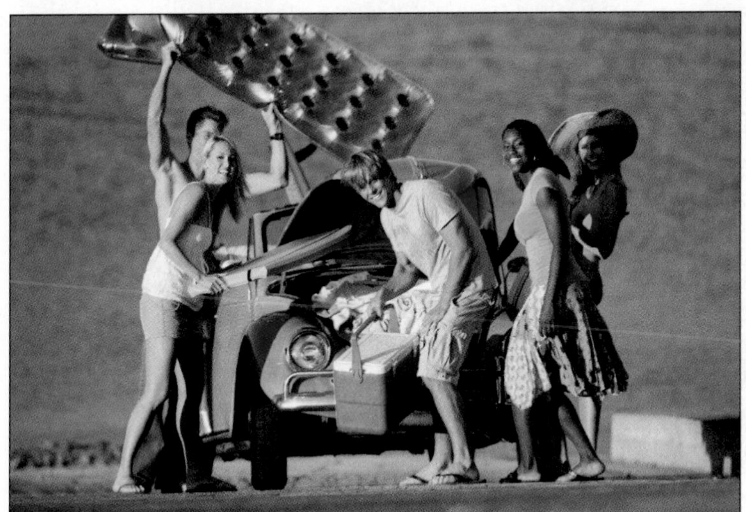

JUICE IMAGES/GETTY IMAGES

Cuando estos amigos tuvieron un picnic en la playa, pusieron muchas cosas en el coche. ¿Adónde fuiste tú en las últimas vacaciones? ¿Qué pusiste en tu maleta?

Práctica y conversación

A. Minidiálogos

Complete the following exchanges, using the preterite of the verbs in parentheses.

1. —¿Dónde ______________________ (estar) tú la semana pasada?
   —(Yo) ______________________ (estar) en el Parque Nacional de Canaima.
   —¿Y tus padres?
   —Ellos ______________________ (estar) en Caracas.
2. —¿Qué ______________________ (hacer) Roberto ayer?
   —Él ______________________ (tener) que trabajar.
3. —¿Tus padres te ______________________ (traer) las bolsas de dormir?
   —No, no ______________________ (poder) traerlas porque ______________________ (venir) en autobús.
4. —Cuando Uds. ______________________ (venir) al parque, ¿qué coche ______________________ (conducir)?
   —______________________ (Conducir) el coche de papá.
5. —¿Dónde ______________________ (poner) Uds. la cesta de picnic?
   —La ______________________ (poner) en la mesa.
   —¿Sergio comió con Uds.?
   —No, él no ______________________ (querer) comer con nosotros.

B. La semana pasada

Rewrite this paragraph, changing all the underlined verbs to the preterite to indicate that everything happened last week.

<u>Tengo</u> que limpiar mi apartamento porque Ana y Eva <u>vienen</u> a visitarme. Después <u>hago</u> una torta para ellas. Las chicas <u>traen</u> bolsas de dormir porque no <u>quieren</u> dormir en mi cuarto. Las <u>ponen</u> en la sala y <u>miran</u> televisión hasta tarde. Mi prima Julia <u>está</u> con nosotras hasta las diez, pero no <u>puede</u> quedarse a dormir porque <u>tiene</u> que ir a trabajar.

C. Queremos saber…

In groups of three, prepare questions for your instructor about what he or she did yesterday, last night, or last week. Use irregular preterite forms in your questions.

D. Entrevista a tu compañero(a)

Interview a classmate, using the following questions.

1. ¿A qué hora viniste a la universidad ayer?
2. ¿Condujiste tu coche o viniste en autobús?
3. ¿Tuviste algún examen? ¿En qué clase?
4. ¿Estuviste en la biblioteca por la tarde?
5. ¿Trajiste algún libro de la biblioteca a la clase?
6. ¿Dónde pusiste tus libros cuando llegaste a casa?
7. ¿Hiciste la tarea de la clase de español? ¿Pudiste terminarla?
8. ¿Tradujiste algo del español al inglés?
9. ¿Estuviste en tu casa por la noche? ¿Qué hiciste?
10. ¿Pudiste ir a acampar el fin de semana pasado?

2 Direct and indirect object pronouns used together

(Los pronombres de complemento directo e indirecto usados juntos)

Review the direct object pronouns (pages 145–146) and the indirect object pronouns (pages 177–178) before using them together.

- When an indirect object pronoun and a direct object pronoun are used together, the indirect object pronoun always comes first.

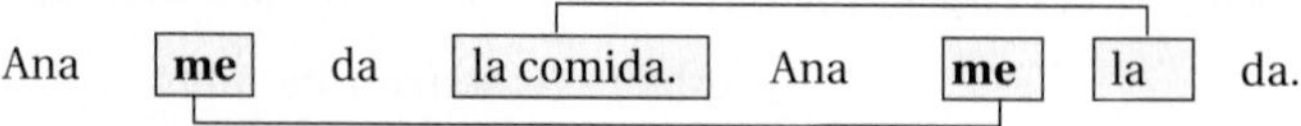

Ana **me** da la comida.
Ana **me** la da.

- With an infinitive, the pronouns can be placed either before the conjugated verb or attached to the infinitive.

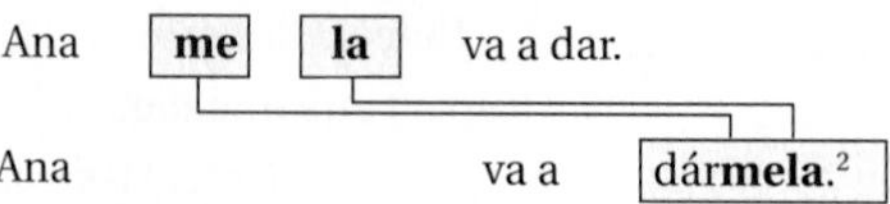

Ana **me** **la** va a dar.
Ana va a dár**mela**.[2]

*Ana is going to give **it to me**.*

- With a present participle, the pronouns can be placed either before the conjugated verb or after the present participle.

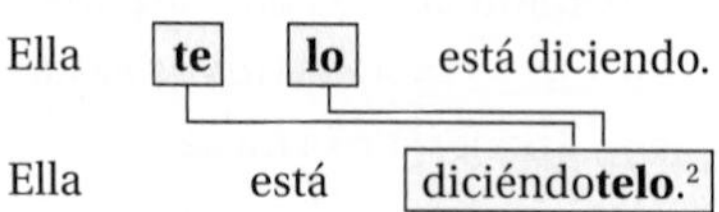

Ella **te** **lo** está diciendo.
Ella está diciéndo**telo**.[2]

*She is saying **it to you**.*

- If both pronouns begin with **l**, the indirect object pronoun **(le** or **les)** is changed to **se**.

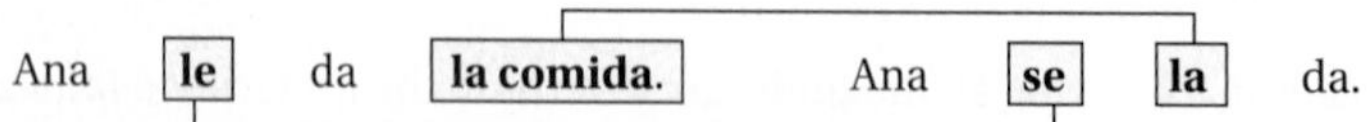

Ana **le** da **la comida.**
Ana **se** **la** da.

  - For clarification, it is sometimes necessary to add **a él, a ella, a Ud., a Uds., a ellos**, or **a ellas**.

    —¿A quién le dio la comida Ana? *"To whom did Ana give the meal?"*
    —**Se la** dio **a él**. *"She gave **it to him**."*

  - A proper name may also be given for clarification.

    —**Se la** dio **a Luis**. *She gave **it to Luis**.*

[2]Note that the use of the written accent follows the standard rules for the use of accents. See Appendix A for rules on accentuation.

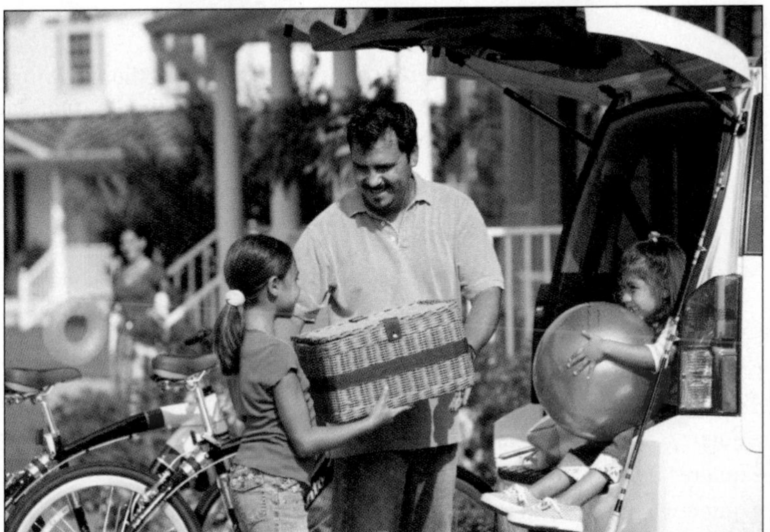

La familia Díaz va al parque. El papá necesita la cesta para el picnic y se la pide a Ana. Él le dice: ¿puedes dármela?

Práctica

A. Personas generosas

We want to go camping and everyone is pitching in to help out. Supply the pronouns that are needed.

- **MODELO:** Ana me da la bolsa de dormir.
  *Ana **me la** da.*

1. Tu padre te presta la caña de pescar.
   Mi padre__________ __________ presta.
2. Mamá nos compra los trajes de baño.
   Mamá __________ __________ compra.
3. Jorge me da su tienda de acampar.
   Jorge __________ __________ da.
4. Nuestros amigos nos venden la canoa.
   Nuestros amigos __________ __________ venden.
5. Inés me va a traer el bloqueador solar.
   Inés __________ __________ va a traer.
6. Tu hermana te dio sus gafas de sol.
   Mi hermana __________ __________ dio.
7. Raúl le da los remos a mi padre.
   Raúl __________ __________ da.

B. Excusas, excusas

What excuses would you give in response to these questions? Follow the model and use the cues provided.

- **MODELO:** —¿Por qué no le diste el dinero a Ada? (no estuvo aquí)
  —No se lo di porque no estuvo aquí.

1. ¿Por qué no me trajiste las raquetas? (no pude)
2. ¿Por qué no les mandaste los palos de golf? (no tuve tiempo)
3. ¿Por qué no te compró tu papá la canoa? (no quiso)
4. ¿Por qué no les dio Lupe el dinero a Uds.? (no vino a casa)
5. ¿Por qué te escribió Johnny la carta en inglés? (no sabe español)
6. ¿Por qué no les llevaste el pastel a los niños? (no lo hice)

C. Lo siento

With a partner, take turns asking and answering questions about what the following people want, saying you cannot help them. Use the verbs **comprar**, **conseguir**, **dar**, **mandar**, **prestar**, and **traer**, along with the cues provided.

- **MODELO:** —¿Qué quiere Elisa? (dinero)
  —Elisa quiere dinero, ¿tú se lo puedes conseguir?
  —No, lo siento, yo no puedo conseguírselo.

1. ¿Qué quiere Susana? (un traje de baño)
2. ¿Qué quiere David? (una caña de pescar)
3. ¿Qué quieren Susana y Gloria? (raquetas de tenis)
4. ¿Qué quiere Jaime? (una tabla de mar)
5. ¿Qué quiere Lucía? (palos de golf)
6. ¿Qué quieren Jaime y David? (comida)

D. ¿Quién…?

With a classmate, take turns asking and answering the following questions. Use direct object pronouns and the cues provided. Follow the model.

- **MODELO:** ¿Quién te dio un abrazo? (mi amiga)
  Mi amiga me lo dio.

1. ¿Quién te mandó el correo electrónico? (Fernando)
2. ¿A quién le alquilaste la cabaña? (a mi primo)
3. ¿A quién le prestaste los palos de golf? (a mi hermano)
4. ¿A quiénes les diste las pelotas? (a los niños)
5. ¿Quién nos trajo comida? (Amanda)
6. ¿Quién te prestó los esquíes acuáticos? (Maribel)

E. Necesitamos ayuda *(help)*

With a partner, take turns indicating who does what for whom. Use the cues provided.

- **MODELO:** Raquel no sabe traducir las cartas. (Ana)
  Ana se las traduce.

1. Gustavo no tiene dinero para comprar una bolsa de dormir. (nosotros)
2. Tú no sabes armar la tienda de campaña. (yo)
3. Nosotros no sabemos hacer una fogata. (papá)
4. Yo no puedo comprar un velero. (mi abuelo)
5. Los chicos no pueden llevarle las raquetas a Teresa. (mi hermana)
6. Ud. no puede conseguir trabajo de salvavidas. (su amigo)

3 Stem-changing verbs in the preterite

(Los verbos con cambio radical en el pretérito)

- As you will recall, **-ar** and **-er** verbs with stem changes in the present tense have no stem changes in the preterite. However, **-ir** verbs with stem changes in the present tense have stem changes in the third-person singular and plural forms of the preterite **(e > i** and **o > u)**, as shown below.

servir (e > i)		dormir (o > u)	
serví	servimos	dormí	dormimos
serviste	servisteis	dormiste	dormisteis
s**i**rvió	s**i**rvieron	d**u**rmió	d**u**rmieron

- Other **-ir** verbs that follow the same pattern are:

conseguir	*to get, to obtain*
divertirse	*to have a good time*
morir	*to die*
pedir	*to order, to request or to ask for*
seguir	*to continue, to follow*
sentir(se)	*to feel*
vestirse	*to get dressed*

—¿Qué te **sirvieron** en la cafetería? *"What **did they serve** you at the cafeteria?"*
—Me **sirvieron** café y sándwiches. *"**They served** me coffee and sandwiches."*

—¿Cómo **durmió** Ud. anoche? *"How **did you sleep** last night?"*
—**Dormí** muy bien. *"**I slept** very well."*

—¿Se **divirtieron** ayer? *"Did **you have a good time** yesterday?"*
—Sí, nos **divertimos** mucho. *"Yes, **we had a** very **good time.**"*

FLASHBACK

You have now seen all the preterite forms introduced. As a reminder, you will find the regular forms and the forms for **ser**, **ir**, **dar**, and **ver** in **Lección 7**, page 186, and some irregular forms at the beginning of this **lección**, page 198.

Práctica y conversación

A. Minidiálogos

Complete the following exchanges by supplying the preterite of the verbs given.

1. **dormir** —¿Cómo ______ Uds. anoche?
   —Yo ______ muy bien, pero mamá no ______ bien.
2. **pedir** —¿Qué ______ ellos de postre?
   —Ana ______ pastel y los niños ______ torta.
3. **seguir** —¿Hasta qué hora ______ hablando Uds.?
   —______ hablando hasta las doce.
4. **servir** —¿Qué ______ Uds. en la fiesta?
   —______ torta y café.
5. **divertirse** —¿______ Uds. mucho en la fiesta?
   —Yo ______ pero Julio no ______ mucho.

6. **conseguir** —¿__________ ellos el dinero?
—No, no lo __________.

7. **morir** —Hubo un accidente, ¿no?
—Sí, pero nadie __________.

B. ¿Qué hicieron anoche?

With a classmate, take turns describing what the following people did last night.

1. Arturo __________ en el sofá.

2. Ernesto le __________ dinero a Daniel.

3. Paco __________ a su mamá.

4. Mirta y Rafael __________ en la fiesta anoche.

5. El camarero le __________ el café a Juan.

6. Pilar __________ un trabajo nuevo.

C. Hablando con amigos

Work with two classmates to get answers to the following questions.

1. ¿A qué hora te dormiste anoche? Y tu compañero/a de cuarto, ¿a qué hora se durmió él/ella?
2. ¿Qué sirvieron en la cafetería ayer? ¿Qué comiste tú?
3. ¿Uds. consiguieron buenos trabajos el verano pasado?
4. La última vez que comiste en un restaurante, ¿qué pediste tú? ¿Qué pidieron tus amigos?
5. ¿Uds. se divirtieron el fin de semana pasado? ¿Qué hicieron?

D. Un fin de semana excelente

In groups of three, tell your classmates about a recent fun weekend. Tell where you went and with whom, what you did, and whether or not you had a good time.

4 The imperfect tense *(El imperfecto de indicativo)*

Forms of the imperfect

- There are two simple past tenses in the Spanish indicative: the preterite, which you have been studying, and the imperfect. To form the imperfect, add the following endings to the verb stem.

-ar verbs	**-er** and **-ir** verbs	
hablar *(to talk)*	comer *(to eat)*	vivir *(to live)*
habl**aba**	com**ía**	viv**ía**
habl**abas**	com**ías**	viv**ías**
habl**aba**	com**ía**	viv**ía**
habl**ábamos**	com**íamos**	viv**íamos**
habl**abais**	com**íais**	viv**íais**
habl**aban**	com**ían**	viv**ían**

Note that the endings of the **-er** and **-ir** verbs are the same. Observe the accent on the first-person plural form of **-ar** verbs: **hablábamos**. Note also that there is a written accent on the first **í** of the endings of the **-er** and **-ir** verbs.

—Tú siempre te **levantabas** a las siete, ¿no? — *"You always **used to get up** at seven, didn't you?"*
—Sí, porque mis clases **empezaban** a las ocho y media **y** yo **vivía** lejos de la universidad. — *"Yes, because my classes **started** at eight-thirty and I **lived** far from the university."*

- Only three Spanish verbs are irregular in the imperfect tense: **ser**, **ir**, and **ver**.

ser	ir	ver
era	iba	veía
eras	ibas	veías
era	iba	veía
éramos	íbamos	veíamos
erais	ibais	veíais
eran	iban	veían

—Cuando yo **era** chica, siempre **iba** a acampar en el verano. — *"When I **was** little, I always **went** camping in the summer."*
—Nosotros **íbamos** también. — *"**We used to go** too."*

—¿Cuándo **veías** a tus amigos? — *"When **did you see** your friends?"*
—Los **veía** solo los sábados y los domingos. — *"**I used to see** them only on Saturdays and Sundays."*

¡ATENCIÓN!

Stem-changing verbs are regular in the imperfect.

Uses of the imperfect

- The Spanish imperfect tense is equivalent to three English forms.

Yo **vivía** en Caracas.	*I **used to live** in Caracas.* *I **was living** in Caracas.* *I **lived** in Caracas.*

- The imperfect is used to describe actions or events that the speaker views as in the process of happening in the past, with no reference to when they began or ended.

Empezábamos a estudiar cuando él vino.	***We were beginning** to study when he came.*

- It is also used to refer to habitual or repeated actions in the past, again with no reference to when they began or ended.

—¿Uds. **hablaban** inglés cuando **vivían** en Bogotá?	*"**Did** you **speak** English when **you lived** in Bogotá?"*
—No, cuando **vivíamos** allí siempre **hablábamos** español.	*"No, when **we lived** there we always **spoke** Spanish."*

Cuando Gabi tenía tres años, bailaba mucho. A sus padres les gustaba cuando lo hacía.

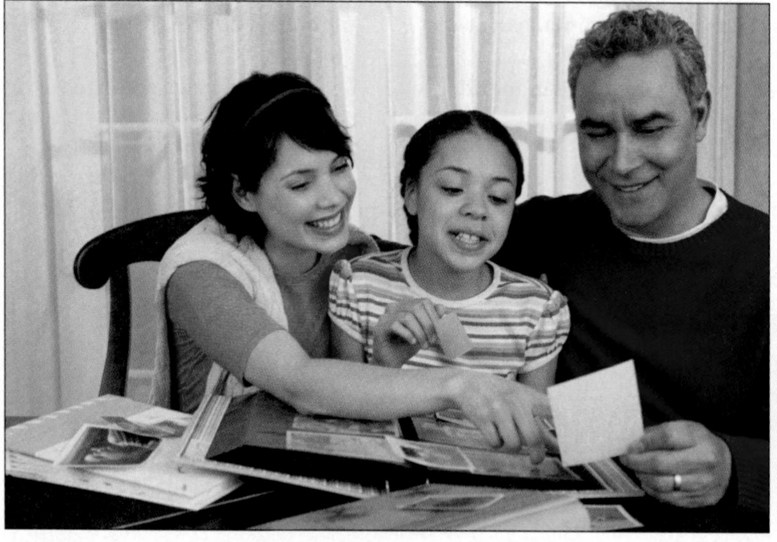

JUPITERIMAGES/THINKSTOCK

- It describes physical, mental, or emotional conditions in the past.

Mi casa **era** muy grande.	*My house **was** very big.*
No me **gustaba** estudiar.	***I didn't like** to study.*
Yo no me **sentía** bien.	*I **wasn't feeling** well.*

- It expresses time and age in the past.

—¿Qué hora **era**? —**Eran** las seis.	*"What time **was it**?"* *"**It was** six o'clock."*
Julia **tenía** veinte años.	*Julia **was** twenty years old.*

- The imperfect is used to describe or set the stage in the past.

La casa de mis abuelos **era** bonita.	*My grandparents' house **was** pretty.*
Era muy tarde.	***It was** very late.*

Práctica y conversación

A. La vida cambia...

Things have changed; tell how they used to be.

1. Ahora vivo en..., pero cuando era niño(a)...
2. Ahora hablamos español, pero cuando éramos niños(as)...
3. Ahora comemos pescado, pero cuando éramos niños(as)...
4. Ahora mis padres no acampan, pero cuando eran jóvenes ellos...
5. Ahora Julia no juega al tenis, pero cuando era niña...
6. Ahora tú vas a hacer surf, pero cuando eras niño(a)...
7. Ahora mi hermano no pesca, pero cuando tenía dieciocho años...
8. Ahora me gusta el parapente, pero cuando era niño(a)...
9. Ahora mi mamá nada muy bien, pero cuando era pequeña...
10. Ahora Ud. se hospeda en un hotel caro, pero cuando era pequeño(a)...

DETALLES CULTURALES

El mundo hispano ofrece muchas oportunidades para aventuras al aire libre. Ahora es muy popular el ecoturismo en lugares como Costa Rica y Venezuela. Para los canadienses, las playas cubanas y dominicanas son increíbles para nadar, bucear o simplemente tomar el sol.

B. Entrevista a tu compañero(a)

Interview a classmate, using the following questions. You can also do this exercise in groups.

1. ¿Dónde vivías cuando eras niño(a)?
2. ¿Qué actividades hacías al aire libre?
3. ¿Con quién jugabas?
4. ¿Sabías nadar?
5. ¿Tu familia iba a acampar en los veranos?
6. ¿Quién armaba la tienda de campaña?
7. ¿Qué te gustaba comer cuando acampabas?
8. ¿Qué te gustaba hacer los fines de semana?
9. ¿Pasabas mucho tiempo con tus amigos después de la escuela?
10. ¿Qué deportes practicabas cuando eras pequeño(a)?
11. Generalmente, ¿dormías bajo las estrellas *(under the stars)* cuando acampabas?
12. ¿Puedes nombrar tus lugares favoritos donde pasabas los veranos?

C. En el parque

Use your imagination to tell what was happening when you and your friends were seen in the park.

Ayer te vi en el parque con unos amigos.

1. ¿Qué hora era?
2. ¿Con quiénes estabas?
3. ¿De dónde venían Uds.?
4. ¿Adónde iban?
5. ¿De qué hablaban?
6. ¿Quién era la chica pelirroja?
7. ¿Quién era el muchacho alto y moreno?
8. ¿Esperaban a alguien?

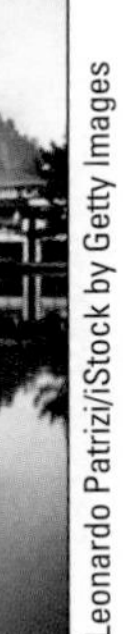

Leonardo Patrizi/iStock by Getty Images

D. Queremos saber

With a classmate, prepare five questions to ask your instructor about what he or she used to do when he or she was a teenager **(adolescente)**.

5 Formation of adverbs *(La formación de los adverbios)*

- Most Spanish adverbs are formed by adding **-mente** (the equivalent of the English *-ly*) to the adjective.

Adjectives		Adverbs	
general	*general*	general**mente**	*general**ly***
reciente	*recent*	reciente**mente**	*recent**ly***

—¿La fiesta de bienvenida es para Olga y sus amigas? — *"The welcome party is for Olga and her friends?"*

—No, es **especialmente** para Olga. — *"No, it's **especially** for Olga."*

- Adjectives ending in **-o** change the **o** to **a** before adding **-mente**.

Adjectives		Adverbs	
lent**o**	*slow*	lent**amente**	*slow**ly***
rápid**o**	*rapid*	rápid**amente**	*rapid**ly***

- If two or more adverbs are used together, both change the **o** to **a**, but only the last one in the sentence ends in **-mente**.

Habla clar**a** y lent**amente**. — *She speaks clear**ly** and slow**ly.***

- If the adjective has an accent mark, the adverb retains it.

fácil — *easy* — **fá**cilmente — *easily*

Sample of Adverbs	
claramente	*clearly*
completamente	*completely*
directamente	*directly*
fácilmente	*easily*
frecuentemente	*frequently*
normalmente	*normally*
posiblemente	*possibly*
raramente	*rarely*
recientemente	*recently*

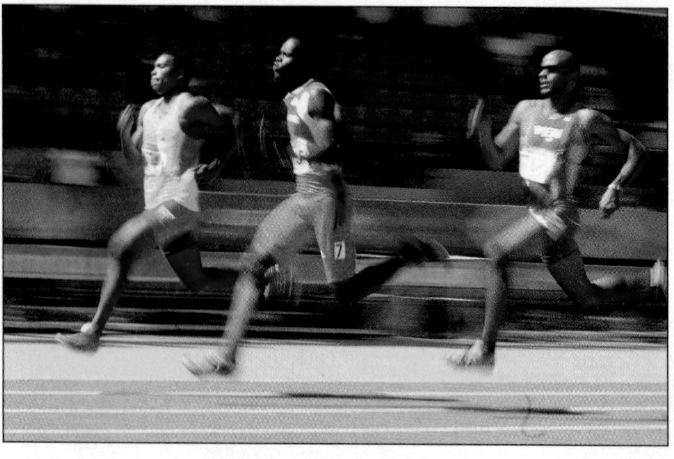

Estos jóvenes corren rápidamente en los Juegos Panamericanos.

AFP/GETTY IMAGES

Práctica y conversación

A. De adjetivos a adverbios

You can recognize the following Spanish adjectives because they are cognates. Change them to adverbs.

1. real
2. completo
3. raro
4. frecuente
5. posible
6. general
7. franco
8. normal

B. Lo entiendo perfectamente

Use some of the adverbs presented to complete the following sentences. When possible, try not to repeat them.

1. Ellos iban a acampar ____________ cuando eran pequeños.
2. Yo, ____________ remo por la mañana.
3. ____________, Elena usa bloqueador solar cuando toma el sol.
4. ____________, estamos cansados después de hacer surf porque nos gusta mucho.
5. Juego al tenis ____________ y ____________.
6. Ellos vuelven de las vacaciones mañana, ____________.
7. ____________, pienso que acampar es más barato que ir de vacaciones a Puerto Rico.
8. Yo no hablo con mis padres, ____________ les escribo mensajes de texto.

C. Dime, ¿qué haces?

With a partner, take turns asking and answering the following questions.

1. Normalmente, ¿qué haces por la tarde?
2. ¿A quiénes llamas por teléfono más frecuentemente: a tus amigos o a tus parientes?
3. ¿A quiénes les enviaste correos electrónicos recientemente?
4. Probablemente, ¿adónde vas a ir este fin de semana?

D. ¿Cuándo...?

With a partner, talk about what you and your friends generally do, frequently do, and rarely do.

Práctica y traducción

Review the vocabulary and grammatical concepts studied in **Lección 8**, as you translate the following sentences.

1. David put the fishing rod in the car.
2. They bought a tennis racket and gave it to Laura.
3. Gilberto asked for a sleeping bag for his birthday.
4. You always went to the sea when you were a child, right?
5. Mrs. Rosales speaks Spanish easily and clearly.

ENTRE NOSOTROS

¡Conversemos!

Para conocernos mejor

Get to know your partner better by asking each other the following questions.

1. ¿Piensas ir de vacaciones este verano? ¿Adónde quieres ir?
2. La última vez que fuiste de vacaciones, ¿te hospedaste en un buen hotel o en un hotel más económico?
3. ¿Dónde pasaste las vacaciones el año pasado? ¿Te aburriste o te divertiste?
4. ¿Te juntas a veces con tus amigos para salir?
5. ¿Te gusta ir a acampar y dormir al aire libre o prefieres ir a un buen hotel?
6. ¿Qué actividades al aire libre te gustaban cuando eras chico(a)? ¿Cuáles no te gustaban?
7. ¿Ahora prefieres hacer esquí acuático, hacer surf o bucear?
8. ¿Qué prefieres, mirar televisión o hacer una caminata?
9. Necesito tu raqueta de tenis, ¿puedes prestármela?
10. ¿Qué te gusta más, jugar al tenis o al golf? ¿Tienes palos de golf?

Búsqueda de gente

Interview your classmates to identify who does the following. Be sure to change the statements to questions. Include your instructor, but remember to use the **Ud.** form when addressing him or her.

NOMBRE	
1.	hizo esquí acuático en un lago el año pasado.
2.	va a tratar de alquilar una cabaña *(cabin)* el verano próximo *(next)*.
3.	jugó al golf o al tenis el verano pasado.
4.	va a acampar frecuentemente.
5.	acaba de comer.
6.	pronto va a tener vacaciones.
7. A	le gusta tomar el sol.
8.	compró un traje de baño recientemente.
9.	puede armar tiendas de campaña fácilmente.
10.	siempre les toma el pelo a sus amigos.

Y ahora...

Write a brief summary, indicating what you have learned about your classmates.

¿Cómo lo decimos?

What would you say in the following situations? What might the other person say? Act out these scenes with a partner.

1. You ask a friend if he or she prefers to go to the beach, to go hiking, or to go camping near a lake or a river *(río)* for a couple of days.
2. You are going on a camping trip for the first time. Tell a friend what items you need and what you need to learn to do.
3. Tell someone what your favourite outdoor activities are. Mention at least four.

¿Qué pasa aquí?

In groups of three or four, create a story about the people in the photo. Say who they are and what their relationships are to one another. Also, say where they are going on vacation, what activities they are doing, and what they will do later.

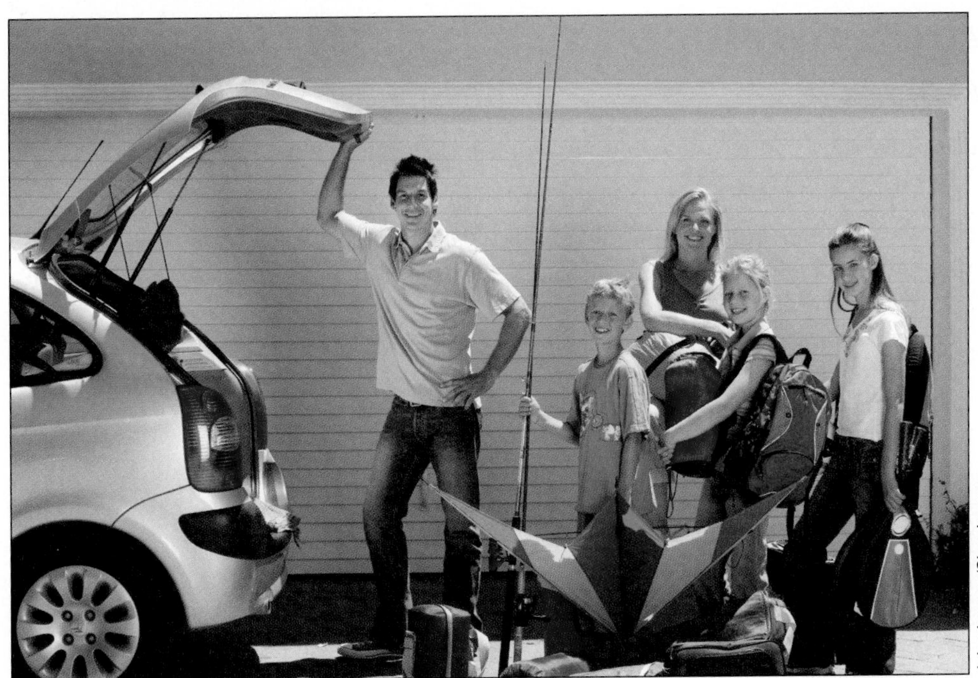

Juice Images/Glow Images

Para escribir

De vacaciones

Write about a special holiday that you shared with your family when you were young. Remember that some of you loved the outdoors, and others did not. What type of activities did you do?

ACTIVE LEARNING ACTIVITY

Un fin de semana especial

Working individually or in groups, prepare a brochure for a weekend filled with outdoor activities with your peers. Select at least four activities for each day, and make sure you include a list of essential items participants will need to bring to make sure they all have fun. Also include images of locations and equipment required. Be sure to create a schedule for each activity. You may present the final product in class so your classmates can select their favourite destination. Include as much of the vocabulary presented in **Lección 7** and **Lección 8** as possible. Brochure templates are available in Word.

ASÍ SOMOS

Vamos a ver

Recuerdos

ESTRATEGIA

Noticing structure

Before you do the first activity with a classmate, notice the uses of the preterite and the imperfect, as well as the uses of the reflexive constructions in the questions. Read the **Avance** to see what the video is about, and try to anticipate what will happen.

Antes de ver el video

A. Preparación

Take turns with a partner asking and answering the following questions.

1. ¿Tú estás cansado(a) a veces o siempre tienes mucha energía?
2. ¿A qué hora te acostaste anoche? ¿A qué hora te levantaste esta mañana?
3. ¿Adónde fuiste anoche?
4. ¿Qué hora era cuando volviste a tu casa ayer?
5. Este fin de semana, ¿piensas salir con tus amigos(as) o piensas quedarte en tu casa?
6. Cuando eras chico(a), ¿ibas a patinar? ¿Jugabas al tenis? ¿Acampabas con tu familia?
7. ¿Te gustan las actividades al aire libre?
8. ¿Te gusta más nadar, montar a caballo o pescar?
9. ¿Qué tuviste que hacer ayer?
10. Tú y tu familia, ¿tienen tiendas de campaña y bolsas de dormir?
11. ¿Tú sabes armar una tienda de campaña?
12. La última vez que fuiste a pescar, ¿pescaste algo?

El video

Avance

Pablo y Marisa están en la casa de ella. Marisa y su mamá invitan a Pablo a cenar y también a acampar con la familia este fin de semana. El problema es que Pablo no sabe nada de acampar y ellas creen que él es un experto.

Después de ver el video

B. ¿Quién lo dice?

Who said the following sentences? Take turns with a partner answering.

La mamá **Pablo** **Marisa**

1. Dolor... un zapato viejo y... ¡mosquitos!
2. ¿Por qué no te quedas a cenar con nosotros?
3. ¿Qué pasa, hija? Tu papá tuvo que ir al supermercado.
4. Entonces... ¿Nunca montaste a caballo?
5. Marisa, tengo que confesarte algo: yo odio las actividades al aire libre.
6. A lo mejor puede enseñar a Luisito a armar la tienda de campaña.

C. ¿Qué pasa?

Take turns with a partner asking and answering the following questions. Base your answers on the video.

1. ¿Por qué está cansado Pablo?
2. ¿Pablo fue a la fiesta de Gloria anoche? ¿Adónde fue?
3. ¿Qué hora era cuando volvió a su apartamento?
4. ¿Qué planean hacer Marisa y su familia este fin de semana?
5. ¿Con quién dice Marisa que Pablo puede compartir una tienda de campaña?
6. ¿Adónde tuvo que ir el papá de Marisa?
7. Pablo va a cenar con Marisa y su familia. ¿Qué van a comer?
8. ¿Qué dice la mamá de Marisa que Pablo le puede enseñar a Luisito?
9. ¿Qué le confiesa Pablo a Marisa?
10. ¿A Pablo le gusta ir a acampar? ¿Qué prefiere hacer?
11. ¿Qué pasó cuando Pablo montó a caballo? ¿Y cuando fue a pescar?
12. ¿Qué recuerdos tiene Pablo de esas experiencias?

D. Más tarde

With a partner, use your imaginations to talk about what Pablo and Marisa did over the weekend and on Monday. Take turns asking and answering the following questions.

1. ¿Pablo se acostó temprano? ¿Se levantó tarde?
2. ¿Adónde fue con sus amigos?
3. ¿Qué hora era cuando volvió a su apartamento?
4. ¿Fue a un concierto el sábado por la noche?
5. ¿Fue a alguna parte *(somewhere)* el domingo o se quedó en casa?
6. ¿Qué hizo el domingo por la tarde? ¿Extrañó *(Did he miss)* a Marisa?
7. ¿Qué hicieron Marisa y su familia el sábado?
8. ¿Luisito aprendió a armar una tienda de campaña?
9. ¿Marisa pasó mucho tiempo con Luisito? ¿Qué hicieron los dos el domingo?
10. ¿Marisa extrañó a Pablo?
11. Cuando Pablo vio a Marisa el lunes, ¿le dio un abrazo?
12. ¿Adónde fueron los dos el lunes por la tarde?

EL MUNDO HISPÁNICO

CUBA

INFORMACIÓN GENERAL:

Capital: La Habana

Población: 11.489.000 de habitantes

Educación: 99,8% de alfabetización

Moneda: peso cubano / *convertible* pesos (para turistas)

GEOGRAFÍA Y CLIMA:

Cuba es la mayor de las islas del archipiélago de las Antillas. Tiene extensas costas en las cuales hay playas muy bonitas. Hay también grandes áreas de tierras *(lands)* que son buenas para la agricultura. En Cuba producen azúcar, tabaco, naranjas, limones y café. El clima es tropical. Por su lugar en el Caribe, los huracanes pueden causar mucho daño *(harm)*.

Courtesy of Rosa Stewart

Viñales

HISTORIA:

Cuba fue una colonia de España y ganó su independencia en 1898, mucho después que otros países latinoamericanos. Posiblemente lo que más conocemos de la historia de Cuba es la Revolución de 1959. Fidel Castro tomó el poder en este año y fue el líder comunista de Cuba hasta el 2008. Su hermano, Raúl Castro, tomó su puesto hasta el 2018, cuando Miguel Díaz-Canel fue nombrado presidente.

COMIDA:

La dieta básica de los cubanos consiste en arroz, frijoles, cerdo y pescado. Uno de los platos más típicos es ropa vieja. Este plato se prepara con carne de res, cocido por mucho tiempo con cebolla, ajo, pimiento y especias. Siempre se sirve con arroz. La caldosa o ajiaco es un cocido que se prepara para los amigos. Este tiene muchos vegetales: maíz, cebolla, papas, yuca, zanahorias y también carne (pollo o cerdo).

Lisa F. Young/Shutterstock.com

Plato típico: cerdo, arroz con frijoles y plátanos fritos

MÚSICA:

La música en Cuba es muy importante y se oye en todas partes. Es una combinación de sonidos y ritmos europeos y africanos. Conocidos en todas partes son el Punto cubano, la rumba, el Son cubano, el chachachá, el mambo, la conga y el jazz afrocubano. Posiblemente la canción cubana más popular es "Guantanamera". Esta usa versos del poeta-patriota, José Martí, pero muchos cantantes añaden sus propios *(own)* versos.

Courtesy of Rosa Stewart

Músicos cubanos

INFORMACIÓN INTERESANTE:

- La Habana es la ciudad más grande del Caribe. Tiene muchos contrastes. Hay partes que han sido restauradas *(restored)*, pero hay muchos edificios que están en mal estado.
- El deporte más popular del país es el béisbol. Los cubanos lo llaman *la pelota*.
- Cuba tiene un porcentaje más alto de médicos por habitante.
- La mayor parte de los turistas que visitan Cuba son de Canadá.

Courtesy of Rosa Stewart

Estatua de José Martí en la Plaza Central de La Habana

LA REPÚBLICA DOMINICANA

INFORMACIÓN GENERAL:

Capital: Santo Domingo

Población: 10.873.000 de habitantes

Educación: 91,8% de alfabetización

Moneda: Peso dominicano

GEOGRAFÍA Y CLIMA:

La República Dominicana ocupa las dos terceras partes de la isla que Cristóbal Colón encontró en su primer viaje, a lo que ahora es el Caribe, en 1492. La parte occidental de la isla está ocupada por la República de Haití. El país tiene montañas, valles *(valleys)* excelentes para la producción agrícola, y por supuesto, playas excepcionales. El clima es tropical. Como en otros países del Caribe, los huracanes son peligrosos *(dangerous)*.

Klemen K. Misic/Shutterstock.com

Playa Rincón, un lugar especial para descansar y explorar

MÚSICA:

La música típica del país es el merengue y la bachata. También son populares otros ritmos del Caribe como la rumba y la salsa.

INFORMACIÓN INTERESANTE:

- La República Dominicana es el país más visitado del Caribe. La mayor parte de los turistas son de los Estados Unidos y de Canadá.
- La catedral de Santo Domingo fue la primera construida en las Américas. En Santo Domingo se estableció la primera universidad.
- No hay ningún pueblo indígena en La República Dominicana. La población es sobre todo mestiza, con un 11% de descendencia africana.
- Los 27 charcos *(lagoons)* de Damajagua es un lugar para explorar la selva. Allí puedes caminar y visitar las cataratas *(falls)*, puedes escalar acantilados *(cliffs)*, nadar y saltar *(jump)* en el agua.

Becker Stefan/Shutterstock.com

Una estatua de Cristobal Colón, frente a la catedral

B Cruz/Shutterstock.com

Uno de los numerosos saltos que hay en La República Dominicana

HISTORIA:

Es interesante saber por qué La República Dominicana y Haití son países distintos cuando comparten una isla. Los franceses establecieron una colonia en la parte occidental *(western)* de la isla y los españoles tenían control del resto. En el siglo XVII, decidieron dividir la isla en dos zonas. Las dos ganaron *(won)* su independencia de Francia y España en el siglo XIX. Hoy, La República Dominicana tiene una economía mucho más fuerte que la de Haití.

COMIDA:

Un plato preferido por los dominicanos es el sancocho. El más rico es de siete carnes (varios cortes de cerdo, pollo y res), vegetales y especias. Una receta puede tener más de 20 ingredientes. El mangú es otra comida típica. Consiste en un puré de plátano que se sirve con cebollas o huevos para el desayuno. Los tostones son plátanos fritos que acompañan muchas comidas.

Stefano Ember/Shutterstock.com

Preparación de tostones

Clara Gonzalez/Shutterstock.com

Mangú

EL MUNDO HISPÁNICO

PUERTO RICO

INFORMACIÓN GENERAL:

Capital: San Juan

Población: 3.659.000 de habitantes

Educación: 93,3% de alfabetización

Moneda: Dólar estadounidense

HISTORIA:

Como Cuba, Puerto Rico fue una colonia de España hasta 1898. En ese año los Estados Unidos tomó control de la colonia. Puerto Rico sigue siendo territorio estadounidense. Sus habitantes son ciudadanos *(citizens)* de los Estados Unidos, pero no tienen derecho de votar en las elecciones para el Congreso o para elegir al Presidente.

GEOGRAFÍA Y CLIMA:

Puerto Rico es una isla en el Caribe. Tiene áreas con montañas y muchas playas. Como otros lugares de esta parte del mundo, el clima es tropical. Los huracanes pueden causar muchos problemas. En el 2017, el huracán María causó extenso daño *(damage)* y todavía no se ha recuperado.

Gary Ives/Shutterstock.com

Fortaleza El Moro

COMIDA:

Mofongo es una comida popular en Puerto Rico. Se puede servir como acompañamiento o como plato principal si se rellena. Se prepara con plátanos fritos que se hacen puré con ajo, aceite de oliva, sal y pimienta. Muchas veces se rellena con chicharrones *(pork skin rinds)*. El asopao es una sopa con pollo, arroz, ajo, cebolla, salsa de tomate y especias.

Rachel Moon/Shutterstock.com

Mofongo, un plato muy popular en Puerto Rico

MÚSICA:

La música de Puerto Rico es conocida por todo el mundo, no tanto por el estilo, que es parecido a la música de otras partes del mundo hispano, pero por la fama de sus cantantes. En Puerto Rico se oye salsa, merengue, chachachá, boleros y reggaetón. Algunos cantantes puertorriqueños conocidos son José Feliciano, Ricky Martin, Luis Fonsi, Marc Anthony, Daddy Yankee, La India y Melina León. Ricky Martin, Luis Fonsi y Marc Anthony, entre otros, hicieron mucho para ayudar a las víctimas del huracán María en el 2017. Una de las canciones más famosas de Luis Fonsi es "Despacito" que obtuvo el primer lugar en más de 40 países y ha ganado muchos premios nacionales e internacionales.

Kathy Hutchins/Shutterstock.com

Luis Fonsi

INFORMACIÓN INTERESANTE:

- Desde el 2003, hay más puertorriqueños viviendo en los Estados Unidos, sobre todo en Nueva York, que los que viven en la isla.
- Hay muchas estrellas de Hollywood que son de Puerto Rico o de familia puertorriqueña: Rita Moreno, Jennifer López, Jimmy Smits, Benicio del Toro, Luis Guzmán, Rosie Perez y Lin-Manuel Miranda.
- Los deportes más populares son el básquetbol, el voleibol y el boxeo.
- Además de los deportes acuáticos, puedes hacer espeleología *(spelunking)* porque tiene muchas cuevas.

Daniel Majak/Shutterstock.com

Buceo en unas cuevas en la costa de Puerto Rico

VENEZUELA

INFORMACIÓN GENERAL:

Capital: Caracas

Población: 32.346.000 de habitantes

Educación: 97% de alfabetización

Moneda: Bolívar

GEOGRAFÍA Y CLIMA:

Venezuela es un país con una geografía muy variada. Tiene llanos *(flatlands)*, montañas, la región del río Amazonas y costas. Por estas grandes diferencias, el clima cambia de lugar a lugar, pero en general, es tropical. La principal atracción turística es el Salto Ángel que se considera el más alto del mundo.

Alice Nerr/Shutterstock.com

Salto Ángel, una maravilla de la naturaleza

DEPORTES:

En los países hispanos, el fútbol es normalmente el deporte favorito. Venezuela es una excepción porque el deporte que más les gusta es el béisbol. Muchos venezolanos juegan en los Estados Unidos y en Canadá en los grandes equipos.

Andry Rodriguez/Shutterstock.com

El estadio Maracaibo en Caracas

INFORMACIÓN INTERESANTE:

- Cuando los españoles llegaron al lago Maracaibo, las construcciones de los indígenas a orillas del lago les recordaron las de Venecia, y por eso llamaron al país Venezuela, nombre que significa *pequeña Venecia*.
- Venezuela tiene grandes reservas de petróleo. La mayor parte se encuentra debajo del lago Maracaibo. Este lago es el más grande de Sudamérica.

sunsinger/Shutterstock.com

Casas con soportes *(stilts)* en el lago Maracaibo

HISTORIA:

Simón Bolívar es conocido como el libertador de Venezuela, por eso la moneda lleva su nombre. Después de la independencia, el país tuvo muchos gobiernos con algunos periodos de dictaduras. En los últimos años, la inestabilidad política en Venezuela ha causado problemas para los habitantes: pobreza, falta de comida, un aumento de la violencia y emigración masiva.

COMIDA:

El pabellón criollo es el plato nacional. Se prepara con arroz, frijoles negros, carne, y plátanos. Como en otras partes del mundo hispano, a los venezolanos les encantan las arepas. Estas son tortillas de maíz gordas que se parten y se rellenan con varios ingredientes: frijoles, queso, arroz, pollo y más.

Olaf Speier/Shutterstock.com

El pabellón criollo es un plato que combina las influencias culturales de la región

nehophoto/Shutterstock.com

Las arepas son fáciles de comer con la mano y son muy sabrosas

TOMA ESTE EXAMEN

LECCIÓN 7

A. Reflexive constructions

Complete these sentences using the verbs from the following list appropriately. Use each verb once.

acostarse afeitarse bañarse levantarse probarse sentarse vestirse

1. Mis hijos ______________ muy temprano y ______________ tarde.
2. Yo voy a ______________ la barba *(beard)*.
3. ¿Tú ______________ el vestido *(dress)* antes de comprarlo?
4. Ella siempre ______________ en esa silla.
5. Nosotros nunca ______________ por la noche.
6. Él va a ______________ ahora. Necesita el traje *(suit)* azul.

B. Indirect object pronouns

Complete the following using the Spanish equivalent of the words in parentheses.

1. Yo ______________ que necesito más dinero. *(tell them)*
2. Mi mamá ______________ un florero muy bonito. *(sends us)*
3. Silvia siempre ______________ si necesita algo. *(asks her)*
4. Mis amigos ______________ muchos libros. *(give me)*
5. Ella ______________ correos electrónicos frecuentemente. *(writes to you [fam.])*
6. Yo voy a ______________ los libros que necesitan. *(buy them)*

C. The verb *gustar*

Create sentences with the verb **gustar** and the words indicated below.

1. patinar / a Clara
2. esa película / más / a ti
3. las montañas / a nosotros
4. montar en bicicleta y esquiar / a Uds.
5. no / los exámenes difíciles / a mí

D. Preterite of regular verbs

Rewrite the following sentences, changing the verbs to the preterite.

1. Yo llego a casa y busco los libros, pero no los encuentro.
2. ¿Tú visitas a tus abuelos y meriendas con ellos?
3. Estela come en la cafetería, estudia en la biblioteca y vuelve a su casa a las dos de la tarde.
4. Yo escribo muchos correos electrónicos, y hablo por teléfono con mis amigos. Salgo de mi casa a la una.
5. Nosotros bebemos café y ellos beben té. Nadie bebe agua.
6. Yo empiezo a trabajar a las ocho y ustedes empiezan a las nueve.

E. Preterite of *ser, ir, dar,* and *ver*

Change the verbs in the following sentences to the preterite.

1. Ella va al club y ve a sus amigos.
2. Dan mucho dinero.
3. ¿Ud. es mi profesor?
4. Yo voy más tarde. Te veo allí.
5. Ellos son mis alumnos.
6. Doy muchas fiestas.
7. Uds. ven a su novio.
8. Nosotros vamos al cine.

F. Vocabulary

Complete the following sentences using vocabulary from **Lección 7**.

1. Me duele la ______________________. Necesito una aspirina.
2. Ellos ______________________ a las siete de la mañana.
3. Mañana vamos a ir a un ______________________ de fútbol.
4. El niño ______________________ el florero ayer.
5. Tenemos diez ______________________ de pie.
6. Ellos van a ir a ______________________ montañas este verano.
7. A Carlos le gusta ______________________ a caballo.
8. Son las doce de la noche: es ______________________.
9. Voy a ______________________ en el lago *(lake)*.
10. Julieta se ______________________ la ropa antes de acostarse.

G. Translation

Express the following in Spanish.

1. —Did they go to the theatre last night?
   —No, they saw a movie at home.
2. I get up at seven and go to bed at eleven.
3. Alina takes a shower and gets dressed.
4. We like going to the beach, but museums don't interest us much.
5. Did you have a good time at the club last night, Luisa?

LECCIÓN 8

A. Preterite of some irregular verbs

Change the verbs in the following sentences to the preterite tense.

1. Ellos traen la raqueta y yo traigo la caña de pescar.
2. Tengo que ir al hotel.
3. ¿Qué hace él con la cesta?
4. Tú dices que sí y ellos dicen que no.
5. Laura viene al parque conmigo y tú vienes con Sergio.
6. Tú y yo estamos aquí y ellos están allá.
7. Ellas hacen el postre.
8. Yo sé toda la verdad.
9. Ellas conducen muy bien, pero yo conduzco muy mal.
10. Enrique no quiere ir a pescar.

B. Direct and indirect object pronouns used together

Answer the following questions in the affirmative, replacing the direct objects with direct object pronouns.

1. ¿Me compraste *las raquetas*?
2. ¿Nos trajeron Uds. *los palos de golf*?
3. ¿Ellos te van a dar *el traje de baño*? *(two ways)*
4. ¿Él les va a traer *los termos* a Uds.? *(two ways)*
5. ¿Ella me va a comprar *la canoa*? *(Use the* ***Ud.*** *form.) (two ways)*
6. ¿Ellos te traen *las cestas*?

C. Stem-changing verbs in the preterite

Complete the following sentences in the preterite tense, using the verbs listed.

conseguir	**divertirse**	**dormir**	**morir**
pedir	**seguir**	**servir**	

1. Ana y Eva ________________ mucho en la fiesta. Cuando volvieron a casa, ________________ hablando y no ________________ mucho por la noche.
2. Elsa ________________ la raqueta de tenis y Juan se la trajo.
3. Hubo un accidente, pero no ________________ nadie.
4. Roberto ________________ el pescado en el mercado.
5. El camarero nos ________________ la comida en el restaurante.

D. The imperfect tense

Change the verbs in the following sentences to the imperfect.

1. ¿Tú vas al supermercado con tu papá?
2. Ella es muy bonita.
3. Ellos hablan español.
4. Nosotros no vemos a nuestros amigos.
5. Uds. nunca pescan en el lago.
6. Yo siempre como frutas por la mañana.

E. Formation of adverbs

Write the following adverbs in Spanish.

1. easily
2. especially
3. slowly
4. rapidly
5. slowly and clearly
6. frankly

F. Vocabulary

Complete the following sentences, using vocabulary from **Lección 8**.

1. ¿Qué actividades al ______________ libre prefieres?
2. Voy a jugar al tenis; necesito la ______________ .
3. Él no sabe ______________ una tienda de campaña.
4. Voy a poner el pollo en la ______________ de picnic.
5. No quiero ir en la canoa porque no sé ______________ .
6. Siempre me hospedo en un ______________ barato.
7. Un sinónimo de "a menudo" es ______________ .
8. No me gusta hacer esquí ______________ .
9. Cuando voy a la playa, me gusta ______________ el sol.
10. Necesito mi ______________ de mar.
11. Ellos van a ______________ una caminata.
12. Me gusta mucho nadar. Me ______________ .

G. Translation

Express the following in Spanish.

1. On Saturday we couldn't go camping with our friends.
2. Ana lent me her surfboard. She lent it to me yesterday.
3. At the restaurant Eduardo and Marisol asked for coffee. The waiter served it to them.
4. When I was little, I often played outdoors.
5. The students like Professor Guzmán. She speaks slowly and clearly.
6. We have just returned from our vacation.
7. —Isabel, are you camping with us this weekend?
   —I hope so!
8. They bought a fishing rod and a tennis racket at the store (*tienda*).

UNIDAD

5

¿QUÉ HACEMOS HOY?

LECCIÓN 9
DE COMPRAS

OBJETIVOS

- Shop for clothing and shoes, conveying your needs with regard to sizes and fit
- Talk about the weather
- Discuss past actions and events
- Talk about possession

LECCIÓN 10
BUSCANDO TRABAJO

OBJETIVOS

- Open an account and cash cheques at the bank
- Describe people and things
- Refer to actions, states, and events that have been completed in the past
- Tell others what to do

Don Mammoser/Shutterstock.com

Donyanedoman/Getty Images

imageBROKER/Alamy Stock Photo

Stefano Paterna/Alamy Stock Photo

UN DÍA OCUPADO

La gente organiza el día tratando de hacer todas las diligencias necesarias.

1. El Mercado Rodriguez en la ciudad de La Paz, Bolivia

2. Descargando atún en el Puerto Ayora, en la Isla de Santa Cruz, Ecuador.

3. Joven vendiendo manualidades en una calle de Asunción, Paraguay.

4. Gente caminando en la zona peatonal de Jirón Carabaya, con las históricas lámparas de la calle en Lima, Perú.

LECCIÓN 9 DE COMPRAS

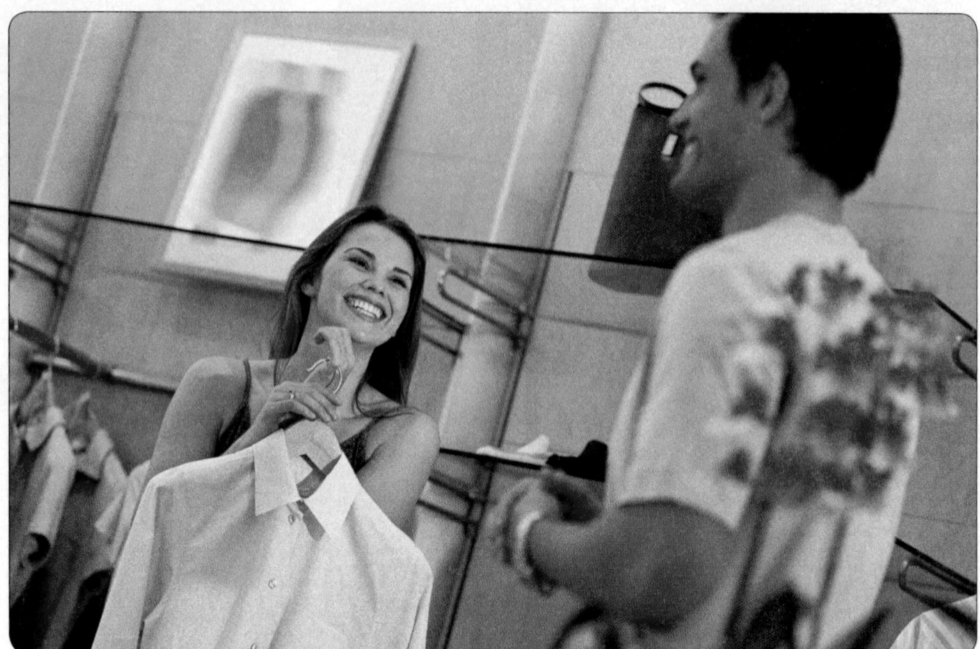
© Fisher/Thatcher/Stone/Getty Images

Sara y Pablo son muy buenos amigos. Los dos son de Ecuador, pero ahora viven y estudian en Lima. Se conocieron en la facultad de medicina hace dos años. Ahora están en una tienda porque Pablo necesita comprar ropa y, según Sara, ella sabe exactamente lo que él necesita.

Sara: ¿Por qué no te pruebas estos pantalones? No son muy caros y están de moda.

Pablo: ¿Qué? Yo tenía unos pantalones como estos cuando tenía quince años.

Sara: Bueno... todo vuelve... Tú usas talla mediana ¿no? Allí está el probador. Voy a buscarte una camisa.

Pablo: Quiero una camisa blanca de mangas largas y una de mangas cortas.

Sara: También necesitas un traje y una corbata para la boda de tu hermano... ¡y una chaqueta! Ya empezó el invierno y hace frío.

Pablo: Oye, todo esto me va a costar una fortuna.

Sara: También tienes que comprar un regalo para tu mamá; me dijiste que era su cumpleaños.

Pablo: No sé qué comprarle. ¿Un vestido? ¿Una blusa y una falda? Pero... no sé qué talla usa.

Sara: No sé... quizá un par de aretes o una cadena de oro como la mía...

Pablo: ¡Sara, no puedo gastar tanto! Yo no soy millonario. Le voy a regalar un ramo de flores y una bonita tarjeta de cumpleaños.

Sara: Me parece una excelente idea, Pablo. Yo sé que tú no eres tacaño.

Más tarde, en la zapatería.

Empleado: ¿En qué puedo servirle, señor?

Pablo: Necesito un par de zapatos. Creo que calzo el número cuarenta y cuatro.

Sara: Las botas que compraste el mes pasado eran cuarenta y tres.

Pablo: Sí, pero como me quedaban chicas y me apretaban un poco, se las mandé a mi hermano.

Sara: Buena idea. ¡Los zapatos tienen que ser cómodos!

Pablo: Entonces, ¿por qué usas esas sandalias de tacones altos?

Sara: Las compré porque eran baratas, pero prefiero usar zapatos de tenis.

Pablo: Yo prefiero andar descalzo. Cuando era chico, me quitaba los zapatos en cuanto llegaba de la escuela.[1]

Sara: Oye, ¿qué hora es?

Pablo: No sé. Eran las cuatro cuando salimos de la tienda. ¿Quieres ir a comer algo?

Sara: Bueno, voy a llamar a Teresa para decirle que no como en casa. Ella va a cocinar hoy...

Pablo: Entonces te hago un gran favor invitándote a cenar.

Sara: ¡Exactamente!

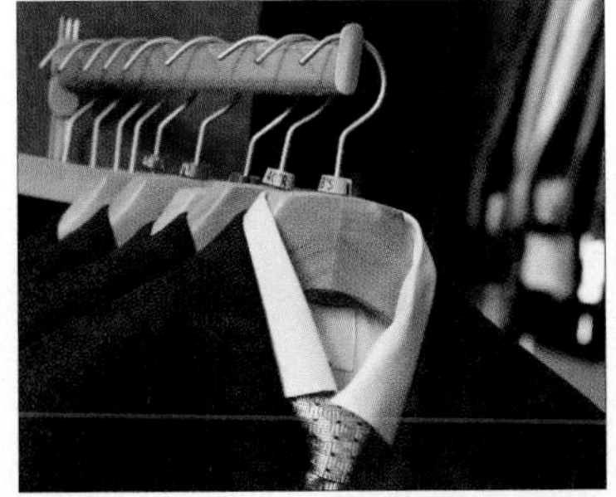

© Howard Oates/iStockPhoto

© iStockPhoto

Hablemos

Sobre el diálogo

With a classmate, take turns asking and answering the following questions. Base your answers on the dialogues.

1. ¿De dónde son Sara y Pablo? ¿Dónde viven y estudian ahora?
2. ¿Cuánto tiempo hace que se conocieron?
3. ¿Dónde están ahora? ¿Por qué?
4. ¿Qué dice Sara de los pantalones?
5. ¿Pablo quiere una camisa de mangas cortas o de mangas largas?
6. Cuando Pablo era chico, ¿qué hacía en cuanto llegaba de la escuela?
7. ¿A quién le dio las botas Pablo?
8. ¿Qué zapatos prefiere usar Sara?
9. ¿A quién va a llamar Sara? ¿Para qué?
10. ¿Qué van a hacer Pablo y Sara cuando salen de la tienda?

Entrevista a tu compañero(a)

With a classmate, take turns asking and answering the following questions.

1. ¿Dónde y cuándo conociste a tu mejor amigo(a)?
2. ¿Tú necesitas comprar ropa? ¿Cuál es tu tienda favorita?
3. ¿Tú te pruebas la ropa antes de comprarla? ¿Gastas mucho dinero en ropa?
4. ¿Qué número calzas? ¿Prefieres usar botas, sandalias o zapatos?
5. ¿Prefieres salir de compras solo o con amigos?
6. ¿Qué haces con la ropa que no usas más?
7. Cuando te vistes para ir a clase, ¿eliges ropa cómoda o prefieres estar de moda?
8. ¿Quién te regala ropa? ¿Te gusta la ropa que te dan o prefieres comprarla tú?

DETALLES CULTURALES

En la mayoría de los países hispanos la talla de la ropa se basa en el sistema métrico. Por ejemplo, la medida *(measure)* del cuello *(collar)* y el largo de las mangas de una camisa se dan en centímetros. Una talla 10 en Canadá es equivalente a la 30 en España. Estas equivalencias varían de país a país.

[1]Notice in Spanish the article is used with the noun for school: Yo voy a **la** escuela. *I go to school.*

VOCABULARIO

COGNADOS

exactamente
la facultad
el par
las sandalias

SUSTANTIVOS

el centro comercial	*mall*
el (la) dependiente(a), el (la) empleado(a)	*clerk*
la escuela	*school*
el oro	*gold*
el probador	*fitting room*
el ramo	*bouquet*
el regalo	*gift*
el tacón*	*heel*
la talla	*size (of clothing)*
la tarjeta	*card*
la tienda	*store*
el tren	*train*
la zapatería	*shoe store*

VERBOS

apretar (e > ie)	*to be tight*
buscar	*to look for; to get*
calzar	*to wear (a certain shoe size)*
gastar	*to spend (i.e., money)*
regalar	*to give a gift*
usar	*to wear; to use*

ADJETIVOS

alto(a)	*high*
cómodo(a)	*comfortable*
corto(a)	*short*
incómodo(a)	*uncomfortable*
largo(a)	*long*
mediano(a)	*medium*
tacaño(a)	*frugal, stingy*

OTRAS PALABRAS Y EXPRESIONES

andar descalzo(a)	*to go barefoot*
como	*like*
comprar en línea	*to buy online*
costar una fortuna	*to cost a fortune*
debajo de	*under*
en cuanto	*as soon as*
¿En qué puedo servirle?	*How may I help you?*
estar de moda	*to be in style*
lo que	*what, that which*
no tener nada que ponerse	*not to have anything to wear*
quedarle chico(a) (grande) a uno	*to be too small (big) on someone*
quizás, tal vez	*maybe, perhaps*

Amplía tu vocabulario

Más ropa *(More clothes)*

la bata	*robe*
la billetera	*wallet*
la braga	*panties*
la bufanda	*scarf*
la cadena	*chain*
el calcetín (los calcetines)	*sock(s)*
los calzoncillos	*underpants*
la camiseta	*t-shirt*
el camisón*	*nightgown*
el chaleco	*vest*
la corbata	*tie*
la falda	*skirt*
la gorra	*(sports) hat*
el gorro	*toque*
el guante	*glove*
el impermeable	*raincoat*
la manga	*sleeve*
los pantalones cortos	*shorts*
el paraguas	*umbrella*
el pijama (los pijamas)	*pajamas*
el sostén, el sujetador	*bra*
la sudadera (con capucha)	*sweatshirt (hoodie)*
el suéter	*sweater*
el traje*	*suit*
el vestido	*dress*
la zapatilla	*slipper*
los zapatos deportivos	*sneakers*

DE PAÍS A PAÍS

los aretes los pendientes *(Esp.)*; los aros *(Par., Arg.)*; las caravanas *(Cono Sur)*; las pantallas *(Puerto Rico)*
el bolso la bolsa *(Mex.)*
el camisón la bata de dormir *(Cuba)*
la chaqueta la chamarra *(Méx.)*
el cinturón la correa *(Puerto Rico)*
el tacón el taco *(Arg.)*
el traje el vestido *(Col.)*

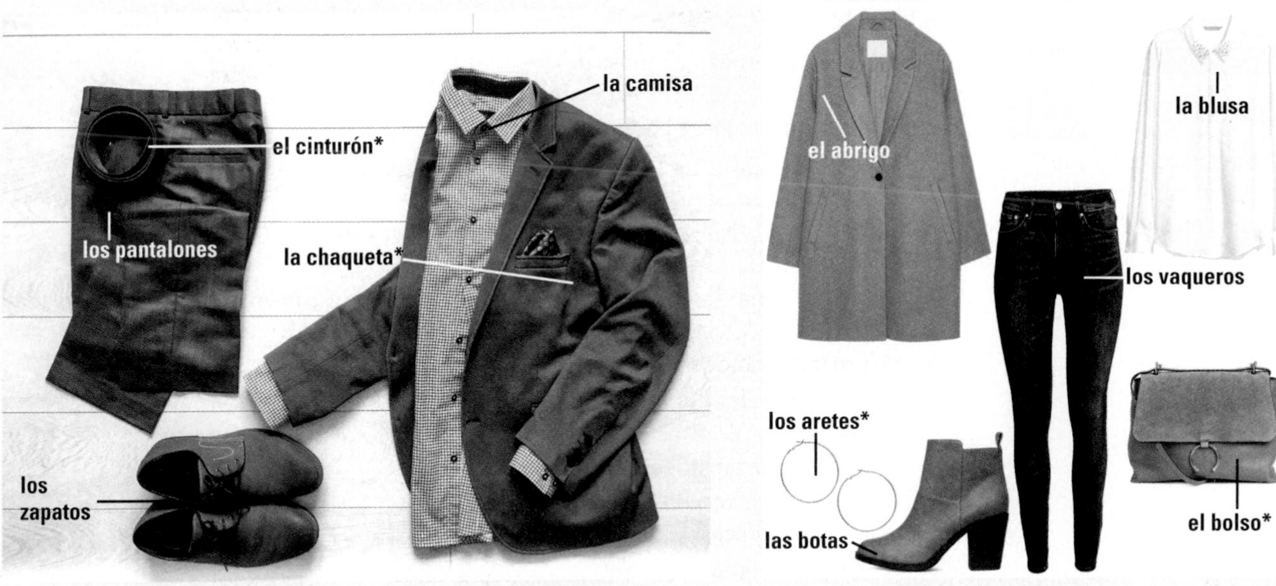

El tiempo *(The weather)*

¿Cómo es el clima en...?
El clima es...
The climate is...

- **cálido** *hot*
- **templado** *warm.*
- **frío** *cold.*
- **seco** *dry.*
- **húmedo** *humid.*

El cielo está... / Está
The sky is... / It is

- **despejado.** *clear.*
- **nublado.** *cloudy.*

la lluvia *rain*	**llover (o > ue)** *to rain*	**Llueve. / Está lloviendo.** *It's raining.*
la nieve *snow*	**nevar (e > ie)** *to snow*	**Nieva. / Está nevando.** *It's snowing.*
la niebla *fog*		**Hay niebla.** *It's foggy.*

¿Qué temperatura hace...? *What is the temperature?* — **Hace...grados** *It's . . . degrees.*

¿Qué tiempo hace? *What is the weather like?*

- **Hace buen tiempo.** *It's nice weather.*
- **Hace sol.** *It's sunny.*
- **Hace fresco.** *It's cool.*
- **Hace frío.** *It's cold.*
- **Hace viento.** *It's windy.*
- **Hace mal tiempo.** *It's bad weather.*

FLASHBACK

Remember that the verb **ser** is used to describe the usual climate of a given location (fundamental quality) and the verb **estar** is used when describing the weather conditions at a specific time (condition). See "Uses of **ser** and **estar**," page 122.

Para practicar el vocabulario

A. En la tienda y en la zapatería

Complete the following statements appropriately with vocabulary from **Lección 9**.

FLASHBACK

For these exercises you may want to review the seasons on page 48 and "Expressions with **tener**" on page 74.

1. Pablo se va a probar la camisa de ________________ cortas en el ________________ de la tienda.
2. Cuando Marisol juega béisbol, lleva una ________________ en la cabeza.
3. Cuando él ________________ el traje azul, se pone una camisa blanca y una ________________ roja.
4. Compré un ________________ de botas, pero las botas me ________________ chicas; me ________________ mucho.
5. Ella se puso una ________________ blanca y una blusa negra. También se puso unas sandalias de ________________ altos.
6. No uso talla grande ni chica. Uso talla ________________.
7. Busco unos aretes y una ________________ de ________________ para mi mamá.
8. No quiero usar zapatos en mi casa; prefiero andar ________________.
9. Voy a comprar el vestido. Está de ________________ y no es muy caro. Cuesta solamente 50 dólares.
10. Tengo que comprar ropa. No ________________ nada que ________________.

B. ¿Qué se ponen?

Describe what Pablo and Sara usually wear, based on the cues provided. Be sure to use complete sentences.

- **MODELO:** en la cabeza
  Pablo se pone un gorro en la cabeza.

Pablo

1. con el traje
2. debajo del pantalón
3. debajo de la camisa
4. para sujetarse *(hold)* los pantalones
5. cuando nieva
6. en las manos, cuando tiene frío
7. en los pies

Sara

1. cuando tiene frío
2. para dormir
3. en la cabeza
4. con el camisón
5. en los pies
6. en el cuello, cuando tiene frío
7. cuando llueve

C. El fin de semana de Elena y Gustavo

With a partner, discuss the items that Elena and Gustavo may take for a weekend away from home. Select appropriate clothing for the activities they have planned.

1. Elena: Hace calor, va a ir a caminar con su amiga.
2. Gustavo: Es un día de sol y desea ir a la playa con amigos.
3. Elena: Ella y sus amigos van al cine. Hace fresco.
4. Elena: Van a ir a las montañas. Hace frío.
5. Gustavo: Él va a la boda de un amigo.

D. Confusiones

Ana, José, and Luisa went shopping together and they put all their shopping bags in the trunk of the car. When they arrived home, they realized that they had each other's bags. With a classmate, try to figure out which items belong to which person. Here are some clues to help you:

- Ana es atlética y muy elegante.
- A José le gusta la ropa cómoda y no gasta mucho en ropa.
- Luisa no usa faldas y le gustan los zapatos de tacones altos.

1. Ana tiene una bolsa con vaqueros. Probablemente son de...
2. José encuentra un pantalón y una camiseta para jugar al tenis. Piensa que son de...
3. Luisa ve un sombrero muy caro en otra bolsa. Cree que es de...
4. Al abrir una bolsa, Luisa ve una falda. Está segura que es de...
5. José se ríe *(laughs)* cuando encuentra una par de zapatos de tacón alto. Él le manda un mensaje de texto a...
6. Ana encuentra un suéter muy barato y está segura que es de...

Africa Studio/Shutterstock.com

E. Hablando del tiempo

1. ¿Cómo es el clima de...?
   a. Nunavut en invierno
   b. Winnipeg en la primavera
   c. Calgary en el otoño
   d. Ontario en el verano
2. Va a llover. ¿Cómo está el cielo?
3. ¿Cuándo tienes que conducir con mucho cuidado?
4. ¿Qué temperatura hace hoy en Victoria, Montreal y Nunavut (ver el mapa)?

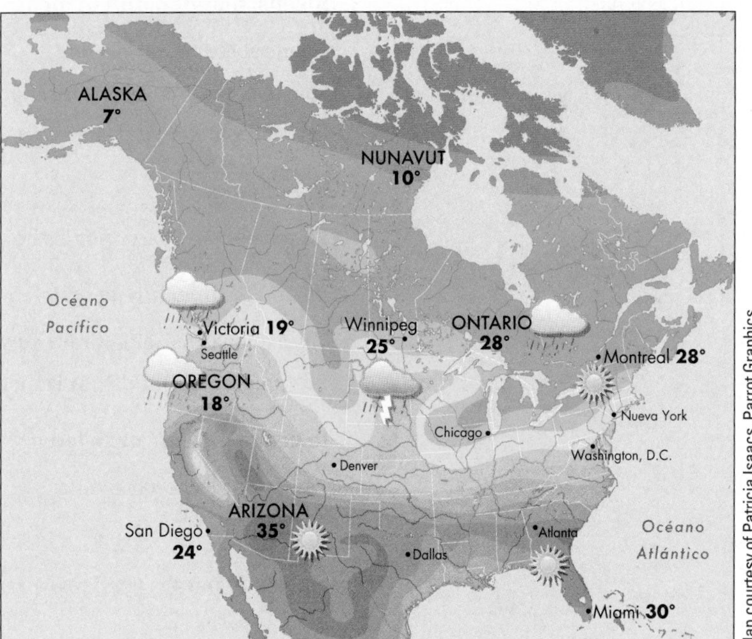

Map courtesy of Patricia Isaacs, Parrot Graphics

Pronunciación

Pronunciation in context

In this lesson, there are some words or phrases that may be challenging to pronounce. Listen to the correct pronunciation; then say the following sentences out loud.

1. **Se conocieron** en la **facultad** de **medicina** hace dos años.
2. **Ahora** están en una tienda porque Pablo necesita **comprar ropa**.
3. Necesito un par de **zapatos**. Creo que **calzo** el **número** cuarenta y cuatro.
4. Cuando era chico, **me quitaba** los zapatos en cuanto **llegaba** de la escuela.
5. Tú **llamas** a tu **compañera** de **cuarto** y yo llamo al mío.

FLASHBACK 

Review vocabulary for seasons on page 48.

PUNTOS PARA RECORDAR

1 Some uses of *por* and *para* (*Algunos usos de* por *y* para)

The preposition **por** is used to express the following concepts.

FLASHBACK 

You will sometimes use an object of the preposition pronoun with **por** and **para**. To review, see page 130.

- **motion** *(through, along, by, via)*

No puedo salir **por** la ventana.	*I can't go out **through** the window.*
Fuimos **por** la calle Quinta.	*We went **via** Fifth Street.*

- **cause or motive of an action** *(because of, on account of, on behalf of)*

No compré las sandalias **por** no tener dinero.	*I didn't buy the sandals **because** I didn't have any money.*
Lo hice **por** ti.	*I did it **on** your **behalf.***
Llegaron tarde **por** el tráfico.	*They arrived late **on account of** the traffic.*

- **means, manner, unit of measure** *(by, per)*

No me gusta viajar **por** tren.	*I don't like to travel **by** train.*
Va a setenta kilómetros **por** hora.	*She is doing seventy kilometres **per** hour.*
El hotel cobra 100 dólares **por** noche.	*The hotel charges a hundred dollars **per** night.*

- **in exchange for**

Pagamos cien dólares **por** las botas.	*We paid a hundred dollars **for** the boots.*

- **period of time during which an action takes place** *(during, in, for)*

Voy a quedarme aquí **por** un mes.	*I'm going to stay here **for** a month.*
Ella prepara la comida **por** la mañana.	*She prepares the meal **in** the morning.*

- **to get, to pick up, or to fetch**

Vamos **por** leche a la tienda.	*We go **to get** milk at the store.*
Paso **por** ti a las ocho.	*I'll come **to pick** you **up** at eight.*

The preposition **para** is used to express the following concepts.

- **destination**

¿Cuándo sales **para** Quito?	*When are you leaving **for** Quito?*

- **goal for a specific point in the future** (*by* or *for* a certain time in the future)

Necesito la camisa y el pantalón **para** mañana.	*I need the shirt and the pants **for (by)** tomorrow.*

- **whom or what something is for**

La blusa es **para** ti.	*The blouse is **for** you.*

- **objective or goal**

Mi novio estudia **para** profesor.	*My boyfriend is studying **to be** a professor.*

- **in order to**

—Ayer fui a su casa. —**Para** qué? —**Para** hablar con él.	*"Yesterday I went to his house."* *"What **for**?"* ***"(In order) To** talk with him."*

Práctica y conversación

A. Minidiálogos

Supply **por** or **para** in each dialogue.

1. —¿__________ qué calle fuiste __________ ir al centro comercial?
   —Fui __________ la calle Esperanza.
2. —¿__________ cuándo necesitas los pantalones?
   —Los necesito __________ el sábado __________ la noche.
3. —¿Para qué fuiste a la tienda?
   —__________ comprar tu ropa. Lo hice __________ ti, porque estabas muy cansada... Y no compré los zapatos __________ no tener más dinero.
4. —¿Cuánto pagaron Uds. __________ ese vestido?
   —Cien soles. Es __________ nuestra hija.
   —¿Cuándo sale ella __________ Cuzco?
   —El 3 de enero. Va a estar allí __________ dos meses. Va __________ visitar a su abuela.
   —¿Va __________ tren?
   —Sí.
5. —¿Ofelia está en la universidad?
   —Sí, estudia __________ profesora.

DETALLES CULTURALES

En Bolivia la moneda que se usa es el boliviano. En Paraguay usan el guaraní. En Ecuador usan el dólar estadounidense como moneda desde el 2000.

B. Cosas que pasan

Look at the photos and complete the sentences with **por** or **para**.

1. Nosotros viajamos ________ tren en Europa.

2. Ellos miran ________ la ventana.

3. Anabel tiene que estar en Chile ________ el 15 de mayo. Va a estar allí ________ un mes.

4. Luis Manuel paga ________ su comida.

5. El regalo es ________ Marta.

6. El trabajo es ________ mañana.

C. Diferentes circunstancias

In groups of three, and using your imagination, add some details to the following circumstances. Use **por** or **para** and think of various possibilities.

- **MODELO:** Marisa compró un vestido.

  *Pagó 100 dólares **por** el vestido. El vestido es **para** su tía.*

1. Mi sobrino va a ir a Ecuador.
2. Mi prima está en la universidad.
3. Amalia trabaja de siete a once de la mañana.
4. Marité tiene una fiesta el sábado. Necesita comprar un vestido.
5. David compró una corbata.
6. Miguel sale con Mirta esta noche.
7. Este hotel es muy barato.
8. Julio conduce muy rápido.
9. Ellos llegaron tarde a la fiesta.
10. Luis no pudo entrar por la puerta.

2 Weather expressions *(Expresiones para describir el tiempo)*

- The following expressions are used when talking about the weather.

Hace fresco.	*It is cool.*
Hace frío.	*It is cold.*
Hace calor.	*It is hot.*
Hace viento.	*It is windy.*
Hace sol.	*It is sunny.*

—¿Qué tiempo **hace** hoy? *"What's the weather **like** today?"*
—**Hace buen (mal) tiempo.** ***"The weather is good (bad)."***

—¿Abro la ventana? *"Shall I open the window?"*
—¡Sí! ¡**Hace** mucho **calor**! *"Yes! **It's** very **hot**!"*

¡ATENCIÓN!

All of these weather expressions use the verb **hacer** followed by a noun. If you want to express that it is *very* hot, cool, sunny, or cold, you would use the adjective **mucho**: Hace **mucho** frío. Hace **mucho** calor. To express that one is hot in Spanish, use an expression with the verb **tener: Tengo calor.**

- The impersonal verbs **llover (o > ue)** *(to rain)* and **nevar (e > ie)** *(to snow)* are also used to describe the weather. They are used only in the third-person singular forms of all tenses, and in the infinitive, the present participle, and the past participle.

En Vancouver **llueve** mucho.	***It rains** a lot in Vancouver.*
Creo que va a **nevar** hoy.	*I think it's going to **snow** today.*
Está **lloviendo**; no podemos salir.	*It's **raining**; we can't go out.*
Está **nevando**; necesito un gorro.	*It's **snowing**; I need a toque.*

FLASHBACK

You may wish to review "Expressions with **tener**" on page 74.

- Other weather-related words are **lluvia** *(rain)*, **nieve** *(snow)*, and **niebla** *(fog)*.

Hay **niebla**.	*It's **foggy**.*
No me gusta **la lluvia**.	*I don't like **rain**.*
En invierno hay **nieve** en muchos lugares.	*In winter there is **snow** in many places.*

Kacmerka/Shutterstock.com

¿Nevó mucho? No, es el salar de Uyuni, en Bolivia. Es el desierto de sal más grande del mundo.

Práctica y conversación

A. ¿Qué tiempo hace?

Describe the weather in each illustration.

1. ______________________

2. ______________________

3. ______________________

4. ______________________

5. ______________________

6. ______________________

7. ______________________

8. ______________________

B. Minidiálogos

With a partner, complete the exchanges in a logical manner.

1. —¿Necesitas un paraguas?

   —Sí, porque ____________________.
2. —¿No necesitas un abrigo?

   —No, porque ____________________.
3. —¿No quieres llevar el suéter?

   —¡No! ¡Hace ____________________!
4. —¿Vas a llevar el sombrero?

   —Sí, porque ____________________.
5. —¿Necesitas un suéter y un abrigo?

   —Sí, porque ____________________.
6. —¿Un impermeable? ¿Por qué? ¿Está lloviendo?

   —No, pero creo que va a ____________________.
7. —¿Cuándo sale el vuelo *(flight)*?

   —No hay vuelos porque hay mucha ____________________.

C. De viaje *(On a trip)*

A friend of yours from Lima is going to travel in Canada for a year. With a partner, discuss what kind of weather he/she is going to find in cities like St. John's, Mississauga, Saskatoon, and Vancouver during the fall, winter, spring, and summer. You may also make suggestions about the clothing he/she should pack for each place at different times of the year.

3 The preterite contrasted with the imperfect
(El pretérito contrastado con el imperfecto)

The difference between the preterite and the imperfect tense can be visualized in the following way.

FLASHBACK 

Before contrasting the preterite and the imperfect, it may be helpful to review the preterite on pages 184–185, 186, 198, and 203, and the imperfect on pages 205–206.

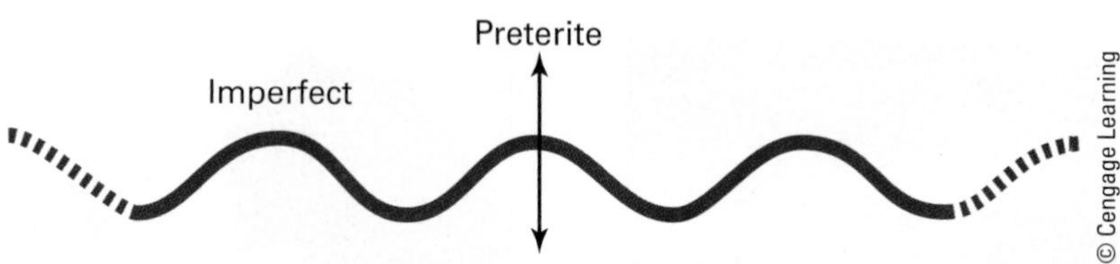

The wavy line representing the imperfect shows an action or event taking place over a period of time in the past. There is no reference as to when the action began or ended. The vertical line representing the preterite shows an action or event completed at a certain time in the past.

In many instances, the choice between the preterite and the imperfect depends on how the speaker views the action or event. The following table summarizes the most important uses of both tenses.

Preterite	Imperfect
• Reports past actions or events that the speaker views as completed. Ella **vino** ayer. Yo **llegué** muy tarde.	• Describes past actions or events in the process of happening, with no reference to their beginning or end. **Íbamos** al cine cuando…
• Sums up a condition or state viewed as a whole (and no longer in effect). **Estuve** cansada todo el día. **Estudiamos** por dos horas.	• Indicates a repeated or habitual action *(used to …, would)*. Some clues for this use: *siempre, todos los días* (*años, meses, lunes,…*), *frecuentemente*. Todas las semanas **íbamos** con él.[2]
• Is used with a series of actions. Cecibel **entró** en la clase, se **sentó** y **abrió** el libro.	• Describes a physical, mental, or emotional state or condition in the past. **Estaba** muy cansada.
	• Expresses time and age in the past. **Eran** las dos. **Tenía** veinte años.
	• Is used in indirect discourse. Paco dijo que Alicia **venía** a las tres.
	• Describes in the past or sets the stage. Mis aretes **eran** muy bonitos. **Hacía** frío y **llovía**.

—¿**Viste** a Eva ayer? —Sí, **caminaba** a la universidad cuando la **vi**.	*"**Did you see** Eva yesterday?"* *"Yes, **she was** walking to the university when **I saw** her."*
—¿Qué te **dijo** Raúl? —**Dijo** que **necesitaba** dinero.	*"What **did** Raúl **say** to you?"* *"He **said he needed** money."*
Cuando yo **tenía** cinco años, mi familia **fue** a Ecuador.	*When I **was** five, my family **went** to Ecuador.*

¡ATENCIÓN!

Direct discourse: Juan dijo: "Vengo mañana".

Indirect discourse: Juan dijo que venía mañana.

[2]Note that this use of the imperfect corresponds to the English *would* used to describe a repeated action in the past. *Every week **we used to** go with him. = Every week **we would** go with him.* Do not confuse this with the English conditional *would*, as in: *If I had the time **I would go** with him.*

Práctica y conversación

A. Pequeñas historias

Complete the following stories, using the appropriate form of the preterite or the imperfect of the verbs provided. Then read the stories aloud.

1. ________________ (Ser) las once y ________________ (hacer) frío cuando Ada ________________ (llegar) a su casa anoche. La chica ________________ (estar) cansada y no ________________ (sentirse) bien. Su mamá ________________ (levantarse) y le ________________ (hacer) una taza de té.
2. Cuando yo ________________ (ser) niño, yo ________________ (vivir) en Chile. Todos los veranos ________________ (ir) a visitar a mis abuelos, que ________________ (vivir) en el campo. El año pasado mi familia y yo ________________ (mudarse) *(to move)* a Cuzco y mis abuelos ________________ (venir) a vivir con nosotros.
3. Ayer, Ana y Carlos ________________ (ir) a la tienda La Peruana. Ana ________________ (comprar) una camisa. El empleado les ________________ (decir) que ellos ________________ (tener) mucha ropa buena y barata. Ana y Carlos ________________ (volver) a su casa a las siete, ________________ (cenar) y ________________ (acostarse). Ana no ________________ (dormir) muy bien.

B. Entrevista a tu compañero(a)

Interview a partner using the following questions.

1. ¿Qué tiempo hacía cuando saliste de tu casa esta mañana?
2. ¿Fuiste a la universidad o al centro comercial el sábado pasado?
3. Cuando eras niña(o), ¿quién compraba tu ropa?
4. ¿Qué ropa llevabas a la escuela cuando tenías 10 años?
5. ¿Alguien te dio ropa para tu cumpleaños este año? ¿Qué te dieron?
6. En diciembre, cuando venías a clase, ¿qué ropa te ponías?
7. ¿Qué compraste el fin de semana pasado?
8. ¿Qué hora era cuando volviste a tu casa ayer?

C. ¿Qué hacíamos… qué hicimos…?

With a partner, talk about what you used to do when you were in high school and then discuss what you did last week. Use the following phrases to start.

1. Cuando yo estaba en la escuela secundaria,
   a. todos los días yo…
   b. los fines de semana mi familia y yo…
   c. en mi clase de inglés, mi profesor(a)…
   d. en la cafetería mis amigos y yo…
   e. mi mejor amigo(a) siempre…
   f. los viernes por la noche yo…
2. La semana pasada,
   a. el lunes por la mañana yo…
   b. en mi clase de español mi profesor(a)…
   c. el martes por la noche…
   d. el jueves por la tarde…
   e. el sábado mis amigos y yo…
   f. el domingo yo…

D. Más pequeñas historias

Fill in the blanks with the correct **preterite** or **imperfect** of the verbs indicated.

1. ____________________ (Ser) un día muy bonito de primavera. ____________________ (Hacer) sol y el cielo ____________________ (estar) despejado. Mi hermana y yo ____________________ (decidir) ir de compras. Cuando nosotras ____________________ (caminar) por el centro, yo ____________________ (ver) a mi amigo Enrique. Él nos ____________________ (invitar) a tomar un café. Yo le ____________________ (decir) que nosotras no ____________________ (tener) tiempo.
2. Cuando Martín ____________________ (tener) veinte años, él ____________________ (ir) a Bolivia con sus padres. Ellos ____________________ (estar) en La Paz por dos semanas. Antes de regresar a Canadá, Martín ____________________ (comprar) un suéter de lana *(wool)* de alpaca. A él, le ____________________ (gustar) mucho el viaje.

E. Soy escritor *(I'm a writer)*

Use your imagination to finish the following story.

Un día, yo y mi amiga fuimos al centro comercial y nos encontramos con su ex-novio...

4 *Hace...* meaning *ago* (Hace... *como equivalente del inglés* ago)

In sentences in the preterite and in some cases the imperfect, **hace** + *period of time* is equivalent to the English *ago*. When **hace** is placed at the beginning of the sentence, the construction is as follows.

Hace + *period of time* + **que** + *verb* (*preterite*)

Hace + dos años + **que** + la conocí.

*I met her two years **ago**.*

An alternative construction is:

La conocí hace dos años.

FLASHBACK

You may remember a similar construction used to express in English, *"have been ...-ing"* (e.g., "I have been living in Medicine Hat for three years." *"Hace tres años que vivo en Medicine Hat."*). See page 151.

¡ATENCIÓN!

To find out how long ago something took place, ask:

¿Cuánto tiempo hace que... + *verb in the preterite***?**

—**¿Cuánto tiempo hace que viniste** de Guayaquil?	*"**How long ago** did you come from Guayaquil?"*
—**¿Cuánto tiempo hace que** tú llegaste?	*"**How long ago did** you arrive?"*
—**Hace tres años que** llegué.	*"I arrived **three years ago**."*

Hace un mes que volvieron de las vacaciones. Están mirando las fotos y recuerdan los lugares que visitaron.

Frank and Helena/Getty Images

Práctica y conversación

A. ¿Cuánto tiempo hace…?

Say how long ago the following events took place.

- **MODELO:** Son las cuatro. Yo llegué a las tres.
  Hace una hora que yo llegué.

1. Estamos en noviembre. Los García celebraron su aniversario de bodas en septiembre.
2. Son las seis. Yo almorcé a la una.
3. Hoy es viernes. Esteban salió para Bolivia el martes.
4. Son las diez. Pedimos el postre a las diez menos cuarto.
5. Estamos en el año 2020. Vinimos a London, Ontario, en el año 2008.
6. Son las diez. Ellos empezaron a estudiar a las siete.

B. ¿Cuándo pasó eso?

Discuss with a partner how long ago the following events happened in your life.

1. ¿Cuánto tiempo hace que empezaste a estudiar español?
2. ¿Cuánto tiempo hace que tuviste un examen?
3. ¿Cuánto tiempo hace que hablaste con tus padres?
4. ¿Cuánto tiempo hace que le escribiste un mensaje de texto a un(a) amigo(a)?
5. ¿Cuánto tiempo hace que tu mejor amigo(a) te llamó por teléfono?
6. ¿Cuánto tiempo hace que estuviste en un buen restaurante?
7. ¿Cuánto tiempo hace que compraste ropa? ¿Qué compraste?
8. ¿Cuánto tiempo hace que saliste con tus amigos? ¿Qué hicieron?

5 Possessive pronouns *(Pronombres posesivos)*

- Possessive pronouns in Spanish agree in gender and number with the person or thing possessed. They are generally used with the definite article.

Singular		Plural		
Masc.	*Fem.*	*Masc.*	*Fem.*	
(el) mío	**(la) mía**	**(los) míos**	**(las) mías**	*mine*
(el) tuyo	**(la) tuya**	**(los) tuyos**	**(las) tuyas**	*yours (fam.)*
(el) suyo	**(la) suya**	**(los) suyos**	**(las) suyas**	*yours (form.)* / *his* / *hers*
(el) nuestro	**(la) nuestra**	**(los) nuestros**	**(las) nuestras**	*ours*
(el) vuestro	**(la) vuestra**	**(los) vuestros**	**(las) vuestras**	*yours (fam.)*
(el) suyo	**(la) suya**	**(los) suyos**	**(las) suyas**	*yours (form.)* / *theirs*

—Mis guantes están aquí. ¿Dónde están los **tuyos**?	*"My gloves are here. Where are **yours**?"*
—Los **míos** están en la mesa.	*"**Mine** are on the table."*
—¿Esta sudadera es **tuya**?	*"Is this sweatshirt **yours**?"*
—Sí, es **mía**.	*"Yes, it's **mine**."*

FLASHBACK

You may want to review possessive adjectives on pages 39–40.

¡ATENCIÓN!

Note that **los tuyos** substitutes for **los *guantes* tuyos**; the noun has been deleted. Also note that after the verb **ser**, the article is usually omitted.

- Because the third-person forms of the possessive pronouns (**el suyo**, **la suya**, **los suyos**, **las suyas**) can be ambiguous, they can be replaced with the following for clarification.

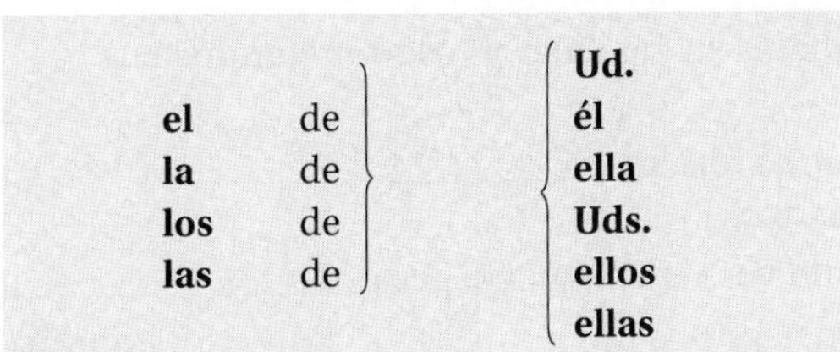

el de / **la** de / **los** de / **las** de + **Ud.** / **él** / **ella** / **Uds.** / **ellos** / **ellas**

¿El diccionario? Es **suyo**. *(unclarified)*	*The dictionary? (It's **hers/his/theirs/yours**.)*
Es **el de ellas**. *(clarified)*	*It's **theirs**. (fem. pl. possessor)*

Amalia diseña *(designs)* ropa y ella tiene mucho éxito. Los diseños suyos son muy populares y están de moda.

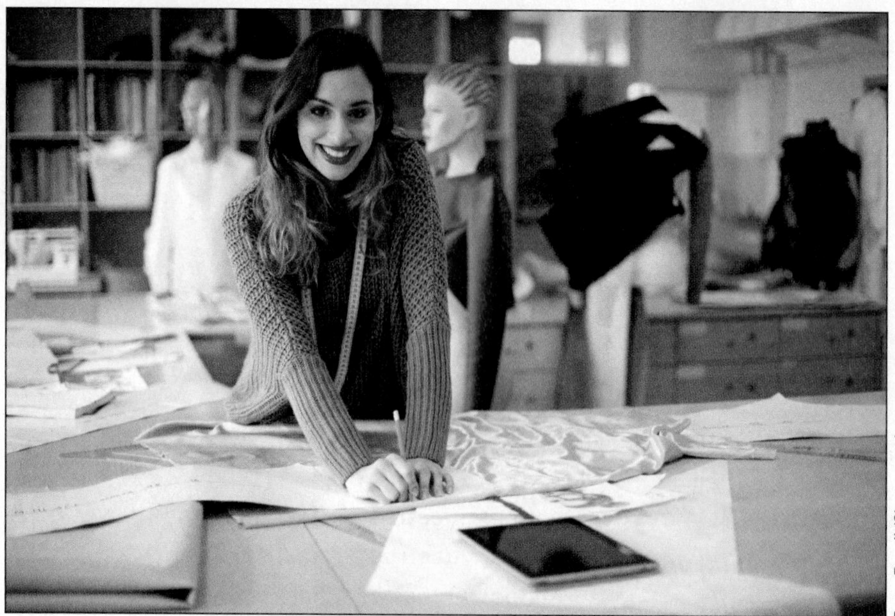

Peter Bernik/Shutterstock.com

Práctica y conversación

A. Todo lo nuestro

Supply the correct possessive pronoun and the definite article to agree with each subject. Some examples may need clarification.

- **MODELO:** Benjamín tiene una billetera azul, pero ________________ *(mine)* es verde.

  *Benjamín tiene una billetera azul, pero **la mía** es verde.*

1. Yo llevo mis sandalias y tú llevas ________________ *(yours).*
2. Ellos tienen una tienda en la calle principal de la ciudad y ________________ *(ours)* está en un centro comercial.
3. Su abrigo costó cien dólares, pero ________________ *(mine)* costó ochenta.
4. El cinturón de Luciano es marrón, pero ________________ *(theirs)* son negros. (________ ________ ellos son negros.)
5. Compré mis vaqueros en Paraguay y vosotros comprasteis ________________ *(yours)* en Perú.
6. La gorra de Arturo es roja, pero ________________ *(hers)* es azul. (________ ________ ella es azul.)
7. El regalo que le dio Vera era pequeño, pero ________________ *(ours)* era grande.
8. Sus sandalias son negras, pero ________________ *(mine)* son verdes.

B. ¿De quién es...?

Who owns the following items? Answer the questions affirmatively.

1. Aquí hay una blusa verde. ¿Es tuya?
2. Yo encontré 100 dólares. ¿Son tuyos?
3. ¿La cartera roja es de tu mamá?
4. La chaqueta que tú tienes, ¿es mía?
5. Las tarjetas que están en mi escritorio, ¿son de ustedes?
6. Aquí hay un abrigo. ¿Es de Carmen?

C. Vamos a comparar

With a partner, make comparisons between the objects and people described. Use appropriate possessive pronouns when asking each other questions.

- **MODELO:** —Mi hermano tiene... años. ¿Cuántos años tiene el tuyo?
  —El mío tiene dieciocho.

1. Mi casa está en la calle...
2. Mis abuelos son de...
3. Mi mejor amigo(a) se llama...
4. Mis profesores son...
5. Mis padres están en...
6. Mis tías viven en...

Práctica y traducción

Review the vocabulary and grammatical concepts studied in **Lección 9** as you translate the following sentences.

1. At the store, I bought a t-shirt, jeans and a new purse.
2. —What's the weather today?
   —It's cold and it's raining. We need our umbrellas.
3. William went to the market for milk in the morning.
4. Inés left for La Paz this afternoon. When she was a little girl, she lived there.
5. I bought my shoes at the mall. Where did you get yours?

ENTRE NOSOTROS

¡Conversemos!

Para conocernos mejor

Get to know your partner better by asking each other the following questions.

1. ¿Dónde conociste a tu mejor amigo(a)? ¿Cuántos años tenías cuando lo (la) conociste?
2. ¿Qué le compraste a tu mejor amigo(a) para su cumpleaños?
3. Cuando vas de compras, ¿prefieres ir solo(a) o con un(a) amigo(a)?
4. Yo compré mi ropa en el centro comercial. ¿Tú compraste la tuya en línea?
5. ¿Cuándo fue la última vez que fuiste a la tienda _____? ¿Qué compraste?
6. Generalmente, ¿usas camisas (blusas) de mangas largas o de mangas cortas?
7. ¿Qué ropa te vas a poner mañana? ¿Te vas a poner sandalias o zapatos?
8. ¿Cuánto te costaron los zapatos? ¿Qué número calzas tú?
9. Si te gustan unos zapatos pero te quedan un poco chicos, ¿los compras?
10. ¿Qué te pones cuando hace mucho frío? ¿Te gustan más los climas fríos o los cálidos?

Búsqueda de gente

Interview your classmates to identify who fits the following descriptions. Include your instructor, but remember to use the **Ud.** form when addressing him or her.

NOMBRE	
1.	prefiere los climas cálidos.
2.	usa impermeable cuando llueve.
3.	le gusta viajar por tren.
4.	llegó tarde a clase por el tráfico.
5.	siempre dice que no tiene nada que ponerse.
6.	estudia para profesor(a).
7.	celebró su cumpleaños el mes pasado.
8.	vivía en otra ciudad cuando era niño(a).
9.	compró algo para un amigo (una amiga) recientemente.
10.	gastó mucho dinero en ropa este mes.

Y ahora...

Write a brief summary, indicating what you have learned about your classmates.

¿Cómo lo decimos?

What would you say in the following situations? What might the other person say? Act out these scenes with a partner.

1. You are shopping for clothes in Lima. Tell the clerk what clothes you need, your size, and discuss colours and prices.
2. You go shopping for shoes, sandals, and boots. You try on several pairs, but have problems with them. You finally buy a pair of boots.

3. Your friends went to the store without you. Ask them what they bought and how much they spent.
4. You ask a new acquaintance from Ecuador where she lived when she was a child and what she liked to do. Give her the same information about you.

¿Qué dice aquí?

Look at the following ad and help a friend of yours who is shopping at La Limeña, in Lima. Answer his or her questions, using the information provided in the ad.

1. ¿Cómo se llama la tienda?
2. ¿En qué mes son las rebajas *(sales)*?
3. Tengo una hija de nueve años. ¿Qué puedo comprarle en la tienda?
4. Mi esposo necesita zapatos. ¿Qué tipo de zapatos están en liquidación?
5. Además de *(Besides)* los zapatos, ¿qué puedo comprar para mi esposo?
6. Vamos a ir a la playa. ¿Qué puedo comprar para mis hijos?
7. Soy profesora y necesito más ropa para el trabajo. ¿Qué puedo comprar?

Las rebajas de
La Limeña
¡En agosto hay más ventajas!

Señoras

Vestidos de muchos colores y en todas las tallas

Blusas exclusivas y faldas cortas y largas

Zapatos de tacón alto y sandalias muy cómodas

Caballeros

Trajes y pantalones de sport y de vestir

Camisas de mangas largas y mangas cortas que están de moda

Zapatos de cuero *(leather)* importados

Niños y Jóvenes

Camisetas para niñas y niños de todas las edades

Trajes de baño y sandalias para ir a la playa

Pantalones cortos para niñas y niños

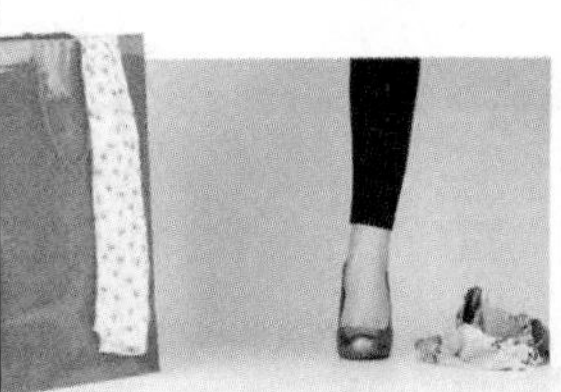
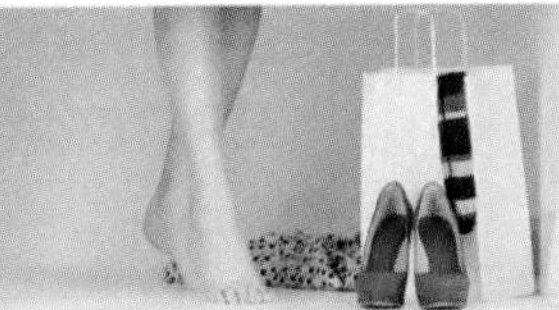
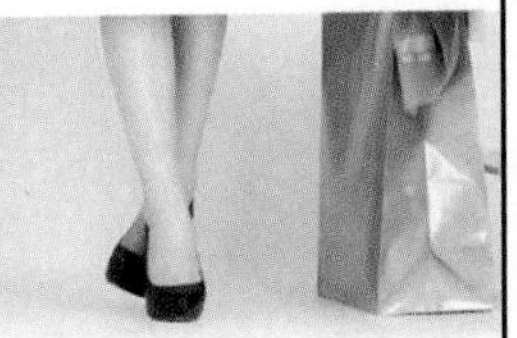

Ahora en La Limeña, rebajas sobre rebajas. Todo cuesta mucho menos.

Shots Studio/Shutterstock.com

Para escribir

¿Cómo eras tú?

Write a short narration about your life when you were twelve. Where were you living? What were you like? What did you like to do? Now, write seven brief journal entries of a diary as if you were twelve years old. Date each day and make sure you include different events that happened during the week. Be inventive. Use humour.

UN DICHO

Lo barato sale caro.

Do you only buy clothes that are of good quality? If you do, you will agree with this saying. What does it mean?

GeorgiosArt/Thinkstock

Imágenes de líderes nacionales aparecen en la moneda de muchos países. En este caso, la imagen de Antonio José de Sucre aparece en el billete de dos mil bolívares (la moneda venezolana).

ASÍ SOMOS

Vamos a escuchar

A. En la tienda

You will hear a conversation between Silvia and her husband Roberto. They are shopping at a store. Pay close attention to what they say. You will then hear ten statements about what you heard. Indicate whether each statement is true (**V**) or false (**F**).

1. ☐ V ☐ F
2. ☐ V ☐ F
3. ☐ V ☐ F
4. ☐ V ☐ F
5. ☐ V ☐ F
6. ☐ V ☐ F
7. ☐ V ☐ F
8. ☐ V ☐ F
9. ☐ V ☐ F
10. ☐ V ☐ F

Vamos a leer

ESTRATEGIA

El blog de Leonor

Here is another blog from a student. She is writing from Spain! Before reading the blog, keep in mind the vocabulary and grammar structures from this lesson. Look at the pictures; do they give you an idea of what this reading is about? Read the blog first and then answer the questions.

B. Sobre el blog

1. ¿De dónde escribe Leonor?
2. ¿Cuándo llegó?
3. ¿Qué tiempo hacía ese día?
4. ¿Qué decidió hacer?
5. ¿Cuál fue su sorpresa?
6. ¿Qué compró en Zara?
7. ¿Cómo es la ropa que venden en Zara?
8. ¿Por qué no compró las botas que vio en Massimo Dutti?
9. ¿Qué encontró en Oysho?
10. ¿Dónde está Leonor cuando escribe el 19 de abril?
11. En la tienda cooperativa, ¿qué compró su hermano y qué compró Leonor?
12. ¿Qué producen con la lana de alpaca?
13. ¿Qué lugar visitaron en Lima?
14. ¿Le gustaron Cuzco y Machu Picchu a Leonor y a su hermano? ¿Por qué?
15. ¿Qué tiempo hacía en Machu Picchu?

C. ¿Qué piensas tú?

1. Cuando viajas, ¿qué prefieres hacer en un lugar nuevo?
2. ¿Conoces una de las tiendas que menciona Leonor? ¿Qué compraste allí?
3. ¿Te gusta ir de compras cuando visitas otros lugares?
4. Cuando eras niña(o), ¿viajabas mucho con tu familia? ¿Qué compraban?
5. ¿Cuál fue la última prenda *(article of clothing)* que compraste?

El Blog de Leonor

Courtesy of Rosa Stewart

9 de febrero

¡Hola, amigos! Les escribo de Madrid. Llegué la semana pasada. Esta mañana cuando me levanté, hacía buen tiempo y el cielo estaba despejado, ¡un día perfecto para explorar la capital de España! Decidí ir de compras al centro. Tuve una gran sorpresa cuando vi que hay tiendas españolas que también tenemos en Canadá. Luego, me di cuenta *(realized)* de que estas tiendas son en realidad españolas. ¿De qué hablo? De tiendas como Zara, Desigual, Oysho, Pull and Bear y Massimo Dutti, que son españolas. Yo compré una blusa y un par de sandalias muy bonitas en Zara. En esta tienda venden ropa que es cómoda, a la moda y no cuesta mucho. En Massimo Dutti vi unas botas maravillosas, pero, ¡costaban una fortuna! En Oysho encontré unos pijamas rosados muy bonitos.

Courtesy of Rosa Stewart

La tienda Desigual en el aeropuerto de Vancouver

AleksandrKon/Shutterstock.com

Oysho en Madrid

19 de abril

Sigo viajando. *Rimaykullayki!* Así se dice "Hola" en quechua, un idioma que mucha gente indígena habla en Perú. Mi hermano y yo decidimos visitar Lima, Cuzco y Machu Picchu. Como siempre, a mí me gusta saber algo de la ropa de los lugares que visito. Ayer fuimos a una tienda cooperativa. Allí, mucha gente de una comunidad vende la ropa que hacen. Mi hermano compró un gorro de lana *(wool)* de alpaca y yo compré un bolso rojo que me gustó mucho. Con la lana de alpaca se hace mucha ropa: abrigos, suéteres, bufandas y más. Los colores son variados y el trabajo es de muy buena calidad. Creo que le voy a llevar un chal *(shawl)* a mi mamá.

No solo compramos ropa. También visitamos el Museo del Oro en Lima, donde vimos objetos de oro maravillosos: aretes, pulseras *(bracelets)* y otras cosas. Cuzco y Machu Picchu son lugares fantásticos. Cuando llegamos a Machu Picchu había niebla, pero después de una hora, el cielo estaba despejado y fue posible ver las ruinas. Fue un día inolvidable *(unforgettable)*.

Evikka/Shutterstock.com

Objetos hechos con lana de alpaca

Soflet/Shutterstock.com

LECCIÓN 10 BUSCANDO TRABAJO

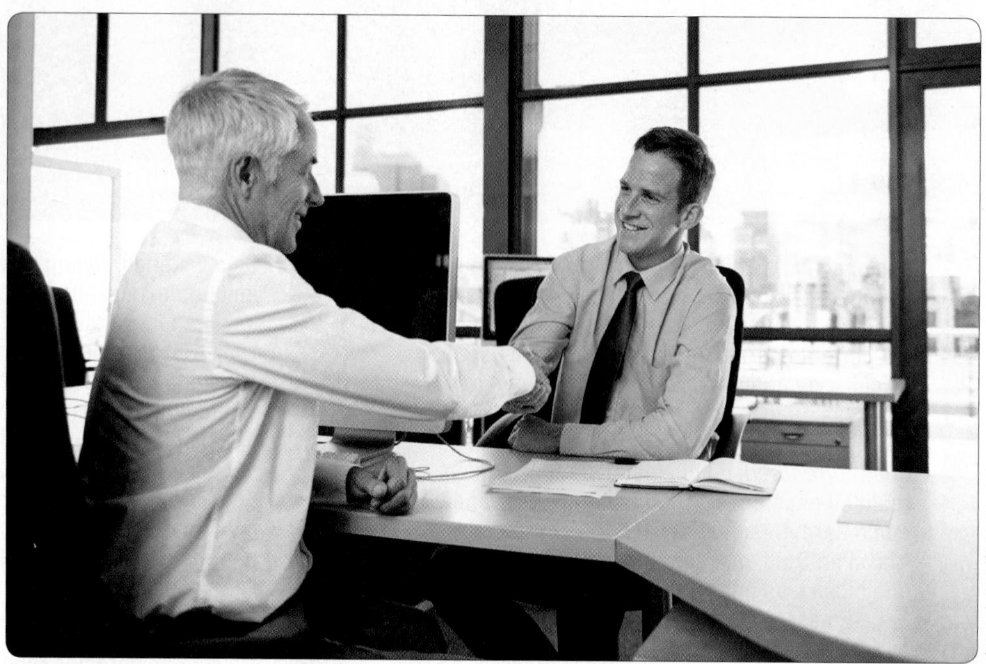
shapecharge/Getty Images

Roberto Sandoval es un estudiante canadiense que estudia español en Perú. Él desea encontrar un trabajo a tiempo parcial por los seis meses de su estadía. Él ha trabajado en un banco en Canadá.

Roberto: Buenas tardes. Tengo una cita con el Sr. Domínguez.

Empleado: Un momento, por favor. El Sr. Domínguez va a verlo en cinco minutos.

Sr. Domínguez: Buenas tardes, señor Sandoval, mucho gusto.

Roberto: Igualmente, es un placer conocerlo. Estoy aquí porque deseo solicitar el empleo de cajero.

Sr. Domínguez: Muy bien. He leído en su currículum que Ud. tiene experiencia. Veo que ha tenido experiencia con las diferentes cuentas que ofrecemos.

Roberto: Sí, he trabajado como cajero por tres años y me encanta solucionar los problemas de los clientes.

Sr. Domínguez: Excelente.

Roberto: Conozco las cuentas de ahorro, corriente y las conjuntas. ¿Tienen alguna otra?

Sr. Domínguez: No, perfecto. Ud. tiene la experiencia que necesitamos. Bienvenido al Banco Central.

Roberto: Muchas gracias.

Esa tarde en un café al aire libre, a dos cuadras del banco, Roberto les escribe a sus padres comunicando la buena noticia.

Roberto: Deseo enviar un correo electrónico. ¿Tienen wifi?

Camarero: Sí, la contraseña es CafeSuperior325.

Roberto: Muchas gracias.

Después de escribir el correo, Roberto lee el periódico. Pedro, un amigo peruano lo ve y se sienta con él.

Pedro: ¿Cómo te fue en la entrevista?

Roberto: Fantástico, conseguí el trabajo. Gracias por tu recomendación.

Pedro: Me alegro. Te invito a cenar en mi casa esta noche. Después de cenar te puedo mostrar un videojuego nuevo.

Roberto: Buena idea. Nos vemos esta noche.

Domingo Leiva/Getty Images

mast3r/Shutterstock.com

Hablemos

Sobre el diálogo

With a classmate, take turns asking and answering the following questions. Base your answers on the dialogues.

1. ¿Dónde está estudiando español Roberto?
2. ¿Qué desea encontrar?
3. ¿Cuánto tiempo va a estar en Perú?
4. ¿Cuántos años ha trabajado de cajero en Canadá?
5. ¿Por qué le gusta trabajar en un banco?
6. ¿Con cuáles cuentas tiene experiencia Roberto?
7. ¿A quiénes les quiere enviar un correo electrónico con la noticia?
8. ¿Qué le pide al camarero?
9. ¿Quién le dio a Roberto la recomendación?
10. ¿Qué van a hacer esa noche los chicos?

Entrevista a tu compañero(a)

With a classmate, take turns asking and answering the following questions.

1. ¿Has vivido en otro país? ¿Cuál?
2. ¿Trabajas a tiempo parcial?
3. ¿Cuál ha sido tu trabajo favorito?
4. ¿Qué tipo de cuenta tienes en el banco ahora?
5. Cuando vas al banco, ¿usas el cajero automático o hablas con un(a) cajero(a)?
6. ¿Has planeado algunas entrevistas para trabajos durante el verano?
7. Generalmente, ¿tienes dinero en efectivo en tu billetera o usas tarjetas de crédito?
8. ¿Usas frecuentemente tu tarjeta de débito?
9. ¿Te gustan los videojuegos? ¿Cuál es tu favorito?
10. ¿Siempre recuerdas todas tus contraseñas?

DETALLES CULTURALES

Los teléfonos celulares son muy populares en el mundo hispano. En España se le llama "el móvil", mientras que en Latinoamérica se conoce como "el celular".

VOCABULARIO

COGNADOS

el banco
el cheque
el/la cliente/clienta
individual
el wifi

SUSTANTIVOS

el (la) cajero(a)	*teller, cashier*
la carta	*letter*
la cita	*date, appointment*
la cuadra*	*city block*
la cuenta	*account*
— conjunta	*joint account*
— corriente	*chequing account*
— de ahorros	*savings account*
la entrevista	*interview*
la estadía	*stay*
la experiencia	*experience*
el formulario, la planilla	*form*
— de solicitud	*application form*
la gente[1]	*people*
la identificación	*I.D. document*[2]
el (la) jefe(a)	*boss, manager*
la licencia de (para) conducir	*driver's licence*
la(s) noticia(s)	*news*
el periódico, diario	*newspaper*
el recibo	*receipt*
el saldo	*balance*
la tarjeta	*card*
— de crédito	*credit card*
— de débito	*debit card*
— postal	*postcard*
la tintorería	*dry cleaner's*

VERBOS

aconsejar	*to advise*
alegrarse (de)	*to be glad*
cobrar	*to cash*
depositar	*to deposit*
esperar	*to hope*
estacionar*	*to park*
fechar	*to date*
firmar	*to sign*
llenar	*to fill, to fill out*
mandar	*to order (someone), to send (something)*
mentir (e > ie)	*to lie*
recomendar (e > ie)	*to recommend*
sentir (e > ie)	*to regret*
sugerir (e > ie)	*to suggest*
temer	*to fear*

ADJETIVOS

abierto(a)	*open*
cerrado(a)	*closed*
medio(a)	*half*
otro(a)	*another, other*

OTRAS PALABRAS Y EXPRESIONES

a tiempo parcial	*part-time*
¿Algo más?	*Anything else?*
Aquí las tiene.	*Here you have them.*
día feriado	*holiday*
durante	*during*
entre	*between*
hacer cola	*to stand in line*
hacer diligencias	*to run errands*
por fin	*finally, at last*
primero	*first*
últimamente	*lately*

Amplía tu vocabulario

En la oficina

ahorrar	*to save*
archivar la información	*to store information*
los audífonos	*headphones*
el cajero automático	*automatic teller machine (ATM)*
la casa central	*headquarters or main office*
la contraseña	*password*
el currículum	*curriculum vitae, C.V., resumé*
en efectivo	*in cash*
gratis	*free (of charge)*
la memoria	*memory*
navegar la Red	*to surf the Internet*
solicitar (pedir) un préstamo	*to apply (ask) for a loan*
la sucursal	*branch office*
la tableta	*tablet*[3]
el tuit	*tweet*
tener acceso a la Red	*to have access to the Internet*
el videojuego	*video game*

[1]**Gente** *(people)* is considered singular in Spanish. [2]In most Spanish-speaking countries the I.D. card is called **cédula de identidad o carné de identidad.**

[3]**Tableta** is also used to refer to **chocolate: Deseo una tableta de chocolate.** It also applies when referring to some medicines: **Tome dos tabletas, dos veces por día.**

Un poco de tecnología *(A little about technology)*

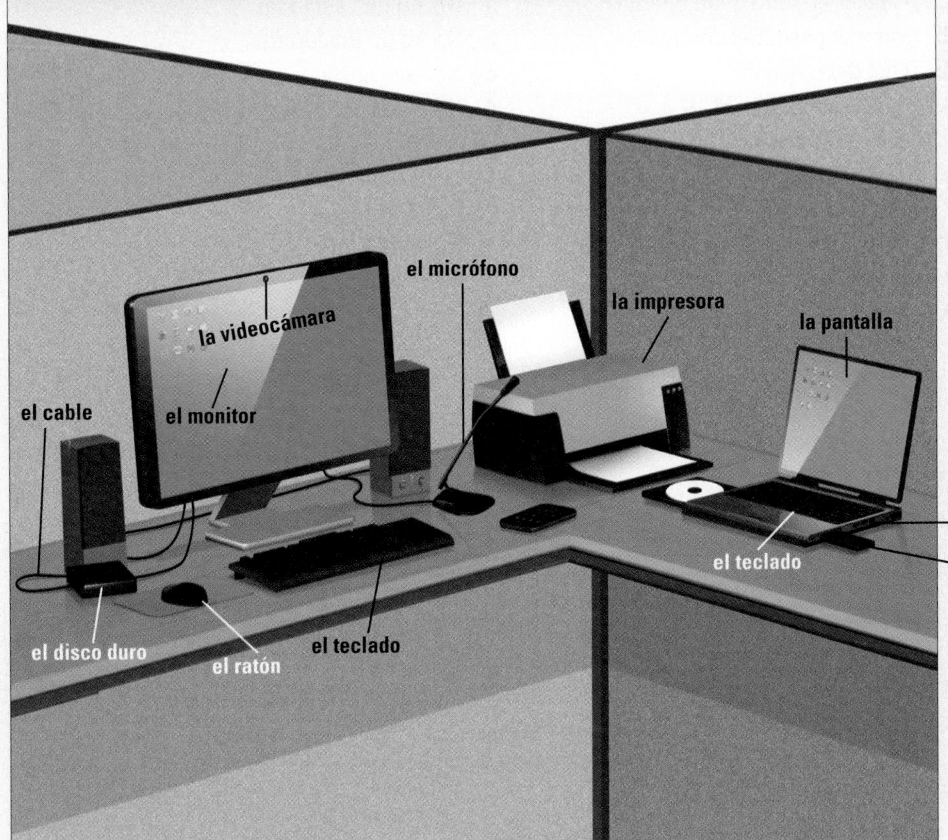

DE PAÍS A PAÍS

la cuadra la manzana *(Esp.)*
estacionar parquear *(Antillas)*

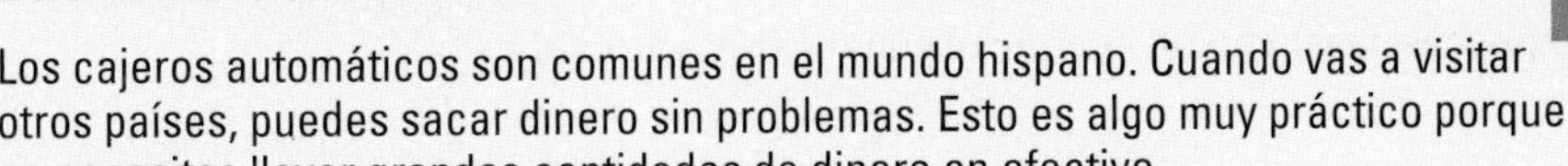

DETALLES CULTURALES

Los cajeros automáticos son comunes en el mundo hispano. Cuando vas a visitar otros países, puedes sacar dinero sin problemas. Esto es algo muy práctico porque no necesitas llevar grandes cantidades de dinero en efectivo.

Para practicar el vocabulario

A. Preguntas y respuestas

Match the questions in column A with the answers in column B.

A	B
1. ¿Cuál es el saldo de tu cuenta?	**a.** No, en una sucursal.
2. ¿Vas a depositar el cheque?	**b.** No, es un día feriado.
3. ¿Qué debo llenar?	**c.** No, está abierto.
4. ¿Qué vas a solicitar?	**d.** No, voy a cobrarlo.
5. ¿Necesitas algo más?	**e.** No, con un cheque.
6. ¿Trabajas hoy?	**f.** Quinientos dólares.
7. ¿Dónde pusiste el dinero?	**g.** Este formulario.
8. ¿Trabajas en la casa central?	**h.** No, nada. Gracias.
9. ¿El banco está cerrado?	**i.** En la cuenta de ahorros.
10. ¿Pagas en efectivo?	**j.** Un préstamo.

B. Rubén y Eva hacen diligencias

Complete the following description of Rubén and Eva's busy morning with vocabulary from **Lección 10**.

1. 8:15: Van al banco y abren una cuenta de ____________________ y una cuenta ____________________. Las cuentas no son individuales; son ____________________.
2. 8:50: Sacan dinero del ____________________ automático.
3. 10:15: Van al Departamento de Vehículos. Eva llena un ____________________ para sacar su licencia para conducir; lo fecha y lo ____________________.
4. 11:30: Van a la ____________________ para el trabajo de Eva como (*as*) cajera.
5. 12:00: Van a buscar el coche que Rubén ____________________ a dos ____________________ del Departamento de Vehículos.

C. ¿Qué necesito o qué tengo que hacer?

Say what you need or what you have to do, according to each circumstance.

1. Quieres comprar un automóvil, pero no tienes dinero.
2. Quieres saber cuánto dinero tienes en el banco.
3. Quieres ahorrar dinero.
4. Tu computadora no funciona.
5. En la sucursal del banco no tienen lo que necesitas.
6. No puedes pagar con un cheque ni con tu tarjeta de crédito.

D. ¿Qué necesitas hacer?

With a partner, take turns saying what parts of the computer you need to use or what you need to do, according to each circumstance. Use **Necesito** (+ *infinitive*)**...** or **Necesito usar...**

1. You need to write a report on the computer.
2. You need to print the report.
3. You need to read your e-mails.
4. You need to save a document.
5. You need to use a computer during a plane trip.
6. You need to look something up on the Internet.

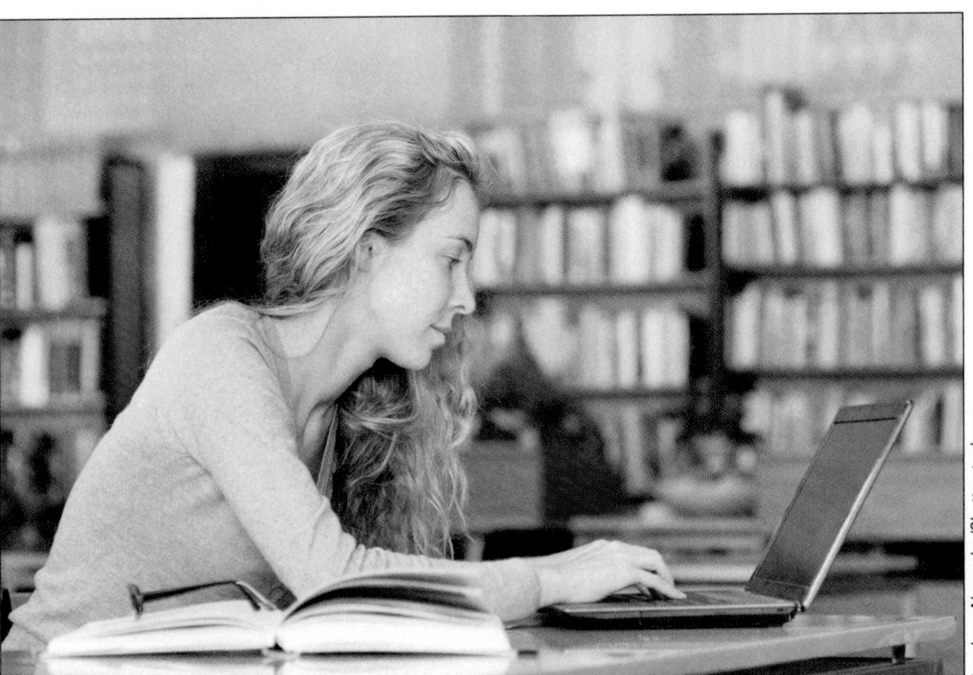

Ermolaev Alexander/Shutterstock.com

Alicia tiene el libro abierto y la computadora abierta. Está ocupada porque tiene un examen mañana. ¿Qué necesita hacer para tener éxito?

Pronunciación

Pronunciation in context

In this lesson, there are some words or phrases that may be challenging to pronounce. Listen to the correct pronunciation; then say the following sentences out loud.

1. Hoy, por **fin**, tiene un par de **horas** para hacer **diligencias**.
2. ¿Qué tengo que **hacer** para abrir una cuenta de **ahorros**?
3. ¿Quiere abrir una cuenta **individual** o una cuenta **conjunta**?
4. Recibiste **el mensaje de texto** que te envié.
5. Usted tiene muy buenas **referencias y muy buen crédito** y no creo que tenga inconvenientes.

PUNTOS PARA RECORDAR

1 Past participles *(Los participios pasados)*

In Spanish, regular past participles are formed by adding the following endings to the stem of the verb.

-ar verbs	**-er** verbs	**-ir** verbs
habl- **ado** *(spoken)*	com- **ido** *(eaten)*	recib- **ido** *(received)*

¡ATENCIÓN!

The past participle of the verb **ir** is **ido.**

The following verbs have irregular past participles in Spanish.[4]

abrir	**abierto**	poner	**puesto**
decir	**dicho**	romper	**roto**
escribir	**escrito**	ver	**visto**
hacer	**hecho**	volver	**vuelto**
morir	**muerto**		

Past participles used as adjectives

In Spanish, most past participles can be used as adjectives. As such, they agree in number and gender with the nouns they modify.

—¿**Las cartas** están **firmadas**? — *"Are **the letters signed**?"*
—Sí, ya están **firmadas** y **fechadas**. — *"Yes, they are already **signed** and **dated**."*

—¿**Las ventanas** están **abiertas**? — *"Are **the windows open**?"*
—No, están **cerradas**. — *"No, they're **closed**."*

Práctica y conversación

A. Participios pasados

Give the past participles of the following verbs.

1. decir
2. cerrar
3. hacer
4. beber
5. morir
6. poner
7. vivir
8. ver
9. recetar
10. volver
11. ir
12. tener
13. romper
14. abrir
15. parar
16. ser
17. escribir
18. buscar
19. leer
20. salir

[4]Verbs ending in **-er** and **-ir** whose stem ends in a strong vowel require an accent mark on the **i** of the **-ido** ending: **leer, leído; oír, oído; traer, traído; creer, creído.**

B. ¿Qué pasa?

With a partner, take turns completing the description of each illustration, using the verb **estar** and the appropriate past participle.

1. El coche _______________ en la esquina.
2. El niño ____________ en su cama.

3. La ventana _______________.
4. La puerta _______________.

5. La carta _______________ en español.
6. Los vestidos _______________ en Perú.

C. Preguntas de un turista

With a partner, take turns answering a tourist's questions.

1. ¿Los bancos están abiertos a las ocho de la mañana?
2. ¿Dónde puedo comprar un vestido hecho a mano?
3. El mensaje está escrito en alemán, ¿puedes traducirlo?
4. ¿En Canadá todos los letreros *(signs)* están escritos en inglés?
5. ¿Dónde están hechos los mejores vinos?
6. ¿Los restaurantes están cerrados los domingos?

2 Present perfect tense *(Pretérito perfecto)*

- The present perfect tense is formed by using the present tense of the auxiliary verb **haber** with the past participle of the verb that expresses the action or state.

Present Indicative of **haber** *(to have)*[5]	
he	**hemos**
has	**habéis**
ha	**han**

Formation of the Present Perfect Tense			
	Present of **haber**	+ *Past Participle*	
yo	**he**	**hablado**	*I have spoken*
tú	**has**	**comido**	*you (fam.) have eaten*
Ud., él, ella	**ha**	**vuelto**	*you (form.) have returned; he, she has returned*
nosotros(as)	**hemos**	**dicho**	*we have said*
vosotros(as)	**habéis**	**roto**	*you (fam.) have broken*
Uds., ellos, ellas	**han**	**hecho**	*you (form., fam.) have done, made; they have done, made*

- The present perfect tense is equivalent to the use in English of the auxiliary verb *have* + *past participle,* as in *I have spoken.*

—¿Nora **ha ido** a la oficina? *"**Has** Nora **gone** to the office?"*
—No, no **ha podido** ir. *"No, she **hasn't been able** to go."*

- Note that in Spanish, when the past participle is part of a perfect tense, its form does not vary for gender or number agreement.

Él **ha estacionado** aquí. *"He **has parked** here."*

Ella **ha estacionado** aquí. *"She **has parked** here."*

- Unlike English, the past participle in Spanish is never separated from the auxiliary verb **haber**.

Ella **nunca ha hecho** nada. *She **has never done** anything.*

Él **siempre ha escrito** las cartas en inglés. *He **has always written** the letters in English.*

[5]Note that the English verb *to have* has two equivalents in Spanish: **haber** (used as an auxiliary verb) and **tener**.

Monkey Business Images/Shutterstock.com

He tenido un accidente. Estoy bien, pero el auto... no está muy bien.

Práctica y conversación

A. Buscando trabajo

A group of students is getting ready for the summer. With a partner, discuss what everyone has done so far.

- **MODELO:** Viviana / solicitar / un trabajo.
  Viviana ha solicitado un trabajo.

1. Pablo / leer / el periódico.
2. Ana y Luis / escribir / un currículum nuevo.
3. Yo / llenar / un formulario.
4. Tú / mandar / una solicitud.
5. Nosotros / hacer / diligencias.
6. Alicia y tú / abrir / una cuenta de ahorros.
7. Hugo / recomendar / a su amigo.
8. Nuestros padres nos / dar / un préstamo.

B. Entrevista a tu compañero(a)

Interview a classmate, using the following questions.

1. ¿Has ido al banco últimamente? ¿Has depositado dinero?
2. ¿Has pedido un préstamo recientemente?
3. ¿Has tenido que sacar dinero del cajero automático esta semana?
4. ¿Tus padres han abierto una cuenta conjunta contigo?
5. ¿Alguien te ha mandado mensajes de texto recientemente?
6. ¿Tú y tu familia han estado en Sudamérica alguna vez?
7. ¿Has comprado un coche? ¿De qué año es?
8. ¿Has llegado tarde a clase esta semana?

C. Lo que hemos hecho

In groups of three, discuss what you have done since yesterday. Include what you have eaten, whom you have seen and spoken to, and so on. Be prepared to report to the class something that all of you have done.

3 Past perfect (pluperfect) tense *(Pretérito pluscuamperfecto)*

- The past perfect tense is formed by using the imperfect tense of the auxiliary verb **haber** with the past participle of the verb that expresses the action or state.

Imperfect of haber	
había	**habíamos**
habías	**habíais**
había	**habían**

Formation of the Past Perfect Tense			
	Imperfect of **haber**	+ *Past Participle*	
yo	**había**	**hablado**	*I had spoken*
tú	**habías**	**comido**	*you (fam.) had eaten*
Ud., él, ella	**había**	**vuelto**	*you (form.), he, she had returned*
nosotros(as)	**habíamos**	**dicho**	*we had said*
vosotros(as)	**habíais**	**roto**	*you (fam.) had broken*
Uds., ellos, ellas	**habían**	**hecho**	*you (form., fam.) had done, made; they had done, made*

- The past perfect tense is equivalent to the use in English of the auxiliary verb *had + past participle,* as in *I had spoken.*

  In Spanish, as in English, this tense refers to actions, states, or events that were already completed before the start of another past action, state, or event.

—¿Uds. **habían estado** en Perú antes del año pasado?	*"**Had** you **been** in Perú before last year?"*
—No, nunca **habíamos estado** allí.	*"No, **we had** never **been** there."*
—¿Ricardo está aquí?	*"Is Ricardo here?"*
—Sí, cuando yo vine, él ya **había llegado**.	*"Yes, when I came, he **had** already **arrived**."*

tbradford/iStock by Getty Images

MediaProduction/iStock by Getty Images

Lima es la capital de Perú, y es una ciudad de contrastes.

Práctica y conversación

A. Minidiálogos

Complete the following exchanges with the past perfect of the verbs given.

1. —¿Qué ________________ (hacer) el empleado?
   —Le ________________ (traer) el formulario.
2. —¿Tú ya ________________ (ver) a Roberto?
   —Sí, yo ya ________________ (hablar) con él.
3. —¿Elena ________________ (perder) su celular?
   —Sí, y tuvo que comprar otro.
4. —Cuando papá vino a buscarnos, ¿Uds. ya ________________ (ir) al banco?
   —No, nosotros no ________________ (ir) todavía.
5. —¿Qué te ________________ (decir) tu mamá?
   —Que necesitaba su trajeta de crédito.
6. —¿Adónde ________________ (ir) Uds., a la casa central del banco?
   —No, nosotros ________________ (ir) a una sucursal.
7. —¿Dónde ________________ (poner) tú la licencia de conducir?
   —La ________________ (poner) en la billetera.
8. —¿Qué le ________________ (comprar) a Jorge Uds.?
   —Le ________________ (comprar) una computadora.

B. Están de vuelta

Your parents just got back from a busy day at work. Say what everybody had done by the time they came back.

1. yo
2. mi amiga
3. mis hermanos
4. mi tío y yo
5. tú
6. Uds.

C. Antes de los 16

Find out which of the following things your partner had done before turning 16.

- **MODELO:** conducir
  —¿Habías conducido antes de cumplir dieciséis años?
  —Sí (No),...

1. abrir una cuenta corriente
2. trabajar
3. tener novio(a)
4. vivir en otro país
5. estudiar un idioma
6. terminar la escuela secundaria

DETALLES CULTURALES

En España y en la mayoría de los países latinoamericanos una persona debe tener por lo menos *(at least)* 18 años para obtener una licencia de conducir y los exámenes para obtenerla son muy difíciles.

4 Introduction to the subjunctive mood
(Introducción al modo subjuntivo)

Until now, you have been using verbs in the indicative mood. The indicative is used to express factual, definite events. By contrast, the subjunctive is used to reflect the speaker's feelings or attitudes toward events, or when the speaker views events as uncertain, unreal, or hypothetical. Because expressions of volition, doubt, surprise, fear, and the like all represent reactions to the speaker's perception of reality, they are followed in Spanish by the subjunctive.

Present subjunctive forms of regular verbs

- To form the present subjunctive, add the following endings to the stem of the first-person singular of the present indicative, after dropping the **o**. Note that the endings for the **-er** and **-ir** verbs are identical.

-ar verbs	**-er** verbs	**-ir** verbs
habl- **e**	com- **a**	viv- **a**
habl- **es**	com- **as**	viv- **as**
habl- **e**	com- **a**	viv- **a**
habl- **emos**	com- **amos**	viv- **amos**
habl- **éis**	com- **áis**	viv- **áis**
habl- **en**	com- **an**	viv- **an**

- The following table shows how to form the first-person singular of the present subjunctive.

Verb	First-Person Sing. (Indicative)	Stem	First-Person Sing. (Subjunctive)
habl**ar**	hablo	habl-	habl**e**
aprend**er**	aprendo	aprend-	aprend**a**
escrib**ir**	escribo	escrib-	escrib**a**
conoc**er**	conozco	conozc-	conozc**a**
dec**ir**	digo	dig-	dig**a**
hac**er**	hago	hag-	hag**a**
tra**er**	traigo	traig-	traig**a**
ven**ir**	vengo	veng-	veng**a**

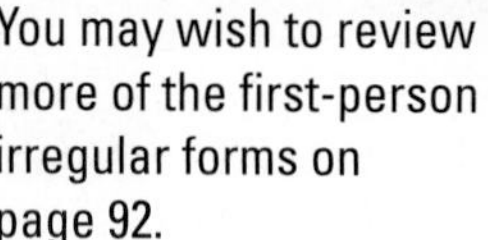

FLASHBACK

You may wish to review more of the first-person irregular forms on page 92.

Práctica

Formas del subjuntivo I

Give the present subjunctive forms of the following verbs.

1. *yo:* comer, venir, hablar, hacer, salir
2. *tú:* decir, ver, traer, trabajar, escribir
3. *él:* vivir, aprender, salir, estudiar, traducir
4. *nosotros:* escribir, caminar, poner, desear, tener
5. *ellos:* salir, hacer, llevar, conocer, leer

Present subjunctive forms of stem-changing and irregular verbs

- Verbs ending in **-ar** and **-er** undergo the same stem changes in the present subjunctive as in the present indicative.

recomendar (e > ie)		**recordar** (o > ue)	
recom**ie**nd**e**	recom**e**nd**emos**	rec**ue**rd**e**	rec**o**rd**emos**
recom**ie**nd**es**	recom**e**nd**éis**	rec**ue**rd**es**	rec**o**rd**éis**
recom**ie**nd**e**	recom**ie**nd**en**	rec**ue**rd**e**	rec**ue**rd**en**

entender (e > ie) *(to understand)*		**volver** (o > ue)	
ent**ie**nd**a**	ent**e**nd**amos**	v**ue**lv**a**	v**o**lv**amos**
ent**ie**nd**as**	ent**e**nd**áis**	v**ue**lv**as**	v**o**lv**áis**
ent**ie**nd**a**	ent**ie**nd**an**	v**ue**lv**a**	v**ue**lv**an**

- For verbs ending in **-ir**, the three singular forms and the third-person plural form undergo the same stem changes in the present subjunctive as in the present indicative. However, in addition, observe that unstressed **e** changes to **i** and unstressed **o** changes to **u** in the first- and second-person plural forms.

mentir *(to lie)*		**dormir**	
m**ie**nt**a**	m**i**nt**amos**	d**ue**rm**a**	d**u**rm**amos**
m**ie**nt**as**	m**i**nt**áis**	d**ue**rm**as**	d**u**rm**áis**
m**ie**nt**a**	m**ie**nt**an**	d**ue**rm**a**	d**ue**rm**an**

- The following verbs are irregular in the present subjunctive.

dar	**estar**	**saber**	**ser**	**ir**
dé	esté	sepa	sea	vaya
des	estés	sepas	seas	vayas
dé	esté	sepa	sea	vaya
demos	estemos	sepamos	seamos	vayamos
deis	estéis	sepáis	seáis	vayáis
den	estén	sepan	sean	vayan

¡ATENCIÓN!

The present subjunctive of **hay** (impersonal form of **haber**) is **haya.**

Práctica

Formas del subjuntivo II

Give the present subjunctive forms of the following verbs.

1. *yo:* dormir, ir, cerrar, sentir, ser
2. *tú:* mentir, volver, ir, dar, recordar
3. *ella:* estar, saber, perder, dormir, ser
4. *nosotros:* pensar, recordar, dar, morir, cerrar
5. *ellos:* preferir, dar, ir, saber, dormir

Uses of the subjunctive (*Usos del subjuntivo*)

- The Spanish subjunctive is used in subordinate, or dependent, clauses. The subjunctive is also used in English, although not as often as in Spanish. For example:

Sugiero	que **llegue** mañana.	*I suggest*	*that **he arrive** tomorrow.*
Main clause	**Dependent clause**	**Main clause**	**Dependent clause**

  The expression that requires the use of the subjunctive is in the main clause: *I suggest.* The subjunctive appears in the dependent clause: *that he arrive tomorrow.*

- There are four main conditions that call for the use of the subjunctive in Spanish.
  - *Volition:* demands, wishes, advice, persuasion, and other impositions of will

Ella **quiere** que yo lo **llame**.	***She wants** me to **call** him.*
Te **aconsejo** que no **hagas** ese viaje.	***I advise** you not to **take** that trip.*

  - *Emotion:* pity, joy, fear, surprise, hope, and so on

Me **sorprende** que **llegues** tan temprano.	***I am surprised** that **you are arriving** so early.*

  - *Unreality:* expectations, indefiniteness, uncertainty, nonexistence

—¿**Hay alguien** aquí que **hable** español?	*"**Is there anyone** here who **speaks** Spanish?"*
—No, **no hay nadie** que lo **sepa**.	*"No, **there is no one** who **knows** it."*

  - *Doubt and denial:* negated facts, disbelief

No es verdad que Rosa **sea** doctora.	***It isn't true** that Rosa **is** a doctor.*
Dudo que **tengas** dinero.	***I doubt** that **you have** money.*
Roberto **niega** que ella **sea** su esposa.	*Roberto **denies** that **she is** his wife.*

¡ATENCIÓN!

Notice that in Spanish, the subjunctive always uses the word **que** between the main and subordinate clause. It does not appear in the translation.

Quiero *(main clause)* que abras *(subjunctive)* una cuenta en el banco.

I want *you to open* *a bank account.*

5 Subjunctive with verbs of volition
(El subjuntivo con verbos que indican voluntad o deseo)

All expressions of will require the use of the subjunctive in subordinate clauses. Note that the subject in the main clause must be different from the subject in the subordinate clause. Some verbs of volition that require the use of the subjunctive are:

aconsejar *(to advise)*	**mandar** *(to order)*	**querer**
decir	**necesitar**	**recomendar**
desear	**pedir**	**sugerir** *(to suggest)*

Mi	madre	**quiere**	**que**	yo	**trabaje**.
My	*mother*	*wants*		*me*	*to work.*

—¿Qué **quieres** que **haga**?	*"What **do you want me** to **do**?"*
—**Quiero** que **hagas la tarea**.	*"**I want** you to **do** the homework."*

—**Necesito hablar** con un médico. *"I need to talk with a doctor."*
—Te **sugiero** que **hables** con el Dr. Paz. *"I suggest that you talk with Dr. Paz."*

¡ATENCIÓN!

Note that the infinitive is used following verbs of volition if there is no change of subject: **Quiero comer.**

- Certain verbs of volition **(aconsejar, decir, mandar, pedir, recomendar,** and **sugerir)** are often preceded by an indirect object pronoun, which indicates the subject of the verb in the subjunctive.

Te sugiero que **vayas** al médico. *I suggest that you go to the doctor.*

Le aconsejo que **venga** temprano. *I advise you to come early.*[6]

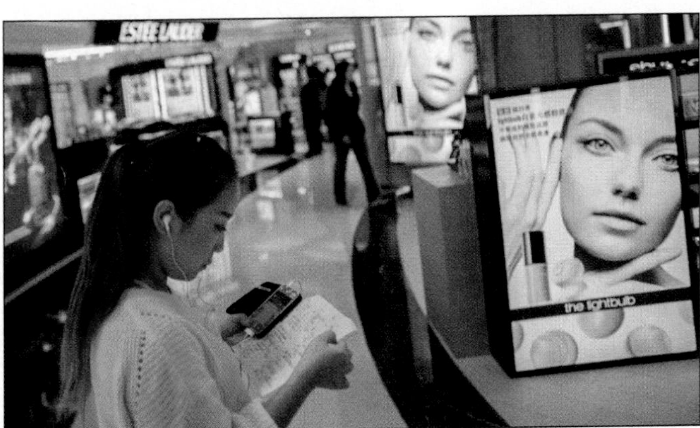

Bloomberg via Getty Images

La mamá de Estela quiere que ella le compre una crema para la cara antes de viajar a Argentina. Estela quiere estar segura del nombre de la crema y mira en la lista. ¿Lleva usted una lista cuando va de compras?

Práctica y conversación

A. Minidiálogos

Complete the following dialogues, using either the subjunctive or the infinitive, as appropriate.

1. —Marcos quiere que (nosotros) _______________ (ir) a su casa esta noche. ¿Tú quieres _______________ (ir)?
   —No, hoy me quiero _______________ (acostar) temprano porque no me siento bien.
   —Te sugiero que _______________ (tomar) dos aspirinas antes de acostarte.
   —No quiero _______________ (tomar) aspirina porque soy alérgica a la aspirina.
2. —Necesito que tú me _______________ (traer) los libros para estudiar hoy.
   —No puedo porque mamá quiere que la _______________ (llevar) al banco.
3. —Sofía me aconseja que _______________ (ver) al médico, pero yo no quiero _______________ (salir) hoy.
   —Pues yo te sugiero que lo _______________ (ver) lo más pronto posible *(as soon as possible)*.
4. —Elena quiere que yo le _______________ (comprar) una computadora, pero yo prefiero _______________ (ahorrar) el dinero ahora.
   —En ese caso te sugiero que le _______________ (decir) que no puedes comprarla.
5. —Adela, quiero que hoy _______________ (volver) antes de las nueve y que te _______________ (acostar) temprano porque mañana tienes que levantarte a las cinco.
   —¿Por qué quieres que nos _______________ (levantar) a las cinco?
   —Porque mamá quiere que nosotros _______________ (estar) en el aeropuerto a las seis.

[6]Formal vs. familiar: the indirect object pronoun in the main clause will indicate whether you are addressing the person in a formal or informal way in the subordinate clause.

B. Nadie está de acuerdo

Complete each sentence creatively, using a verb in the infinitive or the subjunctive, as appropriate.

- **MODELO:** Yo quiero volver en agosto, pero mi padre quiere que...
  Yo quiero volver en agosto, pero mi padre quiere que vuelva en julio.

1. Luis quiere que yo hable de Ecuador, pero yo quiero...
2. El doctor les aconseja que tomen la medicina ahora, pero yo les aconsejo que...
3. Yo quiero ir a casa, pero mis amigos quieren...
4. Ellos le sugieren que pase todo el día aquí, pero ella quiere...
5. Mi esposo quiere que yo vaya al banco, pero yo prefiero...
6. Ellos quieren visitar la tienda de ropa, pero nosotros queremos que ellos...
7. Mi jefa quiere que yo trabaje el sábado, pero yo le sugiero que...
8. Los niños se quieren acostar a las once, pero su mamá quiere que...

C. Deseos y sugerencias *(Wishes and suggestions)*

With a partner, take turns completing the following according to the illustrations below. Pay attention to the verbs in the infinitive suggested for each example. If there are choices, select one.

1. Ana quiere (ir) ____________________.

2. Te sugiero (ver) ____________________.

3. Te aconsejo (tomar) ______________.

4. Olga necesita dinero y quiere que Paco le (prestar/dar) ____________________.

5. La doctora le recomienda (tomar)____________________.

6. Pablo no quiere que su mamá (viajar) ____________________.

D. ¿Qué quieren?

Say what you and these people want (or don't want) everybody to do. Compare notes with your partner.

1. Yo quiero que mi jefe...
2. Mis padres no quieren que yo...
3. La jefa de Julio quiere que él...
4. Un colega *(colleague)* en el trabajo quiere que nosotros...
5. El doctor quiere que mi padre...
6. Tu profesor no quiere que tú...
7. Yo quiero que mis profesores...
8. Nosotros no queremos que ellos...

E. Soluciones

In groups of three, advise each of the following people what to do according to each circumstance. Use **aconsejar**, **recomendar**, or **sugerir**.

1. Julio no quiere ir a trabajar.
2. A la Sra. Ruiz no le gusta visitar otros países.
3. Mireya está muy cansada porque hoy trabajó doce horas.
4. Ramiro quiere comprar una computadora portátil para trabajar desde su casa.
5. Aurora no quiere pagar con tarjeta de crédito.
6. A Nora no le gustan los laptops.
7. Enrique no quiere hablar por teléfono con su amigo en las horas de trabajo.
8. Rosario no quiere enviar mensajes de texto a su jefe.

F. Todos tienen problemas

Everyone needs help. Using verbs of volition give suggestions to your friends that might help.

1. Nina quiere ir a Argentina pero no tiene dinero.
2. Los padres de Walter vienen a visitarlo de Edmonton.
3. Tu mejor amigo(a) necesita prepararse para una entrevista para un trabajo.
4. En la oficina Isabel tiene muchos problemas.
5. Los colegas quieren tener una fiesta para celebrar el fin del proyecto *(project)*.

LEAP FORWARD

You will find further uses of the subjunctive on pages 286–288.

6 Subjunctive with verbs of emotion

(El subjuntivo con verbos que expresan emoción)

- In Spanish, the subjunctive mood is always used in the subordinate clause when the verb in the main clause expresses the emotions of the subject, such as fear, joy, pity, hope, regret, sorrow, surprise, and anger. Again, the subject in the subordinate clause must be different from the subject in the main clause for the subjunctive to be used.

- Some verbs of emotion that call for the subjunctive are **alegrarse (de)**, **esperar**, **gustar**, **temer**, and **sentir**.

—Mañana salgo para Quito. —**Espero** que **te diviertas** mucho.	*"Tomorrow I leave for Quito."* ***"I hope you have a** very **good time**."*
—**Temo** no **poder** ir de vacaciones con ustedes este verano. —**Espero** que **puedas** ir con nosotros el verano que viene.	*"**I'm afraid** that **I cannot** go on vacation with you this summer."* *"**I hope** that **you can** go with us next summer."*
—**Me gusta** que **vengas** a estudiar conmigo.	***I like** it when you **come** to study with me.*

¡ATENCIÓN!

If there is no change of subject, the infinitive is used.

Temo no **poder** ir. *__I'm afraid__ that __I cannot__ go.*

The expression **ojalá** always takes the subjunctive.

Ojalá que **puedas** venir. *__I hope you can__ come.*

Pablo tuvo un accidente. Ahora, está leyendo un correo electrónico de su amigo: "Siento mucho que no puedas viajar con nuestra clase. Espero que te sientas bien pronto".

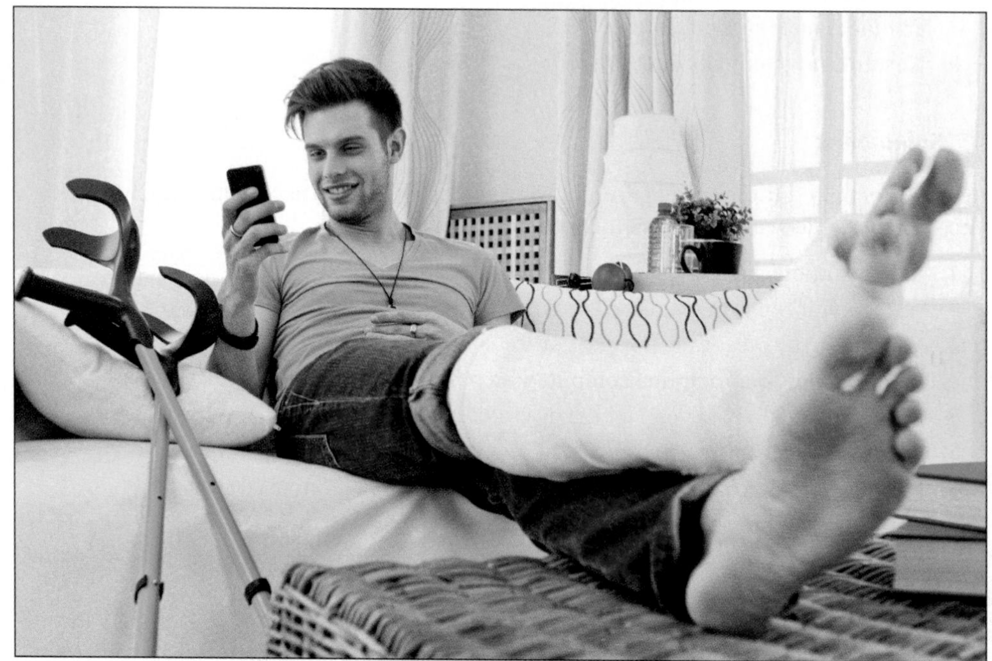

Izabela Habur/Getty Images

Práctica y conversación

A. Minidiálogos

Complete the following exchanges, using the subjunctive or the infinitive, as appropriate.

1. —Temo que Estela no ______________ (venir) a la fiesta, porque tiene que trabajar.
   —Siento mucho que ella ______________ (tener) que trabajar; pero espero que ______________ (poder) ir la próxima vez.
2. —Me alegro de ______________ (estar) aquí con Uds.
   —Y nosotros nos alegramos de que tú nos ______________ (visitar). Esperamos que te ______________ (divertir) mucho.
3. —Necesito comprar una computadora hoy. Espero que ______________ (haber) una tienda de computadoras cerca.
   —Hay una tienda cerca, pero temo que no ______________ (abrir) hasta las doce.

4. —Temo no ____________________ (poder) ir a buscar a Rita. Espero que Ud. ____________________ (poder) ir.
—Rita va a sentir mucho que tú no ____________________ (estar) allí.
5. —Espero que Jorge ____________________ (ir) al banco hoy.
—Ojalá que le ____________________ (dar) el préstamo que solicitó.

B. Emociones

Complete each sentence in an original manner. Use the subjunctive or the infinitive, as appropriate.

1. Ojalá que yo...
2. Siento mucho no poder...
3. Me alegro de que mi papá...
4. Temo no...
5. Mi amigo(a) espera...
6. El (La) profesor(a) siente que nosotros...
7. Mi madre se alegra de...
8. Tememos que las clases...

C. ¿Cómo reaccionas...?

React appropriately to a friend's statements.

1. Mi mamá está enferma.
2. Mi papá está mejor.
3. No puedo ir contigo.
4. Son las cinco. Tengo que estar en casa a las cinco y media.
5. Quiero comprar un carro, pero es muy caro.
6. El mes próximo voy a Paraguay de vacaciones.

D. Amigos y parientes

In groups of three, tell two or three things you hope your friends and relatives will do and one or two things you fear they can't or won't do.

DETALLES CULTURALES

Frecuentemente, en Argentina, como también en Costa Rica, Paraguay, Uruguay y Guatemala, la forma **tú** no se usa en la conversación. En lugar de *(In place of)* esta forma, se usa la forma **vos**. Por ejemplo, en estos países no dicen **"tú quieres"** sino **"vos querés"**. Este fenómeno se llama **voseo**.

Práctica y traducción

Review the vocabulary and grammatical concepts studied in **Lección 10**, as you translate the following sentences.

1. I suggest that you buy the newspaper today.
2. I don't have my credit card and I have to pay cash.
3. They had gone to the ATM because they needed to take out money.
4. I want her to bring me the printer at seven o'clock.
5. My parents hope I will study and have fun at the university.

ENTRE NOSOTROS

¡Conversemos!

Para conocernos mejor

Get to know your partner better by asking each other the following questions.

1. ¿Cuál es tu banco favorito?
2. ¿Has usado el cajero automático esta semana?
3. Cuando compras algo, ¿pagas en efectivo, con cheque o usas una tarjeta de débito?
4. ¿Tu universidad tiene una tarjeta que puedes usar para comprar comida, libros y otras cosas?
5. ¿Les has pedido dinero a tus padres con frecuencia?
6. ¿Tú sabes cuánto dinero tienes en tu cuenta de ahorros?
7. ¿Qué le sugieres a tu amigo cuando tiene un examen importante?
8. En la universidad, ¿a veces tienes que hacer cola?
9. ¿Les envías muchos mensajes de texto a tus amigos?
10. ¿Habías comprado una computadora portátil antes de venir a la universidad?
11. ¿Navegas mucho la Red?
12. ¿Cuántos mensajes de texto recibes al día?

Búsqueda de gente

Interview your classmates to identify who fits the following descriptions. Include your instructor, but remember to use the **Ud.** form when addressing him or her.

NOMBRE	
1.	hace sus diligencias los sábados.
2.	siempre manda mensajes de texto cuando viaja *(he or she travels)*.
3.	a veces envía correos electrónicos a sus amigos o padres.
4.	recuerda su número de Seguro Social *(Social Insurance Number)*.
5.	tiene un préstamo de estudiante.
6.	saca dinero del cajero automático frecuentemente.
7.	necesita ahorrar más.
8.	tiene un laptop PC o Mac.
9.	navega la Red todos los días.
10.	tiene un carro.

Y ahora

Write a brief summary, indicating what you have learned about your classmates.

¿Cómo lo decimos?

What would you say in the following situations? What might the other person say? Act out these scenes with a partner.

1. Ask for the information necessary to open a savings account.
2. Your friend is sick and you suggest to him/her what he/she needs to do to recover soon.
3. You have an accident with your car and you need to call somebody.
4. You are teaching a computer class for beginners. In Spanish, identify the parts of a computer for your students.
5. You are at a computer lab at closing time. Tell the attendant three things you need to do before you leave.

¿Qué dice aquí?

Read the following ad, and answer the questions that follow.

1. ¿Cuánto hay que pagar por tener una cuenta corriente?
2. ¿Cuánto se debe tener depositado para recibir los cheques gratis?
3. ¿Cuánto cobra el banco por el uso del cajero automático?
4. ¿En qué tipos de cuentas se pueden depositar los cheques automáticamente?
5. ¿Qué otro servicio ofrece gratis el banco?
6. ¿Dónde se puede obtener más información sobre los servicios que da el banco?
7. ¿Cómo se llama el banco? ¿Cuál es la dirección de la nueva sucursal?

¡Está libre!

El Banco Nacional le ofrece ahora ¡Servicios gratis!

- Cuenta corriente gratis
- Uso del cajero automático gratis
- Depósito automático de sus cheques en su cuenta corriente o de ahorros
- Pago de sus cuentas sin cargos adicionales

Por más información visite nuestra nueva sucursal en Calle Palma #324

¡Lo esperamos!

BANCO NACIONAL

Tom Wang/Shutterstock.com

Para escribir

Tu trabajo favorito

Describe an interesting job you have had. Mention ...

1. what type of job it was.
2. how long you worked there.
3. where it was.
4. how much did it pay per hour.
5. if you would recommend it to a friend.

ACTIVE LEARNING ACTIVITY

Un trabajo para el verano

You are planning to apply for a summer job in a clothing store while you are studying Spanish abroad. You may select any of the countries presented in this unit's El Mundo Hispánico section: Ecuador, Perú, Bolivia, or Paraguay. Prepare a brief introduction letter to send to the store, explaining your previous experience in this sector. Make sure to include the main qualities that will enhance your role in the store. Try to do some research on the main clothing stores in these countries, and select one as your potential employer. Good luck with your search!

ASÍ SOMOS

Vamos a ver

Un día funesto

ESTRATEGIA

Notice structure used

Before you do the first activity with a classmate, notice the use of past participles as adjectives and the use of the present perfect in the questions asked. Read the **Avance** to see what the video is about, and try to determine what is going to happen.

Antes de ver el video

A. Preparación

Take turns with a partner asking and answering the following questions.

1. ¿Tú estás exhausto(a) a veces?
2. La última vez que fuiste de compras, ¿gastaste una fortuna?
3. ¿Tú compras a veces cosas que no te gustan?
4. ¿Tus zapatos te quedan grandes, te quedan chicos o te quedan bien?
5. ¿Tuviste que devolver algo que compraste?
6. Cuando tú eras chico(a), ¿te gustaba lo que tu mamá te compraba?
7. ¿Has comprado un regalo últimamente? ¿Para quién?
8. La mamá de Pablo es de Madrid. ¿De dónde es la tuya?
9. Cuando tú eras chico(a), ¿llegabas tarde a la escuela a veces?
10. ¿Tú crees que los bancos están abiertos o cerrados a esta hora?
11. ¿Has depositado dinero en tu cuenta corriente últimamente? ¿Sabes cuál es el saldo?
12. ¿Tú has tenido muchas ideas geniales últimamente?

El video

Avance

Marisa, Teresa y Pablo han tenido un día difícil. ¡Todo les fue mal *(went badly for them)*! ¿Qué van a hacer? Los tres están demasiado cansados. ¿Encuentran una solución?

Después de ver el video

B. ¿Quién lo dice?

Who said the following sentences? Take turns answering with a partner.

Teresa **Pablo** **Marisa**

1. ¿Yo dije que ustedes eran mis mejores amigas? ¡Retiro lo dicho!
2. ¿Ves estos zapatos? Son muy bonitos, pero me quedan chicos.
3. ¡Una película y una cena!
4. ¡No has cambiado nada! Recuerdo que, cuando eras chica, nunca te gustaba lo que tu mamá te compraba…
5. ¡Pero nos debes una película!
6. Hablando de mamá… ¿Viste lo que compré para ella? Es que era una ganga…

C. ¿Qué pasa?

Take turns with a partner asking and answering the following questions. Base your answers on the video.

1. ¿Teresa ha gastado mucho dinero? ¿Qué es lo peor?
2. A Marisa no le gusta ir a la tienda cuando hay liquidación. ¿Por qué?
3. ¿Qué número calza Teresa? ¿Qué número son los zapatos que compró?
4. ¿Marisa piensa que Teresa ha cambiado mucho o que no ha cambiado nada?
5. ¿Qué le compró Teresa a su mamá?
6. ¿Qué le había comprado Marisa a su papá? ¿Por qué tuvo que devolverla?
7. ¿Pablo pudo abrir una cuenta de ahorros?
8. ¿Las chicas decidieron ir al cine o quedarse en su casa?
9. Los chicos van a comer algo más tarde. ¿Qué hay en el refrigerador?
10. Según las chicas, ¿qué les debe Pablo?

D. Más tarde

With a partner, use your imagination to talk about what Pablo, Marisa, and Teresa did that night and later that week. Take turns asking and answering the following questions.

1. ¿Los chicos miraron las noticias *(news)* o vieron una película?
2. ¿Qué comieron, además de pollo frito y ensalada? ¿Qué bebieron?
3. ¿Pablo les dijo otra vez que ellas eran sus mejores amigas?
4. ¿Pablo cumplió *(kept)* su promesa de llevar a las chicas a cenar y al cine?
5. Pablo volvió al banco. ¿Cuánto dinero depositó en su cuenta de ahorros? ¿Y en su cuenta corriente?
6. ¿Para quién era la carta que Pablo llevó al correo?
7. ¿Teresa devolvió los zapatos que le quedaban chicos? ¿Compró sandalias?
8. ¿Marisa compró calcetines para su papá o decidió comprarle otra cosa?
9. ¿Le gustó a la mamá de Teresa la blusa que su hija le compró o la devolvió?
10. ¿Teresa consiguió otra ganga? ¿Qué?

BOLIVIA

INFORMACIÓN GENERAL:

Capital: La capital constitucional (judicial y legislativa) es Sucre y la capital administrativa es la ciudad de La Paz.

Población: 10.290.000 de habitantes (2012)

Educación: 92,46% de alfabetización

CLIMA:

Dada sus variadas zonas o ecorregiones, el clima cambia de acuerdo al lugar. En los llanos tiene un clima tropical mientras que en los andes hace mucho frío. En otras zonas, como en los valles, el clima es templado.

GRUPOS ÉTNICOS:

El país cuenta con 36 grupos étnicos como: los quechuas, los aymaras y los guaraníes, entre otros. Esto hace que el país ofrezca una mezcla de costumbres, creencias y lenguas que enriquecen la cultura. Los amerindios y los mestizos conviven en Bolivia. La población habla diferentes lenguas y se reconocen 37 idiomas oficiales, entre ellos el español y todos los idiomas indígenas. De acuerdo al censo del 2012, 47% de la población habla una lengua indígena y español. Esta pluralidad lingüística y cultural es uno de los Patrimonios Nacionales de Bolivia.

dani3315/iStock by Getty Images

Joven quechua en ropa tradicional con su bebé

MEDIO AMBIENTE:

Bolivia no tiene salida al mar. Su geografía es variada y es uno de los países con mayor biodiversidad del mundo. Entre sus zonas encontramos la Cordillera de los Andes, el Altiplano, la Amazonía y los Llanos de Moxos y el Chaco. Bolivia tiene una gran variedad de lagos y lagunas, como el famoso Lago Titicaca, que es uno de los lagos más grandes de América del Sur.

Reydesel/iStock by Getty Images

Una vista del Lago Titicaca

COMIDA:

En Bolivia, como en otros países, la comida es el fruto de las influencias de otras culturas con las originales del país. Los ingredientes más comunes son el maíz, las papas, la quinoa, y los frijoles. Uno de los muchos platos típicos son las salteñas (empanadas), que pueden estar rellenas de carne, pollo o cerdo y llevan especias, huevos duros y otros ingredientes.

Alfribeiro/iStock by Getty Images

Las salteñas son un delicioso entremés que se puede comer con la mano.

MÚSICA:

Existe una gran variedad de danzas típicas en Bolivia representando las diferentes culturas existentes en el país. El Ballet Folclórico Nacional fue fundado en 1975 y sirve para difundir y promocionar las danzas bolivianas, no solo en Bolivia, sino en todo el mundo. Cada año, se celebran fiestas importantes donde se bailan danzas típicas. Una de ellas es el Carnaval de Oruro, que es muy famoso entre los turistas. Más de 400.000 personas asisten al Carnaval cada año.

JeremyRichards/iStock by Getty Images

Los bailarines de la diablada usan máscaras en sus bailes en el Carnaval en Oruro en 2017

PARAGUAY

INFORMACIÓN GENERAL:

Capital: Asunción

Población: 7.012.000 de habitantes, aproximadamente (2015)

Educación: 95,7% de alfabetización

GRUPOS ÉTNICOS:

La población es una mezcla de mestizos, criollos, europeos (españoles, alemanes, italianos), grupos indígenas como el guaraní y los indígenas pámpidos. Hay 19 grupos indígenas en Paraguay.

MEDIO AMBIENTE Y CLIMA:

Como otros países, Paraguay tiene seis ecorregiones y eso ofrece biodiversidad ambiental. El clima varía de acuerdo a la zona. Hay áreas secas, otras son húmedas, y otras son tropicales. El Bosque Atlántico es uno de los lugares biológicamente más importantes del planeta. Uno de los problemas más serios es la deforestación que ocurre en esta zona.

Jan-Schneckenhaus/iStock by Getty Images

Una vista de la parte moderna de Asunción

MÚSICA:

Los instrumentos más populares en Paraguay son la guitarra y el arpa. Entre los bailes más populares se encuentran la polca o danza paraguaya creada en el siglo XIX.

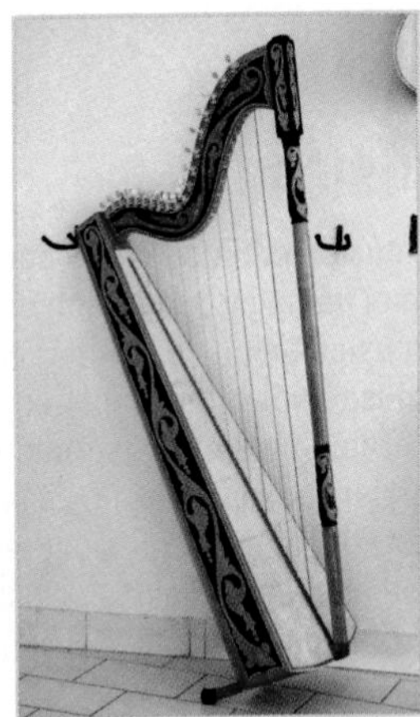

Arpa paraguaya

COMIDA:

Los ingredientes más populares para cocinar son el maíz, la tapioca, los frijoles, el pescado y la carne. Uno de los platos tradicionales es la sopa paraguaya, pero no es la sopa común, sino que en lugar de ser líquida, es como una torta, similar al pan de maíz *(cornbread)*. También comen asado *(BBQ meat)*. El asado se cocina en una parrilla y su sabor es delicioso. En Paraguay es común beber tereré, que es como un té que se toma en un recipiente llamado mate, en el cual se pone yerba mate y se bebe con agua caliente usando una bombilla.

PauloVilela/iStock by Getty Images

La sopa paraguaya, con maíz blanco

TasiPas/iStock by Getty Images

El mate, la yerba mate y la bombilla

EL MUNDO HISPÁNICO

ECUADOR

INFORMACIÓN GENERAL:

Capital: Quito

Población: 16.800.000 de habitantes (2018)

Educación: 94,35% de alfabetización

MEDIO AMBIENTE:

Ecuador es un país que protege el medio ambiente. Tiene muchas zonas protegidas. Dos de ellas están en las islas Galápagos: el Parque Nacional y la Reserva Marina, la cual ocupa la mitad de la superficie terrestre de Ecuador. En la Reserva Marina se encuentran muchas clases de especies de vida marina. Los ecosistemas marinos de las islas Galápagos son famosos por su buen estado de conservación.

LFPuntel /iStock by Getty Images

Tortuga marina

MÚSICA:

La música en Ecuador ha cambiado con el tiempo y ha logrado combinar la música típica de la América Prehispánica, con los ritmos de otros lugares. Uno de los instrumentos populares es la ocarina. Es un instrumento de viento pequeño que cabe (*fits*) en la mano y se usa también en otros países como Bolivia, Perú y Colombia.

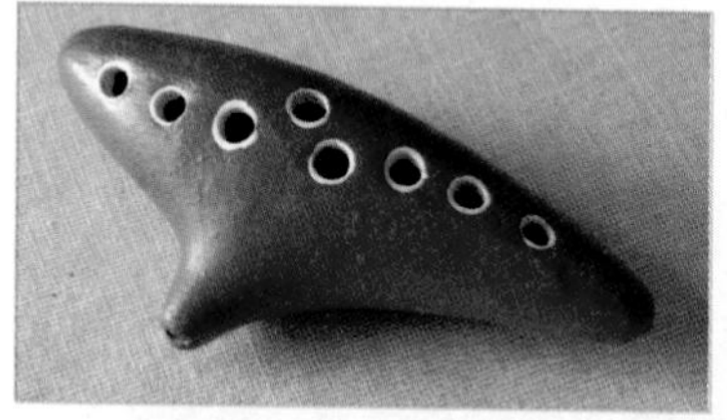

Ocarina, instrumento de viento

COMIDA:

Debido a las diferentes zonas del país, la gastronomía de Ecuador es variada. Los platos principales de la costa son de pescado, el cual es muy abundante. El encebollado es uno de los platos más populares y consiste en un caldo de pescado con yuca y cebolla colorada *(red)*. El pescado que usan para este plato es albacora *(white tuna)*, y atún *(tuna)*, entre otros.

pxhidalgo/iStock by Getty Images

Un delicioso plato de encebollado

CLIMA:

El clima en Ecuador varía de acuerdo a la zona. En la costa del océano Pacífico, el clima es tropical. En la cordillera de los Andes, el clima es templado y seco. En la Cuenca del Amazonas, el clima es cálido y húmedo con muchas lluvias. En las islas Galápagos el clima es más bien seco, con temporadas lluviosas.

SL_Photography /iStock by Getty Images

Una joven turista contempla la vista del lago Quilota, en el cráter del volcán con el mismo nombre.

LITERATURA:

Hay muchos escritores famosos en Ecuador, pero Karina Gálvez (1964) se distingue por ser una poetisa reconocida internacionalmente. Sus poemas han sido traducidos a muchos idiomas. Ha vivido en los Estados Unidos, pero ahora reside en Ecuador.

Karina Gálvez

PERÚ

INFORMACIÓN GENERAL:

Capital: Lima

Población: 32.204.000 de habitantes (2017)

Educación: 94,1% de alfabetización

MEDIO AMBIENTE:

Perú tiene una gran biodiversidad y se preocupa mucho por mantener el medio ambiente y evitar la contaminación. En la zona de la Amazonía existe un grupo indígena llamado harambukt que se conoce como los Guardianes del Bosque *(The Woods' Guardians)*. Ellos viven en la Reserva Comunal Amarakaeri. Hace miles de años que residen en la zona y defienden los bosques de los que tratan de atacarlo talando *(chopping down)* los árboles.

OSTILL/iStock by Getty Images

Un bote en la jungla de la Amazonía en el Río Madre de Dios, Perú

MÚSICA:

La música del Perú, como otros países latinoamericanos, es una mezcla de influencias indígenas, españolas y africanas. El instrumento nacional es el charango.

Sayarikuna/iStock by Getty Images

El sonido del charango suena en todas las zonas del Perú.

CLIMA:

La biodiversidad hace que el país tenga una variedad climática de acuerdo a la zona. En las zonas bajas el clima es cálido o tropical, mientras que en las zonas altas de los Andes, es más frío. En medio de esta variedad, existen zonas secas y otras más húmedas. Perú es uno de los países que tiene la mayor cantidad de microclimas. Lima, la capital tiene de 6 a 8 microclimas.

COMIDA:

Perú se ha convertido en uno de los países de más avanzada gastronomía en el mundo. La variedad de productos frescos es extensa y eso permite la creación de platos deliciosos. Perú tiene el mayor número de platos típicos (491). Uno de los platos más populares es el ceviche, el cual es considerado Patrimonio Cultural de la Nación. El ceviche consiste en: pescado en trozos, jugo de lima, cebolla roja, ají y sal. Es muy sabroso y se debe comer fresco.

Proformabooks/iStock by Getty Images

El ceviche es un plato delicioso.

LUGARES DE INTERÉS:

Hay muchos lugares interesantes para visitar, pero Machu Picchu es inolvidable. En el siglo XV, los Incas construyeron una ciudad casi en las nubes en una montaña llamada Machu Picchu *(Old Mountain)*. Se encuentra en la región de Cuzco y en 1983 la UNESCO nombró este sitio como Patrimonio de la Humanidad.

OGphoto/iStock by Getty Images

Un joven contempla la belleza de Machu Picchu.

TOMA ESTE EXAMEN

LECCIÓN 9

A. Some uses of *por* and *para*

Complete each sentence, using **por** or **para**.

1. El vestido es __________ ti, mamá.
2. ¿Cuánto pagaron __________ los aretes?
3. Yo no trabajo __________ la mañana.
4. Los chicos salieron __________ la puerta principal.
5. Ellos fueron al club nocturno __________ bailar.
6. Necesito la falda __________ mañana __________ la tarde.
7. El sábado salimos __________ Lima. Vamos __________ avión *(airplane)*. Vamos a estar allí __________ una semana.
8. En ese hotel cobran 100 dólares __________ noche.

B. Weather expressions

Complete each sentence with the appropriate word(s).

1. En verano ____________________ mucho ____________________ en Ontario.
2. En invierno en Yukón ____________________ mucho ____________________ y ____________________ mucho.
3. En Vancouver ____________________ todo el año.
4. Hoy no hay vuelos *(flights)* porque ____________________ mucha ____________________.
5. Necesito mi gorra porque ____________________ mucho ____________________.

C. The preterite contrasted with the imperfect

Complete each sentence, using the preterite or the imperfect tense of the verbs in parentheses.

1. Ayer nosotros ____________________ (celebrar) nuestro aniversario.
2. ____________________ (Ser) las cuatro de la tarde cuando yo ____________________ (salir) del restaurante. ____________________ (Llegar) a mi casa a las cinco.
3. El camarero me ____________________ (decir) que la especialidad de la casa ____________________ (ser) cordero y yo lo ____________________ (pedir).
4. Cuando Raúl ____________________ (ser) pequeño ____________________ (vivir) en Thunder Bay.
5. Jorge ____________________ (estar) en el café cuando yo lo ____________________ (ver).
6. Ella no ____________________ (ir) a la fiesta anoche porque ____________________ (estar) muy cansada. ____________________ (Preferir) quedarse en su casa.
7. Ayer yo ____________________ (hacer) las reservaciones.
8. Nosotros ____________________ (estar) almorzando cuando tú ____________________ (llamar).

D. *Hace*... meaning *ago*

Indicate how long ago everything took place.

1. Llegué a las seis. Son las nueve.
2. Ellos vinieron en marzo. Estamos en julio.
3. Empecé a trabajar a las dos. Son las dos y media.
4. Terminaron el domingo. Hoy es viernes.
5. Llegaste en el 2005. Estamos en el año 2019.

E. Possessive pronouns

Complete each sentence, giving the Spanish equivalent of the word in parentheses.

1. Mi vestido es mejor que ____________________, María. *(yours)*
2. Las camisas azules son ____________________. *(mine)*
3. Yo voy a invitar a mis amigos. ¿Tú vas a invitar a ____________________? *(yours)*
4. Estos zapatos son ____________________. *(ours)*
5. Mi abuelo es de México. ____________________ es de Cuba. *(Theirs)*
6. Ese libro no es ____________________; es ____________________. *(mine / hers)*

F. Vocabulary

Complete the following sentences, using vocabulary from **Lección 9**.

1. Estos zapatos son muy ____________________. Puedo caminar con ellos por horas.
2. Voy a la ____________________ para comprar unas sandalias.
3. Estudia en la ____________________ de medicina.
4. Necesito un ____________________ de botas.
5. Necesito una camisa de ____________________ largas.
6. ¿En que puedo ____________________, Srta.?
7. Este traje no está de ____________________ ahora.
8. No me gusta andar ____________________. Siempre uso zapatos.
9. Voy a comprar ropa porque no tengo nada que ____________________.
10. Los aretes me costaron una ____________________.
11. Cuando voy a la playa uso una ______________ y pantalones ______________.
12. En el verano, el clima de Manitoba no es seco, es ____________________.

G. Translation

Express the following in Spanish.

1. Yesterday I went to his house to talk to him.
2. Where did you used to live when you were a child?
3. We were going to the store when we saw Víctor.
4. —What did the clerk say?
   —She said that they didn't have a fitting room.
5. The weather is not good today. It's raining and I need a raincoat.

LECCIÓN 10

LECCIÓN 10

A. Past participles

Complete each sentence, using the past participle of the verb in parentheses.

1. Las puertas están ________________. (cerrar)
2. La oficina está ________________. (abrir)
3. El florero está ________________. (romper)
4. Los niños están ________________. (dormir)
5. Las cartas están ________________ en italiano. (escribir)
6. La cena ya está ________________. (hacer)

B. Present perfect tense

Complete each sentence, using the present perfect of the verb in parentheses.

1. El cajero no ________________. (llegar)
2. Yo no ________________ las cartas. (leer)
3. Como los niños no ________________, nosotros no ________________ salir. (volver / poder)
4. El perro ________________. (morir)
5. Ustedes no ________________ el postre. (traer)
6. Tú ya se lo ________________. (decir)

C. Past perfect (Pluperfect) tense

Indicate what had taken place by the time Ana arrived home, using the past perfect tense.

Ana llegó a su casa a las diez.

1. Los chicos volvieron a casa.
2. Yo firmé la planilla.
3. Tú hiciste los cheques.
4. Nosotros escribimos las cartas.
5. Carlos puso el dinero en su cuenta.
6. Uds. fueron al banco.

D. Subjunctive with verbs of volition

Write sentences in the present tense, using the elements given below. Use the present subjunctive or the infinitive, as appropriate, and add any necessary words.

1. Yo / querer / ella / ir / Viña del Mar
2. Nosotros / desear / viajar / avión
3. Ella / sugerirme / ir / Buenos Aires
4. El agente / querer / venderme / el pasaje
5. Ellos / aconsejarnos / comprar / seguro *(insurance)*
6. Yo / no querer / llevar / muchas maletas
7. Ellos / no querer / ella / llevarlos / en su coche
8. Nosotros / no querer / ir / contigo
9. ¿Tú / sugerirme / venir / luego?
10. Ella / necesitar / Uds. / darle / la maleta

E. Subjunctive with verbs of emotion

Rewrite the following sentences, beginning each with the phrase in parentheses and using the subjunctive or the infinitive, as appropriate.

1. Ella se va pronto. (Espero...)
2. Los pasajes son muy caros. (Elsa teme...)
3. Yo estoy aquí. (Me alegro de...)
4. Ella se va de vacaciones. (Ella espera...)
5. Mamá se siente bien hoy. (Esperamos...)
6. Ellos no pueden ir a la fiesta. (Siento...)

F. Vocabulary

Complete the following sentences, using vocabulary from **Lección 10**.

1. Ud. debe ____________________ y ____________________ esta planilla.
2. ¿Cuánto dinero va a ____________________ en su cuenta?
3. El banco no está ____________________ hoy, porque es un día ____________________.
4. Quiero saber cuál es el ____________________ de mi cuenta corriente.
5. Mi esposa y yo queremos abrir una cuenta de ahorros ____________________.
6. Estacioné mi coche a dos ____________________ de aquí.
7. Tengo que hacer ____________________ porque hay mucha gente en el banco.
8. Necesito mi ____________________ de cheques.
9. No tengo mi dinero en el banco central, sino en una ____________________.
10. Ellos van a sacar dinero del ____________________ automático con su tarjeta de ____________________.
11. Necesito dinero. Voy a solicitar un ____________________ en el banco.
12. No quiero pagar con cheque, prefiero pagar en ____________________.
13. Necesito mis documentos porque voy a solicitar un ____________________.
14. No tengo mi ____________________ y no puedo conducir el coche.
15. Fui a la ____________________ para el trabajo en el banco.

G. Translation

Express the following in Spanish.

1. In the classroom the door is open, but the windows are closed.
2. —Gustavo, have you written the letters?
   —Yes, but I have not signed them.
3. Isabel had never gone to Argentina before last year.
4. Mrs. Peña, I want you to sign the cheque and deposit it today.
5. —Where do we go to open a chequing account?
   —You have to go to the bank!
6. I need a laptop. Let's buy it at the university's computer store.
7. They take out one hundred dollars from the ATM.

UNIDAD 6

DE VACACIONES

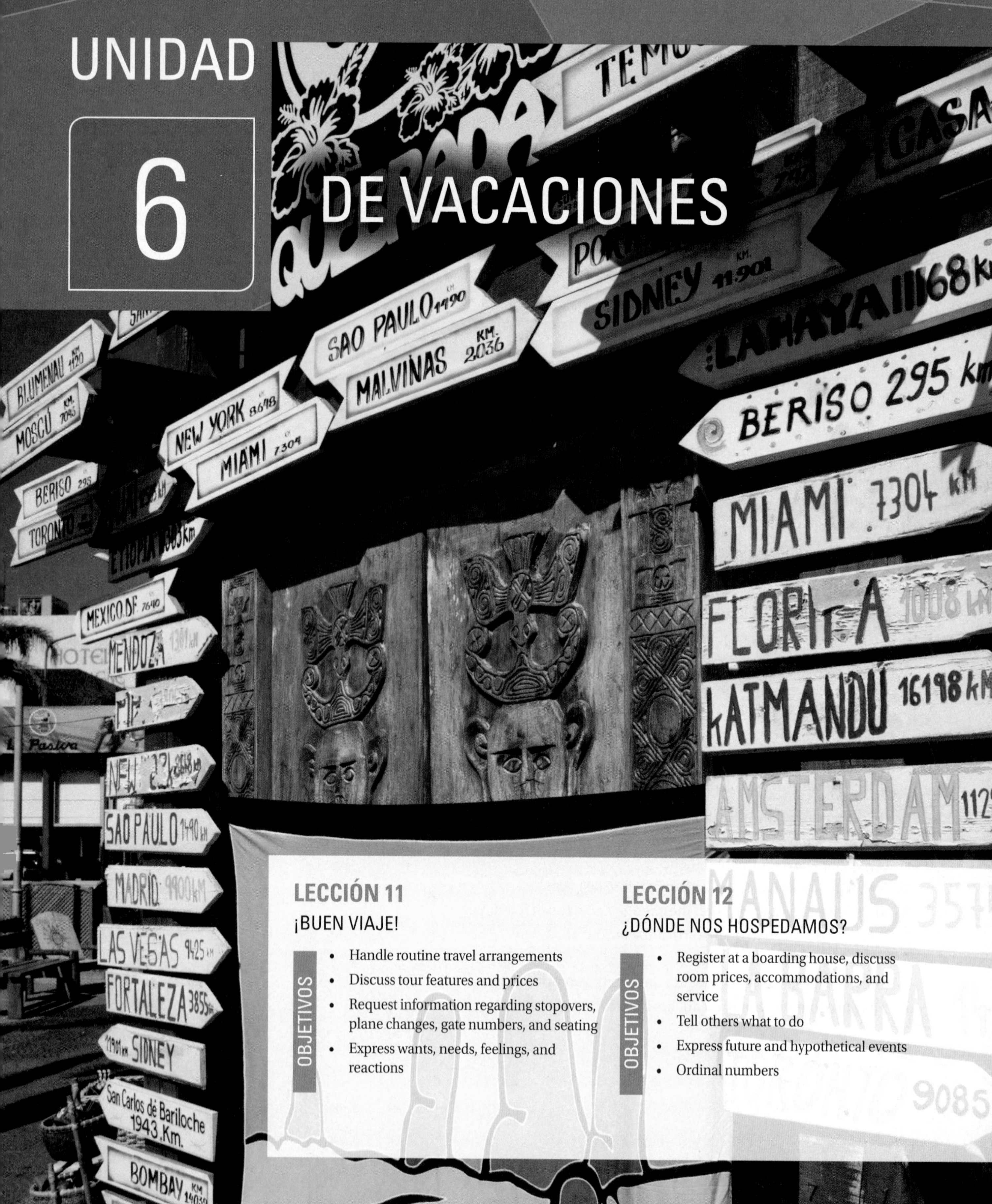

LECCIÓN 11

¡BUEN VIAJE!

OBJETIVOS

- Handle routine travel arrangements
- Discuss tour features and prices
- Request information regarding stopovers, plane changes, gate numbers, and seating
- Express wants, needs, feelings, and reactions

LECCIÓN 12

¿DÓNDE NOS HOSPEDAMOS?

OBJETIVOS

- Register at a boarding house, discuss room prices, accommodations, and service
- Tell others what to do
- Express future and hypothetical events
- Ordinal numbers

IrinaSafronova/Getty Images

David Wall/Alamy Stock Photo

Sophie Dover/Shutterstock.com

¿ADÓNDE VAMOS?

A todos les gusta ir de vacaciones, pero, ¿qué hacer? A los hispanos, como a los canadienses, les gusta practicar muchas actividades cuando están de vacaciones —tomar el sol en la playa, ir a esquiar, hacer caminatas y mucho más.

1. Aquí hay señales (*signs*) a muchos lugares en Punta del Este en Uruguay. Punta del Este es una ciudad muy popular entre los turistas.

2. La ciudad de Sevilla en España tiene muchas atracciones interesantes. El Metropol Parasol es una estructura de madera (*wood*) en el centro de la ciudad.

3. Las cataratas del Iguazú son una de las 7 maravillas del mundo. Se pueden visitar en Argentina, pero también en Paraguay y Brasil.

4. La montaña, Fitz Roy, está entre Chile y Argentina en Patagonia. El sur de Chile también tiene fiordos y glaciares impresionantes.

LECCIÓN 11 ¡BUEN VIAJE!

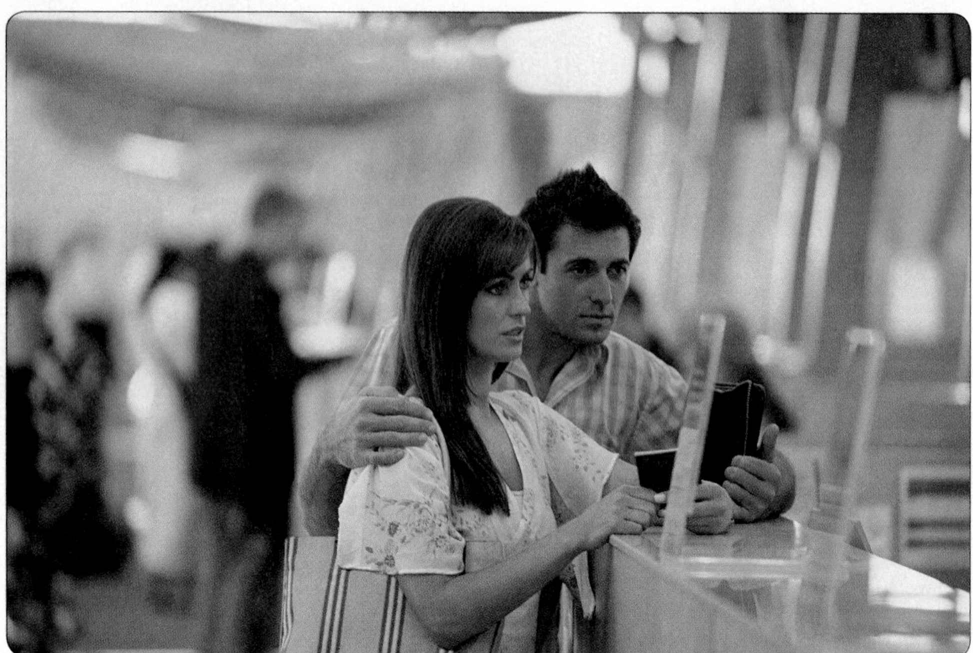

© James Lauritz/Digital Vision/Getty Images

Héctor Rivas y su esposa, Sofía Vargas, viven en Santiago, la capital de Chile. Ahora están planeando sus vacaciones de verano. No pueden ponerse de acuerdo porque ella quiere pasar un mes en Viña del Mar, y él quiere ir a Buenos Aires y a Mar del Plata.

Héctor: Espero que hoy podamos decidir lo que vamos a hacer, porque tenemos que ir a la agencia de viajes para comprar los pasajes.

Sofía: Yo te sugiero que averigües lo que cuestan dos pasajes de ida y vuelta a Buenos Aires, por avión. Podemos ahorrar dinero si vamos a Viña del Mar en coche...

Héctor: ¡Pero hemos estado en Viña del Mar muchas veces! ¡Estoy un poco cansado de hacer siempre lo mismo!

Sofía: ¡Y yo temo que el viaje a Buenos Aires nos cueste mucho dinero!

Héctor: Yo busqué información en la Internet. Hay paquetes que incluyen vuelo directo a Buenos Aires, hotel y algunas excursiones.

Sofía: Siento no poder compartir tu entusiasmo, Héctor, pero viajar a otro país es complicado... Necesitamos pasaporte...

Héctor: Eso no es problema. Debemos conocer otros lugares.

Sofía: Bueno..., tienes razón. ¡A Buenos Aires!

Héctor: ¡Perfecto! Dudo que haya otra ciudad tan cosmopolita.

Sofía: Sí, llamemos a mis padres para decirles.

El día del viaje, Sofía y Héctor hablan con el agente de la aerolínea en el aeropuerto.

Agente: ¿Qué asientos desean? ¿De ventanilla o de pasillo?

Héctor: No importa, dos asientos juntos.

Sofía: Cerca de la salida de emergencia hay más lugar.

Héctor: El avión no hace escala, ¿verdad?

Agente: No, señor. ¿Cuántas maletas tienen?

Sofía: Tres maletas y dos bolsos de mano.

Agente: Tienen que pagar exceso de equipaje.

Héctor: Parece que trajimos mucha ropa.

Sofía: ¡Es que no sabía qué llevar! Y vamos a hacer tantas actividades diferentes.

Héctor: Sí, es verdad.

Agente: La puerta de salida es la número tres. ¡Buen viaje!

En la puerta número tres.

"Última llamada para los pasajeros del vuelo 340 a Buenos Aires. Suban al avión, por favor."

Héctor y Sofía le dan las tarjetas de embarque a la auxiliar de vuelo, suben al avión y ponen los bolsos de mano en el compartimiento de equipajes.

Sofía: Tenemos que abrocharnos el cinturón de seguridad. Espero que tengamos un buen viaje.

© Digital Vision/Getty Images

© James Lauritz/Digital Vision/Getty Images

Hablemos

Sobre el diálogo

With a classmate, take turns asking and answering the following questions. Base your answers on the dialogues.

1. ¿Dónde viven Héctor y Sofía?
2. ¿Dónde quiere pasar sus vacaciones Héctor?
3. ¿De qué está cansado Héctor?
4. ¿Qué incluyen los paquetes?
5. ¿Qué necesitan para viajar a otro país?
6. ¿Qué le dice Héctor a Sofía que deben hacer?
7. En el avión, ¿dónde quiere sentarse Sofía?
8. ¿Qué tienen que pagar Héctor y Sofía?
9. ¿Cuál es el número del vuelo?
10. ¿Qué le dan Héctor y Sofía a la auxiliar de vuelo?

DETALLES CULTURALES

Viña del Mar es el más conocido de los balnearios *(resorts)* de Chile, y uno de los centros turísticos más populares de Sudamérica. Allí hay numerosas playas, parques, hoteles y casinos. La ciudad es también un centro comercial e industrial importante.

Entrevista a tu compañero(a)

With a classmate, take turns asking and answering these questions.

1. Normalmente, ¿dónde te gusta pasar tus vacaciones? ¿Con quién vas?
2. ¿Te gusta más viajar en coche o en avión?
3. Si necesitas información para un viaje, ¿adónde vas para informarte? ¿Dónde compras los pasajes?
4. ¿Qué necesitas para viajar a otro país? ¿Te pones nervioso(a) cuando viajas?
5. Cuando viajas en avión, ¿prefieres un asiento de pasillo o de ventanilla?
6. Generalmente, ¿llevas mucho equipaje? ¿Cuántas maletas llevas?
7. ¿Adónde fuiste la última vez que tuviste vacaciones? ¿Viajaste solo(a)?
8. En el verano, ¿piensas salir de Canadá? ¿Adónde vas a ir?
9. ¿Cómo fueron las mejores vacaciones que tomaste?
10. ¿Qué país quieres visitar en el futuro?

VOCABULARIO

COGNADOS

la aerolínea
el aeropuerto
la agencia
el (la) agente
la capital
complicado(a)
directo(a)
la emergencia
el entusiasmo
la experiencia
la información
el pasaporte
el/la piloto
el tren

SUSTANTIVOS

la aduana	*customs*
la agencia de viajes	*travel agency*
el cinturón de seguridad	*seat belt*
el control de seguridad	*security check*
el crucero	*cruise*
la demora	*delay*
el destino	*destination*
la excursión	*tour, day trip, outing*
la llamada	*call*
el país	*country, nation*
el paquete	*package*
el pasaje*	*ticket*
— de ida	*one-way ticket*
— de ida y vuelta	*round-trip ticket*
la puerta de salida	*gate*
la salida	*exit*
el viaje	*trip*
el vuelo	*flight*

VERBOS

averiguar[1]	*to find out*
cancelar	*to cancel*
cansarse	*to get tired*
compartir	*to share*
confirmar	*to confirm*
despegar	*to take off*
dudar	*to doubt*
incluir[2]	*to include*
negar (e > ie)	*to deny*
subir (a)[3]**, abordar**	*to board*
sugerir (e > ie)	*to suggest*
viajar	*to travel*

ADJETIVOS

querido(a)	*dear*

OTRAS PALABRAS Y EXPRESIONES

abrocharse el cinturón de seguridad	*to fasten the seat belt*
¡Buen viaje!	*Have a good trip!*
Es cierto.	*It's certain.*
Es verdad.	*It's true.*
estar seguro(a) (s) de	*to be sure*
el exceso de equipaje	*excess luggage*
hacer escala	*to make a stopover*
hacer un crucero	*to take a cruise*
ir de excursión	*to take a day trip*
lo mismo	*the same thing*
ponerse de acuerdo	*to come to an agreement, to agree upon*
tomar una decisión	*to make a decision*

Amplía tu vocabulario

Más sobre los viajes

el bolso de mano	*carry-on luggage*
¿A cuánto está el cambio de moneda?	*What's the rate of exchange?*
(de) clase turista	*tourist class*
el equipaje	*luggage*
facturar el equipaje	*to check luggage*
la lista de espera	*waiting list*
el lugar	*place*
— de interés	*place of interest*
la maleta*	*suitcase*
el maletín	*small suitcase, hand luggage*
(de) primera clase	*first class*

[1]**Averiguar** is regular in the present tense, but is irregular in the first-person in the preterite: **averigüé**. It is also irregular in the present subjunctive: **averigüe, averigües, averigüe, averigüemos, averigüéis, averigüen**.

[2]**Incluir** is an irregular verb in the present indicative: **incluyo, incluyes, incluye, incluimos, incluís, incluyen**.

[3]**Subir** followed by the preposition **a** is only used with modes of transportation. **Subo al avión**. but **Subo la escalera** (*steps*).

DE PAÍS A PAÍS

la auxiliar de vuelo la azafata *(Esp.)*
la maleta la valija (*Cono Sur*); el veliz (*Méx.*)
el pasaje el billete (*Esp.*)
la tarjeta de embarque la tarjeta de embarco (*Arg.*)

Para practicar el vocabulario

A. Preguntas y respuestas

Match the questions in column A with the answers in column B.

A	B
1. ¿Dónde compraste los pasajes?	**a.** A la auxiliar de vuelo.
2. ¿Es un vuelo directo?	**b.** Dicen: ¡Buen viaje!
3. ¿Quieres un asiento de pasillo?	**c.** No sé, voy a averiguar.
4. ¿Qué dicen tus padres en el aeropuerto?	**d.** No, hace escala.
5. ¿Tienen que pagar exceso de equipaje?	**e.** En el compartimiento de equipaje.
6. ¿A qué país van a viajar?	**f.** Deben abrocharse el cinturón de seguridad.
7. ¿A quién le doy la tarjeta de embarque?	**g.** No, no se pusieron de acuerdo.
8. ¿Dónde pongo el bolso de mano?	**h.** Sí, tienen cinco maletas.
9. ¿Qué deben hacer los pasajeros?	**i.** A Chile.
10. ¿Cuál es la puerta de salida?	**j.** En la agencia de viajes.
11. ¿Tomaron una decisión?	**k.** No, de ventanilla.
12. ¿A qué hora sale el avión?	**l.** La número cuatro.

B. ¿Qué hago? ¿Adónde voy?

Complete the following sentences with vocabulary from **Lección 11**.

1. Van a ____________________ el vuelo porque hay mucha niebla.
2. Los pasajes de ____________________ clase son más caros.
3. ¿Cuáles son los ____________________ de interés en la ciudad donde Ud. vive?
4. Vamos a viajar. Tenemos que ____________________ la reservación del hotel.
5. ¿A cómo está el ____________________ de ____________________?
6. Nos abrochamos el ____________________ de seguridad antes del vuelo.
7. No tenemos mucho dinero. Vamos a viajar en clase ____________________.
8. Solamente puede llevar un ____________________ con Ud. en el avión.
9. Este verano vamos a hacer un ____________________ por Chile.
10. No hay pasaje para hoy pero podemos ponerlo en la lista de ____________________.

C. Definiciones

Write the words or phrases that correspond to the following.

1. Air Canada, WestJet
2. Allí tomamos el avión.
3. pasaporte
4. que no hace escala
5. Argentina, por ejemplo
6. maletas y bolsos de mano
7. subir
8. dar una sugerencia
9. lo que le decimos a una persona que va a viajar
10. donde ponemos el bolso de mano durante el vuelo

D. En la agencia de viajes

With a classmate, play the roles of a travel agent and a traveller who wishes to book a round-trip ticket to Buenos Aires. The "traveller" asks pertinent questions about dates of travel, accommodation, sites to visit, and reserving a seat.

Jeff Greenberg 5 of 6 / Alamy

¿De dónde vienen estas personas? ¿Regresan a casa o son turistas? ¿Puedes imaginar lo que van a hacer ahora?

E. La llamada telefónica

Nora and Susana are trying to plan a trip and can't agree on anything. With a classmate, decide how Nora responds to Susana's ideas.

Alexander Kirch/Thinkstock

gpointstudio/Thinkstock

Susana dice:

1. Podemos llevar tres maletas y dos bolsos de mano cada una.
2. Vamos a comprar un pasaje de ida en primera clase.
3. Queremos hacer escala.
4. Vamos a reservar dos asientos de ventanilla.
5. Podemos viajar por la noche.
6. Vamos a pagarlo todo con tarjeta de crédito.
7. Tenemos que tomar una decisión hoy.

Now write two or three paragraphs about their conversation, indicating whether they come to an agreement or not.

Pronunciación

Pronunciation in context

In this lesson, there are some words or phrases that may be challenging to pronounce. Listen to the correct pronunciation; then say the following sentences out loud.

1. Tenemos que ir a la **agencia de viajes** para comprar los **pasajes**.
2. Yo te **sugiero** que **averigües** lo que cuestan dos pasajes de ida y vuelta.
3. Hay **paquetes** que **incluyen** vuelo directo a Buenos Aires, hotel y algunas **excursiones**.
4. El día del viaje, hablan con el **agente** de la **aerolínea** en el **aeropuerto**.
5. Héctor y Sofía le dan las tarjetas a la **auxiliar** de vuelo.

PUNTOS PARA RECORDAR

1 Subjunctive to express doubt, denial, and disbelief

(El subjuntivo para expresar duda, negación e incredulidad)

Doubt

When the verb of the main clause expresses uncertainty or doubt, the verb in the subordinate clause is in the subjunctive.[4]

—Te esperan a las cinco y son las cuatro y media.	*"They expect you at five and it is four-thirty."*
—**Dudo** que yo **pueda** estar ahí a esa hora.	*"**I doubt** that **I can** be there at that time."*
—Podemos tomar el desayuno a las once.	*"We can have breakfast at eleven."*
—**Dudo** que lo **sirvan** después de las diez.	*"**I doubt** that **they serve** it after ten."*
—Estoy segura de que lo sirven hasta las once.	*"I am sure that they serve it until eleven."*

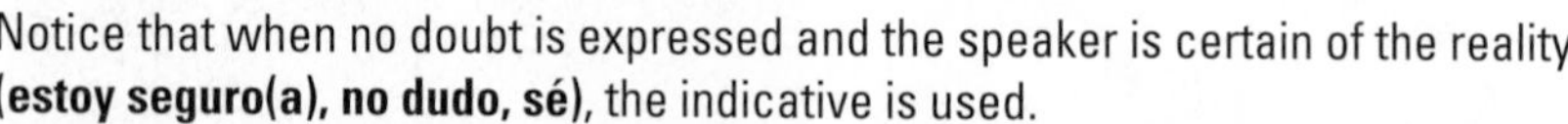

¡ATENCIÓN!

Notice that when no doubt is expressed and the speaker is certain of the reality **(estoy seguro(a), no dudo, sé)**, the indicative is used.

Estoy seguro de que lo **sirven** hasta las once.	***I am sure** that **they serve** it until eleven.*
Estamos seguros de que **vienen**.	*We **are sure** they **are coming**.*

Práctica y conversación

FLASHBACK

You may want to review the forms of the subjunctive. See pages 258–261.

A. Minidiálogos

Complete the following dialogues using the subjunctive of doubt, denial, and disbelief or the indicative as needed.

1. —¿Marcos, vas a terminar el trabajo hoy?
   —Dudo que ____________ (ser) posible terminarlo hoy.
2. —Eva prepara la cena esta noche, ¿verdad?
   —Sí, pero ella no está segura que nosotros ____________ (tener) todos los ingredientes que necesita.
3. —¿Pablo llega a las ocho?
   —Sí, estoy seguro de que él ____________ (ir) a llegar a las ocho.
4. —¿Julián y Marisa vienen a la fiesta el sábado?
   —Nosotras no estamos seguras de que ellos ____________ (querer) ir.
5. —¿La cafetería está abierta temprano?
   —Sí, pero dudo que ellos ____________ (servir) el desayuno antes de las siete.

[4]With the verb **dudar**, even if there is no change of subject, the subjunctive is used.

B. ¿Cómo respondes...?

Respond to each of the following statements, beginning with the suggested phrases.

1. —Estoy seguro de que Victoria llega tarde.
   —Bueno, dudo que...
2. —Dudo que la agencia tenga un pasaje de ida y vuelta.
   —Pues yo estoy seguro(a) de que...
3. —No estoy seguro de que el vuelo salga a las seis.
   —Pues yo no dudo que...
4. —Dudo que la auxiliar de vuelo esté en el avión.
   —¿Sí? Yo estoy seguro(a) de que...
5. —Dudo que Pablo necesite el pasaporte para viajar a Calgary.
   —Yo estoy seguro(a) de que...

C. En el aeropuerto

With a partner, read the following statements and take turns expressing doubt or certainty about them. Use **dudo**, **no dudo**, **estoy seguro(a) de**, and **no estoy seguro(a) de**.

1. Todos los vuelos salen a las diez.
2. Las auxiliares de vuelo trabajan solamente tres horas al día.
3. El piloto puede viajar sin pasaporte.
4. La salida de emergencia del avión está siempre rota.
5. Cualquier *(Any)* persona puede viajar en primera clase.
6. Si no tienes un pasaje, puedes viajar en avión sin problemas.
7. Los pilotos ganan muy poco dinero.
8. Si llegas tarde el avión te espera.

D. ¿Lo dudas...?

With a partner, take turns telling each other three or four things about yourself. Give some false information to see if your partner doubts or doesn't doubt what you say.

- **MODELO:** *—Tengo ocho clases este semestre.*
  —Dudo que tengas ocho clases.
  —Estoy seguro(a) de que no tienes ocho clases.

Denial

When the main clause denies or negates what is expressed in the subordinate clause, the subjunctive is used.

—Ana **niega** que Carlos **sea** su novio. —Sí, dice que son amigos...	*"Ana **denies** that Carlos **is** her boyfriend."* *"Yes, she says that they are friends..."*
—Ellos trabajan mucho y siempre tienen dinero.	*"They work hard and always have money."*
—Es verdad que trabajan mucho, pero **no es cierto** que siempre **tengan** dinero.	*"It's true that they work hard, but **it's not true** that **they** always **have** money."*

¡ATENCIÓN!

Notice that when the main clause does not deny what is said in the subordinate clause, the indicative is used.

—**Es verdad** que **trabajan** mucho. *"**It's true** that **they work** hard."*

Práctica y conversación

¿Es verdad o no?

With a partner, take turns saying whether each of the following statements is true or not.

- **MODELO:** Todos siempre viajan en avión.
  Sí, es verdad que todos siempre viajan en avión.
  No, no es verdad que todos siempre viajen en avión.

1. Los pilotos no saben qué hacer en caso de emergencia.
2. Generalmente hay muchas personas en el aeropuerto de Toronto.
3. El pasaje de Halifax a Montevideo cuesta menos de quinientos dólares.
4. Necesitas un pasaporte para viajar a Europa.
5. Los pasajes de primera clase son baratos.
6. Hoy hace mucho calor.
7. Hay cruceros a México.
8. Los estudiantes siempre tienen mucho dinero.

Disbelief

The verb **creer** is followed by the subjunctive in negative sentences, where it expresses disbelief.

—¿Teresa va al aeropuerto hoy?	*"Is Teresa going to the airport today?"*
—No, **no creo** que **vaya** hoy.	*"No, **I don't think she's going** today."*
—¿Qué le va a pedir el agente?	*"What is the agent going to ask for?"*
—**Creo** que le **va** a pedir la tarjeta de embarque.	*"**I think** he **is going** to ask her for the boarding pass."*

¡ATENCIÓN!

Creer is followed by the indicative in affirmative sentences where it expresses belief.

Ellos **creen** que **es** importante estudiar otro idioma. *They **think it's** important to study another language.*

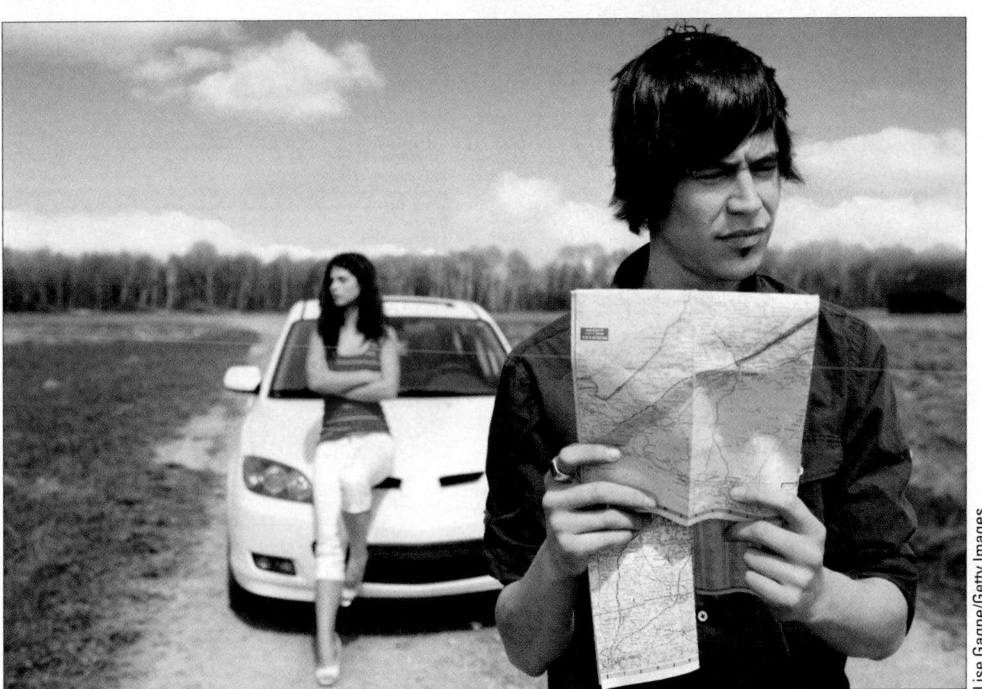

Lise Gagne/Getty Images

Sara duda que Manolo pueda encontrar la ruta necesaria.

Práctica y conversación

A. El Sr. Contreras

Mr. Contreras always contradicts everyone. How would he react to these statements?

- **MODELO:** Creo que esa aerolínea es muy buena.
  No creo que (esa aerolínea) sea muy buena.

1. No creo que el pasaje sea caro.
2. Creo que todos los aviones tienen asientos cómodos.
3. Creo que tienes que viajar en primera clase.
4. No creo que los paquetes estén allí.
5. No creo que él necesite el pasaporte.
6. Creo que Samuel necesita hacer escala.

B. En la universidad

Use your imagination to complete each statement, using the subjunctive or the indicative, as appropriate. Compare your statements to those of your partner.

1. Yo creo que el profesor (la profesora)...
2. No es verdad que yo...
3. Es cierto que los estudiantes...
4. No creo que en la cafetería de la universidad...
5. No es verdad que la clase de español...
6. No es cierto que los canadienses...
7. Dudo que yo...
8. No estoy seguro(a) de que esta universidad...

C. Opiniones

Use the illustrations to complete the following sentences.

1. Yo creo que Buenos Aires ______ (ser) el mejor lugar para aprender a bailar el tango.

2. No es verdad que la gente ______ (tener) corridas de toros en Cataluña. Está prohibido.

3. Carlos duda que yo ______ (poder) esquiar en el centro de esquí Portillo, en Chile, este año.

4. No es cierto que nosotros ______ (ver) fantasmas en el cementerio de la Recoleta en Buenos Aires.

5. Es verdad que en la Isla de Pascua *(Easter Island)* ______ (haber) monolitos de hombres enormes.

6. Dudo que tú no ______ (beber) mate en Uruguay.

7. Es verdad que en Punta del Este, Uruguay, ustedes ____________________ (ir) a ver una playa sorprendente.

8. Ellos dudan que ____________________ (haber) otro lugar como la librería Aténeo en Buenos Aires. Fue un teatro famoso en el pasado.

9. Nosotros no creemos que esta casa en Valparaíso, Chile ____________________ (estar) en un lugar muy seguro.

10. Yo dudo que Carmela ____________________ (ganar) la lotería española.

D. Viajando

The following statements are made by someone who doesn't necessarily know what he or she is talking about. With a partner, take turns saying whether or not you think the comments are true. Use **creo**, **no creo**, **dudo**, **estoy seguro(a) de**, **es verdad**, or **no es verdad**.

1. Hay vuelos directos de Montreal a Madrid.
2. El pasaje a Madrid cuesta 200 dólares canadienses.
3. Los estudiantes siempre viajan en primera clase.
4. Puedo viajar por España en tren.
5. Todas las ciudades españolas son muy pequeñas.
6. Hay hoteles elegantes en Barcelona.
7. En los hoteles de Madrid, todas las habitaciones tienen vista al mar.
8. Podemos viajar de Charlottetown a Madrid en tren.

2 Some uses of the prepositions *a, de,* and *en*

(Algunos usos de las preposiciones a, de *y* en*)*

FLASHBACK

You may wish to review "Pronouns as objects of prepositions" on page 130.

DETALLES CULTURALES

El tango tuvo su origen en los suburbios de Buenos Aires a finales del siglo *(century)* XIX. Para muchos, Argentina es la tierra del tango, y se considera la música típica del país. Hoy, la música argentina es muy variada e incluye diferentes tipos de ritmos.

- The preposition **a** *(to, at, in)* expresses direction toward a point in space or a moment in time. It is used for the following purposes:
  - to indicate the time (hour) of day

A las cinco salimos para Lima.	***At*** *five we leave for Lima.*

  - after verbs of motion, when followed by an infinitive, a noun, or a pronoun

Siempre vengo **a** comprar ropa aquí.	*I always come to buy clothes here.*

  - after the verbs **aprender**, **comenzar**, **empezar**, and **enseñar**, and when followed by an infinitive

Ellos empezaron **a** salir.	*They began to go out.*
Te enseñé **a** bailar el tango.	*I taught you to dance the tango.*

  - after the verb **llegar**

Cuando él llegó **a** su casa, le dieron los pasajes.	*When he arrived* ***at*** *his house, they gave him the tickets.*

¡ATENCIÓN!

Do not forget that before a direct object noun that refers to a specific person, we must use the personal **a**. It may also be used to personify an animal or a thing. If the direct object is not a definite person, the personal **a** is not used.

Busco un buen médico.	*I'm looking for a good doctor.*

EyesWideOpen/Getty Images

En Buenos Aires muchas personas aprenden a bailar tango.

- The preposition **de** *(of, from, about, with, in)* indicates possession, material, and origin. It is also used in the following ways:
  - to refer to a specific period of the day or night when telling time

El sábado pasado trabajamos hasta las ocho **de** la noche.	*Last Saturday we worked until 8* P.M.

  - after the superlative to express *in* or *of*

Orlando es el más simpático **de** la familia.	*Orlando is the nicest* ***in*** *the family.*

- to describe personal physical characteristics

  Es morena, **de** ojos negros. — *She is brunette, **with** dark eyes.*

- as a synonym for **sobre** or **acerca de** *(about)*

  Hablaban **de** todo menos **del** viaje. — *They were talking **about** everything except **about** the trip.*

- The preposition **en** *(at, in, on, inside, over)* in general situates someone or something within an area of time or space. It is used for the following purposes:

  - to refer to a definite place

    Él siempre se queda **en** casa. — *He always stays **at** home.*

  - as a synonym for **sobre** *(on)*

    Está sentada **en** la silla. — *She is sitting **on** the chair.*

  - to indicate means of transportation

    Nunca he viajado **en** autobús. — *I have never travelled **by** bus.*

Práctica y conversación

A. La carta de Isabel

Complete the following letter, adding the missing prepositions **a**, **de**, or **en**.

Querida Alicia:

Como te prometí, te escribo enseguida. Ayer llegamos (1) ________ Quito. Es una (2) ________ las ciudades más antiguas (3) ________ Sudamérica. Llegamos (4) ________ las tres (5) ________ la tarde y fuimos (6) ________ buscar hotel. (7) ________ el hotel conocimos (8) ________ unos chicos muy simpáticos que nos invitaron a salir con ellos. Yo salí con Carlos, que es alto, moreno y (9) ________ ojos verdes. Me ha dicho que me va (10) ________ enseñar (11) ________ bailar salsa. Espero aprender (12) ________ bailar otros bailes también. Mañana vamos (13) ________ ir (14) ________ visitar los museos. Vamos (15) ________ ir (16) ________ el coche (17) ________ Carlos.

Bueno, (18) ________ la próxima carta espero poder contarte más (19) ________ mi vida (20) ________ esta hermosa ciudad.

Un abrazo,
Isabel

B. ¿Qué pasa aquí?

Look at the photos and decide what preposition is missing.

1. Tatiana se levantó ________ las ocho ________ la mañana. Anoche ella llegó ________ su casa muy tarde porque fue a una fiesta ________ el club.

2. Ayer Michael se quedó ________ la biblioteca tres horas. Él leía un libro ________ historia canadiense cuando vio ________ su amigo Paul.

3. Angelita es una niña ________ ojos azules. Ella quiere mucho ________ su perro, que se llama Max.

4. Los amigos estudian ________ la residencia. Leticia es la mayor ________ todos y ella ayuda ________ sus amigos con la tarea.

C. Charlemos *(Let's chat)*

With a partner, talk about someone you met recently or someone you went out with. Include information about where you went, what time you left and returned home, what the person is like, and what you talked about. Your partner will ask you pertinent questions and make comments.

D. Alejandra

With a classmate, use your imagination to provide the following information about Alejandra.

1. the time when she arrives at the university
2. the time when she starts studying in the library
3. what she wants to learn how to do
4. whether or not she's the most intelligent in the family
5. what she and her friends talk about
6. what days she stays home
7. whom she visits sometimes
8. whether she likes guys who are brunette, with dark eyes, or blue-eyed blonds

Image Source/Getty Images

Now write two or three paragraphs about Alejandra.

3 Formal commands: *Ud.* and *Uds.*
(Mandatos formales: Ud. *y* Uds.*)*

- The command forms for **Ud.** and **Uds.** are identical to the corresponding present subjunctive forms.

FLASHBACK

Review the formation of the subjunctive in **Lección 10**. See page 258.

Infinitive	First-Person Sing. Present Indicative	Stem	Commands *Ud.*	*Uds.*
habl**ar**	yo habl**o**	habl-	habl**e**	habl**en**
com**er**	yo com**o**	com-	com**a**	com**an**
abr**ir**	yo abr**o**	abr-	abr**a**	abr**an**
cerr**ar**	yo cierr**o**	cierr-	cierr**e**	cierr**en**
volv**er**	yo vuelv**o**	vuelv-	vuelv**a**	vuelv**an**
ped**ir**	yo pid**o**	pid-	pid**a**	pid**an**
dec**ir**	yo dig**o**	dig-	dig**a**	dig**an**
segu**ir**	yo sig**o**	sig-	sig**a**	sig**an**

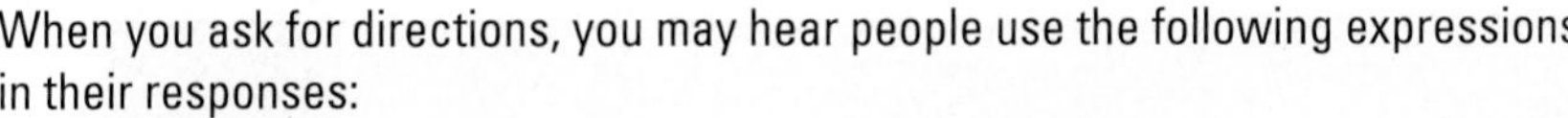

¡ATENCIÓN!

When you ask for directions, you may hear people use the following expressions in their responses:

a la derecha	*to the right*
a la izquierda	*to the left*
derecho	*straight ahead*
doblar	*turn*
Está a _____ (#) cuadras.	*It's about ____ blocks.*

—¿Dónde está la agencia de viajes? — *"Where is the travel agency?"*
—Camine dos cuadras y doble **a la derecha.** — *"Walk two blocks and turn* ***to the right.****"*

—¿Con quién debo hablar? — *"With whom must I speak?"*
—**Hable** con el cajero. — *"**Speak** with the teller."*

—¿Cuándo debemos volver? — *"When must we come back?"*
—**Vuelvan** mañana. — *"**Come back** tomorrow."*

—¿Qué puedo hacer para mis vacaciones? — *"What can I do for my vacation?"*
—**Haga** un crucero. — *"**Take** a cruise."*

—¿Cómo puedo confirmar mi vuelo a Uruguay? — *"How can I confirm my flight to Uruguay?"*
—**Llame** a la agencia de viajes. — *"**Call** the travel agency."*

LEAP FORWARD

The command form for **tú** will be studied in **Lección 12**.

- The command forms of the following verbs are irregular.

	dar	estar	ser	ir	saber
Ud.	**dé**	**esté**	**sea**	**vaya**	**sepa**
Uds.	**den**	**estén**	**sean**	**vayan**	**sepan**

—¿Vamos a la agencia de viajes ahora? *"Shall we go to the travel agency now?"*
—No, no **vayan** ahora; **vayan** a las dos. *"No, don't **go** now; **go** at two o'clock."*

- With all direct *affirmative* commands, object pronouns are placed after the verb and are attached to it, thus forming only one word. With all *negative* commands, the object pronouns are placed in front of the verb.

—¿Dónde pongo las cartas? *"Where shall I put the letters?"*
—**Póngalas** aquí; **no las ponga** allí. *"**Put them** here; **don't put them** there."*

—¿Dónde nos sentamos? *"Where shall we sit?"*
—**Siéntense** aquí. **No se sienten** allí. *"**Sit** here. **Don't sit** there."*

—**Mándennos** el pasaje por correo electrónico. **No nos lo manden** por correo. *"**Send us** the ticket by e-mail. **Don't send it to us** by mail."*

¡ATENCIÓN!

Note the use of the written accent in **póngalas**, **siéntense**, and **mándennos**.

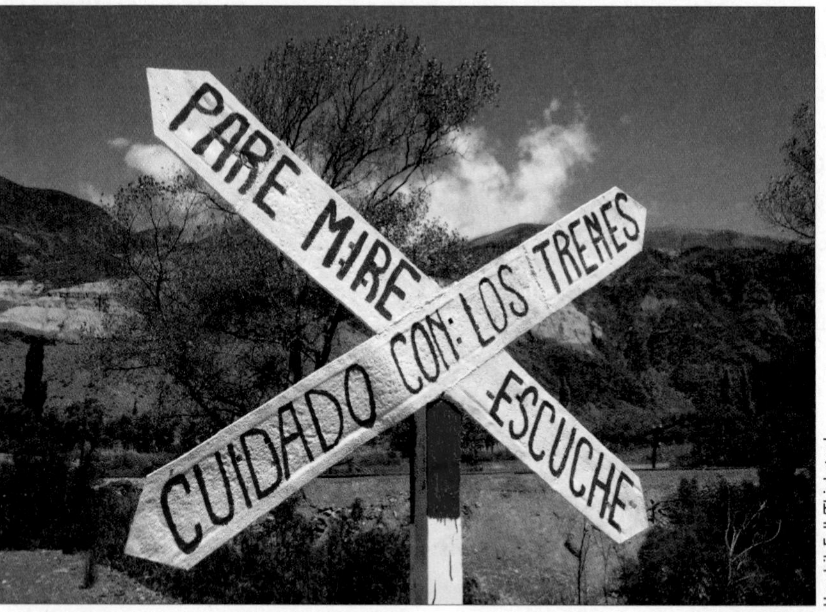

Hendrik Falk/Thinkstock

En zonas remotas la gente crea sus propios carteles avisando de los peligros de la zona.

Práctica y conversación

A. Instrucciones

A travel agent is giving his customers instructions. Following the model, change each sentence to the appropriate command.

- **MODELO:** Tiene que **leer** la información.
  ***Lea** la información.*

1. Tienen que llegar al aeropuerto temprano.
2. Tienen que hacer cola.

3. Tienen que hablar con el agente de la aerolínea.
4. Tiene que facturar su equipaje.
5. Tiene que sentarse y esperar unos minutos.
6. Tiene que pasar por la aduana.
7. Tiene que darle su pasaporte al agente.
8. Tiene que subir al avión y abrocharse el cinturón de seguridad.
9. Tienen que poner su bolso de mano en el compartimiento de equipaje.
10. Tiene que divertirse en las vacaciones.

B. Mamá (Papá) y nosotros

Two teenagers are discussing a trip with their Mom (Dad) and asking what to do. Take the role of the parent and answer their questions. Use the command forms and the cues provided.

1. ¿Adónde vamos ahora? (al aeropuerto)
2. ¿Qué compramos? (los pasajes)
3. ¿A quién le damos el dinero? (al agente de viajes)
4. ¿Qué más traemos? (el equipaje)
5. ¿Qué coche llevamos? (el mío)
6. ¿A qué hora salimos para el aeropuerto? (a las tres)
7. ¿Qué hacemos en el avión? (abrocharse el cinturón de seguridad)

C. ¿Que sí o que no?

Andrés says yes to everything, while Ana always says no. With your partner, play the roles of Andrés and Ana. Answer each question as he or she would, using a formal command and a direct object pronoun to replace each direct object.

1. ¿Llamo al señor García? (Andrés)
2. ¿Compramos los pasajes hoy? (Ana)
3. ¿Llevo dos maletas? (Andrés)
4. ¿Compramos una excursión especial? (Ana)
5. ¿Ahorro mucho dinero? (Andrés)
6. ¿Llamamos a nuestros amigos? (Ana)
7. ¿Compro una maleta nueva? (Andrés)
8. ¿Hacemos un crucero? (Ana)

FLASHBACK

You may want to review the pronouns. See the RODEO box on page 180.

D. A mis compañeros de casa

Using commands, tell your roommates what to do before you leave on your trip.

1. *Darle* la llave a la vecina *(neighbour)*, no *darle* la llave a Beto.
2. *Escribirles* correos electrónicos a sus padres.
3. *Ponerse* zapatos cómodos para el viaje. No *ponerse* ropa elegante.
4. *Traerme* el equipaje al aeropuerto, pero no *traerme* el maletín verde.
5. *Decirle* "Adiós" a Isabel, pero no *decirle* "Adiós" a Teresa.
6. *Esperarme* en la sala de espera, no *esperarme* en la puerta de salida.

E. Una nota

You and your partner are going to be gone for a few days. Write a note to your irresponsible roommates, telling them four things to do and four things not to do in your absence.

4 First-person plural commands
(El imperativo de la primera persona del plural)

- In Spanish, the first-person plural of an affirmative command (e.g. *let's + verb*) can be expressed in two ways:

    - by using the first-person plural command, formed like the **Ud.** and **Uds.** commands, except with the addition of "**emos**" for -**ar** verbs and "**amos**" for -**er** and -**ir** verbs.

      Preguntemos el precio de los pasajes. — ***Let's ask*** *the price of the tickets.*

    - or, by using the expression **vamos a** + *infinitive.*

      Vamos a preguntar el precio de los pasajes. — ***Let's ask*** *the price of the tickets.*

- The verb **ir** does not use an irregular form in the first-person plural affirmative command; it just uses the present-tense form.

  Vamos al teatro. — ***Let's go*** *to the theatre.*

- In a negative command, however, the irregular form is used.

  No vayamos a la agencia de viajes. — ***Let's not go*** *to the travel agency.*

- In all direct, affirmative commands, object pronouns are attached to the verb, and a written accent is then placed on the stressed syllable.

  Comprémos**lo**. — *Let's buy* ***it****.*

  Llamémos**los**. — *Let's call* ***them****.*

- If the pronouns **nos** or **se** are attached to the verb, the final -**s** of the verb is dropped before adding the pronoun.

  Sentémo**nos** aquí. — ***Let's sit*** *here.*

  Vistámo**nos** ahora. — ***Let's get dressed*** *now.*

  Démo**selo** a los niños. — ***Let's give it*** *to the children.*

  —Vamos a Chile.
  —No, no vayamos a Chile; **quedémonos** en Argentina.

  "Let's go to Chile."
  "No, let's not go to Chile; ***let's stay*** *in Argentina."*

  —¿Dónde queda la Casa Rosada?
  —No sé. **Preguntémoselo** a ese señor.

  "Where's the Casa Rosada?"
  "I don't know. ***Let's ask*** *that gentleman."*

Práctica y conversación

A. ¿Qué hacemos?

You have arrived at your destination. Take turns with a partner saying what you and your friends should do in the following situations. Use the first-person plural command. Use the verb indicated and pronouns wherever possible.

1. Tenemos mucha hambre. (comer)
2. Estamos en un restaurante y necesitamos el menú. (pedir)
3. No queremos salir hoy. (salir)
4. No sabemos qué hacer este fin de semana. (estudiar)
5. Un amigo quiere ir al museo. (ir)
6. Queremos saber el precio de una excursión. (pedir)
7. Estamos cansados. (acostarse)
8. Hace mucho frío y vamos a salir. (ponerse)

B. ¡Vamos a Chile!

You and a classmate are making plans to go on a trip to Chile. Take turns answering the following questions, using the clues provided and the first-person plural command.

1. ¿A qué ciudad vamos? (Santiago)
2. ¿Cómo viajamos? (por avión)
3. ¿Qué día y a qué hora salimos? (el sábado / a las ocho de la mañana)
4. ¿Cuántas maletas llevamos? (solamente una)
5. ¿Nos hospedamos en un hotel elegante? (sí)
6. ¿Pedimos unos asientos de ventanilla o de pasillo en el avión? (de ventanilla)
7. ¿Cuántos días nos quedamos en la ciudad? (5 días)
8. ¿Comemos en un restaurante tradicional? (sí)
9. ¿Visitamos muchos museos? (pocos)
10. ¿Cuándo volvemos? (el 18 de mayo)

Práctica y traducción

Review the vocabulary and grammatical concepts studied in **Lección 11**, as you translate the following sentences.

1. Ana and her husband bought tickets for a cruise. I think they will travel in spring.
2. We doubt you can take three suitcases. You need to pay for excess luggage.
3. Miss Soto gave the boarding pass to the agent.
4. "Passengers, put on your safety belt. We are going to take off."
5. They are sure that we will have a good time on the tour.

ENTRE NOSOTROS

¡Conversemos!

Para conocernos mejor

Get to know your partner better by asking each other the following questions.

1. ¿Adónde piensas ir de vacaciones el verano que viene? ¿Con quién vas?
2. ¿Prefieres viajar solo(a) o con tu familia?
3. ¿Compras los pasajes en una agencia de viajes o por la Internet?
4. Generalmente, ¿viajas en clase turista o en primera clase?
5. ¿Prefieres un asiento de ventanilla o de pasillo?
6. ¿Hiciste un crucero el verano pasado?
7. ¿Cuántas maletas llevaste la última vez que viajaste?
8. ¿Has tenido que pagar exceso de equipaje alguna vez?
9. ¿Dónde pones tu bolso de mano cuando viajas?
10. ¿Conoces un(a) auxiliar de vuelo?

Búsqueda de gente

Interview your classmates to identify who fits the following descriptions. Include your instructor, but remember to use the **Ud.** form when addressing him or her.

	NOMBRE	
1.		hace muchos viajes.
2.		le gusta viajar los fines de semana.
3.		conoce muchos lugares de interés en Canadá.
4.		prefiere volar por la noche.
5.		tuvo que hacer escala la última vez que viajó.
6.		necesita ahorrar más.
7.		siempre lleva su computadora portátil cuando va de viaje.
8.		lleva mucho equipaje cuando viaja.
9.		no fue de vacaciones el año pasado.
10.		fue de excursión el mes pasado.

Y ahora...

Write a brief summary, indicating what you have learned about your classmates.

¿Cómo lo decimos?

What would you say in the following situations? What might the other person say? Act out these scenes with a partner.

1. You want to find out how much a round-trip ticket to Barcelona costs.
2. You ask the travel agent to give you information on several types of tours.
3. You need to know if there are flights to Buenos Aires on Sundays.
4. A friend of yours is travelling abroad for the first time. Give him or her suggestions and advice about what to do and what not to do.

¿Qué dice aquí?

Answer the questions about the new flight of Aerolíneas del Sur using the information provided in the ad.

1. ¿Qué ofrece Aerolíneas del Sur?
2. ¿Qué puedo acumular si viajo con Aerolíneas del Sur?
3. ¿De qué ciudad sale el nuevo vuelo?
4. ¿Había antes vuelos de Toronto a Buenos Aires? ¿Cuándo comienza el nuevo vuelo?
5. Si tomo ese vuelo, ¿tengo que hacer escala?
6. ¿Qué puedo hacer para obtener más información y para hacer la reservación?
7. ¿Puedo llamar cualquier *(any)* día y a cualquier hora?
8. ¿Qué ventajas me ofrece Aerolíneas del Sur?

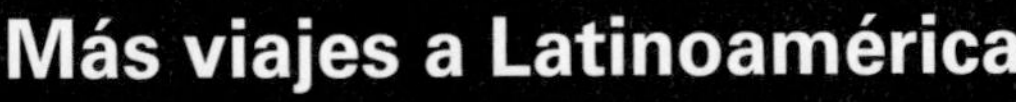

Viaje por Aerolíneas del Sur y acumule millas más rápido.

meunierd/Shutterstock.com

Toronto – Buenos Aires

Aerolíneas del Sur le ofrece desde el 15 de enero un vuelo diario más, sin escala.

Para reservaciones consulte a su agente de viajes, visite nuestro sitio en la Internet o llame gratis al teléfono 1-800-342-4538, 24 horas al día, siete días a la semana.

Aerolíneas del Sur

Precios más bajos. Mejor servicio.

Para escribir

Un viaje especial

Think about a destination in a region of Argentina where you would like to go on holidays for one week. After you have selected the place, research the attractions the region offers and map out the different activities for each day. Upon completion of your research, prepare a brochure that includes the following information of the region: pictures, key destinations to visit, best restaurants and hotels, and any other information you may think is pertinent. Prepare the brochure in Spanish and be ready to fly away!

UN DICHO

Martes 13, ni te cases ni te embarques.

This saying advises you not to get married or take a trip ... on what day? If you are superstitious, you now have two days to worry about!

Jerónimo Alba/Age fotostock

El aeropuerto de Bilbao (España), diseñado por el famoso arquitecto, Santiago Calatrava.

ASÍ SOMOS

Vamos a escuchar

A. Arturo y Vicente planean sus vacaciones

You will hear a conversation between Arturo and Vicente, two roommates who are planning a vacation for spring break. Pay close attention to what they say. You will then hear ten statements about what you heard. Indicate whether each statement is true **(V)** or false **(F)**.

1.	☐ V	☐ F	**6.**	☐ V	☐ F
2.	☐ V	☐ F	**7.**	☐ V	☐ F
3.	☐ V	☐ F	**8.**	☐ V	☐ F
4.	☐ V	☐ F	**9.**	☐ V	☐ F
5.	☐ V	☐ F	**10.**	☐ V	☐ F

Vamos a leer

ESTRATEGIA

El blog de unos estudiantes canadienses

This is our final blog. Pay attention to the vocabulary included in this piece. When you look at the pictures, do you have an idea of what this reading is going to be about? Do you recognize any of the places? Answer the questions after you read the blog.

B. Sobre el blog

1. ¿Quiénes escriben el blog?
2. ¿Qué país visitan?
3. ¿Qué le ha gustado más a Leo? ¿Por qué?
4. ¿Cuánto tiempo hace que Sandra está en España?
5. ¿Qué le gusta más a ella?
6. ¿Puedes dar unos ejemplos de tapas?
7. ¿Lucas viaja mucho?
8. ¿Cuál es el lugar favorito de Mary?
9. ¿Qué ciudad le gustó más a Lucas? ¿Por qué?
10. ¿Cómo fue el viaje de Marcela?
11. ¿Cuántas maletas llevó en su viaje?
12. ¿Qué tuvo que pagar?
13. ¿Qué tiempo hacía cuando salió del aeropuerto?
14. ¿Cómo son sus amigos Ricardo y Leti?
15. ¿Qué recomienda Marcela que hagan sus amigos?

C. ¿Qué piensas tú?

1. ¿Has viajado a España alguna vez?
2. ¿Hay algún restaurante en la ciudad donde vives donde venden tapas?
3. De los lugares que se mencionan, ¿cuál te interesa más?
4. Cuando viajas, ¿llevas muchas maletas? ¿Qué pones en tu maleta?
5. ¿Cuál es el lugar que visitaste en el pasado que más te impresionó?

El blog de unos estudiantes canadienses

By DisobeyArt/Shutterstock.com

7 de octubre

¡Hola! Aquí estamos todos en un restaurante cerca de la universidad. ¿Cuáles son algunas impresiones que tenemos? Vamos a ver...

28 de octubre

Courtesy of Rosa Stewart

La Sagrada Familia, de Antoni Gaudí

Leo: Ya he tenido la oportunidad de viajar a algunas ciudades de España. Mi favorita es Barcelona. Dudo que haya otra ciudad con una arquitectura tan interesante. Me encantan las obras *(works)* de Antoni Gaudí. Vean la foto que tomé.

1 de noviembre

Courtesy of Rosa Stewart

Tapas

Sandra: Hemos estado en España por un mes. Parece que solo ayer la agente me pedía la tarjeta de embarque para empezar esta aventura. ¿Qué es lo que me gusta más? Muchas cosas me encantan, sobre todo las tapas. Tapas son platos pequeños que se sirven en los bares cuando pides una bebida. Unos ejemplos son tortilla de patata *(Spanish omelette)*, queso, jamón, aceitunas *(olives)* y bocadillos *(little sandwiches)*. ¡Todas las tapas son deliciosas!

5 de noviembre

Lucas y Mary:

—Sé que este fue tu primer viaje en avión, Lucas. ¿Qué te impresionó?

—Recuerdo: "Abróchense el cinturón. Escuchen la información sobre su seguridad al despegar. Estamos seguros de que van a tener un muy buen viaje. Pídannos lo que deseen".

—Me alegra saber que tuviste un viaje tan memorable. ¿Qué ciudad te ha gustado más? Mi favorita ha sido Valencia.

—Me gustó mucho la visita a Granada. La Alhambra es maravillosa con todos los azulejos *(tiles)* impresionantes.

Courtesy of Rosa Stewart

La Alhambra, Granada

—Sí, es cierto. Sugiero que todos la visiten.

12 de noviembre

Courtesy of Rosa Stewart

Ricardo y Leti en Oviedo

Marcela: Mi viaje empezó con problemas. Tuve que pagar exceso de equipaje porque tenía tres maletas. Después, cuando llegué a la aduana en Madrid, no podía encontrar mi pasaporte. Por fin, lo encontré en mi bolso de mano. Cuando salimos del aeropuerto hacía sol y no he tenido ningún problema desde entonces. Todos los españoles que hemos conocido son muy simpáticos. Conocí a Ricardo y a Leti en Oviedo, pero como viven en Madrid, los veo frecuentemente.

Recomiendo que todos mis amigos vengan a visitarme.

LECCIÓN 12

¿DÓNDE NOS HOSPEDAMOS?

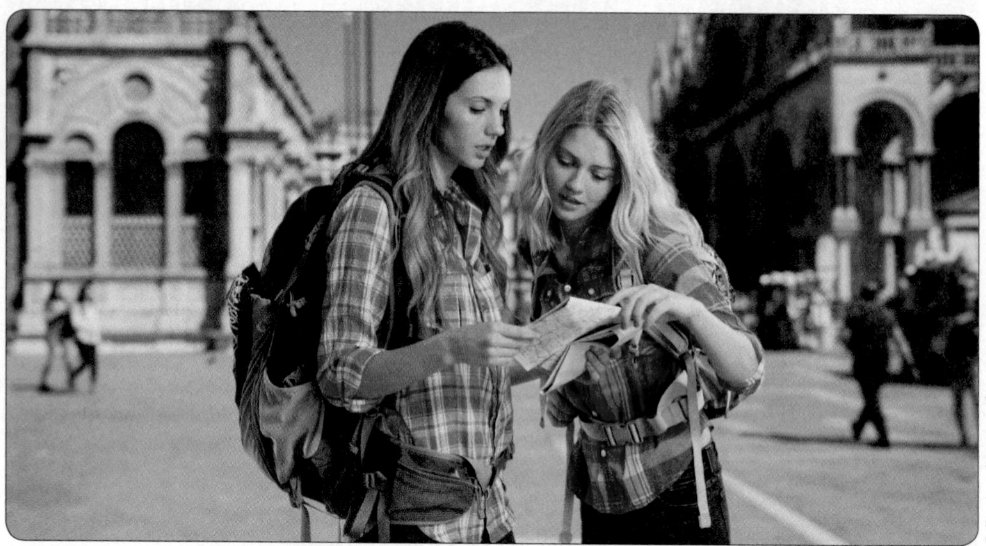

© Rocketclips, Inc./Shutterstock.com

Estrella y Mariana, dos chicas argentinas, están de vacaciones en Viña del Mar, Chile.

Estrella: Tenemos que encontrar un hotel que no sea muy caro y que quede cerca de la playa.

Mariana: ¡Estrella! ¡No hicimos reservaciones! ¡Y no hay ningún hotel que tenga habitaciones libres!

Estrella: No seas pesimista. A ver... queremos un hotel que tenga aire acondicionado, teléfono, televisor, servicio de habitación y, si es posible, vista al mar.

Mariana: ¡Qué optimista! Hay muchos hoteles que tienen todo eso, pero están llenos. Hay un montón de turistas, y muchas convenciones.

Estrella: ¡Espera! Ahí hay un hotel...

Mariana: Pero, dime una cosa: ¿No ves que es un hotel de lujo? Probablemente cobran cincuenta mil pesos por noche. Nosotras necesitamos uno que cobre mucho menos...

Estrella: Pero tú tienes una tarjeta de crédito, ¿no? Bueno, ven. Vamos a buscar un taxi que nos lleve a un hotel que no esté en la playa. Allí va a haber hoteles más baratos...

Mariana: O una pensión. ¡Acuérdate de que las pensiones son más baratas...!

Estrella y Mariana están hablando con el Sr. Ruiz, el dueño de la pensión.

Estrella: ¿Tiene un cuarto libre para dos personas?

Sr. Ruiz: Sí, hay uno disponible en el segundo piso, con dos camas chicas. Cobramos cien mil pesos por semana...

Mariana: ¿Eso incluye las comidas?

Sr. Ruiz: Sí, es pensión completa.

Estrella: ¿Los cuartos tienen baño privado y televisor?

Sr. Ruiz: No, señorita. Hay tres baños en el segundo piso. Tienen bañadera y ducha con agua caliente y fría... y hay un televisor en el comedor.

Mariana: *(A Estrella)* ¿Por qué no nos quedamos aquí? La pensión parece limpia y está en un lugar céntrico.

Estrella: ¿Hay alguna playa que esté cerca de aquí?

Sr. Ruiz: Sí, hay una a cuatro cuadras. ¡Ah!, señorita, necesito el número de su pasaporte.

Mariana: *(A Estrella)* ¡Uf! Estoy muy cansada. Ayúdame con las maletas, ¿quieres? Aquí no hay botones. Lo primero que voy a hacer es dormir un rato.

Estrella: Bueno, pero después te voy a mostrar unos folletos sobre Buenos Aires.

Mariana: ¡Ay! ¡Ya estás planeando nuestras próximas vacaciones!

© PhotoAlto/Ale Ventura/Getty Images

© PhotoAlto/Ale Ventura/Getty Images

Hablemos

Sobre el diálogo

With a classmate, take turns asking and answering the following questions. Base your answers on the dialogue.

1. ¿En qué ciudad están de vacaciones las chicas?
2. ¿Qué están buscando ellas?
3. ¿Estrella quiere un cuarto con vista al jardín?
4. ¿Por qué están llenos los hoteles?
5. ¿En qué piso está la habitación disponible?
6. ¿Qué tienen los baños?
7. ¿Cómo es la pensión?
8. ¿Dónde está la playa?
9. ¿Qué es lo primero que va a hacer Mariana?
10. ¿Qué le va a mostrar Estrella a Mariana?

Entrevista a tu compañero(a)

With a classmate, take turns asking and answering these questions.

1. ¿Adónde vas de vacaciones?
2. En un hotel, ¿en qué piso prefieres tener tu habitación?
3. ¿Tú viajas con mucho equipaje?
4. Cuando estás de vacaciones, ¿a quiénes les mandas correos electrónicos?
5. ¿Es importante que haya un televisor en tu habitación? ¿Por qué?
6. ¿Prefieres hoteles, pensiones u hostales cuando viajas?
7. En lugares nuevos, ¿te gusta probar comida diferente?
8. ¿Qué te gusta hacer cuando estás de vacaciones?

DETALLES CULTURALES

Cuando los jóvenes canadienses viajan a países hispanos muchas veces prefieren hospedarse en hostales *(hostels)* que se pueden encontrar en muchas ciudades. En los hostales, los jóvenes pueden conocer a personas de todas partes del mundo porque son populares con los extranjeros *(foreigners)*, pero también muchos jóvenes hispanos los usan.

VOCABULARIO

COGNADOS

la convención
el (la) optimista
el (la) pesimista
posible
privado(a)
probablemente
la reservación
el taxi
el (la) turista

SUSTANTIVOS

el aire acondicionado	*air conditioning*
el ascensor*	*elevator*
la calefacción	*heating*
la cama	*bed*
— chica	*twin bed*
el (la) dueño(a), propietario(a)	*owner*
la escalera	*staircase*
el hostal	*hostel*
el lujo	*luxury*
la pensión	*boarding house*
la persona	*person*
el piso	*floor*
el puesto de revistas*	*magazine stand*
el servicio de habitación, de cuarto	*room service*
la tienda de regalos	*souvenir shop*
el vestíbulo	*lobby*

VERBOS

acordarse (de) (o > ue)	*to remember*
casarse (con)	*to marry, to get married (to)*
cobrar	*to charge*
comprometerse con	*to get engaged to*
confiar en[1]	*to trust*
convenir en	*to agree on*
darse cuenta de	*to realize*
desocupar	*to vacate*
despegar	*to take off*
enamorarse de	*to fall in love with*
fijarse en	*to notice*
insistir en	*to insist on*
mostrar (o > ue)	*to show*
olvidarse de	*to forget*
parecer (yo parezco)	*to seem*
soñar (o > ue) con	*dream about*

ADJETIVOS

caliente	*hot*
céntrico(a)	*central*
libre, disponible	*vacant, available*
lleno(a)	*full*

OTRAS PALABRAS Y EXPRESIONES

dime una cosa	*tell me something*
enseguida	*right away*
hoy mismo	*this very day*
lo primero	*the first thing*
otra vez	*again*
la pensión completa	*room and board*
por suerte, afortunadamente	*luckily, fortunately*
el/la próximo(a)	*next*
— día (lunes, mes, semana, año...)	*next day (Monday, month, week, year. . .)*
si	*if*
sobre	*about*
un montón de	*a bunch of, many*
va a haber	*there is going to be*

DE PAÍS A PAÍS

el ascensor el elevador *(Méx., Cuba, Puerto Rico)*

el puesto de revistas el quiosco, kiosco *(Arg., Esp.)*

la piscina la alberca *(Méx.)*

la ducha la regadera *(Méx.)*

la bañadera la bañera *(Cono Sur, Esp.)* el baño *(Esp.)*

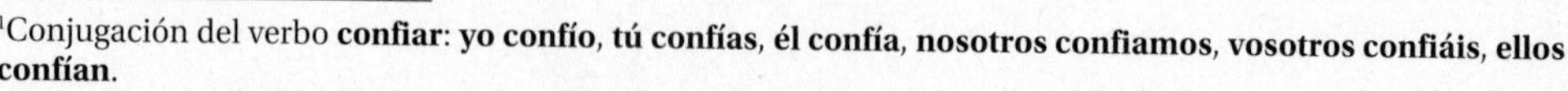
[1]Conjugación del verbo **confiar: yo confío, tú confías, él confía, nosotros confiamos, vosotros confiáis, ellos confían.**

Amplía tu vocabulario

Más sobre los hoteles

no funciona *it doesn't work*
ocupado(a) *occupied*
el precio *price*

Quiero una habitación con vista
Quiero un cuarto con vista
- **al jardín** *garden*
- **a la piscina*** *swimming pool*
- **al patio**
- **al mar** *sea*
- **a la playa** *beach*

Quiero una habitación
Quiero un cuarto
- **interior**
- **exterior**

Para practicar el vocabulario

A. Palabras

Circle the word or phrase that doesn't belong in each group.

1. almuerzo / cena / escalera
2. jardín / dueño / botones
3. ducha / llave / bañadera
4. jabón / toalla / vestíbulo
5. aire acondicionado / piscina / pasaporte
6. televisor / revista / folleto
7. por suerte / hoy mismo / afortunadamente
8. inodoro / lavabo / céntrico

B. Preguntas y respuestas

Match the questions in column A with the answers in column B.

A	B
1. ¿Tenemos que ir a un restaurante?	a. No, con vista al mar.
2. ¿Hay cuartos libres?	b. Sí, pero yo no pienso ir.
3. ¿Elsa es argentina?	c. Sí, y calefacción.
4. ¿Tu habitación es interior?	d. Un folleto sobre Cuzco.
5. ¿Tiene aire acondicionado?	e. No, el hotel está lleno.
6. ¿Va a haber una fiesta?	f. Sí, y hablamos por un rato.
7. ¿El baño tiene bañadera?	g. Sí, es de Buenos Aires.
8. ¿Qué estás leyendo?	h. El inodoro no funciona.
9. ¿Viste a Susana?	i. Sí, porque el hotel no tiene servicio de habitación.
10. ¿Cuál es el problema?	j. No, tiene ducha.
11. ¿Qué documento necesita?	k. La semana próxima.
12. ¿Cuándo llegan?	l. El pasaporte.

C. Oraciones incompletas

Complete the following sentences with vocabulary from **Lección 12**.

1. Mi cuarto está en el quinto *(fifth)* piso. Voy a tomar el ____________________.
2. Hace mucho calor. Necesitamos poner el ____________________, no la calefacción.
3. Ese hotel cuesta mucho porque es un hotel de ____________________.
4. No queremos comer en el restaurante del hotel. Vamos a pedir ____________________ de habitación.
5. Hoy tengo un ____________________ de cosas que hacer: preparar la cena, limpiar mi cuarto, hacer la tarea...
6. Elsa compró una revista en el ____________________ de revistas de la esquina.
7. Quieren una habitación con ____________________ al mar.
8. Nosotros vamos a dormir en la cama ____________________ y nuestro hijo duerme en el ____________________.
9. En el hotel no hay muchas habitaciones ____________________ este fin de semana porque hay una convención.
10. ¡Hoy ____________________ hay un concierto en el parque y es gratis!

D. En el hotel

What is the solution to these problems?

1. Quiero leer *Maclean's* pero no hay una copia en mi habitación.
2. No me gustan las habitaciones interiores.
3. Somos tres y solo hay una cama doble en el cuarto.
4. Quiero comprar algo para llevarles a mis padres.
5. No sé cuánto cobran en el hotel.
6. No quiero recibir a mi amigo(a) en la habitación del hotel.
7. Tengo que subir a mi cuarto, que está en el décimo *(tenth)* piso.
8. Nos dieron una habitación con vista al patio, pero a nosotros no nos gusta.

E. Para conversar

Working with a classmate, pick one of the two scenarios below and create a dialogue between two people.

- A tourist wants to get a room at a hotel and an employee answers his or her questions about the services the hotel offers its guests.
- A hotel guest is unhappy about everything at the hotel and an employee tries to suggest solutions to all the problems.

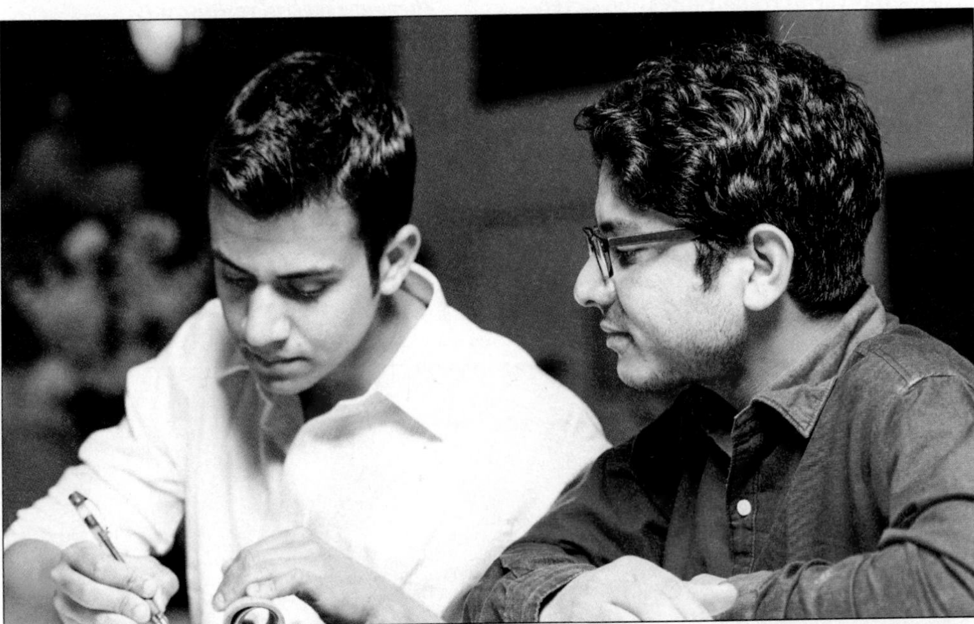

graphixel/istock by Getty Images

Federico y Pablo tienen una reservación en el Hotel Presidente, en Montevideo. Con un(a) compañero(a) de clase, imaginen: ¿Qué clase de cuarto prefieren? ¿Cómo es el hotel? ¿Pagan con tarjeta de crédito o en efectivo?...

Pronunciación

Pronunciation in context

In this lesson, there are some words or phrases that may be challenging to pronounce. Listen to the correct pronunciation; then say the following sentences out loud.

1. A ver... queremos un hotel que tenga **aire acondicionado**.
2. Vamos a buscar un taxi que nos lleve a Santiago. **Allí va a haber** hoteles más baratos.
3. ¿Por qué no nos quedamos aquí? La **pensión** parece limpia y está en un lugar **céntrico**.
4. Necesito el número de su **cédula** de **identidad**.
5. Después te voy a mostrar unos **folletos** sobre **Buenos Aires**.

PUNTOS PARA RECORDAR

1 Subjunctive to express indefiniteness and nonexistence

(El subjuntivo para expresar lo indefinido y lo no existente)

FLASHBACK 

You may want to review the subjunctive formation on pages 258–259, as well as the conjugation of **incluir** on page 282 (footnote).

- The subjunctive is always used in the subordinate clause when the main clause refers to something or someone that is indefinite, unspecified, hypothetical, or nonexistent.

—¿**Hay alguna excursión** que **incluya** el hotel? —No, **no hay ninguna** que lo **incluya**.	*"**Is there any tour** that **includes** the hotel?"* *"No, **there is not any** that **includes** it."*
—**Necesito un hotel** que **tenga** servicio de habitación. —**No conozco ningún hotel** que **tenga** servicio de habitación.	*"**I need a hotel** that **has** room service."* *"**I don't know any** that **has** room service."*
—**Estamos buscando un restaurante** que **sirva** comida italiana. —**Hay varios restaurantes** que **sirven** comida italiana.	*"**We're looking for a restaurant** that **serves** Italian food."* *"**There are several restaurants** that **serve** Italian food."*

FLASHBACK

Remember that this concept has been mentioned in the **¡Atención!** box on page 292, where it was explained that the personal 'a' is not used if the direct object is a person that is not a definite person.

¡ATENCIÓN! 

If the subordinate clause refers to existent, definite, or specified persons or things, the indicative is used instead of the subjunctive.

¿Hay un restaurante que sirva buenas tapas en la Plaza Mayor?

Goodluz/Shutterstock.com

Práctica y conversación

A. Minidiálogos

Complete the following dialogues, using the indicative or the subjunctive, as appropriate.

1. —¿Hay algún hotel que __________________ (quedar) cerca de la playa?
   —Sí, el hotel El Sol __________________ (quedar) a una cuadra de la playa.
2. —¿Sabes si hay algún cuarto libre que __________________ (tener) vista al mar?
   —No, pero hay uno que __________________ (tener) vista a la piscina.
3. —¿Hay alguien aquí que no __________________ (tener) pasaporte?
   —No, todos __________________ (tener) pasaporte y visa.
4. —Necesito un botones que __________________ (poder) llevar las maletas.
   —Tenemos un botones que __________________ (estar) ocupado en este momento, pero puede ayudarlo en unos minutos.

B. Vienen los argentinos

A family from Argentina has recently moved into your neighbourhood. Answer their questions.

1. ¿Hay alguien que quiera vender su casa?
2. ¿Hay algún restaurante que sirva comida argentina?
3. ¿Hay alguien que sepa español y quiera trabajar de traductor?
4. ¿Hay algún mercado que venda productos de Sudamérica?
5. Nuestro hijo es agente de viajes. ¿Sabe si hay alguna agencia que necesite empleados?
6. Queremos vender nuestro coche. ¿Conoce Ud. a alguien que necesite un auto?

C. En la pensión

Use your imagination to complete each statement.

1. Nuestro cuarto tiene vista al jardín, pero preferimos uno...
2. El baño tiene bañadera, pero yo quiero uno...
3. Esta pensión no incluye las comidas, pero yo necesito una...
4. Esta pensión es buena pero no está en un lugar céntrico; queremos una...
5. Este folleto es sobre Viña del Mar, pero nosotras necesitamos uno...

D. Dime una cosa

You and a classmate want to find out about each other's relatives and friends. Ask each other questions about the following, always beginning with:

¿Hay alguien en tu familia o entre *(among)* tus amigos que...?

1. jugar al béisbol
2. viajar a México todos los veranos
3. bailar muy bien
4. tener una piscina en su casa
5. celebrar su aniversario de bodas este mes
6. ser muy optimista
7. conocer España
8. hablar portugués
9. saber varios idiomas
10. trabajar para un hotel
11. ser empleado(a) de banco
12. ser argentino(a)

E. Nuestro viaje a España

In groups of three or four, play the role of very wealthy and lazy travellers who want to make arrangements for a trip to Spain. Say what you need people to do for you.

- **MODELO:** *Necesitamos a alguien que vaya a la agencia de viajes.*

2 Familiar commands *(Las formas imperativas de* tú *y de* vosotros)

- Regular affirmative commands in the **tú** form have exactly the same forms as the third-person singular (**él, ella, usted** forms) of the present indicative.

FLASHBACK

You may wish to review the formal commands and first-person plural commands on pages 295–296 and 298, in order to understand how they differ from familiar commands.

Verb	Present Indicative Third-Person Sing.	Familiar Command **(tú)**
hablar	él habla	**habla**
comer	él come	**come**
abrir	él abre	**abre**
cerrar	él cierra	**cierra**
volver	él vuelve	**vuelve**
pedir	él pide	**pide**
traer	él trae	**trae**

—¿Qué quieres que haga ahora?
—**Compra** los billetes para el viaje.

"What do you want me to do now?"
*"**Buy** the tickets for the trip."*

—¿Vas a poner el equipaje aquí?
—Sí, **tráeme** las maletas y el bolso de mano.

"Are you going to put the luggage here?"
*"Yes, **bring me** the suitcases and the carry-on bag."*

FLASHBACK

You may want to review the "Summary of the Pronouns" box, which appears on page 180.

- Eight Spanish verbs are irregular in the affirmative command for the **tú** form. They are listed below.

decir	**di**
hacer	**haz**
ir	**ve**[2]
poner	**pon**
salir	**sal**
ser	**sé**
tener	**ten**
venir	**ven**

—**Dime**, ¿a qué hora quieres que venga?
—**Ven** a las ocho.

*"**Tell me**, at what time do you want me to come?"*
*"**Come** at eight."*

—**Haz**me un favor: **pon** estos folletos en la mesa.
—Sí, en seguida.

*"**Do** me a favour: **put** these brochures on the table."*
"Yes, right away."

¡ATENCIÓN!

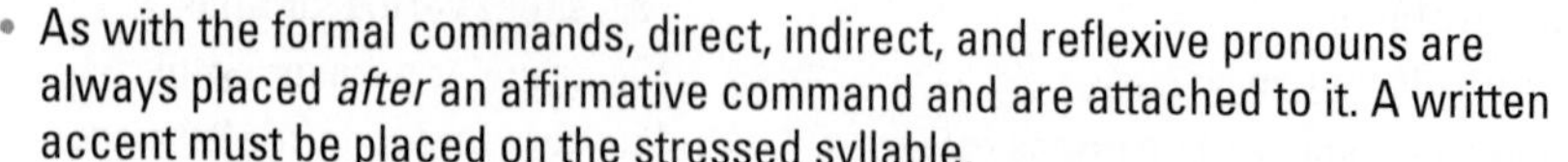

- As with the formal commands, direct, indirect, and reflexive pronouns are always placed *after* an affirmative command and are attached to it. A written accent must be placed on the stressed syllable.

Dámelo ahora. — ***Give** it to me now.*
¿La chaqueta? **Quítatela**. — *The jacket? **Take** it off.*

- With negative commands, the pronouns come before the command.

No me lo **des** ahora. — *Do not **give** it to me now.*
¿La chaqueta? No te la **quites**. — *The jacket? Do not **take** it off.*

[2]Note that **ir** and **ver** have the same affirmative **tú** command: **ve**.

- The affirmative command form for **vosotros** is formed by changing the final **-r** of the infinitive to **d**.

Infinitive	Familiar Command **(vosotros)**
habla**r**	habla**d**
come**r**	come**d**
escribi**r**	escribi**d**
i**r**	i**d**
sali**r**	sali**d**

- When the affirmative command of **vosotros** is used with the reflexive pronoun **os**, the final **-d** is dropped.

bañar	baña**d**	**bañaos**
poner	pone**d**	**poneos**
vestir	vesti**d**	**vestíos**[3]

Bañaos antes de cenar. — ***Bathe*** *before dinner.*

Poneos los zapatos. — ***Put*** *your shoes* ***on****.*

Vestíos aquí. — ***Get dressed*** *here.*

- Only one verb doesn't drop the final **-d** when the **os** is added.

irse **¡Idos!** ***Go away!***

- The negative commands of **tú** and **vosotros** use the corresponding forms of the present subjunctive.

Infinitive	tú	vosotros
hablar	no **hables**	no **habléis**
vender	no **vendas**	no **vendáis**
decir	no **digas**	no **digáis**
salir	no **salgas**	no **salgáis**

—**No vayas** a la agencia de viajes hoy. — ***"Don't go*** *to the travel agency today."*
—Entonces voy mañana. — *"Then I'll go tomorrow."*

—**No** me **esperes** para comer. — ***"Don't wait for*** *me to eat."*
—**¡No** me **digas** que hoy también tienes que trabajar! — ***"Don't tell*** *me you have to work today also!"*

No salgáis solos de noche. — ***Don't go*** *out alone at night.*

No habléis inglés en la clase de español. — ***Don't speak*** *English in Spanish class.*

¡ATENCIÓN!

In a negative command, all object pronouns are placed before the verb.

No **me** esperes para comer. *Do not wait for* ***me*** *to eat.*

[3]Note that the **-ir** verbs take a written accent over the **i** when the reflexive pronoun **os** is added.

Práctica y conversación

A. Órdenes

Using command forms, tell your friend what to do.

- **MODELO:** Tienes que hablar con el dueño ahora.
  Habla con el dueño ahora.

1. Tienes que llamarme este fin de semana.
2. Tienes que hacer las camas.
3. Tienes que tener paciencia *(be patient)* con él.
4. Tienes que decirle que no venga hoy.
5. Tienes que ir a la agencia de viajes y comprar los pasajes.
6. Tienes que salir en seguida.
7. Tienes que quedarte aquí.
8. Tienes que venir dentro de quince días.

B. Órdenes negativas

Now make all of the commands above negative.

C. A mi hermanito

You are going away for the day. Tell your younger brother what to do and what not to do.

1. levantarse temprano y bañarse
2. preparar el desayuno
3. no tomar refrescos
4. hacer la tarea
5. no abrirle la puerta a nadie
6. limpiar su cuarto
7. no mirar la televisión y no traer a sus amigos a la casa
8. traer pan y ponerlo en la mesa
9. ir al mercado y comprar frutas
10. llamar a papá y decirle que venga temprano

D. Haz esto... haz lo otro... *(Do this... do that...)*

With a partner, take turns giving two commands, one affirmative and one negative, that the following people would likely give.

1. una madre (un padre) a su hijo de quince años
2. un(a) estudiante a su compañero(a) de cuarto (de clase)
3. un muchacho a su novia (una muchacha a su novio)
4. un(a) doctor(a) a una niña
5. un(a) profesor(a) a un estudiante
6. un esposo a su esposa (una esposa a su esposo)

E. De viaje

With a classmate, play the role of two friends who are planning to travel together. Tell each other what you should do to prepare for the trip, using familiar commands. You may wish to talk about what you should or shouldn't pack for the trip, whom you should contact before you go, what tasks should be taken care of prior to the trip, etc.

RODEO Summary of the Command Forms *(Resumen de las formas del imperativo)*

Usted	Ustedes	Tú		Nosotros	Vosotros	
		Affirmative	*Negative*		*Affirmative*	*Negative*
habl**e**	habl**en**	habl**a**	no habl**es**	habl**emos**	hablad	no habléis
com**a**	com**an**	com**e**	no com**as**	com**amos**	comed	no comáis
abr**a**	abr**an**	abr**e**	no abr**as**	abr**amos**	abrid	no abráis
cierr**e**	cierr**en**	cierr**a**	no cierr**es**	cerr**emos**	cerrad	no cerréis
vay**a**	vay**an**	**ve**	no vay**as**	**vamos**[4]	id	no vayáis

3 Verbs and prepositions *(Verbos y preposiciones)*

The prepositions **con**, **de**, and **en** can be used with verbs to form certain expressions. Some of the idioms are as follows:

acordarse de (o > ue)	*to remember*
alegrarse de	*to be glad*
casarse con	*to marry, to get married (to)*
comprometerse con	*to get engaged to*
confiar en	*to trust*
convenir en (e > ie)	*to agree on / to*
darse cuenta de	*to realize*
enamorarse de	*to fall in love with*
entrar en (a)	*to go (come) into*
fijarse en	*to notice*
insistir en[5]	*to insist on*
olvidarse de	*to forget*
soñar con (o > ue)	*to dream about*

—Celia **se comprometió con** David.	*"Celia **got engaged to** David."*
—Yo creía que iba a **casarse con** Alberto.	*"I thought she was going **to marry** Alberto."*
—No, ella se **enamoró de** David.	*"No, she **fell in love with** David."*
—**Insistieron en** venir esta noche.	*"**They insisted on** coming tonight."*
—Sí, no **se dieron cuenta de** que teníamos que trabajar.	*"Yes, **they didn't realize** that we had to work."*
—No **me acuerdo del** número de teléfono de Ana.	*"I **don't remember** Ana's phone number."*

¡ATENCIÓN!

Notice that the English translation of these expressions may not use an equivalent preposition.

---

[4]Remember that the affirmative command uses the indicative form **vamos**, but the negative command uses the subjunctive form **no vayamos**.

[5]The subjunctive is commonly used with the verb **insistir**.
Insisten en que tú vengas a visitarlos. *They insist that you come to visit them.*

Práctica y conversación

A. Lo que pasa…

Look at the pictures below and complete each statement with the following expressions: **casarse con, comprometerse con, acordarse de, alegrarse de, entrar en, insistir en.** *¡Cuidado, no están en orden!*

1. Marisa decidió ____________________ ____________________ Daniel.

2. Mirta y Raúl ____________________. Piensan casarse en junio.

3. Graciela no __________ la dirección de Pepe.

4. Marisol ______________ ______________ ver a Tito.

5. Rodolfo ________________ la casa de Eva.

6. Pedro ____________________ ir con Alina.

B. Entrevista a tu compañero(a)

Interview your partner by asking the following questions.

1. ¿En quién confías?
2. ¿De qué te alegras?
3. ¿Algún amigo se ha comprometido últimamente? ¿Con quién?
4. ¿Te fijaste en los apéndices del libro? ¿Qué información tienen?
5. ¿Te acordaste de traer tus libros a clase? ¿De qué te olvidaste?
6. ¿Te alegras de estar en esta universidad? ¿Por qué?
7. ¿A qué hora entró el (la) profesor(a) en la clase?
8. ¿Sueñas con viajar a un país hispano? ¿A cuál país?

4 Ordinal numbers *(Números ordinales)*

primero(a)[6]	*first*	**sexto(a)**	*sixth*
segundo(a)	*second*	**séptimo(a)**	*seventh*
tercero(a)	*third*	**octavo(a)**	*eighth*
cuarto(a)	*fourth*	**noveno(a)**	*ninth*
quinto(a)	*fifth*	**décimo(a)**	*tenth*

- Ordinal numbers agree in gender and number with the nouns they modify.

el segundo **chico** — la segunda **chica**

los primeros **días** — las primeras **semanas**

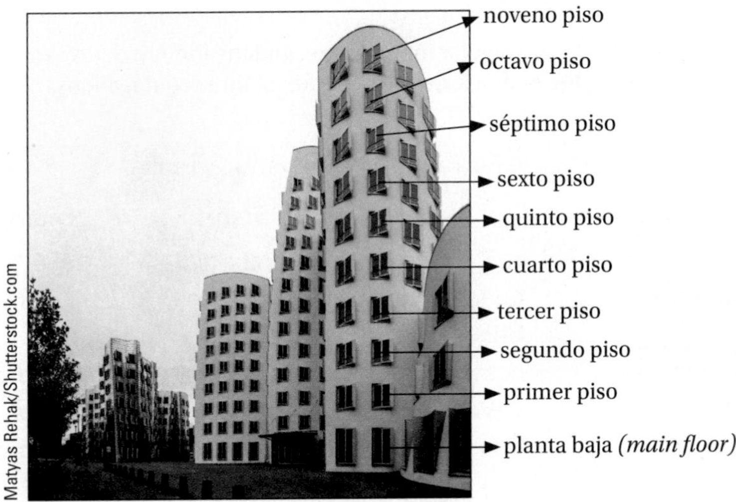

- Ordinal numbers are seldom used after **décimo**.

¡ATENCIÓN!

The ordinal numbers **primero** and **tercero** drop the final **-o** before masculine singular nouns. As in English, ordinal numbers are placed before the noun.

el **primer**[7] día — el **tercer**[8] año

—Nosotros estamos en el **segundo** piso. ¿Y Uds.?
—Estamos en el **tercer** piso.

*"We are on the **second** floor. And you?"*
*"We are on the **third** floor."*

Práctica y conversación

A. Los meses del año

With a partner, quiz each other on the order of the first ten months of the year. Follow the model.

- **MODELO:** —Septiembre.
  —Septiembre es el noveno mes del año.

---

[6]Abbreviated as **1°**, **2°**, **3°**, and so on.
[7]Abbreviated as **1er**.
[8]Abbreviated as **3er**.

Fuse/Getty Images

Elena y Mario quieren ver la ciudad. ¿Qué quiere hacer Elena primero? Y después, ¿qué van a hacer?

B. ¿Cómo se expresa en español?

Complete the sentences below expressing the ordinal numbers indicated in Spanish.

1. El día de Canadá es el ________________ (1st) día de julio.
2. Yo no conozco a la ________________ (3rd) chica que entró en la clase.
3. Nosotros vivimos en la ________________ (5th) calle a la derecha.
4. ¿Tú tienes el ________________ (7th) libro que escribió ese autor?
5. Ellos están en el ________________ (10th) piso del hotel.
6. Anita fue la ________________ (2nd) estudiante que terminó el examen.
7. Decidieron quedarse en la ________________ (4th) pensión que encontraron.
8. Roberto compró el ________________ (8th) gorro que se probó.

5 Future tense *(Futuro)*

- Most Spanish verbs are regular in the future, and the infinitive serves as the stem of almost all verbs. The endings are the same for all three conjugations.

FLASHBACK 

Review the present indicative of **haber** on page 254. Compare the endings with those of the future tense. What are the similarities?

Formation of the Future Tense			
Infinitive		*Stem*	*Endings*
trabajar	yo	trabajar-	**é**
aprender	tú	aprender-	**ás**
escribir	Ud., él, ella	escribir-	**á**
entender	nosotros(as)	entender-	**emos**
ir	vosotros(as)	ir-	**éis**
dar	Uds., ellos, ellas	dar-	**án**

¡ATENCIÓN! 

Note that all the endings, except that of the **nosotros(as)** form, take accent marks.

— ¿Adónde **irán** Uds. esta tarde? — *"Where **will** you **go** this afternoon?"*
— **Iremos** al museo de arte. — *"**We will go** to the art gallery."*

- A small number of Spanish verbs are irregular in the future tense. These verbs have an irregular stem; however, the endings are the same as those for regular verbs.

Irregular Future Stems		
Infinitive	*Stem*	*First-Person Sing.*
decir	dir-	**diré**
hacer	har-	**haré**
haber	habr-	**habré**
querer	querr-	**querré**
saber	sabr-	**sabré**
poder	podr-	**podré**
poner	pondr-	**pondré**
salir	saldr-	**saldré**
tener	tendr-	**tendré**
venir	vendr-	**vendré**

—¿A qué hora **saldrán** para el concierto?
—**Saldremos** a las siete.

*"At what time **will you leave** for the concert?"*
*"**We will leave** at seven."*

—¿**Podrás** venir mañana?
—Sí, **vendré** después de comer.

*"**Will you be able** to come tomorrow?"*
*"Yes, **I will come** after I eat."*

¡ATENCIÓN!

The future of **hay** (impersonal form of **haber**) is **habrá**.

¿**Habrá** una conferencia? — ***Will there be*** a lecture?

Uses of the future tense

- The English equivalent of the Spanish future tense is *will* or *shall* plus a verb. As you have already learned, Spanish also uses the construction **ir a** + infinitive, or the present tense with a time expression, to refer to future actions, events, or states.

  Esta noche **iremos** al cine. — *Tonight **we will go** to the movies.*

  Esta noche **vamos a ir** al cine. — *Tonight **we're going to go** to the movies.*

  Esta noche **vamos** al cine. — *Tonight **we're going** to the movies.*

- Unlike English, the Spanish future is *not* used to express willingness. In Spanish, willingness is expressed by the verb **querer**.

  —¿**Quieres** llamar a Eva?
  —Ahora no puedo.

  *"**Will you** call Eva?"*
  "I can't now."

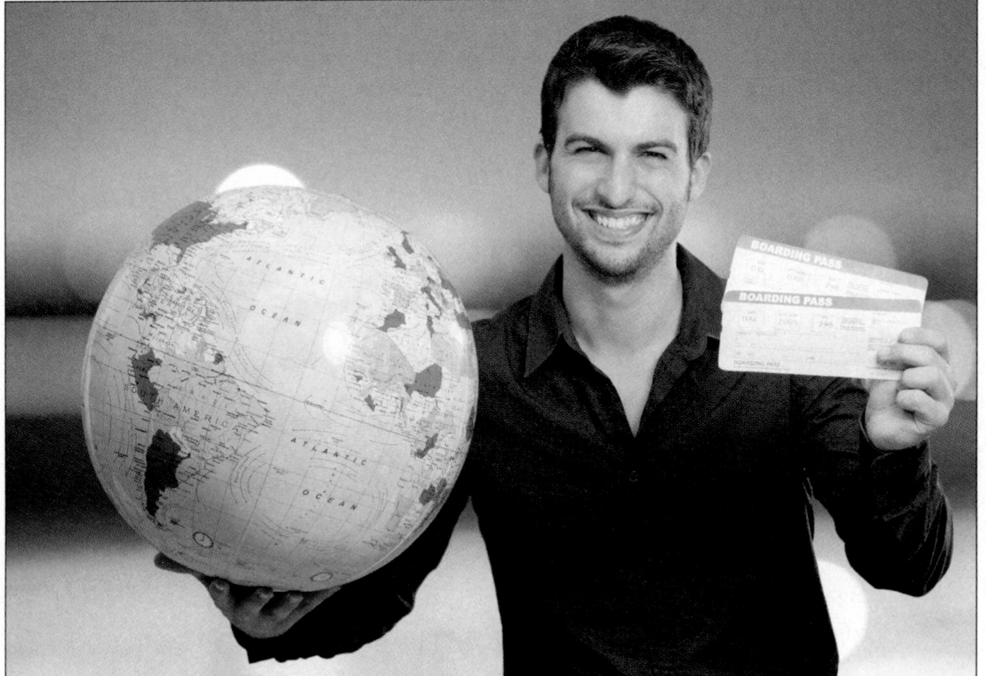

Aaron Amat/Shutterstock.com

Luis Felipe irá a Argentina en enero. ¿Qué hará allí?

Práctica y conversación

A. ¿Qué harán?

Rewrite the following sentences, using the future tense. Follow the model.

• **MODELO:** Voy a viajar a Sudamérica en mayo.
Viajaré a Sudamérica en mayo.

1. Clara, Rebeca y yo vamos a buscar un hotel barato.
2. El botones va a llevar las maletas a la habitación.
3. Después Clara va a poder tomar una siesta.
4. Rebeca va a escribir unas tarjetas postales.
5. Yo voy a salir a caminar por la ciudad.
6. A las siete nosotras vamos a ir a un restaurante para cenar.
7. El próximo día vamos a pagar con una tarjeta de crédito.
8. Clara y Rebeca van a regresar a Canadá, pero yo voy a seguir viajando en Sudamérica.

B. El verano pasado

The following paragraph describes what happened last summer. Change all the verbs to the future to indicate what will happen in the upcoming summer.

En el verano, mi familia y yo **fuimos** a California. **Estuvimos** en San Diego por una semana. **Alquilamos** un apartamento cerca de la playa y unos amigos madrileños **vinieron** a quedarse con nosotros. Diego y Jaime **hicieron** surf. Mi padre **pasó** un par de días pescando, y Gloria y yo **buceamos**, **tomamos** el sol y por la noche **salimos** con unos amigos. **Nos divertimos** mucho pero **tuvimos** que volver para empezar las clases.

C. Planes para las vacaciones

In groups of three, tell each other three or four things you plan to do during your summer vacation, using the future tense. Your classmates may ask for more details.

6 Conditional tense *(Condicional)*

- Like the future, the Spanish conditional uses the infinitive as the stem for most verbs and has only one set of endings for all three conjugations.

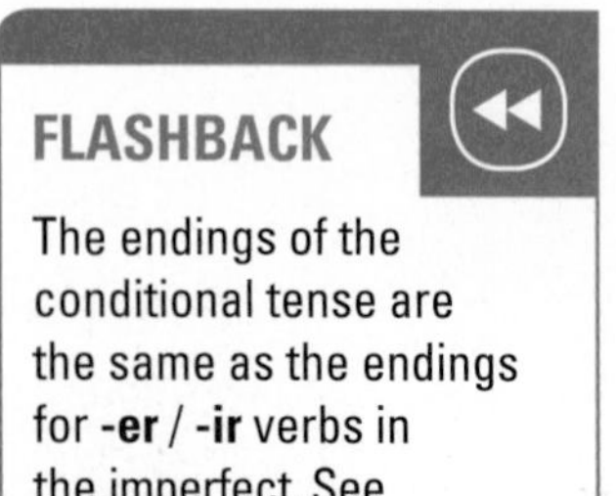
FLASHBACK
The endings of the conditional tense are the same as the endings for **-er** / **-ir** verbs in the imperfect. See page 205.

Formation of the Conditional Tense			
Infinitive		*Stem*	*Endings*
trabajar	yo	trabajar-	**ía**
aprender	tú	aprender-	**ías**
escribir	Ud., él, ella	escribir-	**ía**
dar	nosotros(as)	dar-	**íamos**
hablar	vosotros(as)	hablar-	**íais**
preferir	Uds., ellos, ellas	preferir-	**ían**

—Me **gustaría** ir al parque. *"I **would like** to go to the park."*
—Nosotros **preferiríamos** ir a la piscina. *"We **would prefer** to go to the pool."*

—Voy a invitar a Julia. *"I'm going to invite Julia."*
—Yo no la **invitaría**. *"I **would** not **invite** her."*

- The verbs that are irregular in the future tense have the same irregular stems in the conditional. The endings are the same as those for regular verbs.

Irregular Conditional Stems		
Infinitive	*Stem*	*First-Person Sing.*
decir	dir-	**diría**
hacer	har-	**haría**
haber	habr-	**habría**
querer	querr-	**querría**
saber	sabr-	**sabría**
poder	podr-	**podría**
poner	pondr-	**pondría**
salir	saldr-	**saldría**
tener	tendr-	**tendría**
venir	vendr-	**vendría**

—¿Qué **podría** hacer yo para ayudarte? *"What **could** I do to help you?"*
—**Podrías** lavar los platos. *"You **could** wash the dishes."*

¡ATENCIÓN!

The conditional of **hay** (impersonal form of **haber**) is **habría**.

Dijo que **habría** una reunión. *He said **there would be** a meeting.*

AP Photo/Manu Fernandez/CP Images

Este señor ganó El Gordo, una lotería española. ¿Qué harías tú con un millón de dólares?

Uses of the conditional

- The Spanish conditional is equivalent to the English *would* plus a verb.

—¿Qué **harías** tú?	*"What **would** you **do?**"*
—Yo **iría** a una pensión.	*"I **would go** to a boarding house."*

- In Spanish, the conditional is also used to soften a request or to express politeness.

—¿**Podrías** venir un momento?	*"**Could** you come for a minute?"*
—Sí, enseguida.	*"Yes, right away."*

Práctica y conversación

A. ¿Qué harían ustedes?

You and your friends are not like your sister and her friends. Say what you would do differently from them and explain why.

- **MODELO:** Mi hermana viaja en primera clase.
  Yo viajaría en segunda clase para ahorrar dinero.

1. Mi hermana pide una cama chica. Yo ...
2. Ella y sus amigas compran revistas en una tienda. Nosotros las ...
3. Mi hermana nada en la piscina. Yo ...
4. Ella y sus amigas salen a un restaurante por la noche. Nosotros ...
5. Mi hermana hace una paella para la cena. Yo ...
6. Ella y sus amigas ponen música canadiense. Nosotros ...
7. Mi hermana se acuesta a las once. Yo me ...
8. Mi hermana y sus amigas estudian por la noche. Yo ...

B. Sugerencias

Working in pairs, give suggestions about the actions needed to solve the following situations. Use the verbs suggested in parentheses.

¿Qué harías...

- para sacar mejores notas? (estudiar)
- para tener unas buenas vacaciones? (planear)
- para impresionar a un chico (una chica)? (ser)
- para ayudar a un amigo (una amiga) enfermo(a)? (visitar)
- para prepararte para una visita de tus padres? (limpiar)

C. Un viaje maravilloso

You have just won two free tickets to Spain for you and a friend. With a classmate say at least three things that you would do to prepare for the trip and then three things that you would do once in Spain. Use a variety of verbs.

Primero yo...

RODEO Summary of the Tenses of the Indicative
(Resumen de los tiempos del indicativo)

Simple Tenses

	-ar	-er	-ir
Presente	habl**o**	com**o**	viv**o**
Pretérito	habl**é**	com**í**	viv**í**
Imperfecto	habl**aba**	com**ía**	viv**ía**
Futuro	hablar**é**	comer**é**	vivir**é**
Condicional	hablar**ía**	comer**ía**	vivir**ía**

Compound Tenses

Pretérito perfecto	**he** habl**ado**	**he** com**ido**	**he** viv**ido**
Pretérito pluscuamperfecto	**había** habl**ado**	**había** com**ido**	**había** viv**ido**

Práctica y conversación

Entrevista a tu compañero(a)

Interview your partner, asking the following questions.

1. ¿Fuiste de viaje recientemente?
2. ¿Qué país / ciudad visitaste?
3. ¿Te gusta viajar?
4. ¿Prefieres viajar por avión, crucero o coche?
5. ¿Dónde te hospedas generalmente?
6. ¿Prefieres una habitación con vista al mar o interior?
7. ¿Pides servicio de habitación con frecuencia?
8. ¿Qué haces si te das cuenta de que perdiste tu tarjeta de crédito?
9. Cuando viajas, ¿qué documento debes mostrar en la aduana?
10. ¿Sueñas con un lugar especial que deseas visitar en el futuro?
11. ¿Qué prefieres, viajar solo o con tu familia?
12. ¿Qué te gusta hacer cuando viajas?

Práctica y traducción

Review the vocabulary and grammatical concepts studied in **Lección 12** as you translate the following sentences.

1. They need a room that is big and has air conditioning.
2. Sergio, get up early tomorrow and make your bed.
3. Claudia fell in love with Daniel in the third month of classes.
4. I will go to Chile next year and I'll be able to speak Spanish. *(Use the future form.)*
5. Marisa wants a hotel with a pool. I would prefer a small boarding house.

ENTRE NOSOTROS

¡Conversemos!

Para conocernos mejor

Get to know your partner better by asking each other the following questions.

1. Cuando viajas, ¿te hospedas en un hotel o en una pensión?
2. Generalmente, ¿haces reservaciones en los hoteles antes de viajar?
3. ¿Prefieres un hotel que esté en un lugar céntrico o uno que quede lejos del centro?
4. Cuando vas a un hotel, ¿tú llevas tus maletas al cuarto o las lleva el botones?
5. En un hotel, ¿qué tipo de cuarto prefieres?
6. Si tu cuarto en el hotel está en el segundo piso, ¿usas el ascensor o la escalera?
7. Cuando vas a un hotel, ¿a qué hora desocupas el cuarto?
8. ¿Tu casa tiene aire acondicionado y calefacción?
9. ¿Tenías televisor en tu cuarto cuando eras niño(a)?
10. En tu cuarto, ¿tienes una cama chica o una cama doble?

Búsqueda de gente

Interview your classmates to identify who fits the following descriptions. Include your instructor, but remember to use the **Ud.** form when addressing him or her.

NOMBRE	
1.	tiene una piscina en su casa.
2.	tiene un sofá-cama en su casa.
3.	generalmente usa la ducha y no la bañadera.
4.	compró algo en una tienda de regalos la semana pasada.
5.	piensa viajar el próximo verano.
6.	probablemente va a viajar con su familia.
7.	nunca paga más de 100 dólares por noche en un hotel.
8.	fue a una convención el año pasado.
9.	es una persona organizada.
10.	tiene un montón de cosas que hacer.

Y ahora...

Write a brief summary indicating what you have learned about your classmates.

¿Cómo lo decimos?

What would you say in the following situations? What might the other person say? Act out these scenes with a partner.

1. You need a room for two people with a private bathroom and air conditioning. Find out the price, when you have to check out, whether the room overlooks the street, and whether the hotel has room service.
2. At a boarding house, find out what meals the price includes.
3. A friend will be staying at your house while you are away. Tell him or her what to do.

¿Qué dice aquí?

Answer the questions about the Hotel Tabaré. Base your answers on the information provided in the ad.

1. ¿Cómo se llama el hotel? ¿Está en un lugar céntrico? ¿Es un hotel de lujo?
2. ¿Cómo son las habitaciones?
3. ¿Vamos a tener calor en la habitación?
4. ¿Podemos ver la tele en nuestro cuarto?
5. Si necesitamos mandar correos electrónicos, ¿podemos hacerlo desde el hotel?
6. ¿Qué clase de comida sirven? ¿Tienen servicio de habitación?
7. Nos gusta hacer ejercicio y nadar todos los días, ¿podemos hacerlo en el hotel?
8. ¿El hotel está cerca del aeropuerto? ¿Podemos dejar el coche en el hotel?
9. ¿Con qué podemos pagar en el hotel?

Hotel Tabaré

En el centro de Madrid

Matej Kastelic/Shutterstock.com

- ✦ Habitaciones dobles y sencillas con baño privado
- ✦ Aire acondicionado y TV por cable
- ✦ Acceso a la internet
- ✦ Restaurante con comida típica e internacional
- ✦ Servicio de habitación las 24 horas del día
- ✦ Música en vivo sábados y domingos, de 8 P.M. a 11 P.M.
- ✦ Piscina y gimnasio
- ✦ Amplio estacionamiento

Se aceptan tarjetas de crédito

Avenido Artigas, 214 a 20 minutos del aeropuerto llame: 990-73-32

Para escribir

En un hotel

Write a conversation between you and a hotel clerk. Make reservations and ask about prices and accommodations.

ACTIVE LEARNING ACTIVITY

Viajando por el mundo

Choose one the countries featured in this unit's El Mundo Hispánico section—Chile, Argentina, Uruguay, or España—and research potential activities you can engage in while vacationing in the selected country. You are planning a two-week holiday, so make sure you include enough activities without overwhelming your schedule. Select at least four destinations within the country and plan one activity for each of them. Mention the mode of transportation between destinations and potential hotels you may use during your stay. Prepare your timeline and schedule, showing the main points of interest. Make it clear with well-designed images, information, etc. This will be your marketing tool to make sure your parents/grandparents help you with funding for the trip! Exciting times await you!

ASÍ SOMOS

Vamos a ver

¡Suban al avión!

ESTRATEGIA

Specialized vocabulary

Before you do the first activity with a classmate, find all the words and phrases that relate to travelling, and make them part of your vocabulary. Read the **Avance** to see what the video is about, and try to determine what is going to happen.

Antes de ver el video

A. Preparación

Take turns with a partner asking and answering the following questions.

1. ¿Te gusta viajar en avión o prefieres viajar en coche? ¿Cuál crees tú que es más seguro?
2. ¿Te gusta la idea de ser piloto? ¿Quieres ser auxiliar de vuelo?
3. ¿Crees que es una buena idea sentarse cerca de la salida de emergencia?
4. Cuando viajas en avión, ¿te levantas de tu asiento frecuentemente?
5. ¿Qué es necesario hacer cuando el avión va a despegar?
6. Si tú decides viajar, ¿hay alguien que pueda viajar contigo?
7. Generalmente, ¿cuánto tiempo estudias antes de tomar los exámenes finales?
8. ¿Qué piensas hacer después de terminar las clases?

El video

Avance

Marisa tiene la oportunidad de viajar a Miami con su mamá, que tiene dos pasajes. Marisa le pide a Pablo que la ayude a convencer a su mamá de que ella puede viajar en avión.

Después de ver el video

B. ¿Quién lo dice?

Who said the following sentences? Take turns with a partner answering.

Pablo **Marisa** **La mamá de Marisa**

1. ¡Ay, Marisa! No me digas que tienes una de tus ideas... Dile simplemente que el avión es más seguro que el carro...
2. No hay nadie que pueda ir ahora. Los exámenes finales son en dos semanas.
3. Señorita, ¿tiene un asiento cerca de la salida de emergencia?
4. Mamá insiste en que invite a una de mis amigas...
5. Está bien. A las cuatro estoy allí.
6. ¡No! No quiero mirar por la ventanilla. Además, necesito levantarme...

C. ¿Qué pasa?

Take turns with a partner asking and answering the following questions. Base your answers on the video.

1. ¿Qué no quiere hacer la mamá de Marisa?
2. ¿Qué quiere Pablo que Marisa le diga a su mamá?
3. ¿Por qué está nerviosa la mamá de Marisa?
4. ¿Quién le regaló dos pasajes a la mamá de Marisa?
5. Además de los pasajes, ¿qué incluye el paquete?
6. ¿A qué hora va a estar Pablo en el apartamento de Marisa?
7. ¿La mamá de Marisa quiere un asiento de ventanilla?
8. Pablo dice que el avión va a despegar. ¿Qué tienen que abrocharse los pasajeros?
9. ¿Qué quiere hacer la mamá de Marisa?
10. ¿A quién puede invitar Marisa?
11. ¿Cuántas amigas de Marisa pueden ir con ella?
12. ¿Qué sabía Marisa?

D. Más tarde

With a partner, use your imagination to talk about what might happen after the scenes depicted in the video. Take turns asking and answering the following questions.

1. La mamá de Marisa decide viajar a otra ciudad. ¿Adónde va? ¿Cómo viaja?
2. ¿Qué asientos reserva Marisa?
3. ¿Cómo se llama la amiga que va a viajar con ella?
4. Marisa va a Miami. ¿Qué le trae a su mamá? ¿Y a Pablo?
5. ¿A Marisa le fue bien en los exámenes finales?
6. ¿En qué fecha terminaron los exámenes finales?
7. ¿Qué hizo Pablo mientras *(while)* Marisa estaba en Miami?
8. Cuando Marisa volvió de Miami, ¿quién fue a buscarla *(to pick her up)* al aeropuerto?

EL MUNDO HISPÁNICO

URUGUAY

INFORMACIÓN GENERAL:

Capital: Montevideo

Población: 3.444.000 de habitantes

Educación: 98,1% de alfabetización

Moneda: Peso uruguayo

LITERATURA:

De Uruguay vienen muchos escritores importantes, por ejemplo, Juana de Ibarbourou, Horacio Quiroga, Mario Benedetti, Eduardo Galeano y Cristina Peri Rossi. Horacio Quiroga se considera como el Edgar Allan Poe de habla hispana. Cristina Peri Rossi es una de las escritoras de habla hispana más reconocidas mundialmente. Ella escribe poemas, novelas, cuentos y artículos periodísticos. Vive en Barcelona, España.

GEOGRAFÍA Y CLIMA:

Rudimencial/istock via Getty Images

Playa Mansa, Punta del Este

Uruguay es uno de los países más pequeños de Sudamérica. El clima de Uruguay es templado, en el invierno hace frío pero no hay nieve, y el verano tiene temperaturas cálidas pero no es clima tropical. Por el clima y sus costas en el océano Atlántico y en el Río de la Plata, Uruguay es un lugar ideal para tomar el sol. Sus playas son famosas y el turismo añade *(adds)* mucho a la economía.

Uno de los centros turísticos más importantes es Punta del Este. Es una de las zonas que atrae a gente de todo el mundo.

COMIDA:

Como en Argentina, hay mucho ganado *(cattle)*, por eso el asado es popular. Un plato popular es el "chivito". Este es un sándwich que se hace con carne de res, huevos, queso, lechuga, tomate y mayonesa. Normalmente se sirve con papas fritas. El postre preferido es el chajá. El chajá es una torta deliciosa que se hace con huevos, duraznos y crema dulce.

Hans Geel/Shutterstock.com

Un chivito

ZUMA Press Inc/Alamy Stock Photo

El postre chajá es excelente en el verano cuando los duraznos están frescos.

MÚSICA:

Kobby Dagan/Shutterstock.com

Candombe en Montevideo durante el carnaval

Uno de los tangos más famosos, "La cumparsita", fue escrito por el uruguayo, Gerardo Matos Rodríguez. En carnaval, la música más popular es el candombe. Esta música se produce con tambores *(drums)* de diferentes tamaños *(sizes)* y tiene sus raíces en la música africana. Ahora todo el mundo se divierte escuchando y bailando estos ritmos. Una de las fiestas más importantes es Las llamadas, donde los diferentes grupos de candombe compiten por premios.

INFORMACIÓN INTERESANTE:

- El nombre del país viene de la palabra uru *(bird)* y guay *(tail)* de un grupo nativo extinto, y significa el río de los pájaros *(birds)*.
- La mayor parte de la población son descendientes de españoles e italianos. En los últimos años, han llegado muchos inmigrantes de países latinoamericanos como Perú, Cuba, Venezuela y Colombia, entre otros.
- Uruguay fue siempre un país democrático y estable. Sin embargo, de 1973 a 1985, sufrió bajo una dictadura militar que hizo que muchos de sus habitantes dejaran el país camino al exilio.
- Después de la dictadura, Uruguay ha mantenido un sistema democrático de gobierno. El país tiene uno de los porcentajes más alto de votación en las elecciones nacionales. El voto es obligatorio. Tiene una clase media grande; permite el matrimonio entre personas del mismo sexo; y, en el 2013, se legalizó el uso de cannabis.
- Uruguay es uno de solo cinco países que ha ganado la Copa Mundial de la FIFA dos veces o más.

CHILE

INFORMACIÓN GENERAL:

Capital: Santiago

Población: 17.900.000 de habitantes

Educación: 97,5% de alfabetización

Moneda: Peso chileno

COMIDA:

Hans Geel/Shutterstock.com

El ceviche es delicioso. Este tiene pescado y mariscos.

enchanted_fairy/Shutterstock.com

Las machas *(clams)* a la parmesana son un aperitivo popular en Chile.

En Canadá importamos fruta de Chile, por ejemplo, uvas y manzanas, y también importamos vino. En cuanto a sus platos favoritos, el pescado y los mariscos son muy populares. Un plato típico es el ceviche que se prepara con pescado, jugo de limón, cebolla, tomate y palta *(avocado)*. También, si tienes prisa, puedes comer una empanada. Estas son un tipo de pastelito de carne. Pueden tener muchos ingredientes: carne de res, pollo, jamón o atún y muchos vegetales como cebolla, ajo y ají.

GEOGRAFÍA:

Chile es un país muy largo, con costa en el Pacífico al oeste y los Andes que ocupan del norte al sur, en el este. Tiene algunas de las montañas más altas de Sudamérica. Hay más de 500 volcanes activos en Chile, y con frecuencia hay terremotos *(earthquakes)*. Puesto que es un país tan largo, el clima y la geografía varían mucho.

LITERATURA / MÚSICA:

De Chile vienen dos poetas que ganaron el Premio Nobel de Literatura, Gabriela Mistral (1945) y Pablo Neruda (1971). Isabel Allende también es una escritora chilena, pero ahora vive en California. Ella ha escrito novelas y cuentos que se han traducido a muchos idiomas.

Dos músicos importantes de Chile son Violeta Parra y Víctor Jara. Los dos escribieron música folclórica. Parra escribió la famosa canción, "Gracias a la vida". Jara fue asesinado trágicamente después de la caída *(fall)* del gobierno socialista de Salvador Allende, en manos del ejército militar que apoyaba *(supported)* al dictador Augusto Pinochet.

Courtesy of Rosa Stewart

El letrero para la casa de Pablo Neruda en Valparaíso

OTRAS COSAS INTERESANTES:

- El desierto más seco del mundo, el Atacama, se encuentra en Chile. Hay lugares en el Atacama que nunca han recibido lluvia.
- La isla de Pascua *(Easter Island)* pertenece a Chile. Allí se pueden ver "moai", grandes monolitos de piedra creados por indígenas en los siglos XIII al XVI.
- Valparaíso es una ciudad en la costa que tiene casas de muchos colores y grafiti interesante en las calles. El poeta Pablo Neruda tuvo una casa allí.

Alberto Loyo/Shutterstock.com

Moai en la Isla de Pascua

senorcampesino/Getty Images

Grafiti en Valparaíso

Courtesy of Rosa Stewart

Casa rosada típica de Valparaíso

EL MUNDO HISPÁNICO

ARGENTINA

INFORMACIÓN GENERAL:

Capital: Buenos Aires

Población: 43.850.000 de habitantes

Educación: 98,1% de alfabetización

Moneda: Peso argentino

GEOGRAFÍA Y CLIMA:

Argentina es el país más grande de habla hispana del mundo, y es el segundo país más grande de Sudamérica, después de Brasil. La mayor parte de sus habitantes son de origen europeo, sobre todo de España e Italia. Ahora hay muchos inmigrantes de Bolivia y Perú que están trabajando allí. Por ser tan grande, el clima y la geografía varían mucho. Hay lugares secos en el norte y el sur, áreas subtropicales y las famosas pampas *(grasslands)*.

FIGURAS HISTÓRICAS:

Evan Lang/Getty Images

La tumba de San Martín en la catedral de Buenos Aires

José de San Martín fue un general y político argentino que al que llamaban el "Libertador" en Argentina, Chile y Perú porque luchó *(fought)* por la independencia de estos países en el siglo XIX.

Eva Perón fue la esposa del presidente Juan Perón, pero llegó a tener mucha fama en Argentina por su compasión por los pobres y su lucha para obtener el voto para las mujeres. Muchas personas conocen la obra musical *Evita* por Andrew Lloyd Webber y Tim Rice.

Che Guevara es conocido por su participación en la revolución cubana, pero era argentino. Por su ayuda con la revolución, Fidel Castro lo hizo un ciudadano cubano. Está enterrado *(buried)* en Santa Clara, Cuba.

neftali/Shutterstock.com

Evita Perón es una persona importante en la historia de Argentina.

COMIDA / BEBIDA:

Argentina es famosa por su carne de res. El asado es muy popular. Varias cosas se preparan a la parrilla *(grilled)*: bistec, chorizo, morcilla *(blood sausage)*, costillas *(ribs)*. También son populares las empanadas, como en Chile, aunque tienen ciertas diferencias. El dulce de leche se usa para hacer los famosos alfajores.

El vino de Argentina es conocido en todo el mundo, aun en Canadá. El más famoso es el Malbec, de Mendoza. La yerba mate es un té que mucha gente bebe. Se bebe en un recipiente que también se llama mate, con una bombilla *(straw)* especial.

aaabbbccc/Shutterstock.com

Las uvas chilenas de Mendoza son excelentes para producir vino.

Courtesy of Rosa Stewart

Dulce de leche

INFORMACIÓN INTERESANTE:

- El tango argentino es mundialmente reconocido.
- Dos de los más importantes jugadores en la historia del fútbol son de Argentina: Diego Maradona y Lionel Messi. El fútbol es el deporte más popular, pero el deporte nacional es Pato *(Duck)*, que es como el polo.
- El Papa Francisco es de Argentina. Su nombre es Jorge Mario Bergoglio y es el primer Papa de las Américas.
- La Avenida 9 de Julio es la avenida más ancha del mundo. Tiene 14 carriles *(lanes)* centrales y 4 carriles extras.

BonnieBC/Shutterstock.com

Una pareja bailando tango

file404/Shutterstock.com

Chica bebiendo mate.

ESPAÑA

INFORMACIÓN GENERAL:

Capital: Madrid

Población: 45.560.000 de habitantes

Educación: 98,25% de alfabetización

Moneda: Euro

GEOGRAFÍA Y CLIMA:

Aunque España es 20 veces más pequeña que Canadá, tiene una enorme variedad geográfica. Tiene las famosas playas del Mediterráneo, pero también tiene costa en el norte y en el oeste. España también tiene montañas por todo el país, de los Picos de Europa en el norte, a la Sierra Nevada en el sur. En el centro están las grandes llanuras *(plains)* de Castilla. Por esta razón, el clima es muy variado.

HISTORIA:

La historia de España es muy rica. Los romanos que entraron en esta área en el Siglo III d.C. tuvieron un gran impacto en la cultura. Todavía se ven puentes, acueductos y otras ruinas romanas por todo el país. Además, el idioma viene del latín de los romanos. Los moros que llegaron en el siglo VIII también dejaron grandes monumentos: el Alcázar de Sevilla, la Mezquita de Córdoba y la Alhambra de Granada, son algunos ejemplos. Más de 4.000 palabras del castellano tienen origen árabe. Algunas de ellas son: ajedrez, aceituna, arroz, almuerzo y muchas más.

Courtesy of Rosa Stewart

El puente romano en Segovia se construyó hace más de 2000 años.

Courtesy of Rosa Stewart

La Mezquita de Córdoba fue un centro religioso para los moros en Andalucía.

COMIDA:

Posiblemente, la comida más conocida de España es la paella. Se prepara con arroz y otros ingredientes: pollo, cerdo, mariscos, pimientos y más. También las tapas son muy populares. Cuando pides un vaso de vino o una cerveza en un bar, normalmente te dan una tapa.

Courtesy of Rosa Stewart

La paella es el plato más famoso de España.

Courtesy of Rosa Stewart

Las tapas son deliciosas. En unas partes de España son "pinchos" o "pintxos".

MÚSICA, CINE, ARTE:

El flamenco viene de Andalucía, en el sur; en Galicia puedes oír música de gaita *(bagpipes)*; y en todo el país hay música contemporánea del estilo rock, hip-hop y jazz. El cine español es excelente. Actores como Penélope Cruz, Javier Bardem y Antonio Banderas han trabajado en muchas películas españolas e internacionales. Uno de los directores más famosos es Pedro Almodóvar.

La colección de arte más importante de España se encuentra en el Museo Nacional del Prado. Allí hay pinturas de Velázquez, el Greco y Goya, entre otros pintores famosos. Para ver pinturas de Picasso, Dalí y Miró tienes que visitar el Museo Reina Sofía. Estos museos están en Madrid.

LITERATURA:

Miguel de Cervantes escribió *Don Quijote* en 1605 y se considera la primera novela moderna. Muy populares hoy son autores como Carlos Ruiz Zafón, que sitúa algunas novelas en Barcelona, María Dueñas y Maite Carranza, quien además es escritora y guionista *(scriptwriter)*.

INFORMACIÓN INTERESANTE:

- El gobierno de España es una monarquía parlamentaria. El rey es Felipe VI y está casado con Letizia. Ellos tienen dos hijas, Leonor y Sofía. Leonor será reina de España cuando su padre deje el trono.
- Lo que nosotros llamamos *español* es *castellano* en España. También se hablan catalán (en Cataluña), euskera (en el País Vasco), gallego (en Galicia) y varios dialectos.
- España es el primer país en la producción de aceite de oliva del mundo.

LECCIÓN 11

TOMA ESTE EXAMEN

LECCIÓN 11

A. Subjunctive to express doubt, denial, and disbelief

Complete the following sentences, using the subjunctive or the indicative of the verbs in parentheses.

1. Estoy seguro de que el avión ________________ (salir) a las seis de la mañana.
2. Dudo que este hotel ________________ (tener) servicio de habitación.
3. No estoy seguro de que Ana ________________ (venir) con nosotros a Madrid.
4. Ellos no dudan que mi mamá ________________ (servir) el almuerzo a la una.
5. Yo niego que mi hermano ________________ (ser) un trabajador perezoso *(lazy)*.
6. No es cierto que Humberto ________________ (estar) en Winnipeg ahora.
7. Es verdad que los estudiantes ________________ (empezar) los exámenes en abril.
8. No creo que tú ________________ (poder) ir al cine con nosotros.
9. Dudamos que los pasajeros ________________ (llegar) al aeropuerto tarde.
10. Tú sabes que mañana yo ________________ (volver) a la universidad a las nueve.

B. More practice with subjunctive to express doubt, denial, and disbelief

Rewrite each sentence using the subjunctive or the indicative, as appropriate.

1. Llaman a los pasajeros. (No es cierto que...)
2. El piloto nos ayuda a pagar el exceso de equipaje. (No creo que...)
3. Ella prefiere venir con nosotros. (Es verdad que ella...)
4. Cobran $1.000 por el pasaje de Toronto a Buenos Aires. (Creo que...)
5. En la sala de espera hay sándwiches. (Dudamos que...)
6. Ellos se abrochan el cinturón de seguridad. (Estoy seguro(a) de que...)

C. Some uses of the prepositions *a*, *de*, and *en*

Complete with **a**, **de**, or **en**, as necessary.

1. Anoche llamé _____ mi hermano por teléfono y hablamos _____ nuestros planes para el otoño. Pensamos ir _____ Chile.
2. Él quiere viajar _____ tren pero yo prefiero ir _____ coche. Mi hermana no quiere ir con nosotros; prefiere quedarse _____ casa porque no tiene con quién dejar _____ su perro.
3. Ayer Marta llegó _____ la agencia _____ las ocho y media _____ la mañana, pero no empezó _____ trabajar hasta las diez.
4. Mi hija es muy bonita; es morena, _____ ojos verdes y yo pienso que es la más inteligente _____ todos mis hijos.

D. Formal commands: *Ud.* and *Uds.*

Complete each sentence, using the command form of the verb in parentheses. Use the **Ud.** or **Uds.** form, as needed.

1. __________ a la agencia de viajes, Sr. García. (llamar)
2. __________, Sr. Vega. (sentarse)

3. ________ en seguida, señoritas. (salir)
4. ________ en el aeropuerto a las dos, señora. (estar)
5. No ________ ahora, Sr. Sosa. (venir)
6. ________ a la izquierda, señores. (ir)
7. ________ Ud. el crucero en mayo. (hacer)
8. Señor, no me ________ su tarjeta de embarque. (dar)
9. Chicos, ________ buenos, por favor. No ________ al avión todavía. (ser / subir)
10. ¿La maleta? ________ aquí. Srta. Pérez. (ponerla)

LECCIÓN 11

E. First-person plural commands

Rewrite the following sentences using the first-person plural commands instead of the **ir a** construction.

1. Vamos a salir esta noche.
2. No vamos a ir al club.
3. Vamos a comer en un restaurante.
4. Hace frío, vamos a ponernos el abrigo.
5. Vamos a pagar la cuenta con una tarjeta de crédito.
6. Si el camarero es bueno, vamos a dejarle una propina grande.
7. Después, vamos a beber un café. Vamos a beberlo en un café pequeño.
8. No vamos a llegar a casa muy tarde.

F. Vocabulary

Complete the following sentences, using vocabulary from **Lección 11**.

1. No quiero un ____________ de pasillo; quiero uno de ____________.
2. Voy a poner el bolso de ____________ en el ____________ de equipaje.
3. Voy a la____________ de viajes para comprar los pasajes.
4. Tiene que darle la tarjeta de ____________ a la ____________ de vuelo.
5. Tengo que pagar ____________ de equipaje porque tengo cuatro maletas.
6. Quiero sentarme cerca de la ____________ de emergencia.
7. Los paquetes ____________ el pasaje, el hotel y algunas ____________.
8. ¿A cuánto está el ____________ de moneda?
9. No podemos viajar hoy. Tenemos que ____________ la reservación.
10. Cuando viajo siempre llevo un ____________ pequeño en el avión.
11. Este verano vamos a hacer un ____________ por el Caribe.
12. Necesito una lista de los ____________ de interés de la ____________ de Chile.

G. Translation

Express the following in Spanish.

1. I doubt that Sofia will find a good seat on the plane.
2. We are sure that they are going to travel to Buenos Aires in January.
3. It's not true that Gustavo is from Uruguay; he's from Argentina.
4. Let's travel to Spain. Let's go in May.
5. Mr. Salinas, take only one suitcase and don't arrive at the airport late.
6. We don't doubt that the tickets cost more than one thousand dollars.

LECCIÓN 12

A. Subjunctive to express indefiniteness and nonexistence

Rewrite each sentence, using the subjunctive or the indicative, as appropriate.

1. El agente habla español. (Necesitamos un agente que...)
2. Ese viaje incluye el hotel. (Aquí no hay ningún viaje que...)
3. No hay ningún pasaje que no sea caro. (Tenemos unos pasajes que...)
4. No hay ningún vuelo que salga a las seis. (Hay varios vuelos que...)
5. Hay una señora que puede reservar los pasajes. (¿Hay alguien que...?)

B. Familiar commands

Change the following negative commands to the affirmative.

1. No compres el televisor.
2. No se lo digas.
3. No viajes mañana.
4. No salgas con esa persona.
5. No pongas la maleta debajo del asiento.
6. No lo invites.
7. No te vayas.
8. No vengas entre semana.
9. No regreses tarde.
10. No hagas la reservación.
11. No me traigas el folleto.
12. No le pidas los pasaportes ahora.

C. Verbs and prepositions

Complete each sentence with the Spanish equivalent of the words in parentheses.

1. Olga ____________ Daniel pero ____________ Luis. *(fell in love with / she married)*
2. Mi papá ____________ que yo compre los billetes hoy. *(insists on)*
3. Paco, ____________ buscar los pasaportes. ____________ que viajas el lunes. *(don't forget / Remember)*
4. Yo ____________ que mis padres ____________ él. *(didn't realize / didn't trust)*

D. Ordinal numbers

Write the ordinal numbers that correspond to the following.

2nd	____________	8th	____________	3rd	____________
7th	____________	4th	____________	6th	____________
5th	____________	9th	____________	10th	____________
1st	____________				

E. Future tense

Complete each sentence using the future form of the verb in the first sentence.

1. Hoy leo el periódico. Mañana ____________ una revista.
2. Hoy Antonio le escribe a su padre. Mañana le ____________ a su hermano.
3. Nosotros tenemos que trabajar. Mañana ____________ el día libre.
4. Tú sales por la noche. Mañana ____________ por la tarde.
5. Hoy ellos juegan al básquetbol. Mañana ____________ al hockey.
6. La profesora nos dice que hay un examen. Mañana nos ____________ que tenemos una tarea fácil.
7. Julio y tú ponen la mesa para la cena. Mañana no ____________ la mesa, yo la ____________.
8. Nos divertimos en la clase. Mañana ____________ en una fiesta.

LECCIÓN 12

F. Conditional tense

Complete the following sentences with the conditional form of the verb indicated.

Con mil dólares:

1. Isabel ______________________ (viajar) a México.
2. Usted ______________________ (ir) a España.
3. Tú ______________________ (poder) tomar una clase de fotografía.
4. Carlos ______________________ (venir) de Halifax a visitarnos.
5. Nosotros ______________________ (comer) en restaurantes buenos.
6. El profesor ______________________ (descansar) por dos semanas.
7. Mis padres ______________________ (buscar) un televisor nuevo.
8. Y, yo, ¡no ______________________ (saber) qué hacer!

G. Vocabulary

Complete the following sentences, using vocabulary from **Lección 12**.

1. El baño no tiene bañadera; tiene ____________.
2. El ____________ no funciona. Tiene que ____________ por la escalera.
3. Tengo mucho frío y este cuarto no tiene ____________.
4. Mi esposo(a) y yo queremos una ____________ doble.
5. El ____________ de la pensión incluye todas las comidas.
6. Hay mucha gente porque hay un ____________ de convenciones.
7. ¿A qué hora debemos ____________ el cuarto?
8. Mi cuarto no es con ____________ a la calle; es interior.
9. La pensión no tiene ____________ de habitación.
10. Quiero una habitación exterior con ____________ acondicionado.
11. Primero fui al ____________ de revistas y después a la tienda de ____________.
12. Un sinónimo de "dueño" es ____________.
13. Reservé un hotel con pensión ____________.
14. No hay ninguna habitación ____________. El hotel está lleno.
15. ¿En qué ____________ está tu habitación?

H. Translation

Express the following in Spanish.

1. We want a hotel that has a sea view and a pool.
2. Rosita, put the plates on the table and don't watch television.
3. Last year Carlos got married to Gloria.
4. His room is on the third floor of the boarding house.
5. I'm dreaming about going to Spain. I will leave next month.
6. My friend is staying at a luxury hotel, but I would look for a small hotel and I would save my money.

UN POCO MÁS *(Material suplementario)*

1 Subjunctive with certain conjunctions
(El subjuntivo con ciertas conjunciones)

Subjunctive after conjunctions of time

The subjunctive is used after conjunctions of time when the main clause refers to a future action or is a command. Some conjunctions of time are:

cuando	*when*	**en cuanto**	*as soon as*
hasta que	*until*	**tan pronto como**	*as soon as*

Note in the following examples that the action in the subordinate clause has not yet taken place.

—¿Vamos a la pensión ahora?	*"Are we going to the boarding house now?"*
—No, vamos a esperar **hasta que venga** Eva.	*"No, we're going to wait **until** Eva **comes.**"*
—Bueno, llámame **en cuanto llegue**.	*"Okay, call me **as soon as she arrives.**"*
—¿Cuándo vas a comprar las maletas?	*"When are you going to buy the suitcases?"*
—**Cuando** mi papá me **dé** el dinero.	*"**When** my dad **gives** me the money."*
—¿Ya llamaste a Rodolfo?	*"Did you already call Rodolfo?"*
—Sí, lo llamé **en cuanto llegué**.	*"Yes, I called him **as soon as I arrived.**"*
—¿Cuándo llamas a Joaquin?	*"When do you call Joaquin?"*
—Siempre lo llamo **cuando llego** del trabajo.	*"I always call him **when I arrive** from work."*

Conjunctions that always take the subjunctive

Certain conjunctions by their very meaning imply uncertainty or condition; they are therefore always followed by the subjunctive. Examples include:

a menos que	*unless*	**con tal (de) que**	*provided that*
antes de que	*before*	**para que**	*in order that, so that*
en caso de que	*in case*	**sin que**	*without*

—Voy a llamar a la agencia de viajes **para que** me manden los boletos.	*"I'm going to call the travel agency **so that they'll send** me the tickets."*
—Llámelos **antes de que se vayan**.	*"Call them **before they leave.**"*
—No puedo comprar los libros **sin que** tú me **des** el dinero.	*"I can't buy the books **without you giving** me the money."*
—Puedo dártelo ahora.	*"I can give it to you now."*

¡ATENCIÓN!

If the action has already taken place or if the speaker views the action of the subordinate clause as a habitual occurrence, the indicative is used after the conjunction of time.

Práctica y conversación

A. Minidiálogos

Complete the following dialogues, using the indicative or the subjunctive of each verb.

1. **irse / llegar**
   —¿Podemos limpiar el cuarto ahora?
   —No, no podemos limpiarlo hasta que mi compañero de cuarto ____________________.
   —¿Cuándo se va?
   —En cuanto ____________________ el taxi.
2. **salir / comprar**
   —¿Cuándo van al cine?
   —En cuanto ____________________ la nueva película de Almodóvar.
   —Te daré dinero para que nos ____________________ entradas.
3. **llamar**
   —¿Cuándo van a venir tus amigos?
   —Tan pronto como yo los ____________________.
4. **traer**
   —¿Cuándo cantaron?
   —No cantaron hasta que yo ____________________ la torta de cumpleaños.
5. **hablar / ver**
   —Cuando Ud. ____________________ con el profesor, dígale que el estudiante no se siente bien.
   —Voy a decírselo en cuanto lo ____________________.
6. **venir / estar**
   —¿Tú puedes escribirle a Gloria antes de que ella ____________________ de Montreal?
   —Sí, a menos que (ella) no ____________________ en casa.

B. Entrevista a tu compañero(a)

Interview your partner, using the following questions.

1. ¿Siempre desayunas en cuanto te levantas?
2. ¿Siempre te lavas la cabeza cuando te bañas?
3. ¿Tú puedes salir de tu casa sin que nadie te vea?
4. ¿Qué le vas a decir a tu mejor amigo(a) cuando lo (la) veas?
5. ¿Tú llegas a veces a clase antes de que llegue el profesor (la profesora)?
6. ¿Qué recomiendas que hagan tus amigos para que tengan un buen semestre en la universidad?
7. ¿A veces te quedas en la biblioteca hasta que la cierran?
8. ¿Qué vas a hacer tan pronto como llegues a tu casa?

2 The imperfect subjunctive

(El imperfecto de subjuntivo)

Forms

To form the imperfect subjunctive of all Spanish verbs—regular and irregular—drop the **-ron** ending of the third-person plural of the preterite and add the following endings to the stem.

Imperfect Subjunctive Endings	
-ra	-´ramos
-ras	-rais
-ra	-ran

¡ATENCIÓN!

Notice that an accent mark is required in the **nosotros(as)** form:

[…] que nosotros **habláramos**
[…] que nosotros **fuéramos**

Forms of the Imperfect Subjunctive			
Verb	*Third-Person Preterite*	*Stem*	*First-Person Sing. Imperf. Subjunctive*
hablar	habla**ron**	habla-	**hablara**
aprender	aprendie**ron**	aprendie-	**aprendiera**
vivir	vivie**ron**	vivie-	**viviera**
dejar	deja**ron**	deja-	**dejara**
ir	fue**ron**	fue-	**fuera**
saber	supie**ron**	supie-	**supiera**
decir	dije**ron**	dije-	**dijera**
poner	pusie**ron**	pusie-	**pusiera**
pedir	pidie**ron**	pidie-	**pidiera**
estar	estuvie**ron**	estuvie-	**estuviera**

¡ATENCIÓN!

The imperfect subjunctive of **hay** (impersonal form of **haber**) is **hubiera**.

Práctica

Conjugación

Supply the imperfect subjunctive forms of the following verbs.

1. *que yo:* llenar, comer, vivir, decir, ir, admitir
2. *que tú:* dejar, atender, abrir, poner, estar, elegir
3. *que él:* volver, dormir, pedir, tener, alquilar, traer
4. *que nosotros:* ver, ser, entrar, saber, hacer, pedir
5. *que ellas:* leer, salir, llegar, sentarse, aprender, poder

Uses

- The imperfect subjunctive is always used in a subordinate clause when the verb of the main clause calls for the subjunctive and is in the past or the conditional.

—¿Por qué no compraste los billetes?	*"Why didn't you buy the tickets?"*
—**Temía** que no **pudiéramos** viajar hoy.	*"**I was afraid we wouldn**'t **be able** to travel today."*

- When the verb of the main clause is in the present, but the subordinate clause refers to the past, the imperfect subjunctive is often used.

—Oscar es un muchacho muy simpático.	*"Oscar is a very charming young man."*
—¡Sí! **Me alegro** de que **viniera** a vernos ayer.	*"Yes! **I'm glad** (that) **he came** to see us yesterday."*

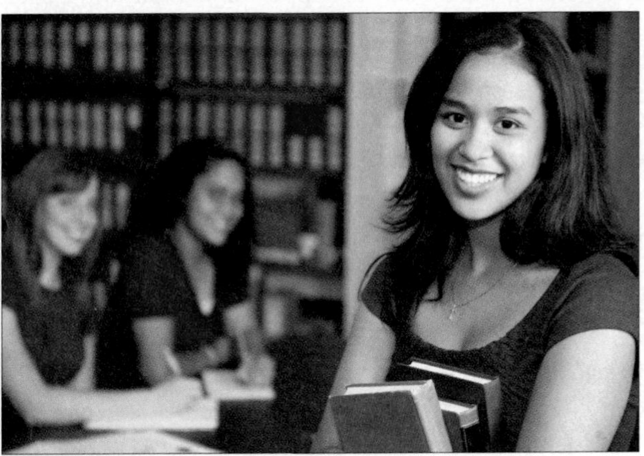
As I See It/Getty Images

Las chicas querían que Raquel estudiara con ellas.

Práctica y conversación

A. Instrucciones

Indicate what Dr. Peña told some of her students to do. Follow the model.

- **MODELO:** Leticia, habla más español.
  Le dijo a Leticia que hablara más español.

1. Julio, compra el libro para la clase.
2. Elena y Sara, pidan las respuestas correctas.
3. Tina, ve a la pizarra.
4. Ignacio, escribe las traducciones.
5. Paquito, no llegues tarde mañana.
6. Miguel y Pablo, tráiganle el cuaderno a Marisa.
7. Estudiantes, espérenme unos minutos.
8. Todos, asistan a clase y sepan el vocabulario.
9. Juanito, no discutas con Julio.
10. Estudiantes, traigan las tareas a clase.

B. Una noche memorable

In groups of three, talk about what your parents told you to do and not to do when you were first allowed to stay out very late.

3 *If*-clauses *(Cláusulas que comienzan con* si*)*

- When a clause introduced by **si** refers to a situation that is hypothetical or contrary to fact, **si** is always followed by the imperfect subjunctive.

  Contrary-to-fact

—**Si** yo **tuviera** dinero, le daría 1.000 dólares a mi hijo.	*"If I **had** money, I would give my son a thousand dollars."*
—**Si** yo **fuera** tú, no le daría nada.	*"If I **were** you, I wouldn't give him anything."*

  Hypothetical

Si yo **hablara** con el Primer Ministro...	***If** I **were to speak** to the Prime Minister . . .*
Si tú **fueras** la profesora...	***If** you **were** the professor . . .*

- When the *if*-clause refers to something that is likely to happen or possible, the indicative is used.

—¿Puedes llevar a mi amigo al aeropuerto?	*"Can you take my friend to the airport?"*
—Lo llevaré si **tengo** tiempo.	*"I will take him if **I have** time."*

- The imperfect subjunctive is always used after the expression **como si** *(as if)* because it implies a condition that is contrary to fact.

—Marcos dice que necesito más dinero.	*"Marcos says that I need more money."*
—Sí, él habla **como si supiera** algo de tus problemas económicos.	*"Yes, he talks **as if he knew** something about your financial problems."*

¡ATENCIÓN!

Note that the imperfect subjunctive is used in the *if*-clause, while the conditional is used in the main clause.

¡ATENCIÓN!

The present subjunctive is never used in an *if*-clause.

Práctica y conversación

A. ¿Promesas o excusas?

Complete each of the following statements with the correct form of the verb in parentheses. Use the imperfect subjunctive or the present indicative.

1. Si yo ____________________ (tener) tiempo, te llevaré al aeropuerto.
2. Si nosotros ____________________ (poder), compraríamos las entradas al concierto.
3. Si Elba ____________________ (comprar) los ingredientes, haremos paella.
4. Si mis padres me ____________________ (dar) dinero, yo podría pagar por todos mis libros.
5. Si tú ____________________ (venir) temprano, podemos ir al cine.
6. Si Uds. ____________________ (traer) a Nora, saldríamos todos juntos.

B. Si...

Look at the illustrations and describe what these people would do if they could. Follow the model.

- **MODELO:** Yo no tengo dinero. Si...
  Si yo tuviera dinero, viajaría.

1. Ellos no tienen hambre. Si...

2. Nosotros no podemos estudiar hoy. Si...

3. Tú tienes que trabajar. Si no...

4. Uds. no van a la fiesta. Si...

5. Hoy es sábado. Si...

6. El coche funciona. Si...

7. Laura no está enferma. Si...

8. La señora Soto no tiene el periódico. Si...

C. Si las cosas fueran diferentes

In groups of three or four, discuss what you would do if circumstances in your lives were different. Include place of residence, schooling, work, and so on.

RODEO Summary of the Uses of the Subjunctive *(Resumen de los usos del subjuntivo)*

Subjunctive vs. Infinitive

Use the subjunctive . . .

1. after verbs of volition (where there is a change of subject).

   Yo quiero que **él salga**.
2. after verbs of emotion (when there is a change of subject).

   Me alegro de que **tú estés** aquí.
3. after impersonal expressions (when there is a subject).

   Es necesario que **él estudie**.

Use the infinitive . . .

1. after verbs of volition (when there is no change of subject).

   Yo quiero **salir**.
2. after verbs of emotion (when there is no change of subject).

   Me alegro de **estar** aquí.
3. after impersonal expressions (when speaking in general).

   Es necesario **estudiar**.

Subjunctive vs. Indicative

Use the subjunctive . . .

1. to refer to something indefinite or nonexistent.

   Busco una casa que **sea** grande.

   No hay nadie que lo **sepa**.
2. if the action is to occur at some indefinite time in the future as a condition of another action.

   Cenarán cuando él **llegue**.
3. to express doubt, disbelief, and denial.

   Dudo que **pueda** venir.

   Niego que él **esté** aquí.

   No creo que él **venga**.
4. in an *if*-clause, to refer to something contrary to fact, impossible, or very improbable.

   Si **pudiera**, iría.

   Si el Primer Ministro me **invitara** a Ottawa, yo aceptaría.

Use the indicative . . .

1. to refer to something that exists or is specific.

   Tengo una casa que **es** grande.

   Hay alguien que lo **sabe**.
2. if the action has been completed or is habitual.

   Cenaron cuando él **llegó**.

   Siempre cenan cuando él **llega**.
3. when there is no doubt, disbelief, or denial.

   No dudo que **puede** venir.

   No niego que él **está** aquí.

   Creo que él **viene**.
4. in an *if*-clause, when referring to something that is factual, probable, or very possible.

   Si **puedo**, iré.

   Si Juan me **invita** a su casa, aceptaré.

Práctica y conversación

A. La carta de Marisa

Marisa wrote this letter to her parents from Sevilla. Complete it, using the subjunctive, indicative, or infinitive of the verbs that appear in parentheses.

Sevilla, 10 de junio

Queridos papá y mamá:

Recibí la tarjeta que me mandaron de Acapulco. Me alegro de que se (1) ________________ (estar) divirtiendo; cuando yo (2) ________________ (volver) a México el año próximo, yo quiero (3) ________________ (ir) con Uds. También me gustaría que Uds. (4) ________________ (visitar) Sevilla, porque es una ciudad magnífica.

Ana y yo encontramos un piso que (5) ________________ (estar) en el centro, cerca de la universidad. Si Uds. (6) ________________ (decidir) venir a visitarme, tenemos un dormitorio extra. No creo que los padres de Ana (7) ________________ (poder) venir, como nos habían dicho, porque no les dan vacaciones.

Mamá, es verdad que la comida de aquí (8) ________________ (ser) muy buena, pero no hay nadie que (9) ________________ (cocinar) tan bien como tú, así que en cuanto yo (10) ________________ (llegar) a casa, quiero que me (11) ________________ (hacer) tu famoso pollo con mole[1].

Ayer fuimos con unos amigos a visitar la mezquita y después fuimos a un café en el barrio Santa Cruz. ¡Me estoy enamorando de Sevilla! Si (12) ________________ (poder), me quedaría a vivir aquí. ¡No se rían! Ya sé que no puedo vivir lejos de Uds.

Díganle a Héctor que quiero que me (13) ________________ (escribir) y me (14) ________________ (contar) cómo le va en la universidad.

Besos,

Marisa

B. ¿Qué recuerdan Uds.?

With a partner, prepare five or six questions about Marisa's letter. Then, join two classmates and ask them your questions and answer theirs.

[1] **Mole**, a sauce made with many spices and unsweetened chocolate, is used in Mexican cuisine.

4 Compound tenses of the indicative
(Tiempos compuestos del indicativo)

Future perfect *(El futuro perfecto)*

FORMS

The future perfect tense in Spanish corresponds closely in formation and meaning to the same tense in English. The Spanish future perfect is formed with the future tense of the auxiliary verb **haber** + past participle of the main verb.

Formation of the Future Perfect Tense				
	Future of **haber**	+	*Past Participle*	
yo	**habré**		**terminado**	*I will have finished*
tú	**habrás**		**vuelto**	*you (fam.) will have returned*
Ud., él, ella	**habrá**		**comido**	*you (form.), he, she will have eaten*
nosotros(as)	**habremos**		**escrito**	*we will have written*
vosotros(as)	**habréis**		**dicho**	*you (fam.) will have said*
Uds., ellos, ellas	**habrán**		**salido**	*you (form., fam.), they will have left*

USE

Like its English equivalent, the Spanish future perfect tense is used to express an action that will have taken place by a certain time in the future.

—¿Tus padres estarán aquí para el dos de junio? *"Will your parents be here by June second?"*

—Sí, para esa fecha ya **habrán vuelto** de Madrid. *"Yes, by that date **they will have returned** from Madrid."*

Práctica y conversación

A. ¿Qué habrán hecho?

Complete each sentence with the corresponding form of the future perfect tense.

1. Para junio nosotros ______________________ (volver) del viaje, pero Carlos no ______________________ (llegar) de México todavía.
2. Para las nueve yo ______________________ (servir) la cena y ellos ______________________ (comer).
3. ¿A qué hora ______________________ (terminar) tú el trabajo?
4. ¿Ya ______________________ (leer) Uds. la novela para la próxima semana?
5. Para las doce la secretaria ______________________ (escribir) todas las cartas.

B. Entrevista a tu compañero(a)

Interview a partner, using the following questions.

1. ¿Habremos terminado esta lección para la semana que viene?
2. ¿Las clases habrán terminado para el 15 de junio?
3. ¿Te habrás graduado *(graduate)* para el año que viene?
4. ¿Tú habrás vuelto a tu casa para las diez de la noche?
5. ¿Tú y tu familia habrán terminado de cenar para las siete de la noche?
6. ¿Te habrás acostado para las once de la noche?

C. Planes para el futuro

Use your imagination to complete each statement, using the future perfect tense.

1. Para el próximo año yo...
2. Para diciembre mis padres...
3. Para el sábado mi mejor amigo(a)...
4. Para la próxima semana el (la) profesor(a)...
5. Para el verano nosotros(as)...
6. Para esta noche tú...

Conditional perfect (El condicional perfecto)

FORMS

The conditional perfect tense is formed with the conditional of the verb **haber** + past participle of the main verb.

Formation of the Conditional Perfect Tense			
	Conditional of **haber** +	*Past Participle*	
yo	**habría**	**hablado**	*I would have spoken*
tú	**habrías**	**comido**	*you (fam.) would have eaten*
Ud., él, ella	**habría**	**vuelto**	*you (form.), he, she would have returned*
nosotros(as)	**habríamos**	**dicho**	*we would have said*
vosotros(as)	**habríais**	**roto**	*you (fam.) would have broken*
Uds., ellos, ellas	**habrían**	**hecho**	*you (form., fam.), they would have done, made*

USES

The conditional perfect (expressed in English by *would have* + past participle of the main verb) is used:

- To indicate an action that *would have taken place (but didn't),* if a certain condition had been true.

De haber sabido[2] que venía, lo **habría llamado**.	*Had I known that he was coming, **I would have called** him.*

- To refer to a future action in relation to the past.

Él dijo que para mayo **habrían terminado** la clase.	*He said that by May **they would have finished** the class.*

Práctica y conversación

A. Lo que habríamos hecho

Complete each sentence, using the conditional perfect tense of the verbs given in parentheses.

1. De haber sabido que él no estaba aquí, yo no ______________________ (venir).
2. De haber sabido que yo no tenía dinero, él me lo ______________________ (comprar).
3. Él dijo que para mayo nosotros ______________________ (volver).
4. Carlos nos dijo que para septiembre tú ______________________ (terminar).
5. De haber sabido que Uds. tenían los libros, ellos se los ______________________ (pedir).
6. Él me dijo que para esta noche ellos ______________________ (llamar).

B. Yo no soy tú

Using the conditional perfect tense and the cues provided, tell what you and the other people would have done differently.

- **MODELO:** Tú fuiste de vacaciones a México. (yo)
  Yo habría ido a España.

1. Ellos comieron hamburguesas. (yo)
2. Teresa salió con Ernesto. (tú)
3. Yo preparé pollo para la cena. (ellos)
4. Uds. estuvieron en México por una semana. (nosotras)
5. Nosotros invitamos a muchas personas. (Marta)
6. Yo escribí las cartas en español. (Uds.)

C. Compartiendo información

With a classmate, discuss what you did last summer. Say whether you would have done the same thing as your partner or if you would have done something different.

---

[2]**De haber sabido** is an impersonal expression.

5 Compound tenses of the subjunctive

(Tiempos compuestos del subjuntivo)

Present perfect subjunctive *(El presente perfecto de subjuntivo)*

FORMS

The present perfect subjunctive tense is formed with the present subjunctive of the auxiliary verb **haber** + past participle of the main verb.

Formation of the Present Perfect Subjunctive			
	Present Subjunctive of **haber** +	*Past Participle*	
yo	**haya**	**hablado**	*I have spoken*
tú	**hayas**	**comido**	*you (fam.) have eaten*
Ud., él, ella	**haya**	**vivido**	*you (form.) have lived; she, he has lived*
nosotros(as)	**hayamos**	**hecho**	*we have done*
vosotros(as)	**hayáis**	**ido**	*you (fam.) have gone*
Uds., ellos, ellas	**hayan**	**puesto**	*you (form., fam.), they have put*

Práctica

Conjugación

For each subject below, conjugate the following verbs in the present perfect subjunctive.

1. *que yo:* escuchar, oír, divertirse, decir
2. *que tú:* llenar, despertarse, volver, pedir
3. *que ella:* celebrar, poner, estacionar, escribir
4. *que nosotros:* hacer, decidir, vestirse, ayudar
5. *que ellos:* conversar, abrir, morir, irse

USES

The Spanish present perfect subjunctive tense is used in the same way as the present perfect tense in English, but only in sentences that call for the subjunctive in the subordinate clause.

—Espero que Eva **haya comprado** el libro. *"I hope (that) Eva **has bought** the book."*

—Sí, y también que **haya comprado** un cuaderno. *"Yes, and she **has** also **bought** a notebook."*

—Álvaro prometió llevar a los niños al cine. *"Álvaro promised to take the children to the movies."*

—Dudo que lo **haya hecho**. *"I doubt that he **has done** it."*

Práctica y conversación

A. Lo que espero

Rewrite the following sentences, using the cues in parentheses. Make any necessary changes.

- **MODELO:** Ha llevado a los niños al parque. (Espero)
  Espero que haya llevado a los niños al parque.

1. Ha estado aquí solo un momento. (Dudo)
2. Han comprado una casa nueva. (Espero)
3. Ha podido celebrar su aniversario. (No creo)
4. Has perdido tus guantes. (Es posible)
5. No hemos comprado la alfombra. (Siento)
6. Te has divertido mucho en la fiesta. (No es verdad)
7. Han pasado unos días felices. (Me alegro de)
8. Le han dado la dirección del teatro. (Espero)
9. Nos han mandado el dinero. (No creo)
10. Han ido al concierto. (No es cierto)

B. Minidiálogos

Complete the following dialogues by supplying the present perfect subjunctive of the verbs given.

1. —Espero que los chicos ________________________ (volver).
   —Dudo que ya ________________________ (regresar) porque es muy temprano.
   —Temo que ________________________ (tener) un accidente.
   —Tú te preocupas demasiado.
2. —¿Hay alguien que ________________________ (estar) en Madrid alguna vez?
   —No, aquí no hay nadie que ________________________ (ir) a España.
3. —Siento que Uds. no ________________________ (poder) terminar el trabajo.
   —No es verdad que no lo ________________________ (terminar).
4. —¿Ellos van a vivir en Edmonton?
   —Sí, pero no creo que ya ________________________ (alquilar) un apartamento.
5. —Me alegro de que tú ________________________ (conseguir) el puesto.
   —Yo también.

C. En mi opinión

Use your imagination to complete each statement, using the present perfect subjunctive tense.

1. Me alegro mucho de que mis padres...
2. Siento mucho que los invitados...
3. Espero que la clase de español...
4. No creo que los estudiantes...
5. No es cierto que yo...
6. Me sorprende que el concierto...
7. Dudo que el (la) profesor(a)...
8. No es verdad que él...

Pluperfect subjunctive *(El pluscuamperfecto de subjuntivo)*

FORMS

The Spanish pluperfect subjunctive is formed with the imperfect subjunctive of the auxiliary verb **haber** + past participle of the main verb.

Formation of the Pluperfect Subjunctive Tense			
	Imperfect Subjunctive of **haber** +	*Past Participle*	
yo	**hubiera**	**hablado**	*I had spoken*
tú	**hubieras**	**comido**	*you (fam.) had eaten*
Ud., él, ella	**hubiera**	**vivido**	*you (form.), he, she had lived*
nosotros(as)	**hubiéramos**	**visto**	*we had seen*
vosotros(as)	**hubierais**	**hecho**	*you (fam.) had done*
Uds., ellos, ellas	**hubieran**	**vuelto**	*you (form., fam.), they had returned*

USE

The Spanish pluperfect subjunctive tense is used in the same way the past perfect is used in English, but in sentences in which the main clause calls for the subjunctive.

Yo dudaba que ellos **hubieran llegado**.	*I doubted that they **had arrived**.*
Yo esperaba que tú **hubieras pagado** tus cuentas.	*I was hoping that you **had paid** your bills.*

Práctica

A. La semana pasada

Rewrite the following sentences telling what happened last week, using the cues in parentheses. Make any necessary changes.

- **MODELO:** Él se alegra de que ellos hayan hecho el trabajo. (Él se alegró)
  Él se alegró de que ellos hubieran hecho el trabajo.

1. Nosotros sentimos que hayas estado solo en Lima. (Nosotros sentíamos)
2. Yo espero que Uds. hayan hecho el trabajo. (Yo esperaba)
3. Siente que yo no haya podido venir el sábado. (Sintió)
4. No creo que hayas comprado esas sábanas. (No creí)
5. Me sorprende que no hayas cambiado el pasaje. (Me sorprendió)
6. Me alegro de que hayamos conseguido la reservación. (Me alegré)
7. Es probable que ellos hayan ido de compras. (Era probable)
8. No es verdad que él haya llegado tarde. (No era verdad)

B. ¿Cómo se dice en español?

Write the following sentences in Spanish.

1. We were hoping that they had done the work.
2. I was sorry you had been sick.
3. They were glad that he had bought the tickets for the trip.
4. I didn't think that they hadn't gotten the e-mail.
5. We were glad that you had brought your driver's licence.

C. Y tú, ¿qué piensas?

Use the pluperfect subjunctive to finish the following sentences in an original manner.

1. Mis padres se alegraron de que yo...
2. Yo esperaba que mis amigos...
3. Ellos sintieron que nosotros...
4. Aquí no había nadie que...
5. ¿Había alguien en esa familia que...?
6. Mi compañero de cuarto dudaba que yo...

SPANISH SOUNDS

Vowels

There are five distinct vowels in Spanish: **a**, **e**, **i**, **o**, **u**. Each vowel has only one basic, constant sound. The pronunciation of each vowel is constant, clear, and brief. The length of the sound is practically the same whether it is produced in a stressed or unstressed syllable.[1]

While producing the sounds of the English stressed vowels that most closely resemble the Spanish ones, the speaker changes the position of the tongue, lips, and lower jaw, so that the vowel actually starts as one sound and then *glides* into another. In Spanish, however, the tongue, lips, and jaw keep a constant position during the production of the sound.

English: ban*a*na **Spanish:** ban*a*na

The stress falls on the same vowel and syllable in both Spanish and English, but the English stressed *a* is longer than the Spanish stressed **a**.

English: ban*a*na **Spanish:** ban*a*na

Note also that the English stressed *a* has a sound different from the other *a*'s in the word, while the Spanish **a** sound remains constant.

a in Spanish sounds similar to the English *a* in the word *father.*

alta casa palma Ana cama Panamá alma apagar

e is pronounced like the English *e* in the word *get.*

mes entre este deje ese encender teme prender

i has a sound similar to the English *e* in the word *me.*

fin ir sí sin dividir Trini difícil

o is similar to the English *o* in the word *no*, but without the glide.

toco como poco roto corto corro solo loco

u is pronounced like the English [*oo*] sound in the word *shoot* or the [*ue*] sound in the word *Sue.*

su Lulú Úrsula cultura un luna sucursal Uruguay

Diphthongs and triphthongs

When unstressed **i** or **u** falls next to another vowel in a syllable, it unites with that vowel to form what is called a *diphthong*. Both vowels are pronounced as one syllable. Their sounds do not change; they are only pronounced more rapidly and with a glide. For example:

tr**ai**ga	Lid**ia**	tr**ei**nta	**sie**te	**oi**go	ad**ió**s
Aurora	ag**ua**	b**ue**no	antig**uo**	c**iu**dad	L**ui**s

A *triphthong* is the union of three vowels, a stressed vowel between two unstressed ones (**i** or **u**) in the same syllable. For example: Parag**uay**, estud**iéi**s.

NOTE: Stressed **i** and **u** do not form diphthongs with other vowels, except in the combinations **iu** and **ui**. For example: **rí**-o, sa-**bí**-ais.

In syllabication, diphthongs and triphthongs are considered a single vowel; their components cannot be separated.

[1]In a stressed syllable, the prominence of the vowel is indicated by its loudness.

APPENDIX **A**

Consonants

p Spanish **p** is pronounced in a manner similar to the English [*p*] sound, but without the puff of air that follows after the English sound is produced.

pesca	pude	puedo	parte	papá
postre	piña	puente	Paco	

k The Spanish [*k*] sound, represented by the letters **k**; **c** before **a**, **o**, **u** or a consonant (except **h**), and **qu**, is similar to the English [*k*] sound, but without the puff of air.

casa	comer	cuna	clima	acción	que
quinto	queso	aunque	quiosco	kilómetro	

t Spanish **t** is produced by touching the back of the upper front teeth with the tip of the tongue. It has no puff of air as in the English *t*.

todo	antes	corto	Guatemala	diente
resto	tonto	roto	tanque	

d The Spanish consonant **d** has two different sounds depending on its position. At the beginning of an utterance and after **n** or **l**, the tip of the tongue presses the back of the upper front teeth.

día	doma	dice	dolor	dar
anda	Aldo	el deseo	un domicilio	

In all other positions, the sound of **d** is similar to the [*th*] sound in the English word *they*, but softer.

medida	todo	nada	nadie	medio
puedo	moda	queda	nudo	

g The Spanish consonant **g** is similar to the English [*g*] sound in the word *guy* except before **e** or **i**.

goma	glotón	gallo	gloria	lago	alga
gorrión	garra	guerra	angustia	algo	Dagoberto

j The sound of Spanish **j** (or **g** before **e** and **i**) is similar to a strongly exaggerated English [*h*] sound.

gemir	juez	jarro	gitano	agente
juego	giro	bajo	gente	

b, v There is no difference in sound between Spanish **b** and **v**. Both letters are pronounced alike. At the beginning of an utterance or after **m** or **n**, **b** and **v** have a sound identical to the English [*b*] sound in the word *boy*.

vivir	beber	vamos	barco	enviar
hambre	batea	bueno	vestido	

When pronounced between vowels, the Spanish [*b*] and [*v*] sound is produced by bringing the lips together but not closing them, so that some air may pass through.

sábado   autobús   yo voy   su barco

ll, y In most countries, Spanish **ll** and **y** have a sound similar to the English [*y*] sound in the word *yes*.

el llavero	un yelmo	el yeso	su yunta	llama	yema
oye	trayecto	trayectoria	mayo	milla	bella

NOTE: When it stands alone or is at the end of a word, Spanish **y** is pronounced like the vowel **i**.

rey   hoy   y   doy   buey   muy   voy   estoy   soy

r The sound of Spanish **r** is similar to the English [*r*] sound in the word *rabbit.*

crema	aroma	cara	arena	aro
harina	toro	oro	eres	portero

rr Spanish **rr** and also **r** in an initial position and after **n**, **l**, or **s** are pronounced with a very strong trill. This trill is produced by bringing the tip of the tongue near the alveolar ridge and letting it vibrate freely while the air passes through the mouth.

rama	carro	Israel	cierra	roto
perro	alrededor	rizo	corre	Enrique

s Spanish **s** is represented in most of the Spanish world by the letters **s**, **z**, and **c** before **e** or **i**. The sound is very similar to the English sibilant *s* in the word *sink.*

sale	sitio	presidente	signo
salsa	seda	suma	vaso
sobrino	ciudad	cima	canción
zapato	zarza	cerveza	centro

h The letter **h** is silent in Spanish.

hoy	hora	hilo	ahora
humor	huevo	horror	almohada

ch Spanish **ch** is pronounced like the English *ch* in the word *chief.*

hecho	chico	coche	Chile
mucho	muchacho	salchicha	

f Spanish **f** is identical in sound to the English *f.*

difícil	feo	fuego	forma
fácil	fecha	foto	fueron

l Spanish **l** is similar to the English *l* in the word *let.*

dolor	lata	ángel	lago	sueldo
los	pelo	lana	general	fácil

m Spanish **m** is pronounced like the English *m* in the word *mother.*

mano	moda	mucho	muy
mismo	tampoco	multa	cómoda

n In most cases, Spanish **n** has a sound similar to the English *n.*

nada	nunca	ninguno	norte
entra	tiene	sienta	

The sound of Spanish **n** is often affected by the sounds that occur around it. When it appears before **b**, **v**, or **p**, it is pronounced like an **m**.

tan bueno	toman vino	sin poder
un pobre	comen peras	siguen bebiendo

ñ Spanish **ñ** is similar to the English [*ny*] sound in the word *canyon.*

señor	otoño	ñoño	uña
leña	dueño	niños	años

x Spanish **x** has two pronunciations depending on its position. Between vowels, the sound is similar to English *ks.*

examen	exacto	boxeo	éxito
oxidar	oxígeno	existencia	

When it occurs before a consonant, Spanish **x** sounds like *s*.

expresión	explicar	extraer	excusa
expreso	exquisito	extremo	

NOTE: When **x** appears in **México** or in other words of Mexican origin, it is pronounced like the Spanish letter **j**.

Rhythm

Rhythm is the variation of sound intensity that we usually associate with music. Spanish and English each regulate these variations in speech differently, because they have different patterns of syllable length. In Spanish the length of the stressed and unstressed syllables remains almost the same, while in English stressed syllables are considerably longer than unstressed ones. Pronounce the following Spanish words, enunciating each syllable clearly.

es-tu-dian-te	bue-no	Úr-su-la
com-po-si-ción	di-fí-cil	ki-ló-me-tro
po-li-cí-a	Pa-ra-guay	

Because the length of the Spanish syllables remains constant, the greater the number of syllables in a given word or phrase, the longer the phrase will be.

Linking

In spoken Spanish, the different words in a phrase or a sentence are not pronounced as isolated elements but combined together. This is called *linking*.

Pepe come pan.	⇨	Pe-pe-co-me-pan.
Tomás toma leche.		To-más-to-ma-le-che.
Luis tiene la llave.		Luis-tie-ne-la-lla-ve.
la mano de Roberto		la-ma-no-de-Ro-ber-to

1. The final consonant of a word is pronounced together with the initial vowel of the following word.

Carlos anda	⇨	Car-lo-san-da
un ángel		u-nán-gel
el otoño		e-lo-to-ño
unos estudios interesantes		u-no-ses-tu-dio-sin-te-re-san-tes

2. A diphthong is formed between the final vowel of a word and the initial vowel of the following word. A triphthong is formed when there is a combination of three vowels (see rules for the formation of diphthongs and triphthongs on page 351).

su hermana	⇨	suher-ma-na
Roberto y Luis		Ro-ber-toy-Luis
negocio importante		ne-go-cioim-por-tan-te
lluvia y nieve		llu-viay-nie-ve
ardua empresa		ar-duaem-pre-sa

3. When the final vowel of a word and the initial vowel of the following word are identical, they are pronounced slightly longer than one vowel.

Ana alcanza	A-n*a*l-can-za	tiene eso	tie-n*e*-so
lo olvido	l*o*l-vi-do	Ada atiende	Ad*a*-tien-de

The same rule applies when two identical vowels appear within a word.

crees	cr*e*s
Teherán	T*e*-rán
coordinación	c*o*r-di-na-ción

4. When the final consonant of a word and the initial consonant of the following word are the same, they are pronounced like one consonant with slightly longer than normal duration.

el lado	e-*l*a-do	tienes sed	tie-ne-*s*ed
Carlos salta	Car-lo-*s*al-ta		

Intonation

Intonation is the rise and fall of pitch in the delivery of a phrase or sentence. In general, Spanish pitch tends to change less than English, giving the impression that the language is less emphatic.

As a rule, the intonation for normal statements in Spanish starts in a low tone, rises to a higher one on the first stressed syllable, maintains that tone until the last stressed syllable, and then goes back to the initial low tone, with still another drop at the very end.

Tu amigo viene mañana.	José come pan.
Ada está en casa.	Carlos toma café.

Syllable formation in Spanish

Below are general rules for dividing words into syllables:

Vowels

1. A vowel or a vowel combination can constitute a syllable.

   a-lum-no a-bue-la Eu-ro-pa

2. Diphthongs and triphthongs are considered single vowels and cannot be divided.

   bai-le puen-te Dia-na es-tu-diáis an-ti-guo

3. Two strong vowels (**a**, **e**, **o**) do not form a diphthong and are separated into two syllables.

   em-ple-ar vol-te-ar lo-a

4. A written accent on a weak vowel (**i** or **u**) breaks the diphthong, separating the vowels into two syllables.

   trí-o dú-o Ma-rí-a

Consonants

1. A single consonant forms a syllable with the vowel that follows it.

   po-der ma-no mi-nu-to

   NOTE: **ch**, **ll**, and **rr** are considered single consonants: **a-ma-ri-llo**, **co-che**, **pe-rro**.

2. When two consonants appear between two vowels, they are separated into two syllables.

   al-fa-be-to cam-pe-ón me-ter-se mo-les-tia

   EXCEPTION: When a consonant cluster composed of **b**, **c**, **d**, **f**, **g**, **p**, or **t** with **l** or **r** appears between two vowels, the cluster joins the following vowel: **so-bre**, **o-tros**, **ca-ble**, **te-lé-gra-fo**.

3. When three consonants appear between two vowels, only the last one goes with the following vowel.

   ins-pec-tor trans-por-te trans-for-mar

   EXCEPTION: When there is a cluster of three consonants in the combinations described in rule 2, the first consonant joins the preceding vowel and the cluster joins the following vowel: **es-cri-bir**, **ex-tran-je-ro**, **im-plo-rar**, **es-tre-cho**.

APPENDIX **A**

Accentuation

In Spanish, all words are stressed according to specific rules. Words that do not follow the rules must have a written accent to indicate the change of stress. The basic rules for accentuation are as follows.

1. Words ending in a vowel, **n**, or **s** are stressed on the next-to-the-last syllable.

hi-jo	**ca**-lle	**me**-sa	fa-**mo**-sos
flo-**re**-cen	**pla**-ya	**ve**-ces	

2. Words ending in a consonant, except **n** or **s**, are stressed on the last syllable.

ma-**yor**	a-**mor**	tro-pi-**cal**	na-**riz**	re-**loj**	co-rre-**dor**

3. All words that do not follow these rules must have a written accent.

ca-**fé**	sa-**lió**	rin-**cón**	fran-**cés**	sa-**lón**
án-gel	**lá**-piz	**dé**-bil	a-**zú**-car	**Víc**-tor
sim-**pá**-ti-co	**lí**-qui-do	**mú**-si-ca	e-**xá**-me-nes	de-**mó**-cra-ta

4. Pronouns and adverbs of interrogation and exclamation have a written accent to distinguish them from relative pronouns.

—¿**Qué** comes?	*"What are you eating?"*
— La pera que él no comió.	*"The pear that he did not eat."*
—¿**Quién** está ahí?	*"Who is there?"*
— El hombre a quien tú llamaste.	*"The man whom you called."*
—¿**Dónde** está él?	*"Where is he?"*
— En el lugar donde trabaja.	*"At the place where he works."*
—¡**Qué** guapo estás, Jorge!	*"How handsome you look, Jorge!"*
—Voy a una entrevista.	*"I'm going to an interview."*

5. Words that have the same spelling but different meanings take a written accent to differentiate one from the other.

el	*the*	él	*he, him*	te	*you*	té	*tea*
mi	*my*	mí	*me*	si	*if*	sí	*yes*
tu	*your*	tú	*you*	mas	*but*	más	*more*

VERBS

APPENDIX **B**

Regular verbs

Model *-ar, -er, -ir* verbs

INFINITIVE		
amar *(to love)*	**comer** *(to eat)*	**vivir** *(to live)*
PRESENT PARTICIPLE		
amando *(loving)*	**comiendo** *(eating)*	**viviendo** *(living)*
PAST PARTICIPLE		
amado *(loved)*	**comido** *(eaten)*	**vivido** *(lived)*

Simple Tenses

Indicative Mood

Present

(I love)		*(I eat)*		*(I live)*	
amo	amamos	como	comemos	vivo	vivimos
amas	amáis	comes	coméis	vives	vivís
ama	aman	come	comen	vive	viven

Imperfect

(I used to love)		*(I used to eat)*		*(I used to live)*	
amaba	amábamos	comía	comíamos	vivía	vivíamos
amabas	amabais	comías	comíais	vivías	vivíais
amaba	amaban	comía	comían	vivía	vivían

Preterite

(I loved)		*(I ate)*		*(I lived)*	
amé	amamos	comí	comimos	viví	vivimos
amaste	amasteis	comiste	comisteis	viviste	vivisteis
amó	amaron	comió	comieron	vivió	vivieron

Future

(I will love)		*(I will eat)*		*(I will live)*	
amaré	amaremos	comeré	comeremos	viviré	viviremos
amarás	amaréis	comerás	comeréis	vivirás	viviréis
amará	amarán	comerá	comerán	vivirá	vivirán

Conditional

(I would love)		*(I would eat)*		*(I would live)*	
amaría	amaríamos	comería	comeríamos	viviría	viviríamos
amarías	amaríais	comerías	comeríais	vivirías	viviríais
amaría	amarían	comería	comerían	viviría	vivirían

Subjunctive Mood

Present

([that] I [may] love)		*([that] I [may] eat)*		*([that] I [may] live)*	
ame	amemos	coma	comamos	viva	vivamos
ames	améis	comas	comáis	vivas	viváis
ame	amen	coma	coman	viva	vivan

Imperfect

([that] I [might] love)	*([that] I [might] eat)*	*([that] I [might] live)*
am**ara(-ase)**	com**iera(-iese)**	viv**iera(-iese)**
am**aras(-ases)**	com**ieras(-ieses)**	viv**ieras(-ieses)**
am**ara(-ase)**	com**iera(-iese)**	viv**iera(-iese)**
am**áramos(-ásemos)**	com**iéramos(-iésemos)**	viv**iéramos(-iésemos)**
am**arais(-aseis)**	com**ierais(-ieseis)**	viv**ierais(-ieseis)**
am**aran(-asen)**	com**ieran(-iesen)**	viv**ieran(-iesen)**

Imperative Mood

(love)	*(eat)*	*(live)*
am**a** (tú)	com**e** (tú)	viv**e** (tú)
am**e** (Ud.)	com**a** (Ud.)	viv**a** (Ud.)
am**emos** (nosotros)	com**amos** (nosotros)	viv**amos** (nosotros)
am**ad** (vosotros)	com**ed** (vosotros)	viv**id** (vosotros)
am**en** (Uds.)	com**an** (Uds.)	viv**an** (Uds.)

Compound Tenses

PERFECT INFINITIVE

haber amado	**haber comido**	**haber vivido**

PERFECT PARTICIPLE

habiendo amado	**habiendo comido**	**habiendo vivido**

Indicative Mood

Present Perfect

(I have loved)		*(I have eaten)*		*(I have lived)*	
he amado	hemos amado	he comido	hemos comido	he vivido	hemos vivido
has amado	habéis amado	has comido	habéis comido	has vivido	habéis vivido
ha amado	han amado	ha comido	han comido	ha vivido	han vivido

Past Perfect (Pluperfect)

(I had loved)	*(I had eaten)*	*(I had lived)*
había amado	había comido	había vivido
habías amado	habías comido	habías vivido
había amado	había comido	había vivido
habíamos amado	habíamos comido	habíamos vivido
habíais amado	habíais comido	habíais vivido
habían amado	habían comido	habían vivido

Future Perfect

(I will have loved)	*(I will have eaten)*	*(I will have lived)*
habré amado	habré comido	habré vivido
habrás amado	habrás comido	habrás vivido
habrá amado	habrá comido	habrá vivido
habremos amado	habremos comido	habremos vivido
habréis amado	habréis comido	habréis vivido
habrán amado	habrán comido	habrán vivido

Conditional Perfect

(I would have loved)	*(I would have eaten)*	*(I would have lived)*
habría amado	habría comido	habría vivido
habrías amado	habrías comido	habrías vivido
habría amado	habría comido	habría vivido
habríamos amado	habríamos comido	habríamos vivido
habríais amado	habríais comido	habríais vivido
habrían amado	habrían comido	habrían vivido

Subjunctive Mood

Present Perfect

([that] I [may] have loved)	*([that] I [may] have eaten)*	*([that] I [may] have lived)*
haya amado	haya comido	haya vivido
hayas amado	hayas comido	hayas vivido
haya amado	haya comido	haya vivido
hayamos amado	hayamos comido	hayamos vivido
hayáis amado	hayáis comido	hayáis vivido
hayan amado	hayan comido	hayan vivido

Past Perfect (Pluperfect)

([that] I [might] have loved)	*([that] I [might] have eaten)*	*([that] I [might] have lived)*
hubiera(-iese) amado	hubiera(-iese) comido	hubiera(-iese) vivido
hubieras(-ieses) amado	hubieras(-ieses) comido	hubieras(-ieses) vivido
hubiera(-iese) amado	hubiera(-iese) comido	hubiera(-iese) vivido
hubiéramos(-iésemos) amado	hubiéramos(-iésemos) comido	hubiéramos(-iésemos) vivido
hubierais(-ieseis) amado	hubierais(-ieseis) comido	hubierais(-ieseis) vivido
hubieran(-iesen) amado	hubieran(-iesen) comido	hubieran(-iesen) vivido

Stem-changing verbs

The *-ar* and *-er* stem-changing verbs

Stem-changing verbs are those that have a spelling change in the root of the verb. Verbs that end in **-ar** and **-er** change the stressed vowel **e** to **ie**, and the stressed **o** to **ue**. These changes occur in all persons, except the first- and second-persons plural of the present indicative, present subjunctive, and imperative.

Infinitive	Indicative	Imperative	Subjunctive
cerrar *(to close)*	ci**e**rro	—	ci**e**rre
	ci**e**rras	ci**e**rra	ci**e**rres
	ci**e**rra	ci**e**rre	ci**e**rre
	cerramos	cerremos	cerremos
	cerráis	cerrad	cerréis
	ci**e**rran	ci**e**rren	ci**e**rren
perder *(to lose)*	pi**e**rdo	—	pi**e**rda
	pi**e**rdes	pi**e**rde	pi**e**rdas
	pi**e**rde	pi**e**rda	pi**e**rda
	perdemos	perdamos	perdamos
	perdéis	perded	perdáis
	pi**e**rden	pi**e**rdan	pi**e**rdan
contar *(to count; to tell)*	cu**e**nto	—	cu**e**nte
	cu**e**ntas	cu**e**nta	cu**e**ntes
	cu**e**nta	cu**e**nte	cu**e**nte
	contamos	contemos	contemos
	contáis	contad	contéis
	cu**e**ntan	cu**e**nten	cu**e**nten
volver *(to return)*	vu**e**lvo	—	vu**e**lva
	vu**e**lves	vu**e**lve	vu**e**lvas
	vu**e**lve	vu**e**lva	vu**e**lva
	volvemos	volvamos	volvamos
	volvéis	volved	volváis
	vu**e**lven	vu**e**lvan	vu**e**lvan

Verbs that follow the same pattern are:

acordarse	*to remember*	empezar	*to begin*	probar	*to prove; to taste*
acostar(se)	*to go to bed*	encender	*to light; to turn on*	recordar	*to remember*
almorzar	*to have lunch*	encontrar	*to find*	rogar	*to beg*
atravesar	*to go through*	entender	*to understand*	sentar(se)	*to sit down*
cocer	*to cook*	llover	*to rain*	soler	*to be in the habit of*
colgar	*to hang*	mover	*to move*	soñar	*to dream*
comenzar	*to begin*	mostrar	*to show*	tender	*to stretch; to unfold*
confesar	*to confess*	negar	*to deny*	torcer	*to twist*
costar	*to cost*	nevar	*to snow*		
demostrar	*to demonstrate, show*	pensar	*to think; to plan*		
despertar(se)	*to wake up*				

The *-ir* stem-changing verbs

There are two types of stem-changing verbs that end in **-ir**: one type changes stressed **e** to **ie** in some tenses and to **i** in others, and stressed **o** to **ue** or **u**; the second type changes stressed **e** to **i** only in all the irregular tenses.

Type I: *-ir:e > ie / o > ue*

These changes occur as follows.

Present Indicative: all persons except the first- and second-persons plural change **e** to **ie** and **o** to **ue**. *Preterite:* third-person singular and plural, changes **e** to **i** and **o** to **u**. *Present Subjunctive:* all persons change **e** to **ie** and **o** to **ue**, except the first- and second-persons plural, which change **e** to **i** and **o** to **u**. *Imperfect Subjunctive:* all persons change **e** to **i** and **o** to **u**. *Imperative:* all persons except the first- and second-persons plural change **e** to **ie** and **o** to **ue**; first-person plural changes **e** to **i** and **o** to **u**. *Present Participle:* changes **e** to **i** and **o** to **u**.

Infinitive	Indicative		Imperative	Subjunctive	
sentir *(to feel)*	**Present**	**Preterite**		**Present**	**Imperfect**
	siento	sentí		**sie**nta	**si**ntiera(-iese)
Present Participle	**sie**ntes	sentiste	**sie**nte	**sie**ntas	**si**ntieras
sintiendo	**sie**nte	**si**ntió	**sie**nta	**sie**nta	**si**ntiera
	sentimos	sentimos	**si**ntamos	**si**ntamos	**si**ntiéramos
	sentís	sentisteis	sentid	**si**ntáis	**si**ntierais
	sienten	**si**ntieron	**sie**ntan	**sie**ntan	**si**ntieran
dormir *(to sleep)*	**due**rmo	dormí		**due**rma	**du**rmiera(-iese)
Present Participle	**due**rmes	dormiste	**due**rme	**due**rmas	**du**rmieras
durmiendo	**due**rme	**du**rmió	**due**rma	**due**rma	**du**rmiera
	dormimos	dormimos	**du**rmamos	**du**rmamos	**du**rmiéramos
	dormís	dormisteis	dormid	**du**rmáis	**du**rmierais
	duermen	**du**rmieron	**due**rman	**due**rman	**du**rmieran

Other verbs that follow the same pattern are:

advertir	*to warn*	divertir(se)	*to amuse (oneself)*	morir	*to die*
arrepentirse	*to repent*	herir	*to wound, hurt*	preferir	*to prefer*
consentir	*to consent; to pamper*	mentir	*to lie*	referir	*to refer*
convertir(se)	*to turn into*			sugerir	*to suggest*

Type II: *-ir*: *e > i*

The verbs in the second category are irregular in the same tenses as those of the first type. The only difference is that they have just one change: **e** to **i** in all irregular persons.

Infinitive	Indicative		Imperative	Subjunctive	
pedir *(to ask for, request)*	**Present**	**Preterite**		**Present**	**Imperfect**
	pido	pedí		pida	pidiera(-iese)
Present Participle	pides	pediste	pide	pidas	pidieras
pidiendo	pide	pidió	pida	pida	pidiera
	pedimos	pedimos	pidamos	pidamos	pidiéramos
	pedís	pedisteis	pedid	pidáis	pidierais
	piden	pidieron	pidan	pidan	pidieran

Verbs that follow this pattern:

competir	*to compete*	impedir	*to prevent*	repetir	*to repeat*
concebir	*to conceive*	perseguir	*to pursue*	seguir	*to follow*
despedir(se)	*to say good-bye*	reír(se)	*to laugh*	servir	*to serve*
elegir	*to choose*	reñir	*to fight*	vestir(se)	*to dress*

Orthographic-changing verbs

Some verbs undergo a change in the spelling of the stem in some tenses in order to maintain the sound of the final consonant. The most common ones are those with the consonants **g** and **c**. Remember that **g** and **c** in front of **e** or **i** have a soft sound, and in front of **a**, **o**, or **u** have a hard sound. In order to keep the soft sound in front of **a**, **o**, or **u**, **g** and **c** change to **j** and **z**, respectively. In order to keep the hard sound of **g** or **c** in front of **e** and **i**, **u** is added to the **g (gu)** and the **c** changes to **qu**. The following are the most important verbs of this type that are regular in all tenses but change in spelling.

1. Verbs ending in **-gar** change **g** to **gu** before **e** in the first-person singular of the preterite and in all persons of the present subjunctive.

   pagar *to pay*
   Preterite: pa**gu**é, pagaste, pagó, etc.
   Pres. Subj.: pa**gu**e, pa**gu**es, pa**gu**e, pa**gu**emos, pa**gu**éis, pa**gu**en

   Verbs that follow the same pattern: **colgar**, **jugar**, **llegar**, **navegar**, **negar**, **regar**, **rogar**.

2. Verbs ending in **-ger** or **-gir** change **g** to **j** before **o** and **a** in the first-person singular of the present indicative and in all the persons of the present subjunctive.

   proteger *to protect*
   Pres. Ind.: prote**j**o, proteges, protege, etc.
   Pres. Subj.: prote**j**a, prote**j**as, prote**j**a, prote**j**amos, prote**j**áis, prote**j**an

   Verbs that follow the same pattern: **coger**, **corregir**, **dirigir**, **elegir**, **escoger**, **exigir**, **recoger**.

3. Verbs ending in **-guar** change **gu** to **gü** before **e** in the first-person singular of the preterite and in all persons of the present subjunctive.

   averiguar *to find out*
   Preterite: averi**gü**é, averiguaste, averiguó, etc.
   Pres. Subj.: averi**gü**e, averi**gü**es, averi**gü**e, averi**gü**emos, averi**gü**éis, averi**gü**en

   The verb **apaciguar** follows the same pattern.

4. Verbs ending in **-guir** change **gu** to **g** before **o** and **a** in the first-person singular of the present indicative and in all persons of the present subjunctive.

conseguir *to get*
Pres. Ind.: consi**go**, consigues, consigue, etc.
Pres. Subj.: consi**ga**, consi**gas**, consi**ga**, consi**gamos**, consi**gáis**, consi**gan**

Verbs that follow the same pattern: **distinguir**, **perseguir**, **proseguir**, **seguir**.

5. Verbs ending in **-car** change **c** to **qu** before **e** in the first-person singular of the preterite and in all persons of the present subjunctive.

tocar *to touch; to play (a musical instrument)*
Preterite: to**qué**, tocaste, tocó, etc.
Pres. Subj.: to**que**, to**ques**, to**que**, to**quemos**, to**quéis**, to**quen**

Verbs that follow the same pattern: **atacar**, **buscar**, **comunicar**, **explicar**, **indicar**, **pescar**, **sacar**.

6. Verbs ending in **-cer** or **-cir** preceded by a consonant change **c** to **z** before **o** and **a** in the first-person singular of the present indicative and in all persons of the present subjunctive.

torcer *to twist*
Pres. Ind.: tuer**zo**, tuerces, tuerce, etc.
Pres. Subj.: tuer**za**, tuer**zas**, tuer**za**, tor**zamos**, tor**záis**, tuer**zan**

Verbs that follow the same pattern: **convencer**, **esparcir**, **vencer**.

7. Verbs ending in **-cer** or **-cir** preceded by a vowel change **c** to **zc** before **o** and **a** in the first-person singular of the present indicative and in all persons of the present subjunctive.

conocer *to know, be acquainted with*
Pres. Ind.: cono**zco**, conoces, conoce, etc.
Pres. Subj.: cono**zca**, cono**zcas**, cono**zca**, cono**zcamos**, cono**zcáis**, cono**zcan**

Verbs that follow the same pattern: **agradecer**, **aparecer**, **carecer**, **entristecer** *(to sadden)*, **establecer**, **lucir**, **nacer**, **obedecer**, **ofrecer**, **padecer**, **parecer**, **pertenecer**, **reconocer**, **relucir**.

8. Verbs ending in **-zar** change **z** to **c** before **e** in the first-person singular of the preterite and in all persons of the present subjunctive.

rezar *to pray*
Preterite: re**cé**, rezaste, rezó, etc.
Pres. Subj.: re**ce**, re**ces**, re**ce**, re**cemos**, re**céis**, re**cen**

Verbs that follow the same pattern: **abrazar**, **alcanzar**, **almorzar**, **comenzar**, **cruzar**, **empezar**, **forzar**, **gozar**.

9. Verbs ending in **-eer** change the unstressed **i** to **y** between vowels in the third-person singular and plural of the preterite, in all persons of the imperfect subjunctive, and in the present participle.

creer *to believe*
Preterite: creí, creíste, cre**yó**, creímos, creísteis, cre**yeron**
Imp. Subj.: cre**yera**(-ese), cre**yeras**, cre**yera**, cre**yéramos**, cre**yerais**, cre**yeran**
Pres. Part.: cre**yendo**
Past Part.: creído

Verbs that follow the same pattern: **leer**, **poseer**.

10. Verbs ending in **-uir** change the unstressed **i** to **y** between vowels (except **-quir**, which has the silent **u**) in the following tenses and persons.

huir *to escape; to flee*
Pres. Part.: huyendo
Pres. Ind.: huyo, huyes, huye, huimos, huís, huyen
Preterite: huí, huiste, huyó, huimos, huisteis, huyeron
Imperative: huye, huya, huyamos, huid, huyan
Pres. Subj.: huya, huyas, huya, huyamos, huyáis, huyan
Imp. Subj.: huyera(-ese), huyeras, huyera, huyéramos, huyerais, huyeran

Verbs that follow the same pattern: **atribuir**, **concluir**, **constituir**, **construir**, **contribuir**, **destituir**, **destruir**, **disminuir**, **distribuir**, **excluir**, **incluir**, **influir**, **instruir**, **restituir**, **sustituir**.

11. Verbs ending in **-eír** lose the **e** in all but the first- and second-persons plural of the present indicative, in the third-person singular and plural of the preterite, in all persons of the present and imperfect subjunctive, and in the present participle.

reír *to laugh*
Pres. Ind.: río, ríes, ríe, reímos, reís, ríen
Preterite: reí, reíste, rió, reímos, reísteis, rieron
Pres. Subj.: ría, rías, ría, riamos, riáis, rían
Imp. Subj.: riera(-ese), rieras, riera, riéramos, rierais, rieran
Pres. Part.: riendo

Verbs that follow the same pattern: **sonreír**, **freír**.

12. Verbs ending in **-iar** add a written accent to the **i**, except in the first- and second-persons plural of the present indicative and subjunctive.

fiar(se) *to trust*
Pres. Ind.: (me) fío, (te) fías, (se) fía, (nos) fiamos, (os) fiáis, (se) fían
Pres. Subj.: (me) fíe, (te) fíes, (se) fíe, (nos) fiemos, (os) fiéis, (se) fíen

Verbs that follow the same pattern: **ampliar**, **criar**, **desviar**, **enfriar**, **enviar**, **guiar**, **telegrafiar**, **vaciar**, **variar**.

13. Verbs ending in **-uar** (except **-guar**) add a written accent to the **u**, except in the first- and second-persons plural of the present indicative and subjunctive.

actuar *to act*
Pres. Ind.: actúo, actúas, actúa, actuamos, actuáis, actúan
Pres. Subj.: actúe, actúes, actúe, actuemos, actuéis, actúen

Verbs that follow the same pattern: **acentuar**, **continuar**, **efectuar**, **exceptuar**, **graduar**, **habituar**, **insinuar**, **situar**.

14. Verbs ending in **-ñir** lose the **i** of the diphthongs **ie** and **ió** in the third-person singular and plural of the preterite and all persons of the imperfect subjunctive. They also change the **e** of the stem to **i** in the same persons and in the present indicative and present subjunctive.

teñir *to dye*
Pres. Ind.: tiño, tiñes, tiñe, teñimos, teñís, tiñen
Preterite: teñí, teñiste, tiñó, teñimos, teñisteis, tiñeron
Pres. Subj.: tiña, tiñas, tiña, tiñamos, tiñáis, tiñan
Imp. Subj.: tiñera(-ese), tiñeras, tiñera, tiñéramos, tiñerais, tiñeran

Verbs that follow the same pattern: **ceñir**, **constreñir**, **desteñir**, **estreñir**, **reñir**.

APPENDIX B

Some common irregular verbs

Only tenses with irregular forms are given below.

adquirir *to acquire*
Pres. Ind.: adquiero, adquieres, adquiere, adquirimos, adquirís, adquieren
Pres. Subj.: adquiera, adquieras, adquiera, adquiramos, adquiráis, adquieran
Imperative: adquiere, adquiera, adquiramos, adquirid, adquieran

andar *to walk*
Preterite: anduve, anduviste, anduvo, anduvimos, anduvisteis, anduvieron
Imp. Subj.: anduviera (anduviese), anduvieras, anduviera, anduviéramos, anduvierais, anduvieran

avergonzarse *to be ashamed, embarrassed*
Pres. Ind.: me avergüenzo, te avergüenzas, se avergüenza, nos avergonzamos, os avergonzáis, se avergüenzan
Pres. Subj.: me avergüence, te avergüences, se avergüence, nos avergoncemos, os avergoncéis, se avergüencen
Imperative: avergüénzate, avergüéncese, avergoncémonos, avergonzaos, avergüéncense

caber *to fit; to have enough room*
Pres. Ind.: quepo, cabes, cabe, cabemos, cabéis, caben
Preterite: cupe, cupiste, cupo, cupimos, cupisteis, cupieron
Future: cabré, cabrás, cabrá, cabremos, cabréis, cabrán
Conditional: cabría, cabrías, cabría, cabríamos, cabríais, cabrían
Imperative: cabe, quepa, quepamos, cabed, quepan
Pres. Subj.: quepa, quepas, quepa, quepamos, quepáis, quepan
Imp. Subj.: cupiera (cupiese), cupieras, cupiera, cupiéramos, cupierais, cupieran

caer *to fall*
Pres. Ind.: caigo, caes, cae, caemos, caéis, caen
Preterite: caí, caíste, cayó, caímos, caísteis, cayeron
Imperative: cae, caiga, caigamos, caed, caigan
Pres. Subj.: caiga, caigas, caiga, caigamos, caigáis, caigan
Imp. Subj.: cayera (cayese), cayeras, cayera, cayéramos, cayerais, cayeran
Past Part.: caído

conducir *to guide; to drive* (All verbs ending in **-ducir** follow this pattern.)
Pres. Ind.: conduzco, conduces, conduce, conducimos, conducís, conducen
Preterite: conduje, condujiste, condujo, condujimos, condujisteis, condujeron
Imperative: conduce, conduzca, conduzcamos, conducid, conduzcan
Pres. Subj.: conduzca, conduzcas, conduzca, conduzcamos, conduzcáis, conduzcan
Imp. Subj.: condujera (condujese), condujeras, condujera, condujéramos, condujerais, condujeran

convenir *to agree* (see **venir**)

dar *to give*
Pres. Ind.: doy, das, da, damos, dais, dan
Preterite: di, diste, dio, dimos, disteis, dieron
Imperative: da, dé, demos, dad, den
Pres. Subj.: dé, des, dé, demos, deis, den
Imp. Subj.: diera (diese), dieras, diera, diéramos, dierais, dieran

decir *to say, tell*
Pres. Ind.: digo, dices, dice, decimos, decís, dicen
Preterite: dije, dijiste, dijo, dijimos, dijisteis, dijeron
Future: diré, dirás, dirá, diremos, diréis, dirán
Conditional: diría, dirías, diría, diríamos, diríais, dirían
Imperative: di, diga, digamos, decid, digan

Pres. Subj.: diga, digas, diga, digamos, digáis, digan
Imp. Subj.: dijera (dijese), dijeras, dijera, dijéramos, dijerais, dijeran
Pres. Part.: diciendo
Past Part.: dicho

detener *to stop; to hold; to arrest* (see **tener**)

entretener *to entertain, amuse* (see **tener**)

errar *to err; to miss*
Pres. Ind.: yerro, yerras, yerra, erramos, erráis, yerran
Imperative: yerra, yerre, erremos, errad, yerren
Pres. Subj.: yerre, yerres, yerre, erremos, erréis, yerren

estar *to be*
Pres. Ind.: estoy, estás, está, estamos, estáis, están
Preterite: estuve, estuviste, estuvo, estuvimos, estuvisteis, estuvieron
Imperative: está, esté, estemos, estad, estén
Pres. Subj.: esté, estés, esté, estemos, estéis, estén
Imp. Subj.: estuviera (estuviese), estuvieras, estuviera, estuviéramos, estuvierais, estuvieran

haber *to have*
Pres. Ind.: he, has, ha, hemos, habéis, han
Preterite: hube, hubiste, hubo, hubimos, hubisteis, hubieron
Future: habré, habrás, habrá, habremos, habréis, habrán
Conditional: habría, habrías, habría, habríamos, habríais, habrían
Pres. Subj.: haya, hayas, haya, hayamos, hayáis, hayan
Imp. Subj.: hubiera (hubiese), hubieras, hubiera, hubiéramos, hubierais, hubieran

hacer *to do, make*
Pres. Ind.: hago, haces, hace, hacemos, hacéis, hacen
Preterite: hice, hiciste, hizo, hicimos, hicisteis, hicieron
Future: haré, harás, hará, haremos, haréis, harán
Conditional: haría, harías, haría, haríamos, haríais, harían
Imperative: haz, haga, hagamos, haced, hagan
Pres. Subj.: haga, hagas, haga, hagamos, hagáis, hagan
Imp. Subj.: hiciera (hiciese), hicieras, hiciera, hiciéramos, hicierais, hicieran
Past Part.: hecho

imponer *to impose; to deposit* (see **poner**)

ir *to go*
Pres. Ind.: voy, vas, va, vamos, vais, van
Imp. Ind.: iba, ibas, iba, íbamos, ibais, iban
Preterite: fui, fuiste, fue, fuimos, fuisteis, fueron
Imperative: ve, vaya, vayamos, id, vayan
Pres. Subj.: vaya, vayas, vaya, vayamos, vayáis, vayan
Imp. Subj.: fuera (fuese), fueras, fuera, fuéramos, fuerais, fueran

jugar *to play*
Pres. Ind.: juego, juegas, juega, jugamos, jugáis, juegan
Imperative: juega, juegue, juguemos, jugad, jueguen
Pres. Subj.: juegue, juegues, juegue, juguemos, juguéis, jueguen

obtener *to obtain* (see **tener**)

oír *to hear*
Pres. Ind.: oigo, oyes, oye, oímos, oís, oyen
Preterite: oí, oíste, oyó, oímos, oísteis, oyeron
Imperative: oye, oiga, oigamos, oíd, oigan
Pres. Subj.: oiga, oigas, oiga, oigamos, oigáis, oigan
Imp. Subj.: oyera (oyese), oyeras, oyera, oyéramos, oyerais, oyeran
Pres. Part.: oyendo
Past Part.: oído

oler *to smell*
Pres. Ind.: huelo, hueles, huele, olemos, oléis, huelen
Imperative: huele, huela, olamos, oled, huelan
Pres. Subj.: huela, huelas, huela, olamos, oláis, huelan

poder *to be able to*
Preterite: pude, pudiste, pudo, pudimos, pudisteis, pudieron
Future: podré, podrás, podrá, podremos, podréis, podrán
Conditional: podría, podrías, podría, podríamos, podríais, podrían
Imperative: puede, pueda, podamos, poded, puedan
Imp. Subj.: pudiera (pudiese), pudieras, pudiera, pudiéramos, pudierais, pudieran
Pres. Part.: pudiendo

poner *to place, put*
Pres. Ind.: pongo, pones, pone, ponemos, ponéis, ponen
Preterite: puse, pusiste, puso, pusimos, pusisteis, pusieron
Future: pondré, pondrás, pondrá, pondremos, pondréis, pondrán
Conditional: pondría, pondrías, pondría, pondríamos, pondríais, pondrían
Imperative: pon, ponga, pongamos, poned, pongan
Pres. Subj.: ponga, pongas, ponga, pongamos, pongáis, pongan
Imp. Subj.: pusiera (pusiese), pusieras, pusiera, pusiéramos, pusierais, pusieran
Past Part.: puesto

querer *to want, wish; to like, love*
Preterite: quise, quisiste, quiso, quisimos, quisisteis, quisieron
Future: querré, querrás, querrá, querremos, querréis, querrán
Conditional: querría, querrías, querría, querríamos, querríais, querrían
Imp. Subj.: quisiera (quisiese), quisieras, quisiera, quisiéramos, quisierais, quisieran

resolver *to decide on, to solve*
Past Part.: resuelto

saber *to know*
Pres. Ind.: sé, sabes, sabe, sabemos, sabéis, saben
Preterite: supe, supiste, supo, supimos, supisteis, supieron
Future: sabré, sabrás, sabrá, sabremos, sabréis, sabrán
Conditional: sabría, sabrías, sabría, sabríamos, sabríais, sabrían
Imperative: sabe, sepa, sepamos, sabed, sepan
Pres. Subj.: sepa, sepas, sepa, sepamos, sepáis, sepan
Imp. Subj.: supiera (supiese), supieras, supiera, supiéramos, supierais, supieran

salir *to leave; to go out*
Pres. Ind.: salgo, sales, sale, salimos, salís, salen
Future: saldré, saldrás, saldrá, saldremos, saldréis, saldrán
Conditional: saldría, saldrías, saldría, saldríamos, saldríais, saldrían
Imperative: sal, salga, salgamos, salid, salgan
Pres. Subj.: salga, salgas, salga, salgamos, salgáis, salgan

ser *to be*
Pres. Ind.: soy, eres, es, somos, sois, son
Imp. Ind.: era, eras, era, éramos, erais, eran
Preterite: fui, fuiste, fue, fuimos, fuisteis, fueron
Imperative: sé, sea, seamos, sed, sean
Pres. Subj.: sea, seas, sea, seamos, seáis, sean
Imp. Subj.: fuera (fuese), fueras, fuera, fuéramos, fuerais, fueran

suponer *to assume* (see **poner**)

tener *to have*
Pres. Ind.: tengo, tienes, tiene, tenemos, tenéis, tienen
Preterite: tuve, tuviste, tuvo, tuvimos, tuvisteis, tuvieron
Future: tendré, tendrás, tendrá, tendremos, tendréis, tendrán
Conditional: tendría, tendrías, tendría, tendríamos, tendríais, tendrían
Imperative: ten, tenga, tengamos, tened, tengan
Pres. Subj.: tenga, tengas, tenga, tengamos, tengáis, tengan
Imp. Subj.: tuviera (tuviese), tuvieras, tuviera, tuviéramos, tuvierais, tuvieran

traducir *to translate* (see **conducir**)

traer *to bring*
Pres. Ind.: traigo, traes, trae, traemos, traéis, traen
Preterite: traje, trajiste, trajo, trajimos, trajisteis, trajeron
Imperative: trae, traiga, traigamos, traed, traigan
Pres. Subj.: traiga, traigas, traiga, traigamos, traigáis, traigan
Imp. Subj.: trajera (trajese), trajeras, trajera, trajéramos, trajerais, trajeran
Pres. Part.: trayendo
Past Part.: traído

valer *to be worth*
Pres. Ind.: valgo, vales, vale, valemos, valéis, valen
Future: valdré, valdrás, valdrá, valdremos, valdréis, valdrán
Conditional: valdría, valdrías, valdría, valdríamos, valdríais, valdrían
Imperative: vale, valga, valgamos, valed, valgan
Pres. Subj.: valga, valgas, valga, valgamos, valgáis, valgan

venir *to come*
Pres. Ind.: vengo, vienes, viene, venimos, venís, vienen
Preterite: vine, viniste, vino, vinimos, vinisteis, vinieron
Future: vendré, vendrás, vendrá, vendremos, vendréis, vendrán
Conditional: vendría, vendrías, vendría, vendríamos, vendríais, vendrían
Imperative: ven, venga, vengamos, venid, vengan
Pres. Subj.: venga, vengas, venga, vengamos, vengáis, vengan
Imp. Subj.: viniera (viniese), vinieras, viniera, viniéramos, vinierais, vinieran
Pres. Part.: viniendo

ver *to see*
Pres. Ind.: veo, ves, ve, vemos, veis, ven
Imp. Ind.: veía, veías, veía, veíamos, veíais, veían
Preterite: vi, viste, vio, vimos, visteis, vieron
Imperative: ve, vea, veamos, ved, vean
Pres. Subj.: vea, veas, vea, veamos, veáis, vean
Imp. Subj.: viera (viese), vieras, viera, viéramos, vierais, vieran
Past Part.: visto

volver *to return*
Past Part.: vuelto

APPENDIX C

GLOSSARY OF GRAMMATICAL TERMS

adjective: A word that is used to describe a noun: *tall* girl, *difficult* lesson.

adverb: A word that modifies a verb, an adjective, or another adverb. It answers the questions "How?", "When?", "Where?": She walked *slowly*. She'll be here *tomorrow*. She is *here*.

agreement: A term applied to changes in form that nouns cause in the words that surround them. In Spanish, verb forms agree with their subjects in person and number **(*yo* hablo, *él* habl*a*, etc.)**. Spanish adjectives agree in gender and number with the noun they describe. Thus, a feminine plural noun requires a feminine plural ending in the adjective that describes it **(cas*as* amarill*as*)**, and a masculine singular noun requires a masculine singular ending in the adjective **(libr*o* negr*o*)**.

auxiliary verb: A verb that helps in the conjugation of another verb: I *have* finished. He *was* called. She *will* go. He *would* eat.

command form: The form of the verb used to give an order or direction: *Go! Come back! Turn* to the right!

conjugation: The process by which the forms of the verb are presented in their different moods and tenses: I *am*, you *are*, he *is*, she *was*, we *were*, etc.

contraction: The combination of two or more words into one: *isn't, don't, can't.*

definite article: A word used before a noun indicating a definite person or thing: *the* woman, *the* money.

demonstrative: A word that refers to a definite person or object: *this, that, these, those.*

diphthong: A combination of two vowels forming one syllable. In Spanish, a diphthong is composed of one *strong* vowel **(a, e, o)** and one *weak* vowel **(i, u)** or two *weak* vowels: **ei, au, ui.**

exclamation: A word used to express emotion: How strong! What beauty!

gender: A distinction of nouns, pronouns, and adjectives, based on whether they are masculine or feminine.

indefinite article: A word used before a noun that refers to an indefinite person or object: *a* child, *an* apple.

infinitive: The base form of the verb generally preceded in English by the word *to* and showing no subject or number: *to do, to bring.*

interrogative: A word used in asking a question: *Who?, What?, Where?*

main clause: A group of words that includes a subject and a verb and that by itself has complete meaning: *They saw me. I go now.*

noun: A word that names a person, place, or thing: *Ann, London, pencil.*

number: Number refers to singular and plural: *chair, chairs.*

object: Generally a noun or a pronoun that is the receiver of the verb's action. A **direct object** answers the question "What?" or "Whom?": We know *her.* Take *it.* An **indirect object** answers the question "To whom?" or "To what?": Give the money to *John.* Nouns and pronouns can also be **objects of prepositions**: The letter is *from Rick.* I'm thinking *about you.*

past participle: Past forms of a verb: *gone, worked, written.*

person: The form of the pronoun and of the verb that shows the person referred to: *I* (first-person singular), *you* (second-person singular), *she* (third-person singular), etc.

possessive: A word that denotes ownership or possession: This is *our* house. The book isn't *mine.*

preposition: A word that introduces a noun or pronoun and indicates its function in the sentence: They were *with* us. She is *from* Manitoba.

pronoun: A word that is used to replace a noun: *she, them, us,* etc. A **subject pronoun** refers to the person or thing spoken of: *They* work. An **object pronoun** receives the action of the verb: They arrested *us* (direct object pronoun). She spoke to *him* (indirect object pronoun). A pronoun can also be the **object of a preposition**: The children stayed with *us.*

reflexive pronoun: A pronoun that refers back to the subject: *myself, yourself, himself, herself, itself, ourselves,* etc.

subject: The person, place, or thing spoken of: *Robert* works. *Our car* is new.

subordinate clause: A clause that has no complete meaning by itself but depends on a main clause: They knew *that I was here.*

tense: The group of forms in a verb that show the time in which the action of the verb takes place: *I go* (present indicative), *I'm going* (present progressive), *I went* (past), *I was going* (past progressive), *I will go* (future), *I would go* (conditional), *I have gone* (present perfect), *I had gone* (past perfect), *that I may go* (present subjunctive), etc.

verb: A word that expresses an action or a state: We *sleep.* The baby *is* sick.

ANSWER KEY TO *TOMA ESTE EXAMEN*

Lección Preliminar & Lección 1

A. 1. los; unos 2. los; unos 3. el; un 4. las; unas 5. la; una 6. la; una 7. los; unos 8. los; unos

B. 1. nosotras 2. ellos 3. ella 4. ustedes 5. ellas 6. él 7. vosotros / ustedes 8. usted 9. tú

C. 1. soy; es 2. son / sois 3. somos 4. son 5. eres 6. es

D. 1. El alumno es canadiense. 2. Los lápices son verdes. 3. Las mesas son blancas. 4. Es un hombre español. 5. Las profesoras son inglesas. 6. Los muchachos son ricos. 7. Es una mujer inteligente. 8. Los señores son muy simpáticos.

E. 1. De-í-a-zeta 2. Jota-i-eme-é-ene-e-zeta 3. Ve-a-ere-ge-a-ese 4. Pe-a-ere-ere-a 5. Efe-e-ele-i-ú 6. A-ce-u-eñe-a

F. 1. ocho 2. catorce 3. veintiséis 4. once 5. treinta y cinco 6. diez 7. trece 8. cero 9. cuarenta 10. diecisiete 11. treinta y nueve 12. quince

G. 1. llama; dónde 2. gusto 3. dice 4. cuarto; muy 5. alumnos / estudiantes 6. habla 7. está 8. Saludos 9. es 10. nada

H. 1. Buenos días, señorita Moreno. ¿Cómo está (Ud.)? 2. Sergio habla con Ana en la clase. 3. ¿Cuál es tu número de teléfono, Anita? 4. Lupe es inteligente y simpática. 5. ¿Cómo es Viviana?

Lección 2

A. 1. tomas / bebes 2. habla / conversa 3. hablamos 4. deseo 5. estudia 6. trabajan 7. necesita 8. terminamos

B. 1. a. ¿Hablan ellos inglés con los estudiantes? / ¿Ellos hablan inglés con los estudiantes? b. Ellos no hablan inglés con los estudiantes. 2. a. ¿Es ella de México? / ¿Ella es de México? /¿Es de México ella? b. Ella no es de México. 3. a. ¿Terminan Uds. hoy? / ¿Uds. terminan hoy? b. Uds. no terminan hoy.

C. 1. tu 2. su 3. nuestra 4. mis 5. sus 6. nuestros 7. su 8. su

D. 1. las 2. los 3. el 4. las 5. los 6. el 7. la 8. la

E. 1. ochenta bolígrafos 2. cuarenta y seis mochilas 3. setenta y dos relojes 4. treinta y tres ventanas 5. doscientas sillas 6. ciento quince cuadernos 7. sesenta y ocho estudiantes / alumnos 8. cincuenta mapas 9. noventa y cinco computadoras

F. 1. Es la una 2. a las nueve y media / treinta de la mañana 3. por la tarde 4. Son 5. a las tres menos cuarto (quince) / a las dos y cuarenta y cinco

G. martes; miércoles; viernes; sábado

1. el primero de marzo 2. el diez de junio 3. el trece de agosto 4. el veintiséis de diciembre 5. el tres de septiembre 6. el veintiocho de octubre 7. el diecisiete de julio 8. el cuatro de abril 9. el dos de enero 10. el cinco de febrero

1. invierno 2. primavera 3. otoño 4. verano

H. 1. hora 2. horario; Aquí 3. solamente / solo 4. taza; vaso 5. toman 6. semestre 7. primavera 8. asignatura / materia 9. copa 10. jugo

I. 1. —Clara, ¿qué clases tomas? —Tomo inglés, historia y español. 2. El profesor Salinas es de México. (Él) Es nuestro profesor de biología. 3. Martina desea estudiar, pero Jorge desea una taza de café. 4. —¿Qué hora es? —Son las diez y media / treinta. 5. El primero de julio es el Día de Canadá.

Lección 3

A. 1. escribe 2. vivimos 3. deben 4. corres 5. bebo 6. come 7. abre 8. Reciben

B. 1. la amiga de David 2. la ropa de mi hermano 3. la casa de la señora Peña 4. los padres de Eva

C. 1. vienes 2. venimos; tenemos 3. tienen; vienen 4. vengo; tengo 5. tiene 6. tiene

D. 1. tengo mucho calor. 2. tiene mucha hambre. 3. tiene mucha sed. 4. tienes mucho frío. 5. tenemos mucho sueño. 6. tienen mucho miedo. 7. tengo mucha prisa.

E. 1. a. esas b. esos 2. a. esta b. este 3. a. aquel b. aquella 4. a. esa b. ese 5. a. estos b. estas

F. 1. quinientos sesenta y siete 2. setecientos noventa 3. mil 4. trescientos cuarenta y cinco 5. seiscientos quince 6. millón trescientos cuarenta mil ochocientos setenta y cuatro 7. novecientos sesenta y cinco 8. ochocientos veinticinco 9. cuatrocientos ochenta y uno 10. trece mil ochocientos dieciséis

G. 1. trabajos / quehaceres 2. rato 3. Quién 4. electrónicos 5. cosas 6. platos 7. comedor 8. puerta; abrir 9. sacar 10. vienen; momento 11. bebo / tomo; sed 12. pasar

H. 1. Juan tiene que sacar la basura. 2. —Tenemos mucha hambre. —¿Por qué no comen? 3. Héctor limpia la sala de estar, pero no lava los platos. 4. —¿Cuántos años tienes / tiene? —Tengo dieciocho años. 5. Esta casa es grande. Aquella es pequeña.

Lección 4

A. 1. salgo 2. conduzco 3. traigo 4. traduzco 5. hago 6. conozco 7. sé 8. veo 9. pongo

B. 1. conoces; Sabes 2. sé 3. conocemos 4. conocen 5. sabe

C. 1. Yo conozco a la tía de Julio. 2. Luis tiene tres tíos y dos tías. 3. Ana lleva a su prima a la fiesta. 4. Uds. conocen San Salvador. 5. El profesor tiene veinte estudiantes. 6. Aurora conoce a Rita, a Carlos y a María. 7. Nosotros invitamos a Teresa y a su familia. 8. Ellas llaman un taxi.

D. 1. No conocemos al Sr. Vega. 2. Es la hermana del profesor. 3. Venimos del club. 4. Voy al laboratorio. 5. Vengo de la playa.

E. 1. das; doy; da 2. van; voy; va 3. Estoy 4. dan; damos 5. están; estamos 6. vas; voy; vamos

F. 1. ¿Dónde vas a estudiar? 2. ¿Qué van a comer Uds.? 3. ¿Con quién va a ir Roberto? 4. ¿A qué hora va a terminar Ud.? 5. ¿Cuándo van a trabajar ellos?

G. 1. abuela 2. algo 3. castaños / verdes / azules / negros... 4. pelirroja 5. estatura 6. cumpleaños 7. soltera 8. pareja 9. entremeses 10. bailar 11. levantan; Salud 12. éxito

H. 1. Mi primo(a) tiene ojos verdes. 2. Yo salgo / Salgo mucho por la noche pero no conduzco. 3. —Tina, ¿(tú) conoces a Roberto? —Sí, y también sé dónde (él) vive. 4. Los hijos del señor Rivera van al club. 5. Vamos a dar una fiesta mañana porque es mi cumpleaños.

Lección 5

A. 1. estamos sirviendo 2. estoy leyendo 3. está bailando 4. estás comiendo 5. está durmiendo

B. 1. es; está 2. está; Es 3. son 4. estás 5. es 6. es 7. estamos 8. Son 9. son 10. están

C. 1. prefieres; quiere 2. empiezan / comienzan 3. pensamos 4. prefieren 5. queremos 6. entiendo 7. cerráis 8. empiezas / comienzas

D. 1. mucho mayor que 2. tan alto como 3. la más inteligente de 4. tan bien como 5. el mejor de 6. mucho más bonita que

E. 1. conmigo; contigo; con ellos (ellas) 2. para ti; para mí; para ella

F. 1. pagar; propina 2. sopa; coctel 3. tostado; mantequilla; mermelada 4. asado 5. especialidad 6. helado 7. puré; ensalada 8. vegetariano 9. jamón 10. hamburguesa; caliente

G. 1. ¿Quién es más inteligente que Beto? 2. ¿Vas a ir a la fiesta conmigo o con Andrea? 3. Prefiero comer frutas y vegetales. 4. La sopa en la cafetería está muy sabrosa hoy / Hoy la sopa está muy sabrosa en la cafetería. 5. Carlos Alberto tiene más de veinte años.

Lección 6

A. 1. recuerdo 2. vuelve 3. cuestan 4. puedo 5. encontramos 6. podemos 7. duerme

B. 1. piden; consiguen 2. servimos 3. consigues; pides 4. dice 5. sirve; pide 6. digo 7. pedimos 8. consigue

C. 1. No, no voy a leerlos / No, no los voy a leer. 2. No, no lo (la) conoce. 3. No, no me llevan. 4. No, ella no te llama mañana. 5. No, no lo necesito. 6. No, no la tengo. 7. No, (ellos) no nos conocen. 8. No, no las conseguimos.

D. 1. Tengo algo aquí. 2. ¿Quiere algo más? 3. Siempre vamos al supermercado. 4. Quiero (o) la pluma roja o la pluma verde. 5. Siempre llamo a alguien.

E. 1. Hace cinco años que (yo) vivo en Honduras. 2. ¿Cuánto tiempo hace que (Ud.) estudia español, Sr. Smith? 3. Hace dos horas que (ellos) escriben. 4. Hace dos días que (ella) no come.

F. 1. azúcar 2. chuletas 3. panadería 4. almorzamos 5. vuelven 6. muertos 7. recién 8. cerca 9. cangrejo; langosta 10. docena; salsa

G. 1. En el mercado compramos apio, zanahorias y pepinos.; Compramos apio, zanahorias y pepinos en el mercado. 2. ¡Estoy muerto(a) de hambre! ¿A qué hora sirven el almuerzo? 3. Hugo pide chuletas de cerdo. Las quiere con espaguetis. 4. Nunca habla con nadie. 5. —¿Cuánto tiempo hace que (tú) vives aquí? —Hace cuatro años que (yo) vivo aquí. 6. Ellos pueden venir a la fiesta el viernes. 7. Tengo una receta muy buena / muy buena receta para la ensalada mixta. 8. El señor Vega es un cocinero. Trabaja en un restaurante famoso.

Lección 7

A. 1. se levantan; se acuestan 2. afeitarme 3. te pruebas 4. se sienta 5. nos bañamos 6. vestirse

B. 1. les digo 2. nos manda 3. le pregunta 4. me dan 5. te escribe 6. comprarles

C. 1. Le gusta patinar a Clara. 2. Esa película te gusta más a ti. 3. Las montañas nos gustan a nosotros. 4. Montar en bicicleta y esquiar les gusta a Uds. 5. No me gustan los exámenes difíciles a mí. *(There can be some variation with the word order.)*

D. 1. Yo llegué a casa y busqué los libros, pero no los encontré. 2. ¿Tú visitaste a tus abuelos y merendaste con ellos? 3. Estela comió en la cafetería, estudió en la biblioteca y volvió a su casa a las dos de la tarde. 4. Yo escribí muchos correos electrónicos, y hablé por teléfono con mis amigos. Salí de mi casa a la una. 5. Nosotros bebimos café y ellos bebieron té. Nadie bebió agua. 6. Yo empecé a trabajar a las ocho y ustedes empezaron a las nueve.

E. 1. fue; vio 2. Dieron 3. fue 4. fui; vi 5. fueron 6. Di 7. vieron 8. fuimos

F. 1. cabeza 2. se levantan / se despiertan 3. partido 4. rompió 5. dedos 6. escalar 7. montar 8. medianoche 9. nadar 10. quita

G. 1. —¿Fueron al teatro anoche? —No, vieron una película en casa. 2. Me levanto a las siete y me acuesto a las once. 3. Alina se ducha y se viste. 4. Nos gusta ir a la playa, pero los museos no nos interesan mucho / Ir a la playa nos gusta, pero no nos interesan mucho los museos. 5. —¿Te divertiste en el club anoche, Luisa?

Lección 8

A. 1. trajeron; traje 2. Tuve 3. hizo 4. dijiste; dijeron 5. vino; viniste 6. estuvimos; estuvieron 7. hicieron 8. supe 9. condujeron; conduje 10. quiso

B. 1. Sí, te (se) las compré. 2. Sí, se los trajimos. 3. Sí, me lo van a dar / Sí, van a dármelo. 4. Sí, nos los va a traer / Sí, va a traérnoslos. 5. Sí, se la va a comprar / Sí, va a comprársela. 6. Sí, me las traen.

C. 1. se divirtieron; siguieron; durmieron 2. pidió 3. murió 4. consiguió 5. sirvió

D. 1. ibas 2. era 3. hablaban 4. veíamos 5. pescaban 6. comía

E. 1. fácilmente 2. especialmente 3. lentamente 4. rápidamente 5. lenta y claramente 6. francamente

F. 1. aire 2. raqueta 3. armar 4. cesta 5. remar 6. hotel 7. frecuentemente 8. acuático 9. tomar 10. tabla 11. hacer 12. encanta

G. 1. El sábado no pudimos ir a acampar con nuestros amigos. 2. Ana me prestó su tabla de mar. Me la prestó ayer. 3. En el restaurante Eduardo y Marisol pidieron café. El (La) camarero(a) se lo sirvió. 4. Cuando era pequeño(a), frecuentemente / a menudo jugaba al aire libre. 5. A los estudiantes les gusta la profesora Guzmán. Ella habla lenta y claramente. 6. Acabamos de regresar / volver de nuestras vacaciones. 7. —Isabel, ¿acampas con nosotros este fin de semana? —¡Espero que sí! 8. Ellos compraron una caña de pescar y una raqueta de tenis en la tienda.

Lección 9

A. 1. para 2. por 3. por 4. por 5. para 6. para; por 7. para; por; por 8. por

B. 1. hace; calor 2. hace; frío; nieva 3. llueve 4. hay; niebla 5. hace; sol / calor

C. 1. celebramos 2. Eran; salí; Llegué 3. dijo; era; pedí 4. era; vivía 5. estaba; vi 6. fue; estaba; Prefirió 7. hice 8. estábamos; llamaste

D. 1. Hace tres horas que llegué. 2. Hace cuatro meses que ellos vinieron. 3. Hace media hora que empecé a trabajar. 4. Hace cinco días que (ellos) terminaron. 5. Hace catorce años que tú llegaste.

E. 1. el tuyo 2. mías 3. los tuyos 4. nuestros 5. El suyo / El de ellos 6. mío; suyo / de ella

F. 1. cómodos 2. zapatería 3. facultad 4. par 5. mangas 6. servirle 7. moda 8. descalzo 9. ponerme 10. fortuna 11. camiseta; cortos 12. húmedo

G. 1. Ayer fui a su casa para hablar con él. 2. ¿Dónde vivías cuando eras niño(a)? 3. Íbamos a la tienda cuando vimos a Víctor. 4. —¿Qué dijo la dependiente? —Dijo que no tenían un probador. 5. No hace buen tiempo hoy. Está lloviendo / Llueve y necesito un impermeable.

Lección 10

A. 1. cerradas 2. abierta 3. roto 4. dormidos 5. escritas 6. hecha

B. 1. ha llegado 2. he leído 3. han vuelto; hemos podido 4. ha muerto 5. han traído 6. has dicho

C. 1. habían vuelto 2. había firmado 3. habías hecho 4. habíamos escrito 5. había puesto 6. habían ido

D. 1. Yo quiero que ella vaya a Viña del Mar. 2. Nosotros deseamos viajar en avión. 3. Ella me sugiere que yo vaya a Buenos Aires. 4. El agente quiere venderme el pasaje. 5. Ellos nos aconsejan que compremos (un) seguro. 6. Yo no quiero llevar muchas maletas. 7. Ellos no quieren que ella los lleve en su coche. 8. Nosotros no queremos ir contigo. 9. ¿Tú me sugieres que venga luego? 10. Ella necesita que Uds. le den la maleta.

E. 1. que ella se vaya pronto. 2. que los pasajes sean muy caros. 3. estar aquí. 4. irse de vacaciones. 5. que mamá se sienta bien hoy. 6. que ellos no puedan ir a la fiesta.

F. 1. firmar; fechar 2. depositar 3. abierto; feriado 4. saldo 5. conjunta 6. cuadras 7. cola 8. talonario 9. sucursal 10. cajero; débito 11. préstamo 12. efectivo 13. préstamo 14. licencia de conducir 15. sucursal

G. 1. En el aula la puerta está abierta, pero las ventanas están cerradas. 2. —Gustavo, ¿has escrito las cartas? —Sí, pero no las he firmado. 3. Isabel nunca había ido a Argentina antes del año pasado. 4. Señora Peña, quiero que firme el cheque y que lo deposite hoy. 5. —¿Adónde vamos para abrir una cuenta corriente? —Tiene que ir al banco. 6. Necesito un laptop / una computadora portátil. Vamos a comprarlo en la tienda de computadoras de la universidad. 7. Sacan cien dólares del cajero automático.

Lección 11

A. 1. sale 2. tenga 3. venga 4. sirve 5. sea 6. esté 7. empiezan 8. puedas 9. lleguen 10. vuelvo

B. 1. llamen a los pasajeros 2. el piloto nos ayude a pagar el exceso de equipaje 3. prefiere venir con nosotros 4. cobran $1.000 dólares por el pasaje de Toronto a Buenos Aires 5. haya sándwiches en la sala de espera 6. ellos se abrochan el cinturón de seguridad.

C. 1. a; de; a 2. en; en; en; a 3. a; a; de; a 4. de; de

D. 1. Llame 2. Siéntese 3. Salgan 4. Esté 5. venga 6. Vayan 7. Haga 8. dé 9. sean; suban 10. Póngala

E. 1. Salgamos esta noche. 2. No vayamos al club. 3. Comamos en un restaurante. 4. Pongámonos el abrigo. 5. Paguemos la cuenta con una tarjeta de crédito. 6. Dejémosle una propina grande. 7. Bebamos un café. Bebámoslo en un café pequeño. 8. No lleguemos a casa muy tarde.

F. 1. asiento; ventanilla 2. mano; compartimiento 3. agencia 4. embarque; auxiliar 5. exceso 6. salida 7. incluyen; excursiones 8. cambio 9. cancelar 10. maletín 11. crucero 12. lugares; capital

G. 1. Dudo que Sofía encuentre un buen asiento en el avión. 2. Estamos seguros de que ellos van a viajar a Buenos Aires en enero. 3. No es verdad que Gustavo sea de Uruguay; es de Argentina. 4. Viajemos a España. Vamos en mayo. 5. Señor Salinas, lleve solo una maleta y no llegue tarde al aeropuerto. 6. No dudamos que los pasajes cuestan más de mil dólares.

Lección 12

A. 1. hable español. 2. incluya el hotel. 3. no son caros. 4. salen a las seis. 5. pueda reservar los pasajes?

B. 1. Compra el televisor. 2. Díselo. 3. Viaja mañana. 4. Sal con esa persona. 5. Pon la maleta debajo del asiento. 6. Invítalo. 7. Vete. 8. Ven entre semana. 9. Regresa tarde. 10. Haz la reservación. 11. Tráeme el folleto. 12. Pídele los pasaportes ahora.

C. 1. se enamoró de; se casó con 2. insiste en 3. no te olvides de; Acuérdate de 4. no me di cuenta de; no confiaban en

D. 2. segundo 7. séptimo 5. quinto 1. primero 8. octavo 4. cuarto 9. noveno 3. tercero 6. sexto 10. décimo

E. 1. leeré 2. escribirá 3. tendremos 4. saldrás 5. jugarán 6. dirá 7. pondrán; pondré 8. nos divertiremos

F. 1. viajaría 2. iría 3. podrías 4. vendría 5. comeríamos 6. descansaría 7. buscarían 8. sabría

G. 1. ducha 2. ascensor / elevador; subir 3. calefacción 4. cama 5. precio 6. montón 7. desocupar 8. vista 9. servicio 10. aire 11. puesto / quiosco / kiosko; regalos 12. propietario 13. completa 14. libre 15. piso

H. 1. Queremos / Deseamos un hotel que tenga vista al mar y una piscina. 2. Rosita, pon los platos en la mesa y no mires la televisión. 3. El año pasado Carlos se casó con Gloria. 4. Su cuarto está en el tercer piso de la pensión. 5. Sueño con ir a España. Saldré / Voy a salir el mes próximo / el próximo mes. 6. Mi amigo se queda / se hospeda en un hotel de lujo, pero yo buscaría un hotel pequeño y ahorraría mi dinero.

VOCABULARIES

These vocabulary lists include all the words and expressions included in *Vocabulario* and in the *Vamos a leer* sections.

The number following each vocabulary item indicates the lesson in which it first appears (LP = Lección preliminar; UPM = Un poco más).

All words are alphabetized in accordance with the Real Academia's 1994 decision that *ch* and *ll* are no longer considered separate letters of the alphabet.

The following abbreviations are used:

adj.	adjective	*form.*	formal	*pron.*	pronoun
adv.	adverb	*inf.*	infinitive	*R. Dom.*	La República Dominicana
Arg.	Argentina	*LA*	Latinoamérica	*rel. pron.*	relative pronoun
Col.	Colombia	*Méx.*	México	*sing.*	singular
conj.	conjunction	*Par.*	Paraguay	*sust. f.*	feminine substantive
exp.	expression	*pl.*	plural	*sust. m.*	masculine substantive
Esp.	España	*P.R.*	Puerto Rico	*v.*	verb
fam.	familiar	*prep.*	preposition	*Ven.*	Venezuela

Spanish–English

A

a (*prep.*) at (*with time of day*); to, 2; **a eso de** (*exp.*) at about..., 3; **a menudo** (*exp.*) often, 8; **¿A qué hora...?** (*exp.*) (At) What time...?, 2; **¿A quién(es)...?** (*exp.*) Whom?, 4; **a veces** (*exp.*) sometimes, 2; **a ver** (*exp.*) let's see, 6
abierto(-a) (*adj.*) open, 10
abogado(-a) (*sust. m./f.*) lawyer, 1
abordar (*v.*) to board (*a plane*), 11
abrazo (*sust. m.*) hug, embrace
abrigo (*sust. m.*) coat, 3, 9
abril (*sust. m.*) April, 2
abrir (*v.*) to open, 3
abrochar (*v.*) to fasten
abrocharse el cinturón de seguridad (*exp.*) to fasten the seat belt, 11
abuelo(-a) (*sust. m./f.*) grandfather, grandmother, 4
abuelos (*sust. m. pl.*) grandparents, 4
abundancia (*sust. f.*) abundance
aburrido(-a) (*adj.*) boring, 2
aburrirse (*v.*) to be bored, 7
acá (*adv.*) here, 8
acabar de (+ *inf.*) (*exp.*) to have just (*done something*), 8
acampar (*v.*) to camp, 8
aceite (*sust. m.*) oil, 6; **aceite de oliva** (*sust. m.*) olive oil, 6
acerca de (*exp.*) about, 11
aconsejar (*v.*) to advise, 10
acordarse (de) (o>ue) (*v.*) to remember, 12
acostarse (o>ue) (*v.*) to go to bed, 7
acostumbrado(-a) (*adj.*) accustomed, used to, 8
actividad (*sust. f.*) activity, 8; **actividad al aire libre** (*exp.*) outdoor activity, 8
además (*adv.*) besides, 2; **además de** (*exp.*) in addition to, 9;
Adiós. (*exp.*) Good-bye., LP
administración (*sust. f.*) administration, 2; **administración de empresas** (*sust. f.*) business administration, 2
adónde (*adv.*) where, 4
aduana (*sust. f.*) customs, 11
aerolínea (*sust. f.*) airline, 11
aeropuerto (*sust. m.*) airport, 11
afeitarse (*v.*) to shave, 7
afortunadamente (*adv.*) luckily, fortunately, 12
agencia (*sust. f.*) agency, 11; **agencia de viajes** (*sust. f.*) travel agency, 11
agente (*sust. m./f.*) agent, 11
agosto (*sust. m.*) August, 2
agradable (*adj.*) nice
agua (*sust. f.*) water, 2; **agua con hielo** (*sust. f.*) water with ice, 2; **agua mineral** (*sust. f.*) mineral water, 2
aguacate (*sust. m.*) avocado, 6
ahí (*adv.*) there, 8
ahora (*adv.*) now, 4
ahorrar (*v.*) to save (*money*), 10
aire acondicionado (*sust. m.*) air conditioning, 12
ají (*sust. m.*) pepper, 6
al (a + el) (*prep.*) to the, 4; **al día** (*exp.*) per day, 6
alberca (*sust. f.*) swimming pool (*Méx.*), 12
albóndiga (*sust. f.*) meatball, 6
álbum (*sust. m.*) album
alcohólico(-a) (*adj.*) alcoholic (*drinks*), 5
alegrarse (de) (*v.*) to be glad (about), 10
alemán (*sust. m.*) German (*language*), 7
alfabeto (*sust. m.*) alphabet, 1
algo (*pron.*) something, 5; **¿Algo más?** (*exp.*) Anything else?, 10; **comer algo** (*exp.*) to have something to eat, 4
alguien (*pron.*) someone, anyone, 6
algún, algúno(-a)(-s) (*adj.*) some, any, 6; **algún lado** (*exp.*) somewhere, 11; **alguna parte** (*exp.*) somewhere, anywhere, 8; **alguna vez, algunas veces** (*exp.*) sometime(s), 6
allá (*adv.*) over there, 3
allí (*adv.*) there, 3
almorzar (o>ue) (*v.*) to have lunch, 2, 6
almuerzo (*sust. m.*) lunch, 5
alquilar (*v.*) to rent, 8
alrededor (*adv.*) around, 9
alto(-a) (*adj.*) tall, 1; (*adj.*) high, 9
alumno(-a) (*sust. m./f.*) student, 1
amarillo(-a) (*sust. m./adj.*) yellow, 1
amigo(-a) (*sust. m./f.*) friend, 2; **mejor amigo(-a)** (*exp.*) best friend, 2
analfabeto(-a) (*sust. m./f.*) illiterate person, Unit 3
anaranjado(-a) (*adj.*) orange, 1
andar descalzo(-a) (*exp.*) to go barefoot, 9
andar en bicicleta (*exp.*) to ride a bicycle (*Arg.*), 7
anfitrión(anfritriona) (*sust. m./f.*) host, hostess, 1
animado(-a) (*adj.*) in good spirits, 4
aniversario (*sust. m.*) anniversary, 5
anoche (*adv.*) last night, 7
anteayer (*adv.*) the day before last, 7
anteojos de sol (*sust. m. pl.*) sunglasses (LA), 8
antes (de) (*exp.*) before, 2, 3
antipático(-a) (*adj.*) unpleasant, 1

antropología (*sust. f.*) anthropology, 2
año (*sust. m.*) year, 2
aparatos electrodomésticos (*sust. m. pl.*) home appliances, 3
aparecer (*v.*) to appear, 2
apariencia (*sust. f.*) appearance, 7
apartamento (*sust. m.*) apartment, 3
apellido (*sust. m.*) surname, 1
apio (*sust. m.*) celery, 6
aprender (*v.*) to learn, 3
apretado(-a) (*adj.*) tight, tiny, cramped, 9
apretar (e>ie) (*v.*) to be tight, 9
aquel, aquello(-a)(-s) (*pron.*) that, those, 3
aquí (*adv.*) here, 3; **Aquí está.** (*exp.*) Here it is., 2; **Aquí las tiene.** (*exp.*) Here you are., 10
archivar (*v.*) to file, to store away; **archivar la información** (*exp.*) to store information, 10
arena (*sust. f.*) sand, 8
arete(-s) (*sust. m. sing./m. pl.*) earring(s), 9
argentino(-a) (*adj.*) Argentinian
armar (*v.*) to pitch, to put together (*a tent*), 8
aro(-s) (*sust. m. sing./m. pl.*) earring(s) (*Par., Arg.*), 9
arrancar (*v.*) to start (*a vehicle*), 11
arreglar (*v.*) to tidy up, 3
arriba (*adv.*) above, 9
arroba (*sust. f.*) e-mail symbol for *at* (@), 1
arroz (*sust. m.*) rice, 5; **arroz con leche** (*sust. m.*) rice pudding, 5
arrugado(-a) (*adj.*) wrinkled, 9
arte (*sust. m.*) art, 2
asado(-a) (*adj.*) baked, roasted, 5
ascensor (*sust. m.*) elevator, 12
así (*adv.*) like that, like this; **así, así** (*exp.*) so-so LP
asiento (*sust. m.*) seat; **asiento de pasillo** (*sust. m.*) aisle seat, 11; **asiento de ventanilla** (*sust. m.*) window seat, 11
asignatura (*sust. f.*) course, subject, 2
asistir a (*v.*) to attend, 9
aspiradora (*sust. f.*) vacuum, 3
aspirina (*sust. f.*) aspirin
atracar (*v.*) to hold up, 11
aula (*sust. f.*) classroom, 2
aunque (*conj.*) although, 4
auto (*sust. m.*) car, automobile
autobús (*sust. m.*) bus, 8
automóvil (*sust. m.*) car, automobile
automovilista (*sust. m./f.*) motorist, driver
auxiliar de vuelo (*sust. m./f.*) flight attendant, 11
avena (*sust. f.*) oats, porridge, 9
averiguar (*v.*) to find out, 11
avión (*sust. m.*) airplane, 2, 11
ayer (*adv.*) yesterday, 7
ayuda (*sust. f.*) help, 8
ayudar (*v.*) to help, 3
azafata (*sust. f.*) flight attendant (*Esp.*), 11
azúcar (*sust. m.*) sugar, 6
azul (*sust. m./adj.*) blue, 1

B

bailar (*v.*) to dance, 2; **¿Bailamos?** (*exp.*) Shall we dance?, 4
bajo (*prep.*) under, 8
bajo(-a) (*adj.*) short, 1
balneario (*sust. m.*) seaside resort (*LA*), 11
banana (*sust. f.*) banana (*Cono Sur*), 6
banco (*sust. m.*) bank, 10
bañadera (*sust. f.*) bathtub, 12
bañador (*sust. m.*) bathing suit (*Esp.*), 8
bañarse (*v.*) to bathe, 7
bañera (*sust. f.*) bathtub (*Cono Sur*), 12
baño (*sust. m.*) bathroom, 3; (*sust. m.*) bath (*Esp.*), 3; (*sust. m.*) bathtub (*Esp.*), 12; **cuarto de baño** (*sust. m.*) bathroom, 3; **traje de baño** (*sust. m.*) bathing suit, 8
barato(-a) (*adj.*) inexpensive, 6
barrer (*v.*) to sweep, 3
barrio (*sust. m.*) neighbourhood
basura (*sust. f.*) garbage, 3
bata (*sust. f.*) robe, 9; **bata de dormir** (*sust. f.*) nightgown (*Cuba*), 9
batería de cocina (*sust. f.*) kitchen utensils, 2
batido (*sust. m.*) milkshake, 3
beber (*v.*) to drink, 3
bebida (*sust. f.*) beverage, 2
béisbol (*sust. m.*) baseball, 7
belleza (*sust. f.*) beauty, 9
biblioteca (*sust. f.*) library, 1
bicicleta: montar en bicicleta (*exp.*) to ride a bicycle, 7
bien (*adv.*) well; **Bien, gracias.** (*exp.*) Fine, thank you., LP; **está bien** (*exp.*) all right, o.k., 6; **Muy bien.** (*exp.*) Very well., LP; **no muy bien** (*exp.*) not very well
billete (*sust. m.*) ticket (*Esp.*), 11
billetera (*sust. f.*) wallet, 9
biología (*sust. f.*) biology, 2
bisabuelo(-a) (*sust. m./f.*) great-grandfather, great-grandmother, 4
bistec (*sust. m.*) steak, 5
blanco(-a) (*sust. m./adj.*) white, 1
bloqueador solar (*sust. m.*) sunscreen, 8
blusa (*sust. f.*) blouse, 9
boca (*sust. f.*) mouth, 7
bocadillo (*sust. m.*) sandwich, 4
boda (*sust. f.*) wedding, 5
boleto (*sust. m.*) ticket (*for event*), 7
bolígrafo (*sust. m.*) ball-point pen, 1
bolsa (*sust. f.*) handbag, purse, 9; **bolsa de dormir** (*sust. f.*) sleeping bag, 8
bolso (*sust. m.*) handbag, purse, 9; **bolso de mano** (*sust. m.*) carry-on bag, 11
bonito(-a) (*adj.*) pretty, 1
borrador (*sust. m.*) eraser, 1
bosque (*sust. m.*) woods, forest, Unit 2, Unit 3
bota (*sust. f.*) boot, 9
bote de vela (*sust. m.*) sailboat (*Cuba, Arg.*), 8
botella (*sust. f.*) a bottle, 2
botones (*sust. m. sing./m. pl.*) bellhop(s), 12
bragas (*sust. f. pl.*) panties, 9
brazo (*sust. m.*) arm, 7
breve (*adj.*) brief, 7
brindar (*v.*) to toast, 4
brindis (*sust. m.*) toast (*e.g., at a celebration*), 4
brócoli (*sust. m.*) broccoli, 6
bucear (*v.*) to scuba dive, 8
buen, bueno(-a) (*adj.*) good, 2; **Buenas noches.** (*exp.*) Good evening, Good night., LP; **buenas notas** (*exp.*) good marks, 5; **Buenas tardes.** (*exp.*) Good afternoon., LP; **Bueno...** (*exp.*) Well..., 1; **Buenos días.** (*exp.*) Good morning., LP
bufanda (*sust. f.*) scarf, 9
buscar (*v.*) to look for, to get, 9; **fue a buscar (a alguien)** (*exp.*) to go to pick up (someone), 12

C

caballero (*sust. m.*) gentleman, 9; **departamento de caballeros** (*sust. m.*) men's department, 9
caballo: montar a caballo (*exp.*) to ride horseback, 7
cabello (*sust. m.*) hair, 7
cabeza (*sust. f.*) head, 7
cacerola (*sust. f.*) saucepan, 3
cadena (*sust. f.*) chain, 9
café (*adj.*) brown (*Méx.*), 1; (*sust. m.*) coffee, 2; **café con leche** (*sust. m.*) coffee with milk, 2
cafetera (*sust. f.*) coffeepot, 3
cafetería (*sust. f.*) cafeteria, 1
caja de seguridad (*sust. f.*) safe-deposit box, 10
cajero(-a) (*sust. m./f.*) teller, cashier, 10; **cajero automático** (*sust. m.*) automatic teller machine, 10
calcetín (calcetines) (*sust. m. sing./m. pl.*) sock(s), 9
calefacción (*sust. f.*) heating, 12
cálido(-a) (*adj.*) hot, 9
caliente (*adj.*) hot, 12
calle (*sust. f.*) street, 1; **calle... número...** (*exp.*) ... street, number..., 1
calvo (*adj.*) bald, 7

calzar (*v.*) to wear a certain shoe size, 9
calzoncillos (*sust. m. pl.*) underpants, 9
cama (*sust. f.*) bed, 12; **cama chica** (*sust. f.*) twin bed, 12; **cama doble** (*sust. f.*) double bed, 12
camarero(-a) (*sust. m./f.*) waiter, waitress, 5
camarón (camarones) (*sust. m.*) shrimp, 5
cambiar (*v.*) to change, 7
cambio (*sust. m.*) change; **¿A cuánto está el cambio de moneda?** (*exp.*) What's the rate of exchange?, 11; **en cambio** (*exp.*) on the other hand, 8
caminar (*v.*) to walk, 4; **caminar al perro** (*exp.*) to walk the dog, 8
camisa (*sust. f.*) shirt, 3, 9
camiseta (*sust. f.*) T-shirt, 9
camisón (*sust. m.*) nightgown, 9
campo (*sust. m.*) countryside, 8
cana (*sust. f.*) white hair, 7
canadiense (*adj.*) Canadian, 1
cancelar (*v.*) to cancel, 11
cangrejo (*sust. m.*) crab, 6
canoa (*sust. f.*) canoe, 8
cansado(-a) (*adj.*) tired, 4
cansarse (*v.*) to get tired, 11
cantar (*v.*) to sing, 4, 7
cantidad (*sust. f.*) quantity, amount
caña de pescar (*sust. f.*) fishing rod, 8
capital (*sust. f.*) capital city, 11
cara (*sust. f.*) face, 7
¡Caramba! (*exp.*) Good grief, 6, 9, 12
caravana(-s) (*sust. f. sing./f. pl.*) earring(s) (*Cono Sur*), 9
carmelito(-a) (*adj.*) brown (*Cuba*), 1
carne (*sust. f.*) meat, 6
carnet de identidad (*sust. m.*) I.D. card (*Esp.*), 12
caro(-a) (*adj.*) expensive, 6
carro (*sust. m.*) car (*Méx.*), 4
carta (*sust. f.*) letter, 3, 10
cartera (*sust. f.*) handbag, purse, wallet, 9
casa (*sust. f.*) house, 1, 2, 3; **casa central** (*sust. f.*) headquarters, main office, 10; **en casa** (*exp.*) at home, 3
casado(-a) (*adj.*) married, 4
casarse (con) (*v.*) to get married (to), 7, 12
caso (*sust. m.*) case; **en caso de (que)** (*conj.*) in case of; **en este caso** (*exp.*) in this case; **por si acaso** (*exp.*) just in case, 8
castaño(-a) (*adj.*) brown (*eyes, hair*), 4
castellano (*sust. f.*) Spanish language (*Esp., Cono Sur*), 1
catarata (*sust. f.*) waterfall
catorce (*sust. m*) fourteen, 2
cebolla (*sust. f.*) onion, 5
cédula de identidad (*sust. f.*) I.D. card, 10
celebrar (*v.*) to celebrate, 4
celoso(-a) (*adj.*) jealous, 2
cena (*sust. f.*) dinner, 3, 5
cenar (*v.*) to dine, 2
céntrico(-a) (*adj.*) central, 12
centro (*sust. m.*) downtown, centre of town, 7; **centro comercial** (*sust. m.*) mall, 9
cepillarse (*v.*) to brush, 7
cerca (de) (*adv.*) near, close, 4
cerdo: chuleta de cerdo (*sust. f.*) pork chop, 6
cereza (*sust. f.*) cherry, 6
cero (*sust. m.*) zero, 1
cerrado(-a) (*adj.*) closed, 10
cerrar (e>ie) (*v.*) to close, 3, 5
cerveza (*sust. f.*) beer, 2
césped (*sust. m.*) lawn; **cortar el césped** (*exp.*) to mow the lawn
cesta (*sust. f.*) basket, 8
cesto de papeles (*sust. m.*) wastebasket, 1
chaleco (*sust. m.*) vest, 9
chamarra (*sust. f.*) jacket (*Méx.*), 9
chaqueta (*sust. f.*) jacket, 9
Chau. (*exp.*) Bye., LP
cheque (*sust. m.*) cheque, 10
chico(-a) (*sust. m./f.*) young man/woman, 1; (*adj.*) little, 8
china (*sust. f.*) orange (*fruit*) (*P.R.*), 2
chocolate (*sust. m.*) chocolate; **chocolate caliente** (*sust. m.*) hot chocolate, 2
chuleta (*sust. f.*) chop, 6; **chuleta de cerdo** (*sust. f.*) pork chop, 6; **chuleta de cordero** (*sust. f.*) lamb chop, 6; **chuleta de ternera** (*sust. f.*) veal chop, 6
cielo (*sust. m.*) sky, 8, 9; **El cielo está despejado.** (*exp.*) The sky is clear., 9; **El cielo está nublado.** (*exp.*) The sky is cloudy., 9
cien, ciento (*sust. m.*) one hundred, 2; **por ciento** (*exp.*) percent
ciencias políticas (*sust. f. pl.*) political science, 2
cierto (*adj.*) certain; **(no) es cierto** (*exp.*) it's (not) certain, 11
cinco (*sust. m.*) five, 1
cincuenta (*sust. m.*) fifty, 2
cine (*sust. m.*) cinema, movie theatre, 4
cinto (*sust. m.*) belt, 9
cinturón (*sust. m.*) belt, 9; **abrocharse el cinturón de seguridad** (*exp.*) to fasten the seat belt, 11
cita (*sust. f.*) appointment, date, 10
ciudad (*sust. f.*) city, 3
claramente (*adv.*) clearly, 8
claro(-a) (*adj.*) clear
clase (*sust. f.*) class, 1; **(de) clase turista** (*exp.*) tourist class, 11; **(de) primera clase** (*exp.*) first class, 11; **compañero(-a) de clase** (*sust. m./f.*) classmate, 1
cliente (*sust. m./f.*) client, 10
clima (*sust. m.*) climate, 9
club (*sust. m.*) club, 4; **club nocturno** (*sust. m.*) nightclub, 7
cobrar (*v.*) to cash, 10, 12; **cobrar un cheque** (*exp.*) to cash a cheque
coche (*sust. m.*) car, 4
cocina (*sust. f.*) kitchen, stove, 3
cocinar (*v.*) to cook, 6
cocinero(-a) (*sust. m./f.*) cook, 6
coctel / cóctel (*sust. m.*) cocktail, 5
codo (*sust. m.*) elbow, 7
colar (o>ue) (*v.*) to strain, 3
colgar (o>ue) (*v.*) to hang up, 3
color (*sust. m.*) colour, 1
comedor (*sust. m.*) dining room, 3
comenzar (e>ie) (*v.*) to begin, to start, 5
comer (*v.*) to eat, 3; **comer algo** (*exp.*) to have something to eat, 4; **Vamos a comer.** (*exp.*) Let's eat., 8
comida (*sust. f.*) meal, food, 3
como (*prep.*) like, 9
cómo (*adv.*) how, why, what, 1; **¿Cómo?** (*exp.*) Excuse me? (*when one doesn't understand or hear what is being said*), 1; **¿Cómo es...?** (*exp.*) What is ... like?, 1;**¿Cómo está usted?** (*exp.*) How are you? (*form.*), LP; **¿Cómo están ustedes?** (*exp.*) How are you? (*when addressing two or more people*), LP; **¿Cómo estás?** (*exp.*) How are you? (*fam.*), LP; **¿Cómo se dice...?** (*exp.*) How do you say ...?, 1; **¿Cómo se llama usted?** (*exp.*) What's your name? (*form.*), 1; **¿Cómo te llamas?** (*exp.*) What's your name? (*fam.*), LP
cómodo(-a) (*adj.*) comfortable, 9
compañero(-a) (*sust. m./f.*) companion, 1; **compañero(-a) de clase** (*sust. m./f.*) classmate, 1; **compañero(-a) de cuarto** (*sust. m./f.*) roommate, 1
comparativo(-a) (*adj.*) comparative, 5
compartimiento de equipaje (*sust. m.*) luggage compartment, 11
compartir (*v.*) to share, 3, 11
complicado(-a) (*adj.*) complicated, 11
comprar (*v.*) to buy, 2; **comprar en línea** (*exp.*) to buy online, 9
comprometerse con (*v.*) to get engaged (to), 12
computadora (*sust. f.*) computer, 1; **computadora personal** (*sust. f.*) personal computer, 1; **computadora portátil** (*sust. f.*) laptop, 1
con (*prep.*) with, 1; **¿Con quién...?** (*exp.*) With whom...?; **con vista a la piscina** (*exp.*) with a view of the swimming pool, 12
concierto (*sust. m.*) concert, 7
conducir (*v.*) to drive, to conduct, 4

confiar en (*v.*) to trust, 12
confirmar (*v.*) to confirm, 11
conmigo (*prep. pron.*) with me, 3
conocer (*v.*) to know, to be familiar with, 4; **conocer a** (*v.*) to meet (someone), 2
conocido(-a) (*adj.*) known
conseguir (e>i) (*v.*) to get, to obtain, 6
contabilidad (*sust. f.*) accounting, 2
contento(-a) (*adj.*) happy, content, 4
contigo (*prep. pron.*) with you (*fam.*), 5
contraseña (*sust. f.*) password, 10
contraste (*sust. m.*) contrast
convención (*sust. f.*) convention, 12
convenir (en) (e>ie) (*v.*) to agree (on), 12
conversar (*v.*) to talk, to converse, 2
copa (*sust. f.*) wineglass, 2, 5
corazón (*sust. m.*) heart, 7
corbata (*sust. f.*) tie, 9
cordero (*sust. m.*) lamb, 5; **chuleta de cordero** (*sust. f.*) lamb chop, 6
correa (*sust. f.*) belt (*P.R.*), 9
correo (*sust. m.*) mail; (*sust. m.*) post office; **correo electrónico** (*sust. m.*) e-mail, 1, 3
correr (*v.*) to run, 3
cortesía (*sust. f.*) courtesy, politeness, 1; **de cortesía** (*adj.*) polite, 1
cortina (*sust. f.*) curtain, drape, 9
corto(-a) (*adj.*) short (*in length*), 9
cosa (*sust. f.*) thing, 3; **cosas que hacer** (*exp.*) things to do, 3
costar (o>ue) (*v.*) to cost, 6
costumbre (*sust. f.*) custom, 6
creer (*v.*) to believe, 3
crema (*sust. f.*) cream, 5
criado(-a) (*sust. m./f.*) servant, 9
crucero (*sust. m.*) cruise, 11
cuaderno (*sust. m.*) notebook, 1
cuadra (*sust. f.*) block, 10
¿Cuál? (*adv.*) Which? What?, 1; **¿Cuál es?** (*exp.*) What is? Which one is?, 1; **¿Cuál es tu dirección?** (*exp.*) What's your address?, 1; **¿Cuál es tu número de teléfono?** (*exp.*) What's your phone number?, 1
cualquier(-a) (*adj.*) any, 11
cuando (*conj.*) when, 3
¿Cuándo? (*adv.*) When?, 2
cuanto: en cuanto (*exp.*) as soon as, 9
¿Cuántos(-as)? (*exp.*) How many?, 2; **¿A cuánto está el cambio de moneda?** (*exp.*) What's the rate of exchange?, 11; **¿Cuánto tiempo...?** (*exp.*) How long...?; **¿Cuánto tiempo hace que...?** (*exp.*) How long has it been since...?, 6
cuarenta (*sust. m.*) forty, 2
cuarto(-a) (*adj.*) fourth, 12
cuarto (*sust. m.*) room, 3; **compañero(-a) de cuarto** (*sust. m./f.*) roommate, 1; **cuarto de baño** (*sust. m.*) bathroom, 3; **servicio de cuarto** (*sust. m.*) room service, 12
cuatro (*sust. m.*) four, 1
cuatrocientos (*sust. m.*) four hundred, 3
cubano(-a) (*sust. m./f.*) Cuban
cuchara (*sust. f.*) spoon, 5
cucharita (*sust. f.*) teaspoon, 5
cuchillo (*sust. m.*) knife, 5
cuello (*sust. m.*) neck, 7; **cuello** (*sust. m.*) collar, 9
cuenta (*sust. f.*) check (*in a restaurant*), bill, 5; (*sust. f.*) account, 10; **cuenta conjunta** (*sust. f.*) joint account, 10; **cuenta corriente** (*sust. f.*) chequing account, 10; **cuenta de ahorros** (*sust. f.*) savings account, 10
cuento (*sust. m.*) short story, 11
cuerpo (*sust. m.*) body, 9
cumpleaños (*sust. m. sing.*) birthday, 2
cuñado(-a) (*sust. m./f.*) brother-in-law, sister-in-law, 4

D

daño (*sust. m.*) damage, harm, 11
danza (*sust. f.*) dance
dar (*v.*) to give, 4; **dar una película** (*exp.*) to show a movie (*Ecuador, Cono Sur*), 7
darse cuenta de (*v.*) to realize, 12
de (*prep.*) of, about, in, 2; **de estatura mediana** (*exp.*) of medium height, 4; **de manera que** (*exp.*) so, 6; **de modo que** (*exp.*) so, 6; **de viaje** (*exp.*) on a trip, 9
debajo (de) (*adv.*) under, 9
deber (*v.*) to have to, must, 3
debido (a) (*adj.*) due (to), 2
decidir (*v.*) to decide, 4
décimo(-a) (*adj.*) tenth, 12
decir (e>i) (*v.*) to say, to tell, 6; **¿Cómo se dice...?** (*exp.*) How do you say ...?, 1; **Dime una cosa.** (*exp.*) Tell me something., 12; **Se dice...** (*exp.*) You say..., 1;
dedo (*sust. m.*) finger, 7; **dedo del pie** (*sust. m.*) toe, 7
dejar (*v.*) to leave (behind), 3, 5
deletrear (*v.*) to spell, 1; **¿Cómo se deletrea?** (*exp.*) How is it spelled?
delgado(-a) (*adj.*) slender, 1
delicioso(-a) (*adj.*) delicious, 5
demasiado (*adv.*) too much, 7, 10, UPM
demora (*sust. f.*) delay, 11
demostrativo(-a) (*adj.*) demonstrative, 2
dentro (de) (*adv.*) within, 3
departamento (*sust. m.*) apartment (*Méx., Arg.*), 6; **departamento de caballeros** (*sust. m.*) men's department, 9
dependiente(-a) (*sust. m./f.*) salesclerk, 9
deporte (*sust. m.*) sport, 8
depositar (*v.*) to deposit, 10
derecho(-a) (*adj.*) right
desaparecer (*v.*) to disappear, 11
desastre (*sust. m.*) disaster, 3
desayunar (*v.*) to have breakfast, 5
desayuno (*sust. m.*) breakfast, 5
desbarrancar (*v.*) to go over a precipice, 11
descalzo(-a) (*adj.*) barefoot; **andar descalzo(-a)** (*exp.*) to go barefoot, 9
descansar (*v.*) to rest, 3
desconocido(-a) (*adj.*) unknown, 11
desde (*prep.*) from, 11
desear (*v.*) to wish, to want, 2
desocupar (*v.*) to vacate, 12
despedida (*sust. f.*) good-bye, farewell, LP
despegar (*v.*) to take off (*airplane*), 11
despejado(-a) (*adj.*) clear (*sky*), 9
despertarse (e>ie) (*v.*) to wake up, 7
después (*adv.*) afterwards, 3; **después (de)** (*exp.*) after, 6
destino (*sust. m.*) destination, 11
detergente (*sust. m.*) detergent, 6
día (*sust. m.*) day, 1; **al día** (*exp.*) per day, 2; **al día siguiente** (*exp.*) the next day, 5; **día feriado** (*exp.*) holiday, 10; **día libre** (*exp.*) the day off, 6; **¿Qué día es hoy?** (*exp.*) What day is it today?, 2
diariamente (*adv.*) daily, 10
diario (*sust. m.*) newspaper, 10
dicho (*sust. m.*) saying
diciembre (*sust. m.*) December, 2
diecinueve (*sust. m.*) nineteen, 2
dieciocho (*sust. m.*) eighteen, 2
dieciséis (*sust. m.*) sixteen, 2
diecisiete (*sust. m.*) seventeen, 2
diente (*sust. m.*) tooth, 7
dieta: estar a dieta (*exp.*) to be on a diet, 6
diez (*sust. m.*) ten, 1
difícil (*adj.*) difficult, 1
diligencia (*sust. f.*) errand; **hacer diligencias** (*exp.*) to run errands, 10
dinero (*sust. m.*) money, 2
dirección (*sust. f.*) address, 1; **dirección electrónica** (*exp.*) e-mail address, 1
directamente (*adv.*) directly, 8
directo(-a) (*adj.*) direct, 11
disco compacto (*sust. m.*) CD, 4
disco duro (*sust. m.*) hard drive, 10
disponible (*adj.*) vacant, available, 12
divertirse (e>ie) (*v.*) to have a good time, 7
dividir (*v.*) to divide, 3
docena (*sust. f.*) dozen, 6
doctor(-a) (*sust. m./ f.*) doctor (Dr./ Dra.), LP
documento (*sust. m.*) document
dólar (*sust. m.*) dollar, 2
doler (o>ue) (*v.*) to hurt, 7

dolor de cabeza (*sust. m.*) headache, 7
domicilio (*sust. m.*) address (*Méx.*), 1
domingo (*sust. m.*) Sunday, 2
don (*sust. m.*) a title of respect, used with a man's first name, 4
doña (*sust. f.*) a title of respect, used with a woman's first name, 4
¿Dónde? (*adv.*) Where?, 1; **¿De dónde eres?** (*exp.*) Where are you from? (*fam.*), 1; **¿De dónde es usted?** (*exp.*) Where are you from? (*form.*), 1
dormir (o>ue) (*v.*) to sleep, 4, 6
dormirse (o>ue) (*v.*) to fall asleep, 7
dormitorio (*sust. m.*) bedroom, 3
dos (*sust. m.*) two, 1
doscientos (*sust. m.*) two hundred, 2
ducha (*sust. f.*) shower, 12
ducharse (*v.*) to shower, 7
dudar (*v.*) to doubt, 11
dueño(-a) (*sust. m./f.*) owner, 4, 12
durante (*prep.*) during, in, for, per, 10
durazno (*sust. m.*) peach (*Méx., Cono Sur*), 6

E

edad (*sust. f.*) age, 3
edad mediana (*sust.f.*) middle age, 7
educación física (*sust. f.*) physical education, 2
efectivo (*sust. m.*) cash; **en efectivo** (*exp.*) in cash, 10
ejercicio (*sust. m.*) exercise, 4, 12
elegante (*adj.*) elegante
elegir (e>i) (*v.*) to choose, 6
elevador (*sust. m.*) elevator (*Méx., Cuba, P.R.*), 12
emergencia (*sust. f.*) emergency, 11
empezar (e>ie) (*v.*) to begin, to start, 5
empleado(-a) (*sust. m./ f.*) clerk, 9
empresas: administración de empresas (*sust. f.*) business administration, 2
en (*prep.*) at, in, on, 1; **en cambio** (*exp.*) on the other hand, 8; **en casa** (*exp.*) at home; **en cuanto** (*exp.*) as soon as, 9; **en efectivo** (*exp.*) in cash, 10; **en parte** (*exp.*) in part, 11; **en seguida** (*exp.*) right away, 12; **en vez de** (*exp.*) instead of, 7
enamorado(-a) (*adj.*) in love, 4
enamorarse de (*v.*) to fall in love with, 12
encaje (*sust. m.*) lace, 9
encanecer (*v.*) to turn grey, 7
Encantado(-a). (*exp.*) It's a pleasure to meet you. (*Arg., Cuba*), LP
encantador(-a) (*adj.*) charming, 4
encantar (*v.*) to love, to like very much, 7
encargado(-a) de (*adj.*) in charge of, 10
encontrar (o>ue) (*v.*) to find, 6
enero (*sust. m.*) January, 2
enfermero(-a) (*sust. m./f.*) nurse, 2
enfermo(-a) (*adj.*) sick, 4
ensalada (*sust. f.*) salad, 3; **ensalada mixta** (*sust. f.*) mixed salad, 6
enseñar (*v.*) to teach, 2
entender (e>ie) (*v.*) to understand, 5
entonces (*adv.*) then, 2
entrada (*sust. f.*) ticket (*for an event*), 7
entrar (en), entrar (a) (*v.*) to enter, to go in, 7
entre (*prep.*) between, 5, 10; **entre semana** (*exp.*) during the week
entregarse (*v.*) to surrender, to give up, 7
entremés (entremeses) (*sust. m. sing./m. pl.*) appetizer(s), finger food, 4
entrevista (*sust. f.*) interview, 10
entusiasmo (*sust. m.*) enthusiasm, 11
enviar (*v.*) to send, 4
equipaje (*sust. m.*) luggage, 11; **exceso de equipaje** (*exp.*) excess luggage, 11
equipo (*sust. m.*) team, 7
escalar una montaña (*exp.*) to climb a mountain, 7
escalera (*sust. f.*) staircase, 12
esclavitud (*sust. f.*) slavery, 7
esclusa (*sust. f.*) lock (*in a canal*), Unit 3
escoger (*v.*) to choose, 6
esconder (*v.*) to hide, 4
escribir (*v.*) to write, 3
escritor(-a) (*sust. m./f.*) writer, 9
escritorio (*sust. m.*) desk, 1
escuchar (*v.*) to listen to, 2
escuela (*sust. f.*) school, 8, 9
eso (*pron.*) that, 3; **a eso de...** (*exp.*) at about..., 3
espaguetis (*sust. m. pl.*) spaghetti, 6
espalda (*sust. f.*) back, 7
español (*sust. m.*) Spanish (*language*), 1
español(-a) (*sust. m./f.*) Spaniard
especialidad (*sust. f.*) specialty, 5; **especialidad de la casa** (*exp.*) house specialty, 5
especialización (*sust. f.*) specialization, major (*university*), 1
especialmente (*adv.*) especially, 3
espejo (*sust. m.*) mirror, 7
esperar (*v.*) to wait, 5; (*v.*) to hope, 10; **Espero que sí.** (*exp.*) I hope so., 8
espontáneo(-a) (*adj.*) spontaneous, 10
esposo(-a) (*sust. m./f.*) spouse, husband (*m.*), wife (*f.*), 4
esquí acuático (*sust. m.*) waterskiing, 8
esquiar (*v.*) to ski, 7
esquina (*sust. f.*) corner, 10, 12
estación (*sust. f.*) season, 2
estacionar (*v.*) to park, 10
estadía (*sust. f.*) stay, 10
estampilla (*sust. f.*) stamp, 10
estar (*v.*) to be, 4; **estar a dieta** (*exp.*) to be on a diet, 6; **estar de moda** (*exp.*) to be in style, 9; **estar listo(-a)** (*exp.*) to be ready; **estar muerto(-a) de hambre** (*exp.*) to be starving, 6; **estar seguro(-a)** (*exp.*) to be sure, 11
estatura: de estatura mediana (*exp.*) of medium height, 4
este(-a) (*adj.*) this, 3
estómago (*sust. m.*) stomach, 7
estrella (*sust. f.*) star, 8
estudiante (*sust. m./f.*) student, 1; **estudiante graduado(-a)** (*sust. m./f.*) graduate student, 1
estudiar (*v.*) to study, 2
exactamente (*adv.*) exactly, 9
excelente (*adj.*) excellent, 1
excepto (*prep.*) except, 6
exceso (*sust. m.*) excess
exclusivo(-a) (*adj.*) exclusive
excursión (*sust. f.*) tour, 11
excusa (*sust. f.*) excuse, 3
éxito (*sust. m.*) success, 4; **todo un éxito** (*exp.*) quite a success, 4
experiencia (*sust. f.*) experience, 10
experto(-a) (*adj.*) expert, 8
expresión (*sust. f.*) expression, 1
exterior (*sust. m.*) exterior, 12
extranjero(-a) (*adj.*) foreign, 7; (*sust. m./f.*) foreigner, 7, 8; **al extranjero** (*exp.*) abroad, Unit 4
extrañar (*v.*) to miss, to grow apart, 8
extraño(-a) (*sust. m./f.*) stranger

F

fácil (*adj.*) easy, 1
fácilmente (*adv.*) easily, 8
facturar el equipaje (*exp.*) to check luggage, 11
facultad (*sust. f.*) department/faculty, 9
falda (*sust. f.*) skirt, 9
falso(-a) (*adj.*) false, LP
familia (*sust. f.*) family, 3
famoso(-a) (*adj.*) famous, 6
fantástico(-a) (*adj.*) fantastic, 1
farmacia (*sust. f.*) pharmacy
favorito(-a) (*adj.*) favourite, 3
febrero (*sust. m.*) February, 2
fecha (*sust. f.*) date, 12; **¿Qué fecha es hoy?** (*exp.*) What is the date today?, 2
fechar (*v.*) to date (*a document*), 10
feliz (*adj.*) happy, 1
feo(-a) (*adj.*) ugly, 1
fiesta (*sust. f.*) party, 4
fijarse en (*v.*) to notice, 12
fin (*sust. m.*) end, 2; **fin de semana** (*sust. m.*) weekend, 2
fingir (*v.*) to feign, 11
firmar (*v.*) to sign, 10
física (*sust. f.*) physics, 2; **educación física** (*sust. f.*) physical education, 2
flan (*sust. m.*) caramel custard, 5
flor (*sust. f.*) flower, 7
florería (*sust. f.*) flower shop

florero (*sust. m.*) vase, 7
fogata (*sust. f.*) bonfire, 8
folleto (*sust. m.*) brochure, 12
formulario (*sust. m.*) form, 10; **formulario de solicitud** (*sust. m.*) application form, 10
fortaleza (*sust. f.*) fortress
fotografía (*sust. f.*) photograph
francés (*sust. m.*) French (*language*), 2
frecuentemente (*adv.*) often, 8
frente (*sust. f.*) forehead, 7, (*sust. m.*) front
fresa (*sust. f.*) strawberry, 6
fresco(-a) (*adj.*) fresh, cool, 9
frijol (*sust. m.*) bean, 7
frío(-a) (*adj.*) cold, 9
frito(-a) (*adj.*) fried, 8
fruncir (*v.*) to frown; **fruncir el ceño** (*exp.*) to frown, to scowl, 9
fruta (*sust. f.*) fruit, 6
frutilla (*sust. f.*) strawberry (*Cono Sur*), 6
fuente de ingresos (*sust. f.*) source of income, Unit 2
funcionar (*v.*) to work, to function; **no funciona** (*exp.*) it doesn't work, 12
fundado(-a) (*adj.*) founded
fútbol (*sust. m.*) soccer (football), 8

G

gafas (*sust. f. pl.*) glasses; **gafas de sol** (*sust. f. pl.*) sunglasses, 8
galleta (*sust. f.*) cookie, 5
gamba (*sust. f. sing.*) shrimp (*Esp.*), 5
ganador(-a) (*sust. m./f.*) winner
garaje (*sust. m.*) garage, 3
gastar (*v.*) to spend (*money*), 9
gato (*sust. m.*) cat, 3
general (*adj.*) general, 8
generalmente (*adv.*) generally, 8
género (*sust. m.*) kind, type, 1
gente (*sust. f. sing.*) people (**gente** *is considered singular in Spanish*), 10
geografía (*sust. f.*) geography, 2
geología (*sust. f.*) geology, 2
gerente (*sust. m./f.*) manager, 11
giro postal (*sust. m.*) money order, 10
gluten (*sust. m.*) gluten, 6
gobierno (*sust. m.*) government
gordo(-a) (*adj.*) fat, 1
gorra (*sust. f.*) (baseball) hat, 9
gorro (*sust. m.*) toque, 9
gracias (*sust. f. pl.*) thanks; **Muchas gracias.** (*exp.*) Thank you very much., 1
grado (*sust. m.*) degree (*temperature*), 9; **Hay... grados.** (*exp.*) It's... degrees, 9
grande (*adj.*) big, 1
gratis (*adj.*) free, 10
gris (*sust. m./adj.*) grey, 1; **se está poniendo gris** (*exp.*) it's turning grey, 7
gritar (*v.*) to shout, 4
grupo (*sust. m.*) group
guagua (*sust. f.*) bus (*Cuba*), 8
guante(-s) (*sust. m. sing./m. pl.*) glove(s), 9
guapo(-a) (*adj.*) handsome, beautiful, 1
guatemalteco(-a) (*sust. m./f.*) Guatemalan, 4
gustar (*v.*) to like, to appeal, 7
gusto (*sust. m.*) pleasure; **El gusto es mío.** (*exp.*) The pleasure is mine., LP; **Mucho gusto.** (*exp.*) It's a pleasure to meet you. (*Arg., Cuba*), LP

H

Habana (La Habana) (*sust. f.*) Havana
haber (*v.*) to have (*auxiliary verb used in compound verb tenses*); **había una vez** (*exp.*) once upon a time, 9; **va a haber** (*exp.*) there is going to be, 12
habitación (*sust. f.*) room, 10; **habitación exterior** (*exp.*) an exterior room, 12; **habitación interior** (*exp.*) an interior room, 12; **servicio de habitación** (*sust. m.*) room service, 12
habitante (*sust. m.*) inhabitant
hablar (*v.*) to speak, 2
hacer (*v.*) to do, to make, 3; **hace...** (*exp.*) ...ago, 9; **hacer buen tiempo** (*exp.*) to have good weather, 9; **hacer calor** (*exp.*) to be hot, 9; **hacer cola** (*exp.*) to stand in line, 10; **hacer diligencias** (*exp.*) to run errands, 10; **hacer ejercicio** (*exp.*) to exercise, 4, 12; **hacer escala** (*exp.*) to make a stopover, 11; **hacer frío** (*exp.*) to be cold outside, 9; **hacer mal tiempo** (*exp.*) to be bad weather, 9; **hacer sol** (*exp.*) to be sunny, 9; **hacer surf** (*exp.*) to surf, 8; **hacer un crucero** (*exp.*) to take a cruise, 11; **hacer una caminata** (*exp.*) to go hiking, 8; **hacer una reservación** (*exp.*) to make a reservation, 5; **hacer viento** (*exp.*) to be windy, 9
hambre (*sust. f.*) hunger; **estar muerto(-a) de hambre** (*exp.*) to be starving, 6; **tener hambre** (*exp.*) to be hungry, 3
hamburguesa (*sust. f.*) hamburger, 5
hasta (*prep.*) until, 2, 3, 7; **Hasta la vista.** (*exp.*) (I'll) see you around., LP; **Hasta luego.** (*exp.*) (I'll) see you later., 1; **Hasta mañana.** (*exp.*) (I'll) see you tomorrow., LP
hay (*exp.*) there is, there are, 1
heladera (*sust. f.*) refrigerator (*Méx., Cono Sur*), 3
helado(-a) (*adj.*) frozen, iced; **helado** (*sust. m.*) ice cream, 5; **té helado** (*sust. m.*) iced tea, 2
hermanastro(-a) (*sust. m./f.*) stepbrother, stepsister, 4
hermano(-a) (*sust. m./f.*) brother, sister, 3, 4
hielo (*sust. m.*) ice, 2; **agua con hielo** (*sust. f.*) water with ice, 2
higiénico: papel higiénico (*sust. m.*) toilet paper, 6
hijastro(-a) (*sust. m./f.*) stepson, stepdaughter, 4
hijo(-a) (*sust. m./f.*) son, daughter, 4; **hijos** (*sust. m. pl.*) children
hispanocanadiense (*sust. m./f.*) Hispanic-Canadian, 2
historia (*sust. f.*) history, 2
hogar (*sust. m.*) home
Hola. (*exp.*) Hello. Hi., LP
hombre (*sust. m.*) man, 1
hombro (*sust. m.*) shoulder, 7
hondureño(-a) (*sust. m./f.*) Honduran
hora (*sust. f.*) time, 2; **hora** (*sust. f.*) hour, 10; **horas extras** (*exp.*) extra hours, overtime, 2; **¿Qué hora es?** (*exp.*) What time is it?, 2
horario de clases (*sust. m.*) class schedule, 2
horno (*sust. m.*) oven, 3; **al horno** (*exp.*) baked; **horno de microondas** (*sust. m.*) microwave oven, 3
horrible (*adj.*) horrible, 1
hospedarse (*v.*) to stay (*e.g., at a hotel*), 8
hostal (*sust. m.*) hostel, 12
hotel (*sust. m.*) hotel, 8
hoy (*adv.*) today, 2; **hoy mismo** (*exp.*) this very day, 12; **¿Qué día es hoy?** (*exp.*) What day is it today?, 2; **¿Qué fecha es hoy?** (*exp.*) What is the date today?, 2
huevo (*sust. m.*) egg, 5
húmedo(-a) (*adj.*) humid, 9

I

ida (*sust. f.*) outward journey; **pasaje de ida** (*sust. m.*) one-way ticket, 11; **pasaje de ida y vuelta** (*sust. m.*) round-trip ticket, 11
idea (*sust. f.*) idea, 2
identificación (*sust. f.*) I.D. (card), 10
idioma (*sust. m.*) language, 2
iglesia (*sust. f.*) church
Igualmente. (*adv.*) Likewise., LP
impermeable (*sust. m.*) raincoat, 9
no importa (*exp.*) it doesn't matter
importante (*adj.*) important, 2
importar (*v.*) to matter; **importarle (a uno)** (*exp.*) to matter (to someone), 7
imposible (*adj.*) impossible, 2
impresora (*sust. f.*) printer, 10
incluir (*v.*) to include, 11
incómodo(-a) (*adj.*) uncomfortable, 9

inculcar (*v.*) to instill, 7
individual (*adj.*) individual, 10
información (*sust. f.*) information, 11
informática (*sust. f.*) computer science, 2
inglés (*sust. m.*) English (*language*), 2
ingreso (*sust. m.*) income, revenue, Unit 2, Unit 3, Unit 4; **fuente de ingresos** (*sust. f.*) source of income, Unit 2
inodoro (*sust. m.*) toilet, 12
insistir en (*v.*) to insist on, 12
inteligente (*adj.*) intelligent, 1
interés (*sust. m.*) interest
interesante (*adj.*) interesting, 1
interesar (*v.*) to interest, 7
interior (*adj.*) interior
internacional (*adj.*) international, 2
interrogativo(-a) (*adj.*) interrogative, 2
invierno (*sust. m.*) winter, 2
invitación (*sust. f.*) invitation, 4
invitado(-a) (*sust. m.*) guest, 4
invitar (*v.*) to invite, 4
iPod (*sust. m.*) iPod, 1
ir (*v.*) to go, 4; **fue a buscar (a alguién)** (*exp.*) to go to pick up (someone), 12; **ir a acampar** (*exp.*) to go camping, 8; **ir a patinar** (*exp.*) to go skating, 7; **ir de compras** (*exp.*) to go shopping, 9; **Me voy.** (*exp.*) I'm leaving., 2; **no vamos** (*exp.*) we are not going, 2
irse (*v.*) to leave, to go away, 7
istmo (*sust. m.*) isthmus, Unit 2
italiano (*sust. m.*) Italian (*language*), 7
izquierdo(-a) (*adj.*) left

J

jabón (*sust. m.*) soap
jamás (*adv.*) never, 6
jamón (*sust. m.*) ham, 5
japonés (*sust. m.*) Japanese (*language*), 7
jardín (*sust. m.*) garden, 12
jefe(-a) (*sust. m./f.*) boss, manager, 10
jitomate (*sust. m.*) tomato (*Mex.*), 6
joven (*adj.*) young, 1
joya (*sust. f.*) jewel, gem
joyería (*sust. f.*) jewellery store
juego (*sust. m.*) game, 7
jueves (*sust. m.*) Thursday, 2
jugador(-a) (*sust. m./f.*) player, 8
jugar (u>ue) (*v.*) to play, 8; **jugar al golf** (*exp.*) to play golf, 8; **jugar al tenis** (*exp.*) to play tennis, 8
jugo (*sust. m.*) juice, 2; **jugo de manzana** (*sust. m.*) apple juice, 2; **jugo de naranja** (*sust. m.*) orange juice, 2; **jugo de tomate** (*sust. m.*) tomato juice, 2; **jugo de toronja** (*sust. m.*) grapefruit juice, 2; **jugo de uvas** (*sust. m.*) grape juice, 2
julio (*sust. m.*) July, 2
junio (*sust. m.*) June, 2
juntarse (*v.*) to get together, 8
juntos(-as) (*adj.*) together, 2
justo(-a) (*adj.*) fair, 7

K

kiosko (*sust. m.*) magazine stand (*Arg., Esp.*), 12

L

laboratorio (*sust. m.*) laboratory
ladera (*sust. f.*) hillside, Unit 5
lago (*sust. m.*) lake, 8
langosta (*sust. f.*) lobster, 5
lápiz (*sust. m.*) pencil, 1
laptop (*sust. m.*) laptop, 1
largo(-a) (*adj.*) long, 9
Latinoamérica (*sust. f.*) Latin America
latinoamericano(-a) (*adj.*) Latin American
lavabo (*sust. m.*) washbasin, 12
lavadora (*sust. f.*) washing machine, 3
lavaplatos (*sust. m.*) dishwasher, 3
lavar (*v.*) to wash, 3
lavarse (*v.*) to wash oneself, 7
lección (*sust. f.*) lesson, 2
leche (*sust. f.*) milk, 2
lechuga (*sust. f.*) lettuce, 6
leer (*v.*) to read, 3
lejía (*sust. f.*) bleach
lejos (de) (*adv.*) far (from), 4
lengua (*sust. f.*) tongue, 7
lentamente (*adv.*) slowly, 8
lento(-a) (*adj.*) slow, 8
letrero (*sust, m.*) sign, 10
levantar (*v.*) to raise, 4; (*v.*) to pick up, 11
levantarse (*v.*) to get up, 7
libertad (*sust. f.*) liberty, 2
libre (*adj.*) off, free (available), 6; (*adj.*) vacant, available, 12
librería (*sust. f.*) bookstore, 2
libreta de ahorros (*sust. f.*) passbook, 10
libro (*sust. m.*) book, 1
licencia de (para) conducir (*sust. f.*) driver's licence, 10
licuadora (*sust. f.*) blender, 3
limonada (*sust. f.*) lemonade, 3
limpiar (*v.*) to clean, 3; **limpiar el polvo** (*v.*) to dust (*Esp.*), 3
limpio(-a) (*adj.*) clean, 5, 12
lindo(-a) (*adj.*) pretty, 1
liquidación (*sust. f.*) sale, 9
lista (*sust. f.*) list, 5
lista de espera (*sust. f.*) waiting list, 11
listo(-a) (*adj.*) ready; **estar listo(-a)** (*exp.*) to be ready
literatura (*sust. f.*) literature, 2
llamada (*sust. f.*) call, 11
llamar (*v.*) to call, 4; **llamar a la puerta** (*exp.*) to knock at the door, 3; **llamar por** (*exp.*) to call, to phone
llamarse (*v.*) to be called; **¿Cómo te llamas?** (*exp.*) What's your name? (*fam.*), LP; **¿Cómo se llama usted?** (*exp.*) What's your name? (*form.*), 1; **Me llamo...** (*exp.*) My name is..., LP
llave (*sust. f.*) the key, 4
llegar (*v.*) to arrive, 3; **llegar tarde** (*exp.*) to arrive late; **llegar temprano** (*exp.*) to arrive early, 3
llenar (*v.*) to fill, to fill out, 10
lleno(-a) (*adj.*) full, 12
llevar (*v.*) to wear, to take (someone or something somewhere), 4
llover (o>ue) (*v.*) to rain, 9
lluvia (*sust. f.*) rain, 9
lo **lo más pronto posible** (*exp.*) as soon as possible, 10; **lo mismo** (*exp.*) the same thing, 11; **lo primero** (*exp.*) the first thing, 12; **lo que** (*rel. pron.*) what, that, which, 9; **Lo siento.** (*exp.*) I'm sorry., 1
los (las) dos (*adj. inv./pron.*) both, 2
luego (*adv.*) later
lugar (*sust. m.*) place, 12; **en lugar de** (*exp.*) in place of, instead of, 1, 10; **lugar(-es) de interés** (*sust. m. sing./m. pl.*) place(s) of interest, 11
lujo (*sust. m.*) luxury, 8, 12
lunes (*sust. m.*) Monday, 2
luz (*sust. f.*) light, 1

M

madrastra (*sust. f.*) stepmother, 4
madre (*sust. m.*) mother, 4
madrina (*sust. f.*) godmother, 4
maestro(-a) (*sust. m./f.*) teacher, Unit 3
magnífico(-a) (*adj.*) magnificent
mal (*adv.*) poorly, badly, 1
maleta (*sust. f.*) suitcase, 11
maletín (*sust. m.*) small suitcase, hand luggage, 11
malla (*sust. f.*) bathing suit (*Cono Sur*), 8
malo(-a) (*adj.*) bad, 5
mamá (*sust. f.*) mom, 3, 4
mandar (*v.*) to send, 4; (*v.*) to order, 10
manejar (*v.*) to drive, 4
manera: de manera que (*exp.*) so, 6
manga (*sust. f.*) sleeve, 9
mano (*sust. f.*) hand, 1, 7
manteca (*sust. f.*) butter (*Cono Sur*), 5
mantel (*sust. m.*) tablecloth, 5
mantequilla (*sust. f.*) butter, 5
manzana (*sust. f.*) apple, 2; (*sust. f.*) city block (*Esp.*), 10; **jugo de manzana** (*sust. m.*) apple juice, 2
mañana (*adv.*) tomorrow, 2
mapa (*sust. m.*) map, 1
maquillarse (*v.*) to put on makeup, 7
mar (*sust. m.*) ocean, sea, 8
marca (*sust. f.*) mark
marcador (*sust. m.*) felt-tip pen, 1

marisco (*sust. m.*) shellfish, seafood, 5, 6
marrón (*sust. m./adj.*) brown, 1
martes (*sust. m.*) Tuesday, 2
marzo (*sust. m.*) March, 2
más (*adv.*) more, 5; **Más despacio, por favor.** (*exp.*) More slowly, please., 1; **Más o menos.** (*exp.*) More or less., So-so., LP; **más tarde** (*exp.*) later, 5; **¿Qué más... ?** (*exp.*) What else ...?, 5
matar (*v.*) to kill, 9, 11
matemáticas (*sust. f. pl.*) mathematics, 2
materia (*sust. f.*) course, subject (*Arg., Esp.*), 2
mayo (*sust. m.*) May, 2
mayor (*adj.*) older, oldest, 5
mediano(-a) (*adj.*) medium, 9; **de estatura mediana** (*exp.*) of medium height, 4
medianoche (*sust. f.*) midnight, 7
medicina (*sust. f.*) medicine
médico(a) (*sust. m./f.*) medical doctor, MD, 7
medida (*sust. f.*) measure, measurement, 9; **a la medida** (*exp.*) tailor-made, made-to-measure, 9
medio(-a) (*adj.*) half, 10
medio(-a) hermano(-a) (*sust. m./f.*) half brother, half sister, 4
mediodía (*sust. m.*) noon, 2
medir (e>i) (*v.*) to measure, 5
mejor (*adj./adv.*) better, best, 5
melocotón (*sust. m.*) peach, 6
melón de agua (*sust. m.*) watermelon (*Cuba, P.R.*), 6
memoria (*sust. f.*) memory, 10
menor (*adj.*) youngest, 5
menos (*adv.*) less, 5
mensaje (*sust. m.*) message; **mensaje electrónico** (*sust. m.*) e-mail, 8, 10; **mensaje de texto** (*sust. m.*) text message, 3
mentir (e>ie) (*v.*) to lie, 10
menú (*sust. m.*) menu, 5; **menú del día** (*exp.*) daily special, fixed menu, 5
mercado (*sust. m.*) market, 6; **mercado al aire libre** (*sust. m.*) outdoor market, 6
merendar (e>ie) (*v.*) to have an afternoon snack, 7
mermelada (*sust. f.*) jam, 5
mes (*sust. m.*) month, 2
mesa (*sust. f.*) table, 5
mesero(-a) (*sust. m./f.*) waiter, waitress (*Méx.*), 5
mesonero(-a) (*sust. m./f.*) waiter, waitress (*Ven.*), 5
mexicano(-a) (*adj.*) Mexican, 1
mezcla (*sust. f.*) mixture, 9
mezclar (*v.*) to mix
mi(-s) (*adj.*) my, 1
mientras (*conj.*) while, 3, 12
miércoles (*sust. m.*) Wednesday, 2
mil (*sust. m.*) a thousand, 3
minuto (*sust. m.*) minute
mío(-a)(-s) (*pron.*) mine, 9
mirar (*v.*) to watch, to look at, 3
lo mismo (*exp.*) the same thing, 11
mismo(-a) (*adj.*) same, 5
mochila (*sust. f.*) backpack, 1
moda: estar de moda (*exp.*) to be in style, 9
moderno(-a) (*adj.*) modern, 7
modista (*sust. m./f.*) tailor, seamstress, 9
modo (*sust. m.*) way, manner, mood; **de modo que** (*exp.*) so, 6
mohín (*sust. m.*) pout, 11
molestar (*v.*) to bother, 7
momento (*sust. m.*) moment, 3
moneda (*sust. f.*) coin, currency
monitor (*sust. m.*) monitor, 10
moneda (*sust. f.*) currency; **¿A cuánto está el cambio de moneda?** (*exp.*) What's the rate of exchange?, 11
montar (*v.*) to ride; **montar a caballo** (*exp.*) to ride horseback, 7; **montar en bicicleta** (*exp.*) to ride a bicycle, 7
montón (*sust. m.*) loads; **un montón de** (*exp.*) a bunch of, many, 12
morado(-a) (*sust. m./adj.*) purple, 1
moraleja (*sust. f.*) moral, 7
moreno(-a) (*adj.*) dark, brunet, 4
morir (o>ue) (*v.*) to die, 8
mostrar (o>ue) (*v.*) to show, 12
móvil (*sust. m.*) cellphone, 1
mozo(-a) (*sust. m./f.*) waiter, waitress (*Cono Sur*), 5
muchacho(-a) (*sust. m./f.*) young man/woman, 1
mucho(-a)(-s) (*adj.*) much, many, a lot, 1; **Muchas gracias.** (*exp.*) Thank you very much., 1; **Mucho gusto.** (*exp.*) It's a pleasure to meet you. (*Arg., Cuba*), LP; **No mucho.** (*exp.*) Not much., 1
mudarse (*v.*) to move (relocate), 9
mueble(-s) (*sust. m. sing./m. pl.*) furniture, 3
muerto(-a) (*adj.*) dead, 10; **estar muerto(-a) de hambre** (*exp.*) to be starving, 6
mujer (*sust. f.*) woman, 1
muñeca (*sust. f.*) wrist, 7
mural (*sust. m.*) mural
museo (*sust. m.*) museum, 7
música (*sust. f.*) music, 2
muy (*adv.*) very, 1; **Muy bien.** (*exp.*) Very well., LP

N

nada (*pron.*) nothing, 6; **De nada.** (*exp.*) You're welcome., 1; **Por nada.** (*exp.*) You're welcome. (*Méx.*), 1
nadar (*v.*) to swim, 7
nadie (*pron.*) nobody, no one, 6
naranja (*sust. f.*) orange (*fruit*), 2; **jugo de naranja** (*sust. m.*) orange juice, 2
nariz (*sust. f.*) nose, 7
navegar (*v.*) to navigate; **navegar la Red** (*exp.*) to surf the net, 10
Navidad (*sust. f.*) Christmas, 2
necesitar (*v.*) to need, 2
negar (e>ie) (*v.*) to deny, 11
negativo(-a) (*adj.*) negative, 2
negro(-a) (*sust. m./adj.*) black, 1
nevada (*sust. f.*) snowfall
nevar (e>ie) (*v.*) to snow, 9
nevera (*sust. f.*) refrigerator (*Esp.*), 3
ni... ni (*exp.*) neither... nor, 6
niebla (*sust. f.*) fog, 9
nieto(-a) (*sust. m./f.*) grandson / granddaughter, 4
nieve (*sust. f.*) snow, 9; **nieve** (*sust. f.*) ice cream (*Méx.*), 5
ningún, ninguno(-a) (*adj.*) none, not any; no one, 6
niño(-a) (*sust. m./f.*) child, 5
no (*adv.*) no, not, 1
noche (*sust. f.*) night, 2; **esta noche** (*exp.*) tonight, 1; **por la noche** (*exp.*) at night, 2; **por noche** (*exp.*) per night, 9
normalmente (*adv.*) normally, 8
norteamericano(-a) (*adj.*) North American, 1
nota (*sust. f.*) mark, grade, 5; **buenas notas** (*exp.*) good marks, 5
noticia (*sust. f.*) news, 10
novecientos (*sust. m.*) nine hundred, 3
noveno(-a) (*adj.*) ninth, 12
noventa (*sust. m.*) ninety, 2
noviembre (*sust. m.*) November, 2
novio(-a) (*sust. m./f.*) boyfriend / girlfriend, 4
nublado(-a) (*adj.*) cloudy, 9
nuera (*sust. f.*) daughter-in-law, 4
nuestro(-a)(-s) (*adj.*) our, 2
nueve (*sust. m.*) nine, 1
nuevo(-a) (*adj.*) new, 2
número (*sust. m.*) number, LP; **número de teléfono** (*sust. m.*) phone number, LP; **número de Seguro Social** (*exp.*) Social Insurance Number, 10
nunca (*adv.*) never, 6, 12

O

o... o (*exp.*) either... or, 6
obra (*sust. f.*) work (*of art*)
ochenta (*sust. m.*) eighty, 2
ocho (*sust. m.*) eight, 1
ochocientos (*sust. m.*) eight hundred, 3
octavo(-a) (*adj.*) eighth, 12
octubre (*sust. m.*) October, 2
ocupación (*sust. f.*) occupation, 3
ocupado(-a) (*adj.*) busy, 5

odio (*sust. m.*) hatred, 9
oficina (*sust. f.*) office, 2; **oficina de administración** (*sust. f.*) administration office, 2; **oficina de correo** (*sust. f.*) post office, 10
ojalá (*exp.*) I hope, 10
ojo(-s) (*sust. m. sing./m. pl.*) eye(s), 4, 7; **de ojos castaños** (*exp.*) with brown eyes, 4
olor (*sust. m.*) smell, 9
olvidarse (de) (*v.*) to forget, 12
ómnibus (*sust. m.*) bus (*Cono Sur*), 8
optimista (*sust. m./f.*) optimist, 12
ordenador (*sust. m.*) computer (*Esp.*), 1, 10; **ordenador personal** (*sust. m.*) personal computer (*Esp.*), 10
oreja (*sust. f.*) ear (*external*), 7
original (*sust. m./adj.*) original
orilla (*sust. f.*) bank (*of a body of water*), shore
oro (*sust. m.*) gold, 9
orquesta (*sust. f.*) orchestra, band, 5
oso (*sust. m.*) bear, 9
otoño (*sust. m.*) autumn, 2
otra vez (*exp.*) again, 12
otro(-a) (*adj.*) another, other, 10
oye (*exp.*) listen, 1

P

paciencia (*sust. f.*) patience, 12; **tener paciencia** (*exp.*) to have patience, 12
padrastro (*sust. m.*) stepfather, 4
padre (*sust. m.*) father, 4
padres (*sust. m. pl.*) parents, 3, 4
padrino (*sust. m.*) godfather, 4
pagar (*v.*) to pay, 5
país (*sust. m.*) country, nation, 10, 11
pájaro (*sust. m.*) bird, Unit 2
palabra (*sust. f.*) word, 1
palo de golf (*sust. m.*) golf club, 8
palta (*sust. f.*) avocado (*Cono Sur*), 6
pan (*sust. m.*) bread, 3, 5; **pan tostado** (*sust. m.*) toast, 5
panadería (*sust. f.*) bakery, 6
panqué (*sust. m.*) pancake (*Méx.*), 5
panqueque (*sust. m.*) pancake, 5
pantalla (*sust. f.*) screen, 10
pantallas (*sust. f. pl.*) earrings (*P.R.*), 9
pantalón (pantalones) (*sust. m. sing./m. pl.*) pants, trousers, 9; **pantalones cortos** (*sust. m. pl.*) shorts, 9
papa (*sust. f.*) potato, 5; **puré de papas** (*sust. m.*) mashed potatoes, 5
papá (*sust. m.*) dad, 3, 4
papel (*sust. m.*) paper, 1; **papel higiénico** (*sust. m.*) toilet paper, 6
paquete (*sust. m.*) package, 11
par (*sust. m.*) pair, 9
para (*prep.*) for, in order to, 3; **para el desayuno (el almuerzo, la cena)** (*exp.*) for breakfast (lunch, dinner), 5
parado(-a) (*adj.*) standing, 9
paraguas (*sust. m.*) umbrella, 9
parapente (*sust. m.*) paragliding, 8
parar (*v.*) to stop, 11
parecer (*v.*) to seem, 12
pared (*sust. f.*) wall, 1
pareja (*sust. f.*) couple, 4
pariente (*sust. m./f.*) relative, 3, 4
parilla (*sust. f.*) grill; **a la parrilla** (*exp.*) grilled, 5
parque (*sust. m.*) park, 7
parquear (*v.*) to park (*Antillas*), 10
parte (*sust. f.*) part, 7; **en parte** (*exp.*) in part, 11
partido (*sust. m.*) game, match, 7
pasado(-a) (*adj.*) last, 7
pasaje (*sust. m.*) ticket, 11; **pasaje de ida** (*sust. m.*) one-way ticket, 11; **pasaje de ida y vuelta** (*sust. m.*) round-trip ticket, 11
pasajero(-a) (*sust. m.*) passenger, 11
pasaporte (*sust. m.*) passport, 11
pasar (*v.*) to spend (*time*), 8; **pasar la aspiradora** (*exp.*) to vacuum, 3; **pasar una película** (*exp.*) to show a movie, 7; **pasarlo bien** (*exp.*) to have a good time, 4
pasear (*v.*) to take a walk, to walk (a pet), 8
pasillo (*sust. m.*) aisle, 11; **asiento de pasillo** (*sust. m.*) aisle seat, 11
paso (*sust. m.*) step, 9
pastel (*sust. m.*) pie, 5; cake (*Méx.*), 4
pastilla (*sust. f.*) pill
pasto (*sust. m.*) lawn (*Cono Sur*), 3
patata (*sust. f.*) potato (*Esp.*), 5
patilla (*sust. f.*) watermelon (*Col., P.R., R. Dom., Ven.*), 6
patinar (*v.*) to skate, 7; **ir a patinar** (*exp.*) to go skating, 7
patio (*sust. m.*) patio, 12
pecho (*sust. m.*) chest, 7
pedir (e>i) (*v.*) to order, to ask for, 6
película (*sust. f.*) movie, film, 3, 4
peligro (*sust. m.*) danger, 3
peligroso(-a) (*adj.*) dangerous, 11
pelirrojo(-a) (*adj.*) red-haired, 4
pelo (*sust. m.*) hair, 7
pelota (*sust. f.*) ball, 8
pendiente(-s) (*sust. m. sing./m. pl.*) earring(s) (*Esp.*), 9
pensar (e>ie) (*v.*) to think, to plan, 3, 4, 5
pensión (*sust. f.*) boarding house, 12; **pensión completa** (*exp.*) room and board, 12
peor (*adj./adv.*) worse, 5
pepino (*sust. m.*) cucumber, 6
pequeño(-a) (*adj.*) small, 1
pera (*sust. f.*) pear, 6
perder (e>ie) (*v.*) to lose
Perdón. (*exp.*) Sorry, pardon me., 1
perfecto(-a) (*adj.*) perfect, 1
periódico (*sust. m.*) newspaper, 10
permiso (*sust. m.*) permission, 7; **Permiso.** (*exp.*) Excuse me. (*e.g., when going through a crowded room*), 1; **Con permiso.** (*exp.*) Excuse me. (*e.g., when going through a crowded room*), 1
pero (*conj.*) but, 2
perro (*sust. m.*) dog, 4; **caminar al perro** (*exp.*) to walk the dog, 3; **perro caliente** (*sust. m.*) hot dog, 5
persona (*sust. f.*) person, 12
personaje (*sust. m.*) character (*in a book, play*), 7
peruano(-a) (*adj.*) Peruvian
pescadería (*sust. f.*) fish market, 6
pescado (*sust. m.*) fish, 5
pescar (*v.*) to fish, to catch fish, 8; **caña de pescar** (*sust. f.*) fishing rod, 8
pesimista (*sust. m./f.*) pessimist, 12
pestañas (*sust. f. pl.*) eyelashes, 7
petróleo (*sust. m.*) oil, petroleum
picnic (*sust. m.*) picnic, 7
pie (*sust. m.*) foot, 7
piedra (*sust. f.*) rock, 11
pierna (*sust. f.*) leg, 7
pijama(-s) (*sust. m. sing./m. pl.*) pajamas, 9
piloto (*sust. m./f.*) pilot, 11
pimienta (*sust. f.*) ground pepper, 6
pimiento (*sust. m.*) sweet pepper, 5
pintor(-a) (*sust. m./f.*) painter, 1
piña (*sust. f.*) pineapple, 6
pintura (*sust. f.*) painting
piscina (*sust. f.*) swimming pool, 7, 12
piso (*sust. m.*) floor, 12; (*sust. m.*) apartment (*Esp.*), 6
pizarra (*sust. f.*) chalkboard, 1; **pizarra blanca** (*sust. f.*) whiteboard, 1
pizarrón (*sust. m.*) chalkboard (*Cono Sur*), 1
placer (*sust. m.*) pleasure, 7; **Un placer.** (*exp.*) A pleasure (to meet you). (Centroamérica), LP
plan (*sust. m.*) plan, 7
plancha (*sust. f.*) iron, 3
planchar (*v.*) to iron, 3
planear (*v.*) to plan, 4
planilla (*sust. f.*) form, 10
planta baja (*sust. f.*) main floor
plata (*sust. f.*) money (*Cono Sur, Cuba*), 2
plátano (*sust. m.*) banana, 6
platicar (*v.*) to talk, converse (*Méx.*), 2
platillo (*sust. m.*) saucer, 5
plato (*sust. m.*) plate, dish, 3, 5; **plato hondo** (*sust. m.*) soup plate, 5; **plato llano** (*sust. m.*) dinner plate, 5
playa (*sust. f.*) beach, 2, 7, 12
pluma (*sust. f.*) ball-point pen, 1; **pluma de bolígrafo** (*sust. f.*) ball-point pen, 1
población (*sust. f.*) population
pobre (*adj.*) poor, 7
poco (*adj.*) a few, 5; **un poco (de)** (*exp.*) a little, 4, 6

poder (o>ue) (*v.*) to be able to, can, 6
poema (*sust. m.*) poem, 2
pollo (*sust. m.*) chicken, 3, 5
ponche (*sust. m.*) punch (*drink*)
poner (*v.*) to put, to place, 3, 4; **poner una película** (*exp.*) to show a movie, 7; **poner la mesa** (*exp.*) to set the table, 5
ponerse (*v.*) to put on, 7
ponerse de acuerdo (*exp.*) to come to an agreement, to agree upon, 11
por (*prep.*) during, in, for, per, 9, 12; **Por favor.** (*exp.*) Please., 1; **por fin** (*exp.*) finally (at last), 10; **por la mañana** (*exp.*) in the morning, 2; **por la noche** (*exp.*) at night, 2; **por la tarde** (*exp.*) in the afternoon, 2; **por noche** (*exp.*) per night, 9; **por semana** (*exp.*) per week, 2; **por si acaso** (*exp.*) just in case, 8; **por suerte** (*exp.*) luckily, fortunately, 12
¿Por qué? (*exp.*) Why?, 2
porque (*conj.*) because, 2
portugués (*sust. m.*) Portuguese (*language*), 7
posesivo(-a) (*adj.*) possessive, 3
posible (*adj.*) possible, 12
posiblemente (*adv.*) possibly, 8
postre (*sust. m.*) dessert, 5; **de postre** (*exp.*) for dessert, 5
practicar (*v.*) to practise, to exercise, 2
precio (*sust. m.*) price, 12
preferir (e>ie) (*v.*) to prefer, 5
preguntar (*v.*) to ask (*a question*), 7
preocuparse (*v.*) to worry
preparar (*v.*) to prepare, 3
presentarse (*v.*) to introduce oneself, 11
préstamo (*sust. m.*) loan; **solicitar un préstamo** (*exp.*) to apply (ask) for a loan, 10
prestar (*v.*) to lend, 8
primavera (*sust. f.*) spring, 2
primer, primero(-a) (*adj.*) first, 12; **lo primero** (*exp.*) the first thing, 12; **(de) primera clase** (*exp.*) first class, 11
primo(-a) (*sust. m.*) cousin, 4
privado(-a) (*adj.*) private, 12
probablemente (*adv.*) probably, 12
probador (*sust. m.*) fitting room, 9
probarse (o>ue) (*v.*) to try on, 7
problema (*sust. m.*) problem, 2
profesor(-a) (*sust. m./ f.*) professor, LP
programa (*sust. m.*) program, 2
prometer (*v.*) to promise, 8
pronto (*adv.*) soon, 8
propietario(-a) (*sust. m.*) owner, 12
propina (*sust. f.*) tip, 5
provincia (*sust. f.*) province
próximo(-a) (*adj.*) next, 2, 4, 12; **próxima semana** (*exp.*) next week, 12; **próximo año** (*exp.*) next year, 12; **próximo día** (*exp.*) next day, 12; **próximo lunes** (*exp.*) next Monday, 12; **próximo mes** (*exp.*) next month, 12
proyecto (*sust. m.*) project, 10
psicología (*sust. f.*) psychology, 2
pueblo (*sust. m.*) town, 11
puerta (*sust. f.*) door, 1; **puerta de salida** (*sust. f.*) gate (*at the airport*), 11
puertorriqueño(-a) (*sust. m./f.*) Puerto Rican, 8
pues (*conj.*) then, well, 2
puesto (*sust. m.*) stand, stall, booth; **puesto de revistas** (*sust. m.*) magazine stand, 12; **puesto de vegetales** (*sust. m.*) vegetable stand, Unit 3
pupitre (*sust. m.*) desk, 1
puré de papas (*sust. m.*) mashed potatoes, 5

Q

que (*conj./pron.*) who, that, 2
¿Qué? (*pron.*) What?, 1; **¡Qué lástima!** (*exp.*) What a pity!, 2; **¡Qué sorpresa!** (*exp.*) What a surprise!, 4; **¿En qué puedo servirle?** (*exp.*) How may I help you?, 9; **¿Qué día es hoy?** (*exp.*) What day is it today?, 2; **¿Qué es?** (*exp.*) What is?, 1; **¿Qué fecha es hoy?** (*exp.*) What is the date today?, 2; **¿Qué hay de nuevo?** (*exp.*) What's new?, 1; **¿Qué hora es?** (*exp.*) What time is it?, 2; **¿Qué hubo?** (*exp.*) How is it going? (*Col., Méx.*), LP; **¿Qué más... ?** (*exp.*) What else...?, 5; **¿Qué pasa?** (*exp.*) What's new?/ What's happening? (*Esp.*), LP; **¿Qué tal?** (*exp.*) How is it going?, LP; **¿Qué temperatura hace?** (*exp.*) What's the temperature?, 9; **¿Qué tiempo hace hoy?** (*exp.*) What's the weather like today?, 9
quebrar (e>ie) (*v.*) to break (*Méx.*), 7
quedar (*v.*) to fit, to suit; **quedarle chico(-a) (a alguien)** (*exp.*) to be too small on someone, 9; **quedarle grande (a alguien)** (*exp.*) to be too big (on someone), 9
quedarse (*v.*) to stay (*e.g., at a hotel*), 8
quehacer (*sust. m.*) job, task, household chore, 3
quejarse (*v.*) to complain, 7
querer (e>ie) (*v.*) to want, to wish, 5; **¿Quieres?** (*exp.*) Will you?, 12
querido(-a) (*adj.*) dear, 11
queso (*sust. m.*) cheese, 6
¿Quién? (*pron.*) Who?, 1; **¿Con quién...?** (*exp.*) With whom...?; **¿Quién es?** (*exp.*) Who is it?, 3
química (*sust. f.*) chemistry, 2
quince (*sust. m.*) fifteen, 2
quinientos (*sust. m.*) five hundred, 3
quinto(-a) (*adj.*) fifth, 12
quiosco (*sust. m.*) magazine stand (*Arg., Esp.*), 12
quitarse (*v.*) to take off, 7
quizás (*adv.*) maybe, perhaps, 9

R

raíz (*sust. f.*) root, 5
ramo (*sust. m.*) a bouquet, a bunch, 9
rápidamente (*adv.*) quickly, 3
rápido(-a) (*adj.*) rapid, fast, 9
raqueta (*sust. f.*) racket, 8
raramente (*adv.*) rarely, 8
raro(-a) strange, rare (*adj.*)
rasurarse (*v.*) to shave, 7
un rato (*exp.*) a while, 3
ratón (*sust. m.*) mouse, 10
rebajas (*sust. f. pl.*) sale, 9
recámara (*sust. f.*) bedroom (*Méx.*), 3
recepción (*sust. f.*) reception, 7
receta (*sust. f.*) recipe, 6
recibir (*v.*) to receive, 3
recibo (*sust. m.*) receipt, 10
recién casado(-a)(-s) (*sust. m./f. pl.*) newlywed(s), 6
reciente (*adj.*) recent, 8
recientemente (*adv.*) recently, 8
recomendación (*sust. f.*) recommendation, 10
recomendar (e>ie) (*v.*) to recommend, 10
recordar (o>ue) (*v.*) to remember, 6
refresco (*sust. m.*) soft drink, 5
refrigerador (*sust. m.*) refrigerator, 3
regadera (*sust. f.*) shower (*Mex.*), 12
regalar (*v.*) to give a gift, 9
regalo (*sust. m.*) gift, 3, 9
regatear (*v.*) to bargain, 6
regazo (*sust. m.*) lap, 9
regresar (*v.*) to return, to come back
regular (*adj.*) so-so, LP
reina (*sust. f.*) queen, Unit 1
reírse (e>i) (*v.*) to laugh
relámpago (*sust. m.*) flash of lightning, 11
reloj (*sust. m.*) clock, watch, 1
remar (*v.*) to row, 8
remo (*sust. m.*) oar, 8
rentar (*v.*) to rent (*Méx.*), 8
requisito (*sust. m.*) requirement, 2
reservación (*sust. f.*) reservation, 12
reservar (*v.*) to reserve, to book, 5
residencia estudiantil, residencia universitaria (*sust. f.*) university residence, 2, 3
respuesta (*sust. f.*) answer, LP
restaurante (*sust. m.*) restaurant, 5
retrato (*sust. m.*) portrait, 9
revista (*sust. f.*) magazine; **puesto de revistas** (*sust. m.*) magazine stand, 12
rico(-a) (*adj.*) rich, 1
río (*sust. m.*) river, 8

risa (*sust. f.*) laugh, 11
rodilla (*sust. f.*) knee, 7
rojo(-a) (*sust. m./adj.*) red, 1
romántico(-a) (*sust. m./f./adj.*) romantic, 7
romper (*v.*) to break, 7
romperse (*v.*) to break (*an arm, bone, etc.*), 7
ropa (*sust. f.*) clothes, 3
rosado(-a) (*sust. m./adj.*) pink, 1; **vino rosado** (*sust. m.*) rosé wine, 2
rubio(-a) (*adj.*) blond(e), 4
ruinas (*sust. f. pl.*) ruins
ruso (*sust. m.*) Russian (*language*), 7

S

sábado (*sust. m.*) Saturday, 2
saber (*v.*) to know, 4
sabiduría (*sust. f.*) wisdom, 7
sabroso(-a) (*adj.*) tasty, 5
sacar (*v.*) to take out, 3
saco de dormir (*sust. m.*) sleeping bag (*Col., Cono Sur*), 8
sal (*sust. f.*) salt, 5
sala (*sust. f.*) living room, 3; **sala de estar** (*sust. f.*) living room, 3
saldo (*sust. m.*) account balance, 10
salida (*sust. f.*) exit, 11; **puerta de salida** (*sust. f.*) gate (*at the airport*), 11; **salida de emergencia** (*sust. f.*) emergency exit, 11
salir (*v.*) to go out, to leave, 4
salonero(-a) (*sust. m./f.*) waiter, waitress (Costa Rica), 5
salsa (*sust. f.*) salsa (*dance*), 4; sauce, 6
¡Salud! (*exp.*) Cheers!, 4
saludo (*sust. m.*) greeting, LP; **Saludos a...** (*exp.*) Say hi to..., 1
salvadoreño(-a) (*sust. m./f.*) Salvadorian, 2
salvavidas (*sust. m./f.*) lifeguard, 8
sandalia (*sust. f.*) sandal, 9
sandía (*sust. f.*) watermelon, 6
sándwich (*sust. m.*) sandwich, 8
sartén (*sust. f.*) frying pan, 3
sastre (*sust. m.*) tailor, 9
se (*pron.*) herself, himself, itself, themselves, yourself, yourselves, 7
secadora (*sust. f.*) dryer, clothes dryer, 3
secar (*v.*) to dry, 3
sección (*sust. f.*) section
seco(-a) (*adj.*) dry, 9
seguir (e>i) (*v.*) to follow, to continue, 6
según (*prep.*) according to, 8
segundo(-a) (*adj.*) second, 12
seguridad (*sust. f.*) security; **abrocharse el cinturón de seguridad** (*exp.*) to fasten the seat belt, 11; **control de seguridad** (*exp.*) security check, 11
seguro(-a) (*adj.*) sure, certain; **seguro** (*sust. m.*) insurance, 10; **estar seguro(-a)** (*exp.*) to be certain, 11
seis (*sust. m.*) six, 1
seiscientos (*sust. m.*) six hundred, 3
selva (*sust. f.*) rainforest, Unit 3
semana (*sust. f.*) week, 2; **fin de semana** (*sust. m.*) weekend, 2; **por semana** (*exp.*) per week, 2
semestre (*sust. m.*) semester, 2; **este semestre** (*exp.*) this semester, 2
sentarse (e>ie) (*v.*) to sit down, 7
sentir (e>ie) (*v.*) to regret, 10; **Lo siento.** (*exp.*) I'm sorry., 1
sentirse (e>ie) (*v.*) to feel, 7
seña (*sust. f.*) sign, 11
señor (Sr.) (*sust. m.*) Mr., sir, gentleman, LP
señora (Sra.) (*sust. f.*) Mrs., madam, lady, LP
señorita (Srta.) (*sust. f.*) miss, young lady, LP
septiembre (*sust. m.*) September, 2
séptimo(-a) (*adj.*) seventh, 12
ser (*v.*) to be, 1; **Soy de...** (*exp.*) I am from..., 1
ser (*sust. m.*) being; **ser humano** (*sust. m.*) human being, 7
servicio (*sust. m.*) service; **servicio de cuarto** (*sust. m.*) room service, 12; **servicio de habitación** (*sust. m.*) room service, 12
servilleta (*sust. f.*) napkin, 5
servir (e>i) (*v.*) to serve, 4, 5, 6; **¿En qué puedo servirle?** (*exp.*) How may I help you?, 9
sesenta (*sust. m.*) sixty, 2
setecientos (*sust. m.*) seven hundred, 3
setenta (*sust. m.*) seventy, 2
sexto(-a) (*adj.*) sixth, 12
si (*conj.*) if, 12
sí (*adv.*) yes, 1
siempre (*adv.*) always, 3
siete (*sust. m.*) seven, 1
siglo (*sust. m.*) century, 11
siguiente (*adj.*) following, 3, 5
silla (*sust. f.*) chair, 1
simpático(-a) (*adj.*) charming, nice, fun to be with, 1
sin (*prep.*) without, 5
sino (*conj.*) but, Unit 1
sinónimo (*sust. m.*) synonym
sistema (*sust. m.*) system, 2
situación (*sust. f.*) situation, 1
sobre (*prep.*) on, 11; (*prep.*) about, 12
sobrino(-a) (*sust. m./f.*) nephew, niece, 4
sociología (*sust. f.*) sociology, 2
sofá (*sust. m.*) sofa; **sofá-cama** (*sust. m.*) sleeper sofa, 12
solamente (*adv.*) only, 2
solicitar (*v.*) to apply for, to ask for, to request; **solicitar un préstamo** (*exp.*) to apply (ask) for a loan, 10
sollozar (*v.*) to weep, 9
solo(-a) (*adj.*) alone, 3
solo (*adv.*) only, 2
soltero(-a) (*adj.*) single, 4
solución (*sust. f.*) solution
solucionar (*v.*) to solve
sombrero (*sust. m.*) hat, 9
sombrilla (*sust. f.*) parasol, sunshade
sonreír (*v.*) to smile, 11
soñar (o>ue) (*v.*) to dream, 9; **soñar con** (*v.*) to dream about, 12
sopa (*sust. f.*) soup, 3, 5
sorpresa (*sust. f.*) surprise, 4; **¡Qué sorpresa!** (*exp.*) What a surprise!, 4
sostén (*sust. m.*) bra, 9
su(-s) (*adj.*) his, hers, its, their, your (*form.*), 2
subir (*v.*) to board, 11
subtítulos (*sust. m. pl.*) subtitles
suceder (*v.*) to happen, 7
sucio(-a) (*adj.*) dirty, 5
sucursal (*sust. f.*) branch office, 10
sudadera (*sust. f.*) sweatshirt, 9; **sudadera con capucha** (*sust. f.*) hoodie, 9
suegro(-a) (*sust. m./f.*) father-in-law, mother-in-law, 4
suerte (*sust. f.*) luck; **¡Buena suerte!** (*exp.*) Good luck!, 1
suéter (*sust. m.*) sweater, 9
sugerir (e>ie) (*v.*) to suggest, 10
sujetador (*sust. m.*) bra, 9
sujetar (*v.*) to hold, 9
sujetarse (*v.*) to hold up, 9
superlativo(-a) (*adj.*) superlative, 5
supermercado (*sust. m.*) supermarket, 6
suyo(-a)(-s) (*adj./pron.*) his, hers, its, their, your (*form.*), 9

T

tabla de mar (*sust. f.*) surfboard, 8
tableta (*sust. f.*) tablet, 10
tacaño(-a) (*adj.*) frugal, stingy, 9
taco (*sust. m.*) heel (*Arg.*), 9
tacón (*sust. m.*) heel, 9
tal vez (*exp.*) maybe, perhaps, 9
talla (*sust. f.*) size (*of clothing*), 9
taller (*sust. m.*) workshop
talonario de cheques (*sust. m.*) cheque book, 10
también (*adv.*) also, too, 2
tampoco (*adv.*) neither, 6
tan (*adv.*) so, as, such, 5
tanto(-a)(-s) (*adj.*) so much, so many, 6; (*adj.*) as much, as many, 5
tarde (*sust. f.*) afternoon, 2; **llegar tarde** (*exp.*) to arrive late, 3; **más tarde** (*exp.*) later, 5; **ya es tarde** (*exp.*) it's already late, 2
tarea (*sust. f.*) homework, 2
tarjeta (*sust. f.*) card, 9, 10; **tarjeta de crédito** (*sust. f.*) credit card, 10; **tarjeta de cumpleaños** (*sust. f.*) birthday card, 9; **tarjeta de débito** (*sust. f.*) debit card, 10; **tarjeta de**

embarco (*sust. f.*) boarding pass (*Arg.*), 11; **tarjeta de embarque** (*sust. f.*) boarding pass, 11; **tarjeta postal** (*sust. f.*) postcard, 10
tarta (*sust. f.*) cake (*Esp.*), 4
taxi (*sust. m.*) taxi, 12
taza (*sust. f.*) cup, 2, 5
té (*sust. m.*) tea, 2; **té frío** (*sust. m.*) iced tea, 2; **té helado** (*sust. m.*) iced tea, 2
teatro (*sust. m.*) theatre, 7
teclado (*sust. m.*) keyboard, 10
tecnología (*sust. f.*) technology, 10
tela (*sust. f.*) fabric, 9
tele (*sust. f.*) television, 2
teléfono (*sust. m.*) teléfono; **teléfono celular** (*sust. m.*) cellphone, 1; **¿Cuál es tu número de teléfono?** (*exp.*) What's your phone number?, LP
telenovela (*sust. f.*) soap opera, 3
televisión (*sust. f.*) television, 2
televisor (*sust. m.*) TV set, 12
tema (*sust. m.*) theme, 3
temer (*v.*) to fear, to be afraid, 10
temperatura (*sust. f.*) temperature, 9; **¿Qué temperatura hace?** (*exp.*) What's the temperature?, 9
templado(-a) (*adj.*) warm, 9
temprano (*adv.*) early, 7; **llegar temprano** (*exp.*) to arrive early, 3, 9, 11
tenedor (*sust. m.*) fork, 5
tener (*v.*) to have, 3; **tener... años (de edad)** (*exp.*) to be . . . years old, 3; **no tener nada que ponerse** (*exp.*) to have nothing to wear, 9; **no tener razón** (*exp.*) to be wrong, 3; **tener acceso a la Red** (*exp.*) to have access to the Internet, 10; **tener calor** (*exp.*) to be hot, 3; **tener cuidado** (*exp.*) to be careful, 3; **tener éxito** (*exp.*) to be successful, 3; **tener frío** (*exp.*) to be cold, 3; **tener ganas de (+ *inf.*)** (*exp.*) to feel like (*doing something*), 3; **tener hambre** (*exp.*) to be hungry, 3; **tener inconveniente** (*exp.*) to have a problem, 10; **tener miedo** (*exp.*) to be afraid, scared, 3; **tener paciencia** (*exp.*) to have patience, 12; **tener prisa** (*exp.*) to be in a hurry, 3; **tener que (+ *inf.*)** (*exp.*) to have to (*do something*), 3; **tener razón** (*exp.*) to be right, 3; **tener sed** (*exp.*) to be thirsty, 3; **tener sueño** (*exp.*) to be sleepy, 3; **tener suerte** (*exp.*) to be lucky, 3
teñirse (e>i) (*v.*) to dye, 7
tercer, tercero(-a) (*adj.*) third, 12
terminar (*v.*) to end, to finish, to get through, 2
termo (*sust. m.*) thermos, 8
ternera (*sust. f.*) veal; **chuleta de ternera** (*sust. f.*) veal chop, 6
terrible (*adj.*) terrible, 1
tez (*sust. f.*) complexion, 11
ti (*pron.*) you, 5
tiempo (*sust. m.*) time, weather, 3; **a tiempo parcial** (*exp.*) part time, 10; **¿Cuánto tiempo...?** (*exp.*) How long...?; **¿Cuánto tiempo hace que...?** (*exp.*) How long has it been since...?, 6; **¿Qué tiempo hace hoy?** (*exp.*) What's the weather like today?, 9
tienda (*sust. f.*) store, 3, 9; **tienda de campaña** (*sust. f.*) tent, 8; **tienda de regalos** (*sust. f.*) souvenir shop, 12
tierra (*sust. f.*) earth, Unit 2
timbre (*sust. m.*) stamp (*Méx.*), 10
tímido(-a) (*adj.*) shy, 5
tinto (*adj.*) red (*wine*), 2
tintorería (*sust. f.*) dry-cleaner's, 10
tío(-a) (*sust. m./f.*) uncle / aunt, 4
tipo (*sust. m.*) type, kind, sort
título (*sust. m.*) title, LP
tiza (*sust. f.*) chalk, 1
tobillo (*sust. m.*) ankle, 7
tocar (*v.*) to touch, to play an instrument, to play music, 5; **tocar a la puerta** (*exp.*) to knock at the door, 3
tocino (*sust. m.*) bacon, 6
todavía (*adv.*) still, 3
todo(-a)(-s) (*adj.*) all, every, 2; **todo un éxito** (*exp.*) quite a success, 4
tomar (*v.*) to take (*a class*); to drink, 2; **tomar el sol** (*exp.*) to sunbathe, 8; **tomar una decisión** (*exp.*) to make a decision, 11; **Tome asiento.** (*exp.*) Have a seat., 1
tomate (*sust. m.*) tomato, 2, 6; **jugo de tomate** (*sust. m.*) tomato juice, 2
tonto(-a) (*adj.*) dumb, 1
toronja (*sust. f.*) grapefruit, 2; **jugo de toronja** (*sust. m.*) grapefruit juice, 2
torta (*sust. f.*) cake, 4
tostadora (*sust. f.*) toaster, 3
trabajar (*v.*) to work, 2
trabajo (*sust. m.*) work, 3; **trabajos de la casa** (*sust. m. pl.*) housework, 3
traducir (*v.*) to translate, 4
traer (*v.*) to bring, 4; **tráigame** (*exp.*) bring me, 5; **tráiganos** (*exp.*) bring us, 5
tráfico (*sust. m.*) traffic, 9
traje (*sust. m.*) suit, 9; **traje de baño** (*sust. m.*) bathing suit, 8
transportar (*v.*) to transport
tratar (de) (*v.*) to try to, 8
treinta (*sust. m.*) thirty, 2
tren (*sust. m.*) train, 9
tres (*sust. m.*) three, 1
trescientos (*sust. m.*) three hundred, 3
trigueño(-a) (*adj.*) dark, brunet (*Cuba, Par.*), 4
triste (*adj.*) sad, 4
trusa (*sust. f.*) bathing suit (*Cuba*), 8
tu(-s) (*adj.*) your, 1
tú (*pron.*) you (*fam.*), 2; **¿Y tú?** (*exp.*) And you? (*fam.*), LP
tuit (*sust. m.*) tweet, 10
turista (*sust. m./f.*) tourist, 12; **clase turista** (*exp.*) tourist class, 11
turno (*sust. m.*) turn
tuyo(-a)(-s) (*pron.*) yours (*fam.*), 9

U

últimamente (*adv.*) lately, 10
último(-a) (*adj.*) last, 2, 7; **la última vez** (*exp.*) the last time, 7
un(-a) (*ind. art.*) a, an, 1
universidad (*sust. f.*) university, 1
universitario(-a) (*adj.*) (related to) university, 1
uno (*sust. m.*) one, 1
unos(-as) (*ind. art.*) some, 1
urbano(-a) (*adj.*) urban
usar (*v.*) to use, to wear, 9
usted (Ud.) (*pron.*) you (*form.*), 1; **¿Y usted?** (*exp.*) And you? (*form.*), LP
ustedes (Uds.) (*pron.*) you (*pl.*), 1
útil (*adj.*) useful, 1
uva(s) (*sust. f. sing./f. pl.*) grape(s), 2; **jugo de uvas** (*sust. m.*) grape juice, 2

V

vacaciones (*sust. f. pl.*) holidays, 5; **de vacaciones** (*exp.*) on vacation, 5; **estar de vacaciones** (*exp.*) to be on vacation
vainilla (*sust. f.*) vanilla, 5
valija (*sust. f.*) suitcase (*Cono Sur*), 11
valor (*sust. m.*) value, 9
vaqueros (*sust. m. pl.*) jeans, 9
vaso (*sust. m.*) (drinking) glass, 2
vecino(-a) (*sust. m./f.*) neighbour, 11
vegano(-a) (*sust.m./f.*) vegan, 5
vegetal (*sust. m.*) vegetable, 5
vegetariano(-a) (*sust. m./f.*) vegetarian, 5
veinte (*sust. m.*) twenty, 2
velero (*sust. m.*) sailboat, 8
veliz (*sust. m.*) suitcase (*Méx.*), 11
vendedor(-a) (*sust. m./f.*) salesperson, 6
vender (*v.*) to sell, 8
venir (e>ie) (*v.*) to come, 3
ventaja (*sust. f.*) advantage, 7
ventana (*sust. f.*) window, 1
ventanilla (*sust. m.*) small window (*bank, ticket booth, etc.*), 11; **asiento de ventanilla** (*sust. m.*) window seat, 11
ver (*v.*) to see, 4; **a ver** (*exp.*) let's see, 6; **Nos vemos.** (*exp.*) (I'll) see you., LP
verano (*sust. m.*) summer, 2
verdad (*sust. f.*) truth; **¿Verdad?** (*exp.*) Right?, True?, 2; **es verdad** (*exp.*) it's true, 11
verde (*sust. m./adj.*) green, 1
verdura (*sust. f.*) vegetable, 5
vestíbulo (*sust. m.*) lobby, 12

vestido (*sust. m.*) dress, suit (*Col.*), 9
vestir(se) (e>i) (*v.*) to dress (oneself), 7
vez (*sust. f.*) time, 7; **a veces** (*exp.*) sometimes, 2; **alguna vez, algunas veces** (*exp.*) sometime(s), 6; **había una vez** (*exp.*) once upon a time, 9; **tal vez** (*exp.*) maybe, perhaps, 9; **la última vez** (*exp.*) the last time
viajar (*v.*) to travel, 11
viaje (*sust. m.*) trip, 11; **¡Buen viaje!** (*exp.*) Have a good trip!, 11; **de viaje** (*exp.*) on a trip, 9
vida (*sust. f.*) life, 2
videojuego (*sust. m.*) videogame, 10
viejo(-a) (*adj.*) old, 1
viernes (*sust. m.*) Friday, 2
vinagre (*sust. m.*) vinegar, 6
vino (*sust. m.*) wine, 2; **vino blanco** (*sust. m.*) white wine, 2; **vino rosado** (*sust. m.*) rosé wine, 2; **vino tinto** (*sust. m.*) red wine, 2
violeta (*adj./sust. f.*) purple, 1
visita (*sust. f.*) visit, 7
visitar (*v.*) to visit, 4, 7
vista (*sust. f.*) view
vista al mar (*sust. f.*) ocean/sea view, 12
vivir (*v.*) to live, 3
vocabulario (*sust. m.*) vocabulary, 1
volver (o>ue) (*v.*) to return, 6
vosotros(-as) (*pron.*) you (*familiar pl.*), 1
voz (*sust. f.*) voice, 10
vuelo (*sust. m.*) flight, 9, 11
vuestro(-a)(-s) (*adj.*) yours (*familiar pl.*), 9

W

windsurf (*sust. m.*) windsurf, 8

Y

y (*conj.*) and, 1; **¿Y tú?** (*exp.*) And you? (*fam.*), LP; **y media** (*exp.*) half past, 2
ya (*adv.*) already, 4; **ya es tarde** (*exp.*) it's already late, 2
yerno (*sust. m.*) son-in-law, 4
yo (*pron.*) I, 1
yogur (*sust.m.*) yogurt, 5

Z

zacate (*sust. m.*) lawn (*Méx.*), 3
zanahoria (*sust. f.*) carrot, 6
zapatería (*sust. f.*) shoe store, 9
zapatilla(-s) (*sust. f. sing./f. pl.*) slipper(s), 9
zapato(-s) (*sust. m. sing./m. pl.*) shoe(s), 9; **zapatos deportivos** (*sust. m. pl.*) sneakers, 9
zumo (*sust. m.*) juice (*Esp.*), 2

English–Spanish

A

@ arroba (*sust. f.*), 1
a, an un(-a) (*ind. art.*), 1; **a day** al día (*exp.*), 2
about acerca de (*prep.*), 11; de (*prep.*), 2; sobre (*prep.*), 12; **at about...** a eso de... (*exp.*), 3
above arriba (*adv.*), 9
abroad al extranjero (*exp.*), Unit 4
access to the Internet acceso a la Red (*exp.*), 10
according to según (*prep.*), 8
account cuenta (*sust. f.*), 10; **chequing account** cuenta corriente (*sust. f.*), 10; **joint account** cuenta conjunta (*sust. f.*), 10; **on account of** por (*prep.*), 9; **savings account** cuenta de ahorros (*sust. f.*), 10
accounting contabilidad (*sust. f.*), 2
accustomed acostumbrado(-a) (*adj.*), 8
activity actividad (*sust. f.*), 8; **outdoor activity** actividad al aire libre (*exp.*), 8
addition: in addition to además de (*exp.*), 9
address dirección (*sust. f.*), 1; domicilio (*sust. m.*) (*Méx.*), 1; **What's your address?** ¿Cuál es tu dirección? (*exp.*), 1
administration administración (*sust. f.*), 2; **administration office** oficina de administración (*sust. f.*), 2; **business administration** administración de empresas (*sust. f.*), 2
advise aconsejar (*v.*), 10
advantage ventaja (*sust. f.*), 7
after después (de) (*prep.*), 6
afternoon tarde (*sust. f.*), 2; **Good afternoon.** Buenas tardes. (*exp.*), LP; **in the afternoon** por la tarde (*exp.*), 2
afterwards después (*adv.*), 3
again otra vez (*exp.*), 12
age edad (*sust. f.*); **middle age** edad mediana (*sust. f.*), 7
agency agencia (*sust. f.*), 11; **travel agency** agencia de viajes (*sust. f.*), 11
agent agente (*sust. m./f.*), 11
ago hace... (*exp.*), 9
agree (on) convenir (en) (*v.*), 12; **agree upon** ponerse de acuerdo (*exp.*), 11
air aire (*sust. m.*); **air conditioning** aire acondicionado (*sust. m.*), 12
airline aerolínea (*sust. f.*), 11
airplane avión (*sust. m.*), 2, 11
airport aeropuerto (*sust. m.*), 11
aisle pasillo (*sust. m.*), 11; **aisle seat** asiento de pasillo (*sust. m.*), 11
alcoholic alcohólico(-a) (*adj.*), 5
all todo(-a)(-s) (*adj.*), 2
alone solo(-a) (*adj.*), 3
along por (*prep.*), 9
alphabet alfabeto (*sust. m.*), 1
already ya (*adv.*), 4; **it's already late** ya es tarde (*exp.*), 2
although aunque (*conj.*), 4
always siempre (*adv.*), 3
amount cantidad (*sust. f.*)
and y (*conj.*), 1; **And you?** ¿Y tú? (*exp. fam.*), LP; ¿Y usted? (*exp. form.*), LP
ankle tobillo (*sust. m.*), 7
anniversary aniversario (*sust. m.*), 5
answer respuesta (*sust. f.*), LP
anthropology antropología (*sust. f.*), 2
any algún, algúno(-a)(-s) (*adj.*), 6; cualquier(-a) (*adj.*), 11
anyone alguien (*pron.*), 6
anything algo (*pron.*), 5; **Anything else?** ¿Algo más? (*exp.*), 10
anywhere en alguna parte (*exp.*), 8
apartment apartamento (*sust. m.*), 3; departamento (*sust. m.*) (*Méx., Arg.*), 3; piso (*sust. m.*) (*Esp.*), 3
appeal gustar (*v.*), 7
appearance apariencia (*sust. f.*), 7
appear aparecer (*v.*), 2
appetizer entremés(entremeses) (*sust. m.*), 4
apple manzana (*sust. f.*), 2; **apple juice** jugo de manzana (*sust. m.*), 2
appliances aparatos electrodomésticos (*sust. m. pl.*), 3
application form formulario de solicitud (*sust. m.*), 10
apply for a loan solicitar un préstamo (*exp.*), 10
appointment cita (*sust. f.*), 10
April abril (*sust. m.*), 2
Argentinian argentino(-a) (*adj.*)
arm brazo (*sust. m.*), 7
around alrededor (*adv.*), 9
arrive llegar (*v.*), 3; **arrive early** llegar temprano (*exp.*), 3, 9, 11; **arrive late** llegar tarde (*exp.*)
art arte (*sust. m.*), 2
as tan (*adv.*), 5; **as many** tanto(-a)(-s) (*adj.*), 5; **as soon as** en cuanto (*exp.*), 9; **as soon as possible** lo más pronto posible (*exp.*), 10
ask (for) pedir (e>i) (*v.*), 6, solicitar (*v.*); **ask a question** preguntar (*v.*), 7
aspirin aspirina (*sust. f.*)
assist ayudar (*v.*)
assistance ayuda (*sust. f.*)
at en (*prep.*), 1; **at** (*in e-mail addresses:* @) arroba (*sust. f.*), 1; **at about...** a eso de... (*exp.*), 3; **at home** en casa (*exp.*); **at night** por la noche (*exp.*), 2; **At what time...?** ¿A qué hora...? (*exp.*), 2
attend asistir (*v.*), 9
August agosto (*sust. m.*), 2
aunt tía (*sust. f.*), 4
automatic teller machine cajero automático (*sust. m.*), 10
automobile auto (*sust. m.*); automóvil (*sust. m.*); carro (*sust. m.*), 4; coche (*sust. m.*), 4
autumn otoño (*sust. m.*), 2
available libre (*adj.*), 6; disponible (*adj.*), 12
avocado aguacate (*sust. m.*), 6; palta (*sust. f.*) (*Cono Sur*), 6

B

back espalda (*sust. f.*), 7
backpack mochila (*sust. f.*), 1
bacon tocino (*sust. m.*), 6
bad malo(-a) (*adj.*), 5
badly mal (*adv.*), 1
bag (purse) bolso de mano (*sust. m.*), 11
baked al horno (*exp.*)
bakery panadería (*sust. f.*), 6
balance saldo (*sust. m.*), 10
bald calvo(-a) (*adj.*), 7
ball pelota (*sust. f.*), 8
banana plátano (*sust. m.*), 6; banana (*sust. f.*) (*Cono Sur*), 6
band orquesta (*sust. f.*), 5
bank banco (*sust. m.*), 10
barefoot descalzo(-a) (*adj.*); **to go barefoot** andar descalzo(-a) (*exp.*), 9
bargain regatear (*v.*), 6
baseball béisbol (*sust. m.*), 7
basket cesta (*sust. f.*), 8
bath baño (*sust. m.*) (*Esp.*), 3; bañera (*sust. f.*) (*Cono Sur*), 12
bathe bañarse (*v.*), 7
bathing suit traje de baño (*sust. m.*), 8; bañador (*sust. m.*) (*Esp.*), 8; malla (*sust. f.*) (*Cono Sur*), 8; trusa (*sust. f.*) (*Cuba*), 8
bathroom baño (*sust. m.*), 3; cuarto de baño (*sust. m.*), 3
bathtub bañadera (*sust. f.*), 12, baño (*sust. m.*) (*Esp.*), 12
be ser (*v.*), 1, estar (*v.*), 4; **be able to** poder (o>ue) (*v.*), 6; **be acquainted with** conocer (*v.*), 4; **be afraid** tener miedo (*exp.*), 3; temer (*v.*), 10; **be bad weather** hacer mal tiempo (*exp.*), 9; **be bored** aburrirse (*v.*), 7; **be careful** tener cuidado (*exp.*), 3; **be certain** estar seguro(-a) (*exp.*), 11; **be called** llamarse (*v.*); **be cold (weather)** hacer frío (*exp.*), 9; **be (feel) cold** tener frío (*exp.*), 3; **be (arrive)**

early llegar temprano (*exp.*), 3, 9, 11; **be going to (do something)** ir a + *inf.* (*exp.*), 4; **be good weather** hacer buen tiempo (*exp.*), 9; **be hot (weather)** hacer calor (*exp.*), 9; **be (feel) hot** tener calor (*exp.*), 3; **be hungry** tener hambre (*exp.*), 3; **be in a hurry** tener prisa (*exp.*), 3; **be in style** estar de moda (*exp.*), 9; **be (arrive) late** llegar tarde (*exp.*); **be lucky** tener suerte (*exp.*), 3; **be patient** tener paciencia (*exp.*), 12; **be pleasing (to someone)** gustar (*v.*), 7; **be right** tener razón (*exp.*), 3; **be scared** tener miedo (*exp.*), 3; **be sleepy** tener sueño, (*exp.*), 3; **be sorry** sentirse (e>ie), 7; **be sunny** hacer sol (*exp.*), 9; **be thirsty** tener sed (*exp.*), 3; **be tight (fitting)** apretar (e>ie), 9; **be too big (on someone)** quedarle grande (a alguien) (*exp.*), 9; **be too small (on someone)** quedarle chico(-a) (a alguien) (*exp.*), 9; **be windy** hacer viento (*exp.*), 9; **be wrong** no tener razón (*exp.*), 3; **be . . . years old** tener... años (de edad) (*exp.*), 3

beach playa (*sust. f.*), 2, 7, 12
beach resort balneario (*sust. m.*) (*LA*), 11
bean frijol (*sust. m.*), 7
bear oso (*sust. m.*), 9
beautiful guapo(-a) (*adj.*), 1
beauty belleza (*sust. f.*), 9
because porque (*conj.*), 2; **because of** por (*prep.*), 9
bed cama (*sust. f.*), 12; **double bed** cama doble (*sust. f.*), 12; **twin bed** cama chica (*sust. f.*), 12
bedroom dormitorio (*sust. m.*), 3; recámara (*sust. f.*) (*Méx.*), 3
beer cerveza (*sust. f.*), 2
before antes (*adv.*), antes de (*prep.*), 2, 3; **the day before last** anteayer (*adv.*), 7
begin comenzar (e>ie) (*v.*), empezar (e>ie) (*v.*), 5
behalf: on behalf of por (*prep.*), 9
being ser (*sust. m.*)
believe creer (*v.*), 3
bellhop botones (*sust. m.*), 12
belt cinto (*sust. m.*), 9; cinturón (*sust. m.*), 9; correa (*sust. f.*) (*P.R.*), 9
besides además (*adv.*), 2
best mejor (*adj.*), 5; **best friend** mejor amigo(-a) (*sust. m./f.*), 2
between entre (*prep.*), 5, 10
beverage bebida (*sust. f.*), 2
bicycle bicicleta (*sust. f.*); **ride a bicycle** andar en bicicleta (*exp.*), 7; montar en bicicleta (*exp.*), 7
big grande (*adj.*), 1; **too big (on someone)** quedarle grande (a alguien) (*exp.*), 9
bigger más grande (*adj.*)
biggest el/la más grande (*adj.*)
bill cuenta (*sust. f.*), 5
biology biología (*sust. f.*), 2
bird pájaro (*sust. m.*), Unit 2
birthday cumpleaños (*sust. m. sing.*), 2; **birthday card** tarjeta de cumpleaños (*sust. f.*), 9
black negro(-a) (*sust. m./adj.*), 1
bleach lejía (*sust. f.*)
blender licuadora (*sust. f.*), 3
block cuadra (*sust. f.*), 10; manzana (*sust. f.*) (*Esp.*), 10
blond(e) rubio(-a) (*adj.*), 4
blouse blusa (*sust. f.*), 9
blue azul (*sust. m./adj.*), 1
board (a plane, ship, etc.) abordar (*v.*), 11; subir (*v.*), 11
boarding gate puerta de salida (*sust. f.*), 11
boarding house pensión (*sust. f.*), 12
boarding pass tarjeta de embarque (*sust. f.*), 11; tarjeta de embarco (*sust. f.*) (*Arg.*), 11
body cuerpo (*sust. m.*), 9
bonfire fogata (*sust. f.*), 8
book libro (*sust. m.*), 1; reservar (*v.*), 5
bookstore librería (*sust. f.*), 2
boot bota (*sust. f.*), 9
booth puesto (*sust. m.*)
boring aburrido(-a) (*adj.*), 2
boss jefe(-a) (*sust. m./f.*), 10
both los (las) dos (*adj. inv./pron.*), 2
bother molestar (*v.*), 7
bottle botella (*sust. f.*), 2
boyfriend novio (*sust. m.*), 4
bra sostén (*sust. m.*), 9; sujetador (*sust. m.*), 9
branch office sucursal (*sust. f.*), 10
bread pan (*sust. m.*), 3, 5
break romper (*v.*), 7; romperse (*v.*), 7; quebrar (e>ie) (*v.*) (*Méx.*), 7
breakfast desayuno (*sust. m.*), 5; **have breakfast** desayunar (*v.*), 5
brief breve (*adj.*), 7
bring traer (*v.*), 4; **bring me** tráigame (*exp.*), 5; **bring us** tráiganos (*exp.*), 5
broccoli brócoli (*sust. m.*), 6
brochure folleto (*sust. m.*), 12
brother hermano (*sust. m.*), 3, 4; **brother-in-law** cuñado (*sust. m.*), 4; **half brother** medio hermano (*sust. m.*), 4
brown marrón (*sust. m./adj.*), 1; carmelito(-a) (*Cuba*), 1; café (*Méx.*), 1; **brown (eyes, hair)** castaño(-a) (*adj.*), 4
brunet(te) moreno(-a) (*adj.*), 4; trigueño(-a) (*adj.*) (*Cuba, Par.*), 4
brush cepillar (*v.*), 7
bunch ramo (*sust. m.*), 9;
bunch of un montón de (*exp.*), 12
bus autobús (*sust. m.*), 8; ómnibus (*sust. m.*) (*Cono Sur*), 8; guagua (*sust. f.*) (*Cuba*), 8
business administration administración de empresas (*sust. f.*), 2
busy ocupado(-a) (*adj.*), 5
but pero (*conj.*), 2
butter mantequilla (*sust. f.*), 5; manteca (*sust. f.*) (*Cono Sur*), 5
buy comprar (*v.*), 2; **buy online** comprar en línea (*exp.*), 9
by por (*prep.*), 9, 12
Bye. Chau. (*exp.*), LP

C

cafeteria cafetería (*sust. f.*), 1
cake torta (*sust. f.*), 4; tarta (*sust. f.*) (*Esp.*), 4; pastel (*sust. m.*) (*Méx.*), 4
call llamar (*v.*), 4; llamada (*sust. f.*), 11
camp acampar (*v.*), 8; **go camping** ir a acampar (*exp.*), 8
can poder (o>ue) (*v.*), 6
Canadian canadiense (*adj.*), 1
cancel cancelar (*v.*), 11
canoe canoa (*sust. f.*), 8
cap gorra (*sust. f.*), 9
capital capital (*sust. f.*), 11
car coche (*sust. m.*), 4; carro (*sust. m.*) (*Méx.*), 4
caramel custard flan (*sust. m.*), 5
card tarjeta (*sust. f.*), 9, 10; **credit card** tarjeta de crédito (*sust. f.*), 10; **debit card** tarjeta de débito (*sust. f.*), 10; **I.D. card** cédula de identidad (*sust. f.*), 12; carnet de identidad (*sust. m.*) (*Esp.*), 12
carrot zanahoria (*sust. f.*), 6
carry-on bag bolso de mano (*sust. m.*), 11
case caso (*sust. m.*); **in case of** en caso de (que) (*exp.*); **in that case** entonces (*adv.*), 2; **just in case** por si acaso (*exp.*), 8
cash efectivo (*sust. m.*); cobrar (*v.*), 10, 12; **cash a cheque** cobrar un cheque (*exp.*); **in cash** en efectivo (*exp.*), 10
cashier cajero(-a) (*sust. m./f.*), 10
cat gato (*sust. m.*), 3
catch fish pescar (*v.*), 8
CD disco compacto (*sust. m.*), 4
celebrate celebrar (*v.*), 4
celery apio (*sust. m.*), 6
cellphone móvil (*sust. m.*), 1; teléfono celular (*sust. m.*), 1
central céntrico(-a) (*adj.*), 12
centre of town centro (*sust. m.*), 7
century siglo (*sust. m.*), 11
certain cierto (*adj.*), seguro (*adj.*); **it's (not) certain** (no) es cierto (*exp.*), 11; **to be certain** estar seguro(-a) (*exp.*), 11

chain cadena (*sust. f.*), 9
chair silla (*sust. f.*), 1
chalk tiza (*sust. f.*), 1
chalkboard pizarra (*sust. f.*), 1; pizarrón (*sust. m.*) (*Cono Sur*), 1
change cambiar (*v.*), 7; cambio (*sust. m.*)
character personaje (*sust. m.*), 7
charge cobrar (*v.*); **in charge of** encargado(-a) de (*adj.*), 10
charming encantador(-a) (*adj.*), 4
chat conversar (*v.*), 2; platicar (*v.*) (*Méx.*), 2
cheap barato(-a) (*adj.*), 6
check: check luggage facturar el equipaje (*exp.*), 11; **check out (of a hotel room)** desocupar (*v.*), 12
chemistry química (*sust. f.*), 2
cheque cheque (*sust. m.*), 10; **cash a cheque** cobrar un cheque (*exp.*); **cheque book** talonario de cheques (*sust. m.*), 10
chequing account cuenta corriente (*sust. f.*), 10
Cheers! ¡Salud! (*exp.*), 4
cheese queso (*sust. m.*), 6
cherry cereza (*sust. f.*), 6
chest pecho (*sust. m.*), 7
chicken pollo (*sust. m.*), 3, 5
child niño(-a) (*sust. m./f.*), 5
children (one's own) hijos (*sust. m. pl.*), 4
chocolate chocolate (*sust. m.*); **hot chocolate** chocolate caliente (*sust. m.*), 2
choose elegir (e>i) (*v.*), 6; escoger (*v.*), 6
chop (*sust. f.*) chuleta, 6; **lamb chop** chuleta de cordero (*sust. f.*), 6; **pork chop** chuleta de cerdo (*sust. f.*), 6; **veal chop** chuleta de ternera (*sust. f.*), 6
Christmas Navidad (*sust. f.*), 2
church iglesia (*sust. f.*)
city ciudad (*sust. f.*), 3
class clase (*sust. f.*), 1; **class schedule** horario de clases (*sust. m.*), 2; **first class** (de) primera clase (*exp.*), 11
classmate compañero(-a) de clase (*sust. m./f.*), 1
classroom aula (*sust. f.*), 2
clean limpiar (*v.*), 3; limpio(-a) (*adj.*), 5, 12
clear claro(-a) (*adj.*);
clear (sky) despejado(-a) (*adj.*), 9; **The sky is clear.** El cielo está despejado. (*exp.*), 9
clerk dependiente(-a) (*sust. m./f.*), 9; empleado(-a) (*sust. m./f.*), 9
clearly claramente (*adv.*), 8
client cliente (*sust. m./f.*), 10
climate clima (*sust. m.*), 9
climb a mountain escalar una montaña (*exp.*), 7
clock reloj (*sust. m.*), 1
close cerrar (*v.*), 3, 5; cerca (de) (*adv.*), 3, 4
closed cerrado(-a) (*adj.*), 10
clothes ropa (*sust. f.*), 3; **clothes dryer** secadora (*sust. f.*), 3
cloudy nublado(-a) (*adj.*), 9; **The sky is cloudy.** El cielo está nublado. (*exp.*), 9
club club (*sust. m.*), 4; **golf club** palo de golf (*sust. m.*), 8
coat abrigo (*sust. m.*), 3, 9
cocktail coctel / cóctel (*sust. m.*), 5
coffee café (*sust. m.*), 2; **coffee with milk** café con leche (*sust. m.*), 2
coffeepot cafetera (*sust. f.*), 3
coin moneda (*sust. f.*)
cold frío(-a) (*adj.*), 9; **to be cold (weather)** hacer frío (*exp.*), 9; **to be (feel) cold** tener frío (*exp.*), 3
collar cuello (*sust. m.*), 9
college facultad (*sust. f.*), 9
colour color (*sust. m.*), 1
come venir (*v.*), 3; **come back** regresar (*v.*); **come to an agreement** ponerse de acuerdo (*exp.*), 11
comfortable cómodo(-a) (*adj.*), 9
compact disk disco compacto (*sust. m.*), 4
companion compañero(-a) (*sust. m./f.*), 1
comparative comparativo(-a) (*adj.*), 5
complain quejarse (*v.*), 7
complexion tez (*sust. f.*), 11
complicated complicado(-a) (*adj.*), 11
computer computadora (*sust. f.*), 1; ordenador (*sust. m.*) (*Esp.*), 1; **computer science** informática (*sust. f.*), 2; **laptop computer** computadora portátil (*sust. f.*), 1; **personal computer** computadora personal (*sust. f.*), 1
concert concierto (*sust. m.*), 7
conduct conducir (*v.*), 4
confirm confirmar (*v.*), 11
content contento(-a) (*adj.*), 4
continue seguir (e>i) (*v.*), 6
convention convención (*sust. f.*), 12
converse conversar (*v.*), 2, platicar (*v.*) (*Méx.*), 2
cook cocinar (*v.*), 6; cocinero(-a) (*sust. m./f.*), 6
cookie galleta (*sust. f.*), 5
cool fresco(-a) (*adj.*), 9
corner esquina (*sust. f.*), 10, 12
cost costar (o>ue) (*v.*), 6
country país (*sust. m.*), 10, 11
countryside campo (*sust. m.*), 8
couple pareja (*sust. f.*), 4
course asignatura (*sust. f.*), 2; materia (*sust. f.*), 2
cousin primo(-a) (*sust. m./f.*), 4
crab cangrejo (*sust. m.*), 6
cramped apretado(-a) (*adj.*), 9
cream crema (*sust. f.*), 5
credit card tarjeta de crédito (*sust. f.*), 10
cruise crucero (*sust. m.*), 11; **to take a cruise** hacer un crucero (*exp.*), 11
Cuban cubano(-a) (*sust. m./f.*)
cucumber pepino (*sust. m.*), 6
cup taza (*sust. f.*), 2, 5
currency moneda (*sust. f.*)
custom costumbre (*sust. f.*), 6
customs (at the airport) aduana (*sust. f.*), 11

D

dad papá (*sust. m.*), 3, 4
daily diariamente (*adv.*), 10; **daily special** menú del día (*exp.*), 5
dance bailar (*v.*), 2; **Shall we dance?** ¿Bailamos? (*exp.*), 4
danger peligro (*sust. m.*), 3
dangerous peligroso(-a) (*adj.*), 11
dark (complexion) moreno(-a) (*adj.*), 4; trigueño(-a) (*adj.*), 4
date fecha (*sust. f.*), 12; **date (a document)** fechar (*v.*), 10; cita (*sust. f.*), 10
daughter hija (*sust. f.*), 4; **daughter-in-law** nuera (*sust. f.*), 4
day día (*sust. m.*), 1; **day off** día libre (*sust. m.*), 6; **the day before yesterday** anteayer (*adv.*), 7; **the next day** al día siguiente (*exp.*), 5; **per day** al día (*exp.*), 6
dead muerto(-a) (*adj.*), 10
dear querido(-a) (*adj.*), 11
debit card tarjeta de débito (*sust. f.*), 10
December diciembre (*sust. m.*), 2
decide decidir (*v.*), 4
degree (temperature) grado (*sust. m.*), 9; **It's... degrees.** Hay... grados. (*exp.*), 9
delay demora (*sust. f.*), 11
delicious delicioso(-a) (*adj.*), 5
demonstrative demostrativo(-a) (*adj.*), 2
deny negar (e>ie) (*v.*), 11
department departamento (*sust. m.*); **men's department** departamento de caballeros (*sust. m.*), 9
deposit depositar (*v.*), 10
desk escritorio (*sust. m.*), 1; pupitre (*sust. m.*), 1
dessert postre (*sust. m.*), 5; **for dessert** de postre (*exp.*), 5
destination destino (*sust. m.*), 11
detergent detergente (*sust. m.*), 6
die morir (o>ue) (*v.*), 8
diet: to be on a diet estar a dieta (*exp.*), 6
difficult difícil (*adj.*), 1
dine cenar (*v.*), 2
dining room comedor (*sust. m.*), 3
dinner cena (*sust. f.*), 3, 5; **dinner plate** plato llano (*sust. m.*), 5
direct directo(-a) (*adj.*), 11

directly directamente (*adv.*), 8
dirty sucio(-a) (*adj.*), 5
disappear desaparecer (*v.*), 11
disaster desastre (*sust. m.*), 3
dish plato (*sust. m.*), 3, 5
dishwasher lavaplatos (*sust. m.*), 3
dive: scuba dive bucear (*v.*), 8
divide dividir (*v.*), 3
do hacer (*v.*), 3
doctor doctor(-a) (*sust. m./f.*), LP; **medical doctor** médico(-a) (*sust. m./f.*), 7
document documento (*sust. m.*)
dog perro (*sust. m.*), 4; **walk the dog** caminar al perro (*exp.*), 8
dollar dólar (*sust. m.*), 2
door puerta (*sust. f.*), 1
dormitory residencia universitaria (*sust. f.*), 2
double bed cama doble (*sust. f.*), 12
doubt dudar (*v.*), 11
dozen docena (*sust. f.*), 6
drape cortina (*sust. f.*), 9
dream soñar (o>ue) (*v.*), 9; **dream about** soñar con (*v.*),12
dress (oneself) vestir(se) (e>i) (*v.*), 7
drink beber (*v.*), 3, tomar (*v.*), 2; bebida (*sust. f.*), 2
drive conducir (*v.*), 4; manejar (*v.*), 4; **hard drive** disco duro (*sust. m.*), 10
driver automóvilista (*sust. m./f.*)
driver's licence licencia de (para) conducir (*sust. f.*), 10
dry secar (*v.*), 3; seco(-a) (*adj.*), 9
dry-cleaner's tintorería (*sust. f.*), 10
dryer: clothes dryer secadora (*sust. f.*), 3
due (to) debido (a) (*exp.*), 2
dumb tonto(-a) (*adj.*), 1
during durante (*adv.*), 10
dye teñirse (e>i) (*v.*), 7

E

ear (external) oreja (*sust. f.*), 7
early temprano (*adv.*), 7; **arrive early** llegar temprano (*exp.*), 3, 9, 11
earn cobrar (*v.*), 11
earring(s) arete(-s) (*sust. m. sing./pl.*), 9; aro(-s) (*sust. m. sing./pl.*), 9; caravana(-s) (*sust. f. sing./pl.*) (*Cono Sur*), 9; pantalla(-s) (*sust. f. sing./pl.*) (*P.R.*), 9; pendiente(-s) (*sust. m. sing./pl.*) (*Esp.*), 9
earth tierra (*sust. f.*), Unit 2
easily fácilmente (*adv.*), 8
easy fácil (*adj.*), 1
eat comer (*v.*), 3; **have something to eat** comer algo (*exp.*), 4; **Let's eat.** Vamos a comer. (*exp.*), 8
egg huevo (*sust. m.*), 5
eight ocho (*sust. m.*), 1; **eight hundred** ochocientos (*sust. m.*), 3
eighteen dieciocho (*sust. m.*), 2
eighth octavo(-a) (*adj.*), 12
eighty ochenta (*sust. m*), 2
either... or o... o (*exp.*), 6
elbow codo (*sust. m.*), 7
elegant elegante (*adj.*)
elevator ascensor (*sust. m.*), 12; elevador (*sust. m.*) (*Méx., Cuba, P.R.*), 12
e-mail correo electrónico (*sust. m.*), 1, 3; mensaje electrónico (*sust. m.*), 8, 10; **e-mail address** dirección electrónica (*sust. f.*), 1
embrace abrazo (*sust. m.*)
emergency emergencia (*sust. f.*), 11; **emergency exit** salida de emergencia (*sust. f.*), 11
end fin (*sust. m.*), 2
English (language) inglés (*sust. m.*), 2
enter entrar (en) (*v.*); entrar (a) (*v.*), 7
enthusiasm entusiasmo(*sust. m.*), 11
eraser borrador (*sust. m.*), 1
errand diligencia (*sust. f.*); **run errands** hacer diligencias (*exp.*), 10
especially especialmente (*adv.*), 3
everything todo(-a)(-s) (*adj.*), 2
exactly exactamente (*adv.*), 9
excellent excelente (*adj.*), 1
except excepto (*prep.*), 6
excess exceso (*sust. m.*); **excess luggage** exceso de equipaje (*exp.*), 11
exchange: What's the rate of exchange? ¿A cuánto está el cambio de moneda? (*exp.*), 11
excuse excusa (*sust. f.*), 3; **Excuse me?** (*when you didn't hear what was said*) ¿Cómo? (*exp.*), 1; **Excuse me.** (*when you need to get around someone*) Permiso. (*exp.*), 1; Con permiso. (*exp.*), 1
exercise ejercicio (*sust. m.*), 4, 12; hacer ejercicio (*exp.*), 4, 12; practicar (*v.*), 1
exit salida (*sust. f.*), 11; **emergency exit** salida de emergencia (*sust. f.*), 11
expensive caro(-a) (*adj.*), 6
experience experiencia (*sust. f.*), 10
expert experto(-a) (*adj.*), 8
expression expresión (*sust. f.*), 1
exterior exterior (*sust. m.*), 12
eye ojo (*sust. m.*), 4, 7
eyelashes pestañas (*sust. f. pl.*), 7

F

fabric tela (*sust. f.*), 9
face cara (*sust. f.*), 7
fair justo(-a) (*adj.*), 7
fall asleep dormirse (o>ue) (*v.*), 7
fall in love with enamorarse de (*v.*), 12
false falso(-a) (*adj.*), LP
familiar: to be familiar with conocer (*v.*), 4
family familia (*sust. f.*), 3
famous famoso(-a) (*adj.*), 6
fantastic fantástico(-a) (*adj.*), 1
far (from) lejos (de) (*adv.*), 4
farewell despedida (*sust. f.*), LP
fashion designer modista (*sust. m./f.*), 9
fast rápido(-a) (*adj.*), 9
fasten abrochar (*v.*); **fasten the seat belt** abrocharse el cinturón de seguridad (*exp.*), 11
fat gordo(-a) (*adj.*), 1
father padre (*sust. m.*), 4; **father-in-law** suegro (*sust. m.*), 4
favourite favorito(-a) (*adj.*), 3
fear temer (*v.*), 10
February febrero (*sust. m.*), 2
feel sentirse (e>ie) (*v.*), 7; **feel like (doing something)** tener ganas de (+ *inf.*) (*exp.*), 3
feign fingir (*v.*), 11
felt-tip pen marcador (*sust. m.*), 1
few pocos(-as) (*adj.*), 5
fifteen quince (*sust. m*), 2
fifth quinto(-a) (*adj.*), 12
fifty cincuenta (*sust. m*), 2
fill out llenar (*v.*), 10
film película (*sust. f.*), 3, 4
finally (at last) por fin (*exp.*), 10
find encontrar (o>ue) (*v.*), 6; **find out** averiguar (*v.*), 11
Fine, thank you. Bien, gracias. (*exp.*), LP
finger dedo (*sust. m.*), 7; **finger food** entremés(entremeses) (*sust. m.*), 4
finish terminar (*v.*), 2
first primer, primero(-a) (*adj.*), 12; **first class** (de) primera clase (*exp.*), 11; **the first thing** lo primero (*exp.*), 12
fish pescado (*sust. m.*), 5; **to go fishing** pescar (*v.*), 8; **fish market** pescadería (*sust. f.*), 6
fishing rod caña de pescar (*sust. f.*), 8
fit quedarse (*v.*), 8; **to be too big (on someone)** quedarle grande (a alguien) (*exp.*), 9; **to be too small (on someone)** quedarle chico(-a) (a alguien) (*exp.*), 9
fitting room probador (*sust. m.*), 9
five cinco (*sust. m.*), 1; **five hundred** quinientos (*sust. m.*), 3
fixed menu menú del día (*exp.*), 5
flight vuelo (*sust. m.*), 9, 11; **flight attendant** auxiliar de vuelo (*sust. m./f.*), 11; azafata (*sust. f.*) (*Esp.*), 11
floor piso (*sust. m.*), 12
flower flor (*sust. f.*), 7
fog niebla (*sust. f.*), 9
follow seguir (e>i) (*v.*), 6
following siguiente (*adj.*), 3, 5
food comida (*sust. f.*), 3
foot pie (*sust. m.*), 7
football (soccer) fútbol (*sust. m.*), 8
for para (*prep.*), 3; por (*prep.*), 9, 12; durante (*prep.*); **for breakfast (lunch, dinner)** para el desayuno (el almuerzo, la cena) (*exp.*), 5
forehead frente (*sust. f.*), 7
foreign extranjero(-a) (*adj.*), 7
foreigner extranjero(-a) (*sust. m./f.*), 7, 8

forest bosque (*sust. m.*), Unit 2
forget olvidarse (de) (*v.*), 12
fork tenedor (*sust. m.*), 5
form formulario (*sust. m.*), 10; planilla (*sust. f.*), 10; **application form** formulario de solicitud (*sust. m.*), 10
fortress fortaleza (*sust. f.*)
fortunately afortunadamente (*adv.*), 12; por suerte (*exp.*), 12
forty cuarenta (*sust. m*), 2
founded fundado(-a) (*adj.*)
four cuatro (*sust. m.*), 1; **four hundred** cuatrocientos (*sust. m.*), 3
fourteen catorce (*sust. m*), 2
fourth cuarto(-a) (*adj.*), 12
free (available, not busy) libre (*adj.*), 6; **free (of charge)** gratis (*adj.*), 10
French (language) francés (*sust. m.*), 2
fresh fresco (-a) (*adj.*), 9
Friday viernes (*sust. m.*), 2
fried frito(-a) (*adj.*), 8
friend amigo(-a) (*sust. m./f.*), 2; **best friend** mejor amigo(-a) (*sust. m./f.*), 2
from de (*prep.*), 2, desde (*prep.*), 11
frown fruncir (*v.*)
frozen helado(-a) (*adj.*)
fruit fruta (*sust. f.*), 6
frying pan sartén (*sust. f.*), 3
full lleno(-a) (*adj.*), 12
fun to be with simpático(-a) (*adj.*), 1
function funcionar (*v.*)
furniture mueble(-s) (*sust. m. sing./pl.*), 3

G

game juego (*sust. m.*), 7; partido (*sust. m.*), 7
garage garaje (*sust. m.*), 3
garbage basura (*sust. f.*), 3
garden jardín (*sust. m.*), 12
gate (airport departure gate) puerta de salida (*sust. f.*), 11
gem joya (*sust. f.*)
general general (*adj.*), 8
generally generalmente (*adv.*), 8
gentleman señor (Sr.) (*sust. m.*), LP; caballero (*sust. m.*), 9
geography geografía (*sust. f.*), 2
geology geología (*sust. f.*), 2
German (language) alemán (*sust. m.*), 7
get conseguir (e>i) (*v.*), 6; **get acquainted with** conocer (*v.*), 4; **get dressed** vestir(se) (e>i) (*v.*), 8; **get engaged to** comprometerse con (*v.*), 12; **get married (to)** casarse (con) (*v.*), 7, 12; **get ready** prepararse (*v.*); **get through** terminar (*v.*), 2; **get together** juntarse (*v.*), 8; **get up** levantarse (*v.*), 7
gift regalo (*sust. m.*), 3, 9; **give a gift** regalar (*v.*), 9
girl chica (*sust. f.*), 1; muchacha (*sust. f.*), 1
girlfriend novia (*sust. f.*), 4
give dar (*v.*), 4; **give a gift** regalar (*v.*), 9
give up entregarse (*v.*), 7
glad: to be glad about alegrarse (de) (*v.*), 10
glass (drinking glass) vaso (*sust. m.*), 2
glasses gafas (*sust. f. pl.*)
glove(s) guante(-s) (*sust. m. sing./pl.*), 9
gluten gluten (*sust. m.*), 6
go ir (*v.*), 4; **go away** irse (*v.*), 7; **go barefoot** andar descalzo(-a) (*exp.*),9; **go back** volver (o>ue) (*v.*), 6; **go camping** ir a acampar (*exp.*), 8; **go hiking** hacer una caminata (*exp.*), 8; **go in** entrar, entrar a, entrar en (*v.*), 7; **go on vacation** irse de vacaciones (*exp.*); **go out** salir (*v.*), 4; **go shopping** ir de compras (*exp.*), 9; **go skating** ir a patinar (*exp.*), 7; **go to bed** acostarse (o>ue) (*v.*), 7
godfather padrino (*sust. m.*), 4
godmother madrina (*sust. f.*), 4
gold oro (*sust. m.*), 9
golf club palo de golf (*sust. m.*), 8
good buen, bueno(-a) (*adj.*), 2; **Good afternoon.** Buenas tardes. (*exp.*), LP; **Good luck!** ¡Buena suerte! (*exp.*), 1; **good marks** buenas notas (*exp.*), 5; **Good morning.** Buenos días. (*exp.*), LP; **Good night.** Buenas noches. (*exp.*), LP
Good-bye. Adiós. (*exp.*), LP
Good grief! ¡Caramba! (*exp.*), 6, 9, 12
government gobierno (*sust. m.*)
grade nota (*sust. f.*), 5
graduate student estudiante graduado(-a) (*sust. m./f.*), 1
granddaughter nieta (*sust. f.*), 4
grandfather abuelo (*sust. m.*), 4
grandmother abuela (*sust. f.*), 4
grandparents abuelos (*sust. m. pl.*), 4
grandson nieto (*sust. m.*), 4
grape uva (*sust. f.*), 2; **grape juice** jugo de uvas (*sust. m.*), 2
grapefruit toronja (*sust. f.*), 2; **grapefruit juice** jugo de toronja (*sust. m.*), 2
great-grandfather bisabuelo (*sust. m.*), 4
great-grandmother bisabuela (*sust. f.*), 4
green verde (*sust. m./adj.*), 1
greeting saludo (*sust. m.*), LP
grey gris (*sust. m./adj.*), 1; **turn grey (hair)** encanecer (*v.*), 7; **it's turning grey** está poniendo gris (*exp.*), 7
grill parilla (*sust. f.*)
grilled a la parrilla (*exp.*), 5
ground pepper pimiento (*sust. m.*), 5
group grupo (*sust. m.*)
grow apart extrañar (*v.*), 8
Guatemalan guatemalteco(-a) (*sust. m./f.*), 4
guest invitado(-a) (*sust. m./f.*), 4

H

hair pelo (*sust. m.*), 7; cabello (*sust. m.*), 7
half medio(-a) (*adj.*), 10; **half brother** medio hermano (*sust. m.*), 4; **half past** y media (*exp.*), 2; **half sister** media hermana (*sust. f.*), 4
ham jamón (*sust. m.*), 5
hamburger hamburguesa (*sust. f.*), 5
hand mano (*sust. f.*), 1, 7; **hand luggage** maletín (*sust. m.*), 11; **on the other hand** en cambio (*exp.*), 8
handbag bolsa (*sust. f.*), 9; bolso de mano (*sust. m.*), 11
hang up colgar (o>ue) (*v.*), 3
happen suceder (*v.*), 7
happy feliz (*adj.*), 1
harm daño (*sust. m.*), 11
hat sombrero (*sust. m.*), 9; gorra (*sust. f.*), 9
hatred odio (*sust. m.*), 9
Havana La Habana (*sust. f.*)
have tener (*v.*), 3; **have** (*as auxiliary verb*) haber (*v.*); **have breakfast** desayunar (*v.*), 5; **have a good time** pasarlo bien (*exp.*), 4; divertirse (e>ie) (*v.*), 7; **Have a good trip!** ¡Buen viaje! (*exp.*), 11; **have just finished (doing something)** acabar de (+ *inf.*) (*exp.*), 8; **have lunch** almorzar (o>ue) (*v.*), 2, 6; **have nothing to wear** no tener nada que ponerse (*exp.*), 9; **Have a seat.** Tome asiento. (*exp.*), 1; **have things to do** tener cosas que hacer (*exp.*), 3; **have to (do something)** tener que (+ *inf.*) (*exp.*), 3
head cabeza (*sust. f.*), 7
headache dolor de cabeza (*sust. m.*), 7
heart corazón (*sust. m.*), 7
heating calefacción (*sust. f.*), 12
heel tacón (*sust. m.*), 9; taco (*sust. m.*) (*Arg.*), 9
height estatura (*sust. f.*); **of medium height** de estatura mediana (*exp.*), 4
help ayuda (*sust. f.*), 8; ayudar (*v.*), 3
here aquí (*adv.*), 3; **Here it is.** Aquí está. (*exp.*), 2; **Here you are.** Aquí las tiene. (*exp.*), 10
her su(-s) (*adj.*), 2
hers suyo(-a)(-s) (*pron.*), 9
Hi. Hola. (*exp.*), LP
hide esconder (*v.*), 4
high alto(-a) (*adj.*), 9
hiking: to go hiking hacer una caminata (*exp.*), 8
hillside ladera (*sust. f.*), Unit 5
his su(-s) (*adj.*), 2; suyo(-a)(-s) (*pron.*), 9
Hispanic-Canadian hispanocanadiense (*sust. m./f.*), 2
history historia (*sust. f.*), 2

hold sujetar (*v.*), 9; **hold up** atracar (*v.*), 11
holiday día feriado (*sust. m.*), 10; **holidays** vacaciones (*sust. f. pl.*), 5
home hogar (*sust. m.*); **at home** en casa (*exp.*); **home office (company headquarters)** casa central (*sust. f.*), 10
homework tarea (*sust. f.*), 2
Honduran hondureño(-a) (*sust. m./f.*), 4
hoodie sudadera con capucha (*sust. f.*), 9
hope esperar (*v.*), 10; **I hope** ojalá (*exp.*), 10; **I hope so.** Espero que sí. (*exp.*), 8
horrible horrible (*adj.*), 1
host anfitrión (*sust. m.*), 1
hostel hostal (*sust. m.*), 12
hostess anfitriona (*sust. f.*), 1
hot cálido(-a) (*adj.*), 9; caliente (*adj.*), 12; **be hot (weather)** hacer calor (*exp.*), 9; **be (feel) hot** tener calor (*exp.*), 3; **hot dog** perro caliente (*sust. m.*), 5
hotel hotel (*sust. m.*), 8
hour hora (*sust. f.*), 10
house casa (*sust. f.*), 1, 2, 3; **house specialty** especialidad de la casa (*sust. f.*), 5
household chore quehacer (*sust. m.*), 3
housework trabajos de la casa (*sust. m. pl.*), 3
how ¿cómo?; **How are you?** ¿Cómo está usted? (*exp./form.*), LP; ¿Cómo están ustedes? (*exp./pl.*), LP; ¿Cómo estás? (*exp./fam.*), LP; **How do you say ...?** ¿Cómo se dice...? (*exp.*), 1; **How's it going?** ¿Qué tal? (*exp.*), LP; ¿Qué hubo? (*exp.*), LP; **How long...?** ¿Cuánto tiempo...? (*exp.*); **How long has it been since...?** ¿Cuánto tiempo hace que...? (*exp.*), 6; **How many?** ¿Cuántos(-as)?, 2; **How may I help you?** ¿En qué puedo servirle? (*exp.*), 9
hug abrazo (*sust. m.*)
human being ser humano (*sust.m.*), 7
humid húmedo(-a) (*adj.*), 9
hundred: one hundred cien, ciento (*sust. m*), 2
hunger hambre (*sust. f.*)
hungry: to be hungry tener hambre (*exp.*), 3
hurry: to be in a hurry tener prisa (*exp.*), 3
hurt doler (*v.*), 7
husband esposo (*sust. m.*), 4

I

I yo (*pron.*), 1
I.D. (card) cédula de identidad (*sust. f.*), 10; carnet de identidad (*sust. m.*) (*Esp.*), 10
I'm leaving. Me voy. (*exp.*), 2
I'm sorry. Lo siento. (*exp.*), 1
ice hielo (*sust. m.*), 2; **ice cream** helado (*sust. m.*), 5; nieve (*sust. f.*) (*Méx.*), 5; **water with ice** agua con hielo (*sust. f.*), 2
iced tea té frío (*sust. m.*), 2; té helado (*sust. m.*), 2
idea idea (*sust. f.*), 2
identification identificación (*sust. f.*), 10
if si (*conj.*), 12
illiterate (person) analfabeto(-a) (*sust. m./f.*), Unit 3
important importante (*adj.*), 2; **to be important** importar (*v.*), 7
impossible imposible (*adj.*), 2
in en (*prep.*), 1; de (*prep.*), 2; por (*prep.*), 9, 12; durante (*prep.*); **in good spirits** animado(-a) (*adj.*), 4; **in order to** para (*prep.*), 3; **in part** en parte (*exp.*), 11; **in the morning** por la mañana (*exp.*), 2
include incluir (*v.*), 11
income: source of income fuente de ingresos (*sust. f.*), Unit 2
individual individual (*adj.*), 10
inexpensive barato(-a) (*adj.*), 6
information información (*sust. f.*), 11
insist on insistir en (*v.*), 12
instill inculcar (*v.*), 7
insurance seguro (*sust. m.*), 10
intelligent inteligente (*adj.*), 1
interest interés (*sust. m.*); interesar (*v.*), 7
interesting interesante (*adj.*), 1
interior interior (*adj.*)
international internacional (*adj.*), 2
interrogative interrogativo(-a) (*adj.*), 2
interview entrevista (*sust. f.*), 10
introduce presentarse (*v.*), 11
invitation invitación (*sust. f.*), 4
invite invitar (*v.*), 4
iPod iPod (*sust. m.*), 1
iron plancha (*sust. f.*), 3; planchar (*v.*), 3
isthmus istmo (*sust. m.*), Unit 2
Italian (language) italiano (*sust. m.*), 7
its su(-s) (*adj.*), 2

J

jacket chaqueta (*sust. f.*), 9; chamarra (*sust. f.*) (*Méx.*), 9
jam mermelada (*sust. f.*), 5
January enero (*sust. m.*), 2
Japanese (language) japonés (*sust. m.*), 7
jealous celoso(-a) (*adj.*), 2
jeans vaqueros (*sust. m. pl.*), 9
joke bromear (*v.*), 7
juice jugo (*sust. m.*), 2; zumo (*sust. m.*) (*Esp.*), 2
July julio (*sust. m.*), 2
June junio (*sust. m.*), 2
just in case por si acaso (*exp.*), 8

K

key llave (*sust. f.*), 4
keyboard teclado (*sust. m.*), 10
kill matar (*v.*), 9, 11
kind tipo (*sust. m.*)
kiosk kiosko, quiosco (*sust. m.*), 12
kitchen utensils batería de cocina (*sust. f.*), 2
knee rodilla (*sust. f.*), 7
knife cuchillo (*sust. m.*), 5
knock at the door llamar a la puerta (*exp.*), 3; tocar a la puerta (*exp.*), 3
know conocer (*v.*), 4; saber (*v.*), 4
known conocido(-a) (*adj.*)

L

laboratory laboratorio (*sust. m.*)
lace encaje (*sust. m.*), 9
lady señora (Sra.) (*sust. f.*), LP
lake lago (*sust. m.*), 8
lamb cordero (*sust. m.*), 5; **lamb chop** chuleta de cordero (*sust. f.*), 6
language idioma (*sust. m.*), 2
lap regazo (*sust. m.*), 9
laptop computadora portátil (*sust. f.*), 1; laptop (*sust. m.*), 1
last pasado(-a) (*adj.*), 7; último(-a), (*adj.*) 7; **last name** apellido (*sust. m.*), 1; **last night** anoche (*adv.*), 7; **last time** la última vez (*exp.*), 7
late tarde (*adv.*); **arrive late** llegar tarde (*exp.*); **it's already late** ya es tarde (*exp.*), 2
lately últimamente (*adv.*), 10
later luego (*adv.*); más tarde (*exp.*), 5
Latin America Latinoamérica (*sust. f.*)
Latin American latinoamericano(-a) (*adj.*)
laugh reírse (*v.*), 7
laughter risa (*sust. f.*), 11
lawn césped (*sust. m.*); **mow the lawn** cortar el césped (*exp.*)
lawyer abogado(-a) (*sust. m./f.*), 1
learn aprender (*v.*), 3
leave salir (*v.*), 4; **leave (behind)** dejar (*v.*), 3, 5
left izquierdo(-a) (*adj.*)
leg pierna (*sust. f.*), 7
lemonade limonada (*sust. f.*), 3
lend prestar (*v.*), 8
less menos (*adv.*), 5
lesson lección (*sust. f.*), 2
let's see a ver (*exp.*), 6
letter carta (*sust. f.*), 3, 10
lettuce lechuga (*sust. f.*), 6
liberty libertad (*sust. f.*), 2
library biblioteca (*sust. f.*), 1
lie mentir (e>ie) (*v.*), 10
life vida (*sust. f.*), 2
lifeguard salvavidas (*sust. m./f.*), 8
light luz (*sust. f.*), 1

lightning relámpago (*sust. m.*), 11
like como (*prep.*), 9; **like this** así (*adv.*); **like very much** encantar (*v.*), 7
Likewise. Igualmente. (*exp.*), LP
line: stand in line hacer cola (*exp.*), 10
list lista (*sust. f.*), 5
listen escuchar (*v.*), 2
literature literatura (*sust. f.*), 2
little chico(-a) (*adj.*), 8; pequeño(-a) (*adj.*), 8; **a little** un poco (de) (*exp.*), 4, 6
live vivir (*v.*), 3
living room sala (*sust. f.*), 3; sala de estar (*sust. f.*), 3
loan préstamo (*sust. m.*); **apply for a loan** solicitar un préstamo (*exp.*), 10
lobby vestíbulo (*sust. m.*), 12
lobster langosta (*sust. f.*), 5
lock (in a canal) esclusa (*sust. f.*), Unit 3
long largo(-a) (*adj.*), 9
look at mirar (*v.*), 3
lose perder (e>ie) (*v.*)
love: fall in love with enamorarse de (*v.*), 12; **in love** enamorado(-a) (*adj.*), 4; **love something** encantarle a uno (*v.*), 8
luck suerte (*sust. f.*)
lucky: to be lucky tener suerte (*exp.*), 3
luggage equipaje (*sust. m.*), 11; **check luggage** facturar el equipaje (*exp.*), 11; **excess luggage** exceso de equipaje (*exp.*), 11; **luggage compartment** compartimiento de equipaje (*sust. m.*), 11
lunch almorzar (o>ue) (*v.*), 2, 6; almuerzo (*sust. m.*), 5
luxury lujo (*sust. m.*), 8, 12

M

madam señora (Sra.) (*sust. f.*), LP
made-to-measure a la medida (*exp.*), 9
magazine revista (*sust. f.*); **magazine stand** puesto de revistas (*sust. m.*), 12
magnificent magnífico(-a) (*adj.*)
mail correo (*sust. m.*)
major (at university) especialización (*sust. f.*), 1
make hacer (*v.*), 3; **make a decision** tomar una decisión (*exp.*), 11; **make a reservation** hacer una reservación (*exp.*), 5
mall centro comercial (*sust. m.*), 9
man hombre (*sust. m.*), 1
manager jefe(-a) (*sust. m./f.*), 10; gerente (*sust. m./f.*), 11
manner modo (*sust. m.*)
many mucho(-a)(-s) (*adj.*), Unit 1; un montón de (*exp.*), 12; **as many** tanto(-a)(-s) (*adj.*), 5; **How many?** ¿Cuántos(-as)? (*exp.*), 2
map mapa (*sust. m.*), 1
March marzo (*sust. m.*), 2
mark marca (*sust. f.*); **good marks** buenas notas (*exp.*), 5
market mercado (*sust. m.*), 6
married casado(-a) (*adj.*), 4
marry casarse (con) (*v.*), 7, 12
mashed potatoes puré de papas (*sust. m.*), 5
mathematics matemáticas (*sust. f. pl.*), 2
matter importar (*v.*); **matter to someone** importarle (a uno) (*exp.*), 7; **it doesn't matter** no importa (*exp.*)
May mayo (*sust. m.*), 2
MD médico(a) (*sust. m./f.*), 7
measure medida (*sust. f.*), 9; medir (e>i) (*v.*), 5
meat carne (*sust. f.*), 6
meatball albóndiga (*sust. f.*), 6
medicine medicina (*sust. f.*)
medium mediano(-a) (*adj.*), 9; **of medium height** de estatura mediana (*exp.*), 4
meet (someone) conocer a (alguien) (*v.*), 2
memory memoria (*sust. f.*), 10
men's department departamento de caballeros (*sust. m.*), 9
menu menú (*sust. m.*), 5
message mensaje (*sust. m.*)
Mexican mexicano(-a) (*adj.*), 1
microwave oven horno de microondas (*sust. m.*), 3
midnight medianoche (*sust. f.*), 7
milk leche (*sust. f.*), 2; **coffee with milk** café con leche (*sust. m.*), 2
milkshake batido (*sust. m.*), 3
mine mío(-a)(-s) (*pron.*), 9
minute minuto (*sust. m.*)
mirror espejo (*sust. m.*), 7
mix mezclar (*v.*)
mixture mezcla (*sust. f.*), 9
modern moderno(-a) (*adj.*), 7
mom mamá (*sust. f.*), 3, 4
moment momento (*sust. m.*), 3
Monday lunes (*sust. m.*), 2
money dinero (*sust. m.*), 2; plata (*sust. f.*) (*Cono Sur, Cuba*), 2; **money order** giro postal (*sust. m.*), 10
monitor monitor (*sust. m.*), 10
month mes (*sust. m.*), 2
moral moraleja (*sust. f.*), 7
more más (*adv.*), 5; **More slowly, please.** Más despacio, por favor. (*exp.*), 1
morning mañana (*sust. f.*); **Good morning.** Buenos días. (*exp.*), LP; **in the morning** por la mañana (*exp.*), 2
mother madre (*sust. m.*), 4
mother-in-law suegra (*sust. f.*), 4
mountain: climb a mountain escalar una montaña (*exp.*), 7
mouse ratón (*sust. m.*), 10
mouth boca (*sust. f.*), 7
move (relocate) mudarse (*v.*), 9
movie película (*sust. f.*), 4; **movie theatre** cine (*sust. m.*), 4; **show a movie** dar una película (*exp.*), 7
mow cortar (*v.*), 3; **mow the lawn** cortar el césped (*exp.*), 3
museum museo (*sust. m.*), 7
music música (*sust. f.*), 2
must deber (*v.*), 3
my mi(-s) (*adj.*), 1
My name is ... Me llamo... (*exp.*), LP

N

napkin servilleta (*sust. f.*), 5
nation país (*sust. m.*), 10, 11
navigate navegar (*v.*)
near cerca (de) (*adv.*), 4
neck cuello (*sust. m.*), 7
need necesitar (*v.*), 2
negative negativo(-a) (*adj.*), 2
neighbour vecino(-a) (*sust. m./f.*), 11
neighbourhood barrio (*sust. m.*)
neither tampoco (*adv.*), 6; **neither... nor** ni... ni (*exp.*), 6
never jamás (*adv.*), 6; nunca (*adv.*), 6, 12
new nuevo(-a) (*adj.*), 2
newlyweds recién casados(-as) (*sust. m./f. pl.*), 6
news noticia (*sust. f.*), 10
newspaper diario (*sust. m.*), 10; periódico (*sust. m.*), 10
next próximo(-a) (*adj.*), 2, 4, 12; **next day** próximo día (*sust. m.*), 12; **next Monday** próximo lunes (*exp.*), 12; **next month** próximo mes (*exp.*), 12; **next week** próxima semana(*exp.*), 12; **next year** próximo año (*exp.*), 12; **(on) the next day** al día siguiente (*exp.*), 5
nice simpático(-a) (*adj.*), 1
niece sobrina (*sust. f.*), 4
night noche (*sust. f.*), 2; **at night** por la noche (*exp.*), 2; **last night** anoche (*adv.*), 7
nightclub club nocturno (*sust. m.*), 7
nightgown camisón (*sust. m.*), 9; bata de dormir (*sust. f.*) (*Cuba*), 9
nine nueve (*sust. m.*), 1; **nine hundred** novecientos (*sust. m.*), 3
nineteen diecinueve (*sust. m.*), 2
ninety noventa (*sust. m.*), 2
ninth noveno(-a) (*adj.*), 12
no no (*adv.*), 1
no one nadie (*pron.*), 6; ningún, ninguno(-a) (*adj.*), 6
noon mediodía (*sust. m.*), 2
normally normalmente (*adv.*), 8
North American norteamericano(-a) (*adj.*), 1
nose nariz (*sust. f.*), 7
not no (*adv.*); **not any** ningún, ninguno(-a) (*adj.*), 6; **Not much.** No mucho. (*exp.*), 1

notebook cuaderno (*sust. m.*), 1
nothing nada (*pron.*), 6
notice fijarse en (*v.*), 12
November noviembre (*sust. m.*), 2
now ahora (*adv.*), 4
number número (*sust. m.*), LP
nurse enfermero(-a) (*sust. m./f.*), 2

O

o.k. está bien (*exp.*), 6
oar remo (*sust. m.*), 8
obtain conseguir (e>i) (*v.*), 6
occupation ocupación (*sust. f.*), 3
occupied ocupado(-a) (*adj.*), 12
October octubre (*sust. m.*), 2
off: the day off día libre (*exp.*), 6
office oficina (*sust. f.*), 2; **administration office** oficina de administración (*sust. f.*), 2; **home office (of a company)** casa central (*sust. f.*), 10; **post office** correo (*sust. m.*)
often a menudo (*adv.*), 8; frecuentemente (*adv.*), 8
oil aceite (*sust. m.*), 6; **olive oil** aceite de oliva (*sust. m.*), 6
old viejo(-a) (*adj.*), 1
oldest el/la mayor (*adj.*), 5
on en (*prep.*), 1; sobre (*prep.*), 11; **on a trip** de viaje (*exp.*), 9; **on vacation** de vacaciones (*exp.*), 5
once upon a time había una vez (*exp.*), 9
one uno (*sust. m.*), 1; **one hundred** cien, ciento (*sust. m*), 3
one-way ticket pasaje de ida (*sust. m.*), 11
onion cebolla (*sust. f.*), 5
only solamente (*adv.*), 2; solo(-a) (*adj.*), 2
open abrir (*v.*), 3; abierto(-a) (*adj.*), 10
optimist optimista (*sust. m./f.*), 12
orange (fruit) naranja (*sust. f.*), 2; china (*sust. f.*) (*P.R.*), 2; **(colour)** anaranjado(-a) (*adj.*), 1; **orange juice** jugo de naranja (*sust. m.*), 2
order mandar (*v.*), 10
other otro(-a) (*adj.*), 10
our nuestro(-a)(-s) (*adj.*), 2
outdoor market mercado al aire libre (*sust. m.*), 6
outward journey ida (*sust. f.*), 11
oven horno (*sust. m.*), 3
over there allá (*adv.*), 3
owner dueño(-a) (*sust. m./f.*), 4, 12; propietario(-a) (*sust. m./f.*), 12

P

package paquete (*sust. m.*), 11
painter pintor(-a) (*sust. m./f.*), 1
painting pintura (*sust. f.*)
pair par (*sust. m.*), 9
pajamas pijama(-s) (*sust. m. sing./pl.*), 9
pancake panqueque (*sust. m.*), 5; panqué (*sust. m.*) (*Méx.*), 5
panties bragas (*sust. f. pl.*), 9
pants pantalón (*sust. m. sing.*), 9; pantalones (*sust. m. pl.*), 9
paper papel (*sust. m.*), 1
paragliding parapente (*sust. m.*), 8
Pardon me. Perdón. (*exp.*), 1
parents padres (*sust. m. pl.*), 3, 4
park parque (*sust. m.*), 7; **park (a car)** estacionar (*v.*), 10; parquear (*v.*) (Antillas), 10
part parte (*sust. f.*), 7
part-time a tiempo parcial (*exp.*), 10
party fiesta (*sust. f.*), 4
passbook libreta de ahorros (*sust. f.*), 10
passenger pasajero(-a) (*sust. m./f.*), 11
passport pasaporte (*sust. m.*), 11
password contraseña (*sust. f.*), 10
patience paciencia (*sust. f.*), 12; **have patience** tener paciencia (*exp.*), 12
patio patio (*sust. m.*), 12
pay pagar (*v.*), 5
peach melocotón (*sust. m.*), 6; durazno (*sust. m.*) (*Méx., Cono Sur*), 6
pear pera (*sust. f.*), 6
pen bolígrafo (*sust. m.*), 1; **ball-point pen** bolígrafo (*sust. m.*), 1, pluma (*sust. f.*), 1, pluma de bolígrafo (*sust. f.*), 1
pencil lápiz (*sust. m.*), 1
people gente (*sust. f. sing.*), 10
pepper pimienta (*sust. f.*), 6; **ground pepper** pimiento (*sust. m.*), 5
per: per day al día (*exp.*), 2, 6; **per night** por noche (*exp.*), 9; **per week** por semana (*exp.*), 2
percent por ciento (*exp.*)
perfect perfecto(-a) (*adj.*), 1
perhaps quizás (*adv.*), 9; tal vez (*adv.*), 9
permission permiso (*sust. m.*), 7
person persona (*sust. f.*), 12
personal computer computadora personal (*sust. f.*), 10
Peruvian peruano(-a) (*adj.*)
pessimist pesimista (*sust. m./f.*), 12
petroleum petróleo (*sust. m.*)
phone llamar (por alguien) (*v.*); **phone number** número de teléfono (*sust. m.*), LP
physical education educación física (*sust. f.*), 2
physics física (*sust. f.*), 2
pick up levantar (*v.*), 11
picnic picnic (*sust. m.*), 7
pie pastel (*sust. m.*), 5
pill pastilla (*sust. f.*)
pilot piloto(-a) (*sust. m./f.*), 11
pineapple piña (*sust. f.*), 6
pink rosado(-da) (*sust. m./adj.*), 1
pitch (a tent) armar (*v.*), 8
place poner (*v.*), 3, 4; lugar (*sust. m.*), 12; **place(s) of interest** lugar(es) de interés (*sust. m. pl.*), 11
plan plan (*sust. m.*), 7; planear (*v.*), 4; **plan (to do something)** pensar (e>ie) (+ inf.) (*v.*) , 3, 4, 5
play (a game, sport) jugar (u>ue) (*v.*), 8; **play (an instrument, music)** tocar (*v.*), 5; **play golf** jugar al golf (*exp.*), 8; **play tennis** jugar al tenis (*exp.*), 8
player jugador(-a) (*sust. m./f.*), 8
Please. Por favor. (*exp.*), 1
pleasure gusto (*sust. m.*), placer (*sust. m.*), 7; **A pleasure.** Un placer. (*exp.*), LP; **The pleasure is mine.** El gusto es mío. (*exp.*), LP
poem poema (*sust. m.*), 2
polite de cortesía (*exp.*), 1
politeness cortesía (*sust. f.*), 1
political science ciencias políticas (*sust. f. pl.*), 2
pool piscina (*sust. f.*), 7, 12; alberca (*sust. f.*), 12
poor pobre (*adj.*), 7
pork chop chuleta de cerdo (*sust. f.*), 6
porridge avena (*sust. f.*), 9
portrait retrato (*sust. m.*), 9
Portuguese (language) portugués (*sust. m.*), 7
possessive posesivo(-a) (*adj.*), 3
possible posible (*adj.*), 12; **as soon as possible** lo más pronto posible (*exp.*), 10
possibly posiblemente (*adv.*), 8
post office correo (*sust. m.*); oficina de correo (*sust. f.*), 10
postcard tarjeta postal (*sust. f.*), 10
potato papa (*sust. f.*), 5; patata (*sust. f.*) (*Esp.*), 5
pout mohín (*sust. m.*), 11
practise practicar (*v.*), 2
prefer preferir (e>ie) (*v.*), 5
prepare preparar (*v.*), 3
pretty bonito(-a) (*adj.*), 1; lindo(-a) (*adj.*), 1
price precio (*sust. m.*), 12
printer impresora (*sust. f.*), 10
private privado(-a) (*adj.*), 12
probably probablemente (*adv.*), 12
problem problema (*sust. m.*), 2
professor profesor(-a) (*sust. m./f.*), LP
program programa (*sust. m.*), 2
project proyecto (*sust. m.*), 10
promise prometer (*v.*), 8
psychology psicología (*sust. f.*), 2
Puerto Rican puertorriqueño(-a) (*sust. m./f.*), 8
punch (drink) ponche (*sust. m.*)
purple morado(-a) (*sust. m./adj.*), 1; violeta (*adj./sust. f.*), 1
purse bolsa (*sust. f.*), 9; bolso (*sust. m.*), 9; cartera (*sust. f.*), 9
put on ponerse (*v.*), 7; **put on makeup** maquillarse (*v.*), 7

Q

queen reina (*sust. f.*), Unit 1
quick rápido(-a) (*adj.*), 9
quickly rápidamente (*adv.*), 3
quite a success todo un éxito (*exp.*), 4

R

racket raqueta (*sust. f.*), 8
rain llover (o>ue) (*v.*), 9; lluvia (*sust. f.*), 9
raincoat impermeable (*sust. m.*), 9
rainforest selva (*sust. f.*), Unit 3
raise levantar (*v.*), 4
rare raro(-a)
rarely raramente (*adv.*), 8
read leer (*v.*), 3
ready listo(-a) (*adj.*); **be ready** estar listo(-a) (*exp.*)
realize darse cuenta de (*v.*), 12
receipt recibo (*sust. m.*), 10
receive recibir (*v.*), 3
recent reciente (*adj.*), 8
recently recientemente (*adv.*), 8
reception recepción (*sust. f.*), 7
recipe receta (*sust. f.*), 6
recommend recomendar (e>ie) (*v.*), 10
recommendation recomendación (*sust. f.*), 10
red rojo(-a) (*sust. m./adj.*), 1; **red wine** vino tinto (*sust. m.*), 2
red-haired pelirrojo(-a) (*adj.*), 4
refrigerator refrigerador (*sust. m.*), 3; heladera (*sust. f.*) (*Méx., Cono Sur*), 3; nevera (*sust. f.*) (*Esp.*), 3
regret sentir (e>ie) (*v.*), 10
relative pariente (*sust. m./f.*), 3, 4
remember recordar (o>ue) (*v.*), 6; acordarse (de) (o>ue) (*v.*), 12
rent alquilar (*v.*), 8; rentar (*v.*) (*Méx.*), 8
request solicitar (*v.*)
requirement requisito (*sust. m.*), 2
reservation reservación (*sust. f.*), 12
reserve reservar (*v.*), 5
resort: seaside resort balneario (*sust. m.*) (*LA*), 11
rest descansar (*v.*), 3
restaurant restaurante (*sust. m.*), 5
return volver (o>ue) (*v.*), 6
revenue ingreso (*sust. m.*), Unit 2, Unit 3, Unit 4
rice arroz (*sust. m.*), 5; **rice pudding** arroz con leche (*sust. m.*), 5
rich rico(-a) (*adj.*), 1
ride montar (*v.*); **ride a bicycle** andar en bicicleta (*exp.*), 7; montar en bicicleta (*exp.*), 7; **ride horseback** montar a caballo (*exp.*), 7
right derecho(-a) (*adj.*); **to be right** tener razón (*exp.*), 3; **right away** enseguida (*exp.*), 12
river río (*sust. m.*), 8
roasted asado(-a) (*adj.*), 5
robe bata (*sust. f.*), 9
rock piedra (*sust. f.*), 11
romantic romántico(-a) (*adj./sust. m./f.*), 7
room cuarto (*sust. m.*), 3; habitación (*sust. f.*), 10; **dining room** comedor (*sust. m.*), 3; **exterior room** habitación exterior (*sust. f.*), 12; **interior room** habitación interior (*sust. f.*), 12; **living room** sala (*sust. f.*), 3; sala de estar (*sust. f.*), 3; **room and board** pensión completa (*exp.*), 12; **room service** servicio de cuarto (*sust. m.*), 12; servicio de habitación (*sust. m.*), 12
roommate compañero(-a) de cuarto (*sust. m./f.*), 1
root raíz (*sust. f.*), 5
rosé wine vino rosado (*sust. m.*), 2
round-trip ticket pasaje de ida y vuelta (*sust. m.*), 11
row (a boat) remar (*v.*), 8
run correr (*v.*), 3
Russian (language) ruso (*sust. m.*), 7

S

sad triste (*adj.*), 4
safe-deposit box caja de seguridad (*sust. f.*), 10
sailboat velero (*sust. m.*), 8; bote de vela (*sust. m.*) (*Cuba, Arg.*), 8
salad ensalada (*sust. f.*), 3; **mixed salad** ensalada mixta (*sust. f.*), 6
sale liquidación (*sust. f.*), 9; rebajas (*sust. f. pl.*), 9
salesperson dependiente(-a) (*sust. m./f.*), 9; vendedor(-a) (*sust. m./f.*), 6
salsa (dance) salsa (*sust. f.*), 4
salt sal (*sust. f.*), 5
Salvadorian salvadoreño(-a) (*sust. m./f.*), 4
same mismo(-a) (*adj.*), 5; **the same thing** lo mismo (*exp.*), 11
sand arena (*sust. f.*), 8
sandal sandalia (*sust. f.*), 9
sandwich bocadillo (*sust. m.*), 4; sándwich (*sust. m.*), 8
Saturday sábado (*sust. m.*), 2
saucepan cacerola (*sust. f.*), 3
sauce salsa (*sust. f.*), 6
saucer platillo (*sust. m.*), 5
save (money) ahorrar (*v.*), 10; **save information** archivar la información (*exp.*), 10
saying dicho (*sust. m.*)
scared: to be scared tener miedo (*exp.*), 3
scarf bufanda (*sust. f.*), 9
school escuela (*sust. f.*), 8, 9
scowl fruncir el ceño (*exp.*), 9
screen pantalla (*sust. f.*), 10
scuba dive bucear (*v.*), 8
sea mar (*sust. m.*), 8; **sea view** vista al mar (*sust. f.*), 12
seafood mariscos (*sust. m. pl.*), 5, 6
season estación (*sust. f.*), 2
seat asiento (*sust. m.*); **aisle seat** asiento de pasillo (*sust. m.*), 11; **window seat** asiento de ventanilla (*sust. m.*), 11
second segundo(-a) (*adj.*), 12
section sección (*sust. f.*)
security seguridad (*sust. f.*); **security check** control de seguridad (*sust. m.*), 11
see ver (*v.*), 4; **let's see** a ver (*exp.*), 6; **See you.** Nos vemos. (*exp.*), LP; **See you around.** Hasta la vista. (*exp.*), LP; **See you later.** Hasta luego. (*exp.*), LP; **See you tomorrow.** Hasta mañana. (*exp.*), LP
seem parecer (*v.*), 12
sell vender (*v.*), 8
semester semestre (*sust. m.*), 2
send enviar (*v.*), 4, mandar (*v.*), 4
September septiembre (*sust. m.*), 2
servant criado(-a) (*sust. m./f.*), 9
serve servir (e> i) (*v.*), 4, 5, 6
service servicio (*sust. m.*)
set the table poner la mesa (*exp.*), 5
seven siete (*sust. m.*), 1; **seven hundred** setecientos (*sust. m.*), 3
seventeen diecisiete (*sust. m*), 2
seventh séptimo(-a) (*adj.*), 12
seventy setenta (*sust. m.*), 2
share compartir (*v.*), 3, 11
shave afeitarse (*v.*), 7; rasurarse (*v.*), 7
shirt camisa (*sust. f.*), 3, 9
shrimp camarón (*sust. m.*), 5
shoe zapato (*sust. m.*), 9; **shoe store** zapatería (*sust. f.*), 9
shore orilla (*sust. f.*)
short (in height) bajo(-a) (*adj.*), 1; **short (in length)** corto(-a) (*adj.*), 9
shorts pantalones cortos (*sust. m. pl.*), 9
should deber (*v.*), 3
shoulder hombro (*sust. m.*), 7
shout gritar (*v.*), 4
show mostrar (o>ue) (*v.*), 12; **show a movie** pasar una película (*exp.*), 7; poner una película (*exp.*), 7
shower ducha (*sust. f.*), 12; regadera (*sust. f.*) (*Mex.*), 12; **take a shower** ducharse (*v.*), 7
shrimp camarón (*sust. m. sing.*), 5; gamba (*sust. f. sing.*) (*Esp.*), 5
shy tímido(-a) (*adj.*), 5
sick enfermo(-a) (*adj.*), 4
sign firmar (*v.*), 10; letrero (*sust, m.*), 10; seña (*sust. f.*), 11
sing cantar (*v.*), 4, 7
single soltero(-a) (*adj.*), 4
sir señor (Sr.) (*sust. m.*), LP
sister hermana (*sust. f.*), 3, 4

sister-in-law cuñada (*sust. f.*), 4
sit down sentarse (e>ie) (*v.*), 7
situation situación (*sust. f.*), 1
six seis (*sust. m.*), 1; **six hundred** seiscientos (*sust. m.*), 3
sixteen dieciséis (*sust. m*), 2
sixth sexto(-a) (*adj.*), 12
sixty sesenta (*sust. m*), 2
size (of clothing) talla (*sust. f.*), 9
skate patinar (*v.*), 7
ski esquiar (*v.*), 7
skirt falda (*sust. f.*), 9
sky cielo (*sust. m.*), 8, 9; **The sky is clear.** El cielo está despejado. (*exp.*), 9; **The sky is cloudy.** El cielo está nublado. (*exp.*), 9
slavery esclavitud (*sust. f.*), 7
sleep dormir (o>ue) (*v.*), 4, 6
sleeper sofa sofá-cama (*sust. m.*), 12
sleeping bag bolsa de dormir (*sust. f.*), 8; saco de dormir (*sust. m.*) (*Col., Cono Sur*), 8
sleeve manga (*sust. f.*), 9
slender delgado(-a) (*adj.*), 1
slipper zapatilla (*sust. f.*), 9
slow lento(-a) (*adj.*), 8
slowly lentamente (*adv.*), 8
small pequeño(-a) (*adj.*), 1; **be too small (on someone)** quedarle chico(-a) (a alguien) (*exp.*), 9
smell olor (*sust. m.*), 9
smile sonreír (*v.*), 11
snack merendar (e>ie) (*v.*), 7
sneakers zapatos deportivos (*sust. m.*), 9
snow nevar (e>ie) (*v.*), 9; nieve (*sust. f.*), 9
snowfall nevada (*sust. f.*)
so de manera que (*exp.*), 6; de modo que (*exp.*), 6; **so many** tantos(-as) (*adj.*), 6
soap jabón (*sust. m.*); **soap opera** telenovela (*sust. f.*), 3
soccer fútbol (*sust. m.*), 8
Social Insurance Number número de Seguro Social (*sust. m.*), 10
sociology sociología (*sust. f.*), 2
sock calcetín (*sust. m.*), 9
sofa sofá (*sust. m.*); **sleeper sofa** sofá-cama (*sust. m.*), 12
soft drink refresco (*sust. m.*), 5
solution solución (*sust. f.*)
solve solucionar (*v.*)
some unos(-as) (*adj.*), 1
someone alguien (*pron.*), 6
something algo (*pron.*), 5; **have something to eat** comer algo (*exp.*), 4; **tell me something** dime una cosa (*exp.*), 12
sometime alguna vez (*exp.*), 6
sometimes a veces (*exp.*), 2; algunas veces (*exp.*), 6
somewhere algún lado (*exp.*), 11
son hijo (*sust. m.*), 4
son-in-law yerno (*sust. m.*), 4
soon pronto (*adv.*), 8; **as soon as** en cuanto (*exp.*), 9; **as soon as possible** lo más pronto posible (*exp.*), 10
sort tipo (*sust. m.*)
so-so así, así (*exp.*), LP; más o menos (*exp.*), LP; regular (*adj.*), LP
soup sopa (*sust. f.*), 3, 5; **soup plate** plato hondo (*sust. m.*), 5
souvenir shop tienda de regalos (*sust. f.*), 12
spaghetti espaguetis (*sust. m. pl.*), 6
Spaniard español(-a) (*sust. m./f.*)
Spanish (language) español (*sust. m.*), 1; castellano (*sust. m.*) (*Esp., Cono Sur*), 1
speak hablar (*v.*), 2
specialty especialidad (*sust. f.*), 5; **house specialty** especialidad de la casa (*sust. f.*), 5
spell deletrear (*v.*), 1; **How is it spelled?** ¿Cómo se deletrea? (*exp.*)
spend (money) gastar (*v.*), 9; **spend (time)** pasar (*v.*), 8
spontaneous espontáneo(-a) (*adj.*), 10
spoon cuchara (*sust. f.*), 5
sport deporte (*sust. m.*), 8
spring primavera (*sust. f.*), 2
staircase escalera (*sust. f.*), 12
stall puesto (*sust. m.*)
stamp estampilla (*sust. f.*), 10; timbre (*sust. m.*) (*Méx.*), 10
standing parado(-a) (*adj.*), 9
star estrella (*sust. f.*), 8
start comenzar (e>ie) (*v.*), 5; empezar (e>ie) (*v.*), 5; **start (a vehicle)** arrancar (*v.*), 11
starving estar muerto(-a) de hambre (*exp.*), 6
stay (e.g., at a hotel) hospedarse (*v.*), 8; quedarse (*v.*), 8; **stay** (a period of time) estadía (*sust. f.*), 10
steak bistec (*sust. m.*), 5
step paso (*sust. m.*), 9
stepbrother hermanastro (*sust. m.*), 4
stepdaughter hijastra (*sust. f.*), 4
stepfather padrastro (*sust. m.*), 4
stepmother madrastra (*sust. f.*), 4
stepsister hermanastra (*sust. f.*), 4
stepson hijastro (*sust. m.*), 4
still todavía (*adv.*), 3
stingy tacaño(-a) (*adj.*), 9
stomach estómago (*sust. m.*), 7
stop parar (*v.*), 11; **make a stopover** hacer escala (*exp.*), 11
store tienda (*sust. f.*), 3, 9; **store away** archivar (*v.*); **store information** archivar la información (*exp.*), 10
story: short story cuento (*sust. m.*), 11
stove cocina (*sust. f.*), 3
strange raro(-a) (*adj.*)
stranger extraño(-a) (*sust. m./f.*)
strawberry fresa (*sust. f.*), 6; frutilla (*sust. f.*) (*Cono Sur*), 6
street calle (*sust. f.*), 1
student alumno(-a) (*sust. m./f.*), 1, estudiante (*sust. m./f.*), 1; **graduate student** estudiante graduado(-a) (*sust. m./f.*), 1
study estudiar (*v.*), 2
style: be in style estar de moda (*exp.*), 9
subject asignatura (*sust. f.*), 2; materia (*sust. f.*) (*Arg., Esp.*), 2
subtitles subtítulos (*sust. m. pl.*)
success éxito (*sust. m.*), 4; **quite a success** todo un éxito (*exp.*), 4
such tan (*adv.*), 5
sugar azúcar (*sust. m.*), 6
suggest sugerir (e>ie) (*v.*), 10
suit traje (*sust. m.*), 9
suitcase maleta (*sust. f.*), 11; valija (*sust. f.*) (*Cono Sur*), 11; veliz (*sust. m.*) (*Méx.*), 11
summer verano (*sust. m.*), 2
sunbathe tomar el sol (*exp.*), 8
Sunday domingo (*sust. m.*), 2
sunglasses anteojos de sol (*sust. m. pl.*), 8; gafas de sol (*sust. f. pl.*), 8
sunny: to be sunny hacer sol (*exp.*), 9
sunscreen bloqueador solar (*sust. m.*), 8
sunshade sombrilla (*sust. f.*)
superlative superlativo(-a) (*adj.*), 5
supermarket supermercado (*sust. m.*), 6
surf hacer surf (*exp.*), 8; **surf the Internet** navegar la Red (*exp.*), 10
surfboard tabla de mar (*sust. f.*), 8
surname apellido (*sust. m.*), 1
surprise sorpresa (*sust. f.*), 4
sweater suéter (*sust. m.*), 9
sweatshirt sudadera (*sust. f.*), 9
sweep barrer (*v.*), 3
sweet pepper ají (*sust. m.*), 6
swim nadar (*v.*), 7
swimming pool piscina (*sust. f.*), 7, 12; alberca (*sust. f.*) (*Méx.*), 12; **with a view of the swimming pool** con vista a la piscina (*exp.*), 12
synonymous sinónimo(-a) (*adj.*)
system sistema (*sust. m.*), 2

T

table mesa (*sust. f.*), 5; **set the table** poner la mesa (*exp.*), 5
tablecloth mantel (*sust. m.*), 5
tablet tableta (*sust. f.*), 10
tailor sastre (*sust. m.*), 9
take (a class) tomar (*v.*), 2; **take off (an airplane)** despegar (*v.*), 11; **take off (clothes)** quitarse (*v.*), 7; **take out** sacar (*v.*), 3; **take (someone or something somewhere)** llevar (*v.*), 4
tall alto(-a) (*adj.*), 1
task quehacer (*sust. m.*), 3
tasty sabroso(-a) (*adj.*), 5

taxi taxi (*sust. m.*), 12
tea té (*sust. m.*), 2; **iced tea** té frío (*sust. m.*), 2; té helado (*sust. m.*), 2
teaspoon cucharita (*sust. f.*), 5
teach enseñar (*v.*), 2
teacher maestro(-a) (*sust. m./f.*), Unit 3
team equipo (*sust. m.*), 7
technology tecnología (*sust. f.*), 10
telephone teléfono (*sust. m.*); **telephone number** número de teléfono (*sust. m.*), LP; **What's your telephone number?** ¿Cuál es tu número de teléfono? (*exp.*), LP
television televisión (*sust. f.*), 2; tele (*sust. f.*), 2; **television set** televisor (*sust. m.*), 12
tell decir (e> i) (*v.*), 6; **tell me something** dime una cosa (*exp.*), 12
temperature temperatura (*sust. f.*), 9
ten diez (*sust. m.*), 1
tent tienda de campaña (*sust. f.*), 8
tenth décimo(-a) (*adj.*), 12
terrible terrible (*adj.*), 1
text message mensaje de texto (*sust. m.*), 3
thank: Thank you very much. Muchas gracias. (*exp.*), 1; **thanks** gracias (*sust. f. pl.*)
that que (*conj./pron.*), 2; eso (*pron.*), 3; lo que (*rel. pron.*), 9
theatre teatro (*sust. m.*), 7
theme tema (*sust. m.*), 3
then entonces (*adv.*), 2
there allí (*adv.*), 3, 12; **there is/there are** hay (*exp.*), 1
thermos termo (*sust. m.*), 8
thing cosa (*sust. f.*), 3; **things to do** cosas que hacer (*exp.*), 3
third tercer, tercero(-a) (*adj.*), 12
thirsty: to be thirsty tener sed (*exp.*), 3
thirty treinta (*sust. m*), 2
this este(-a) (*adj.*), 3; **this semester** este semestre (*exp.*), 2; **this very day** hoy mismo (*exp.*), 12
those aquellos(-as) (*pron.*), 3
thousand mil (*sust. m.*), 3
three tres (*sust. m.*), 1; **three hundred** trescientos (*sust. m.*), 3
Thursday jueves (*sust. m.*), 2
ticket boleto (*sust. m.*), 7; pasaje (*sust. m.*), 11; billete (*sust. m.*) (*Esp.*), 11; **ticket (for an event)** entrada (*sust. f.*), 7; **one-way ticket** pasaje de ida (*sust. m.*), 11; **round-trip ticket** pasaje de ida y vuelta (*sust. m.*), 11
tidy arreglar (*v.*), 3
tie corbata (*sust. f.*), 9
time hora (*sust. f.*), 2; vez (*sust. f.*), 7; **What time...?** ¿A qué hora...? (*exp.*), 2
tiny apretado(-a) (*adj.*), 9
tip propina (*sust. f.*), 5
tired cansado(-a) (*adj.*), 4; **get tired** cansarse (*v.*), 11
title título (*sust. m.*), LP
to a (*prep.*), 2; **to the** al (a + el) (*prep.*), 4
toast pan tostado (*sust. m.*), 5; **toast (at a celebration)** brindis (*sust. m.*), 4; brindar (*v.*), 4
toaster tostadora (*sust. f.*), 3
today hoy (*adv.*), 2
toe dedo del pie (*sust. m.*), 7
together juntos(-as) (*adj.*), 2
toilet inodoro (*sust. m.*), 12; **toilet paper** papel higiénico (*sust. m.*), 6
tomato tomate (*sust. m.*), 2, 6; jitomate (*sust. m.*) (*Mex.*), 6; **tomato juice** jugo de tomate (*sust. m.*), 2
tomorrow mañana (*adv.*), 2
tongue lengua (*sust. f.*), 7
tonight esta noche (*exp.*), 1
too también (*adv.*), 2; **too much** demasiado(-a) (*adj.*), 7, 10
tooth diente (*sust. m.*), 7
toque gorro (*sust. m.*), 9
tour excursión (*sust. f.*), 11
tourist turista (*sust. m./f.*), 12; **tourist class** clase turista (*exp.*), 11
town pueblo (*sust. m.*), 11
traffic tráfico (*sust. m.*), 9
train tren (*sust. m.*), 9
translate traducir (*v.*), 4
travel viajar (*v.*), 11; **travel agency** agencia de viajes (*sust. f.*), 11
trip viaje (*sust. m.*), 11
trouser pantalón (*sust. m. sing.*), 9; pantalones (*sust. m. pl.*), 9
True? ¿Verdad? (*exp.*), 2; **it's true** es verdad (*exp.*), 11
trust confiar en (*v.*), 12
truth verdad (*sust. f.*)
try: try on probarse (o>ue) (*v.*), 7; **try to** tratar (de) (*v.*), 8
T-shirt camiseta (*sust. f.*), 9
Tuesday martes (*sust. m*), 2
turn turno (*sust. m.*)
TV set televisor (*sust. m.*), 12
tweet tuit (*sust. m.*), 10
twenty veinte (*sust. m*), 2
two dos (*sust. m.*), 1; **two hundred** doscientos (*sust. m.*), 3
type género (*sust. m.*), 1

U

ugly feo(-a) (*adj.*), 1
umbrella paraguas (*sust. m.*), 9
uncomfortable incómodo(-a) (*adj.*), 9
under bajo (*prep.*), 8; debajo (de) (*prep.*), 9
underpants calzoncillos (*sust. m. pl.*), 9
understand entender (e>ie) (*v.*), 5
university universidad (*sust. f.*), 1; **university residence** residencia estudiantil, residencia universitaria (*sust. f.*), 2, 3
unknown desconocido(-a) (*adj.*), 11
unpleasant antipático(-a) (*adj.*), 1
until hasta (*prep.*), 2, 3, 7
used to acostumbrado(-a) (*adj.*), 8
useful útil (*adj.*), 1
utensil: kitchen utensils batería de cocina (*sust. f.*), 2

V

vacate desocupar (*v.*), 12
vacuum aspiradora (*sust. f.*), 3; pasar la aspiradora (*v.*), 3
value valor (*sust. m.*), 9
vanilla vainilla (*sust. f.*), 5
vase florero (*sust. m.*), 7
veal ternera (*sust. f.*); **veal chop** chuleta de ternera (*sust. f.*), 6
vegan vegano(-a) (*sust. m./f.*), 5
vegetable vegetal (*sust. m.*), 5; verdura (*sust. f.*), 5; **vegetable stand** puesto de vegetales (*sust. m.*), Unit 3
vegetarian vegetariano(-a) (*sust. m./f.*), 5
very muy (*adv.*), 1; **Very well.** Muy bien. (*exp.*), LP
vest chaleco (*sust. m.*), 9
videogame videojuego (*sust. m.*), 10
view vista (*sust. f.*), 12
vinegar vinagre (*sust. m.*), 6
visit visita (*sust. f.*), 7; visitar (*v.*), 4, 7
vocabulary vocabulario (*sust. m.*), 1
voice voz (*sust. f.*), 10

W

wait esperar (*v.*), 5
waiter/waitress camarero(-a) (*sust. m./f.*), 5; mesero(-a) (*sust. m./f.*) (*Méx.*), 5; mesonero(-a) (*sust. m./f.*) (*Ven.*), 5; mozo(-a) (*sust. m./f.*) (*Cono Sur*), 5; salonero(-a) (*sust. m./f.*) (*Costa Rica*), 5
waiting list lista de espera (*sust. f.*), 11
wake up despertarse (e>ie) (*v.*), 7
walk caminar (*v.*), 4; **walk the dog** caminar al perro(*exp.*), 8
wall pared (*sust. f.*), 1
wallet billetera (*sust. f.*), 9; cartera (*sust. f.*), 9
want desear (*v.*), 2
warm templado(-a) (*adj.*), 9
wash lavar (*v.*), 3; **wash oneself** lavarse (*v.*), 7
washbasin lavabo (*sust. m.*), 12
washing machine lavadora (*sust. f.*), 3
wastebasket cesto de papeles (*sust. m.*), 1
watch reloj (*sust. m.*), 1
water agua (*sust. f.*), 2; **mineral water** agua mineral (*sust. f.*), 2; **water with ice** agua con hielo (*sust. f.*), 2
watermelon sandía (*sust. f.*), 6; melón de agua (*sust. m.*) (*Cuba, P.R.*), 6; patilla (*sust. f.*) (*Col., R. Dom., Ven.*), 6
waterskiing esquí acuático (*sust. m.*), 8

wear usar (*v.*), 9; **wear a certain shoe size** calzar (*v.*), 9
weather tiempo (*sust. m.*), 3; **to be bad weather** hacer mal tiempo (*exp.*), 9; **to be good weather** hacer buen tiempo (*exp.*), 9
wedding boda (*sust. f.*), 5
Wednesday miércoles (*sust. m.*), 2
week semana (*sust. f.*), 2; **during the week** entre semana (*exp.*)
weekend fin de semana (*sust. m.*), 2
weep sollozar (*v.*), 9
well bien (*adv.*), 5; pues (*conj.*), 2; **not very well** no muy bien (*exp.*); **Very well.** Muy bien. (*exp.*), LP; **Well...** Bueno... (*exp.*), 1
What? ¿Qué?, 1; ¿Cuál?, 1; ¿Cómo? (*when you don't hear what was said*), 1; **What day is it today?** ¿Qué día es hoy? (*exp.*), 2; **What else...?** ¿Qué más... ? (*exp.*), 5; **What is?** ¿Qué es? (*exp.*), 1; ¿Cuál es? (*exp.*), 1; **What is... like?** ¿Cómo es...?(*exp.*), 1; **What is the date today?** ¿Qué fecha es hoy? (*exp.*), 2; **What a pity!** ¡Qué lástima! (*exp.*), 2; **What a surprise!** ¡Qué sorpresa! (*exp.*), 4; **What time...?** ¿A qué hora...? (*exp.*), 2; **What time is it?** ¿Qué hora es? (*exp.*), 2; **What's happening?** ¿Qué pasa? (*exp.*) (*Esp.*), LP; **What's new?** ¿Qué hay de nuevo? (*exp.*), 1; **What's the temperature?** ¿Qué temperatura hace? (*exp.*), 9; **What's the weather like today?** ¿Qué tiempo hace hoy? (*exp.*), 9; **What's your address?** ¿Cuál es tu dirección? (*exp./fam.*), 1; **What's your name?** ¿Cómo se llama usted? (*exp./form.*), 1; **What's your name?** ¿Cómo te llamas? (*exp./fam.*), LP; **What's your phone number?** ¿Cuál es tu número de teléfono? (*exp./fam.*), 1
When? ¿Cuándo?, 2; cuando (*conj.*), 3
Where? ¿Dónde?, 1; **To where?** ¿Adónde?, 4; **Where are you from?** ¿De dónde es usted? (*exp./form.*), 1; **Where are you from?** ¿De dónde eres? (*exp./fam.*), 1; **Where is?** ¿Dónde es? (*exp.*), 1
Which? ¿Cuál?, 1; **which** lo que (*exp.*), 9; **Which one is?** ¿Cuál es? (*exp.*), 1
while mientras (*conj.*), 3, 12; **a while** un rato (*exp.*), 3
white blanco(-a) (*sust. m./adj.*), 1; **white hair** cana (*sust. f.*), 7; **white wine** vino blanco (*sust. m.*), 2
whiteboard pizarra blanca (*sust. f.*), 1
Who? ¿Quién?, 1; **Who is it?** ¿Quién es? (*exp.*), 3
whom: To whom...? ¿A quién(es)...?, 4; **With whom...?** ¿Con quién...?
Why? ¿Por qué?, 2
wife esposa (*sust. f.*), 4
Will you? ¿Quieres? (*exp.*), 12
window ventana (*sust. f.*), 1; **window seat** asiento de ventanilla (*sust. m.*), 11
windsurf windsurf (*sust. m.*), 8
windy: to be windy hacer viento (*exp.*), 9
wine vino (*sust. m.*), 2; **red wine** vino tinto (*sust. m.*), 2; **rosé wine** vino rosado (*sust. m.*), 2; **white wine** vino blanco (*sust. m.*), 2
wineglass copa (*sust. f.*), 2, 5
winner ganador(-a) (*sust. m./f.*)
winter invierno (*sust. m.*), 2
wisdom sabiduría (*sust. f.*), 7
wish querer (e>ie) (*v.*), 5
with con (*prep.*), 1; **with brown eyes** de ojos castaños (*exp.*), 4; **with me** conmigo (*exp.*), 3; **with you** contigo (*exp./fam.*), 5
within dentro (de) (*prep.*), 3
without sin (*prep.*), 5
woman mujer (*sust. f.*), 1
word palabra (*sust. f.*), 1
work trabajar (*v.*), 2; trabajo (*sust. m.*), 3; **it doesn't work** no funciona (*exp.*), 12; **work (of art)** obra (*sust. f.*)
worry procuparse (*v.*)
worse peor (*adj.*), 5
wrinkled arrugado(-a) (*adj.*), 9
wrist muñeca (*sust. f.*), 7
write escribir (*v.*), 3
writer escritor(-a) (*sust. m./f.*), 9
wrong: to be wrong no tener razón (*exp.*), 3

Y

year año (*sust. m.*), 2; **to be . . . years old** tener... años (de edad) (*exp.*), 3
yellow amarillo(-a) (*sust.m./adj.*), 1
yes sí (*adv.*), 1
yesterday ayer (*adv.*), 7; **the day before last** anteayer (*adv.*), 7
yogurt yogur (*sust.m.*), 5
you tú (*pron./fam.*), 1; usted (Ud.) (*pron./form. sing.*), 1; ustedes (Uds.) (*pron. pl.*), 1; vosotro(-a)(-s) (*pron./pl.*), 1; **And you?** ¿Y tú? (*exp. fam.*), LP; ¿Y usted? (*exp. form.*), LP
young joven (*adj.*), 1; **young man** chico (*sust. m.*), 1; muchacho (*sust. m.*), 1; **young woman** chica (*sust. f.*), 1; muchacha (*sust. f.*), 1
younger menor (*adj.*), 5
youngest el/la menor (*adj.*), 5
You're welcome. De nada. (*exp.*), 1; Por nada. (*exp.*), 1

Z

zero cero (*sust. m.*), 1

INDEX

ADDITIONAL CREDITS

This page constitutes an extension of the copyright page. We have made every effort to trace the ownership of all copyrighted material and to secure permissions from copyright holders. In the event of any question arising as to the use of any material, we will be pleased to make the necessary corrections in future printings. Thanks are due to the authors, publishers, and agents for permission to use the material indicated.

Page 1: (T to B, L to R) Monkey Business Images/Shutterstock.com; Hero Images/Getty Images; Monkey Business Images/iStockphoto; Juice Images/Getty Images; Dmitry Kalinovsky/Shutterstock.com; ONOKY - Fabrice LEROUGE/Getty Images

Page 12: (L to R) ESB Professional/Shutterstock.com; Djomas/Shutterstock.com

Page 14: (L to R) olllikeballoon/Shutterstock.com; EgudinKa/Shutterstock.com; Aliona Manakova/Shutterstock.com

Page 15: (T to B, L to R) Rvector/Shutterstock.com; Jim Goldstein/Alamy Stock Photo; gala_gala/Shutterstock.com; Tetiana Yurchenko/Shutterstock.com; bsd/Shutterstock.com; Oxy_gen/Shutterstock.com; Sabelskaya/Shutterstock.com; Jim Goldstein/Alamy Stock Photo; cobalt88/Shutterstock.com; AmazeinDesign/Shutterstock.com; AmazeinDesign/Shutterstock.com; Makalo86/Shutterstock.com; Billion Photos/Shutterstock.com; Julia Tim/Shutterstock.com; nikiteev_konstantin/Shutterstock.com

Page 31: (T to B) Preto Perola/Shutterstock.com; Andrey_Kuzmin/Shutterstock.com; Alex Staroseltsev/Shutterstock.com; Yuriy Seleznev/Shutterstock.com; Mariyana M/Shutterstock.com

Page 66: (T to B, L to R) Alexander Raths/Shutterstock.com; lzf/Shutterstock.com; Piotr Adamowicz/Shutterstock.com; Africa Studio/Shutterstock.com; bbernard/Shutterstock.com; TanyaRozhnovskaya/Shutterstock.com; PR Image Factory/Shutterstock.com; Dean Drobot/Shutterstock.com

Page 71: (T to B, L to R) Blend Images/Shutterstock.com; Pavel L Photo and Video/Shutterstock.com; ESB Professional/Shutterstock.com; LStockStudio/Shutterstock.com; antoniodiaz/Shutterstock.com; iordani/Shutterstock.com

Page 74: (T to B, L to R) lassedesignen/Shutterstock.com; CREATISTA/Shutterstock.com; nd3000/Shutterstock.com; tharamust/Shutterstock.com

Page 75: (T to B, L to R) Master1305/Shutterstock.com; PR Image Factory/Shutterstock.com; sebra/Shutterstock.com; Andrew Rubtsov/Alamy Stock Photo

Page 77: (T to B, L to R) © Cengage Learning; Macrovector/Shutterstock.com

Page 78: (T to B, L to R) yulicon/Shutterstock.com; © Cengage Learning; © Cengage Learning; Macrovector/Shutterstock.com; T.Whitney/Shutterstock.com; miss-inna/Shutterstock.com; Golden Sikorka/Shutterstock.com; EmBaSy/Shutterstock.com; Black Jack/Shutterstock.com; timquo/Shutterstock.com

Page 81: (T to B, L to R) Slavoljub Pantelic/Shutterstock.com; Mile Atanasov/Shutterstock.com; vipman/Shutterstock.com; zentilia/Shutterstock.com; AlexLMX/Shutterstock.com; VitaminCo/Shutterstock.com; dandesign86/Shutterstock.com; Givina/Shutterstock.com

Page 121: (T to B, L to R) Kzenon/Shutterstock.com; Kzenon/Shutterstock.com; oneinchpunch/Shutterstock.com; takayuki/Shutterstock.com; stockfour/Shutterstock.com; ESB Professional/Shutterstock.com

Page 123: (T to B, L to R) goodluz/Shutterstock.com; Syda Productions/Shutterstock.com; stockfour/Shutterstock.com; Ebtikar/Shutterstock.com (margin); Flamingo Images/Shutterstock.com; tetxu/Shutterstock.com; Matej Kastelic/Shutterstock.com; michael lawlor/Shutterstock.com; ESB Professional/Shutterstock.com

Page 126: (T to B, L to R) George Dolgikh/Shutterstock.com; Dimedrol68/Shutterstock.com; wavebreakmedia/Shutterstock.com; Valery121283/Shutterstock.com; Alfonsodetomas/Dreamstime.com; Hola Images/AlamyStock Photo; Magdalena Karbowiak/Shutterstock.com; Alfonso de Tomas/Shutterstock.com; antoniodiaz/Shutterstock.com

Page 148: (T to B, L to R) Tetra Images/age Fotostock; Stockbyte/Getty Images; Odua Images/Shutterstock.com; pathdoc/Shutterstock.com; Daniel Grill/Getty Images; Makistock/Shutterstock.com

Page 152: (T to B, L to R) wavebreakmedia/Shutterstock.com; Courtesy of Carmen Graves; Mangostar/Shutterstock.com; ESB Professional/Shutterstock.com; YinYang/Getty Images; ESB Professional/Shutterstock.com

Page 176: (T to B, L to R) Olena Yakobchuk/Shutterstock.com; ldutko/Shutterstock.com; VGstockstudio/Shutterstock.com; Asia Images Group/Shutterstock.com; Kolomenskaya Kseniya/Shutterstock.com; liza54500/Shutterstock.com; ArrowStudio/Shutterstock.com; wavebreakmedia/Shutterstock.com; wavebreakmedia/Shutterstock.com

Page 183: (T to B, L to R) Dean Drobot/Shutterstock.com; TravnikovStudio/Shutterstock.com; ESB Professional/Shutterstock.com; CHAINFOTO24/Shutterstock.com; Iakov Filimonov/Shutterstock.com; Lolostock/Shutterstock.com; Air Images/Shutterstock.com

Page 204: (all images) © Cengage Learning

Page 227: (L to R) Alexey_Erofejchev/Shutterstock.com; ivastasya/Shutterstock.com

Page 231: (T to B, L to R) TZIDO SUN/Shutterstock.com; Syda Productions/Shutterstock.com; Natashilo/Shutterstock.com; Minerva Studio/Shutterstock.com; Kamil Macniak/Shutterstock.com; Syda Productions/Shutterstock.com

Page 233: (T to B, L to R) Yuganov Konstantin/Shutterstock.com; Roman Samborskyi/Shutterstock.com; Antonio Guillem/Shutterstock.com; KorArkaR/Shutterstock.com; Rainer Fuhrmann/Shutterstock.com; Hollygraphic/Shutterstock.com; Calin Tatu/Shutterstock.com; ArtFamily/Shutterstock.com

Page 253: (T to B, L to R) FOTOGRAFIA INC./iStock by Getty Images; Yuri_Arcurs/iStock by Getty Images; nkbimages/iStock by Getty Images; Svetlana-Cherruty/iStock by Getty Image; AntonioGuillem/iStock by Getty Images; rchphoto/iStock by Getty Images

Page 262: (all images) © Cengage Learning

Page 290: (T to B, L to R) Raymond Forbes/Getty Images; Gerardo Somoza/Mira.com; Gabe Rogel/Getty Images; Neale Cousland/Shutterstock.com; Lisa Strachan/Shutterstock.com; Danita Delimont/Getty Images

Page 291: (T to B, L to R) Krzysztof Dydynski/Getty Images; Travelstock44-Juergen Held/Getty Images; Alexander Chaikin/Shutterstock.com; Rafael Campillo/Age fotostock

Page 294: (T to B, L to R) Zodiacphoto/Shutterstock.com; Zephyr_p/Shutterstock.com; Tono Balaguer/Shutterstock.com; goodluz/Shutterstock.com

Page 316: (all images) © Cengage Learning

Page 341: (all images) © Cengage Learning